D0902116

EL GRAN LIBRO
DE LA
MITOLOGÍA

EL GRAN LIBRO DE LA MITOLOGÍA

Carolina Aquino

LIBSA

© 2007, Editorial LIBSA
San Rafael, 4
28108 Alcobendas. Madrid
Tel. (34) 91 657 25 80
Fax (34) 91 657 25 83
e mail: libsa@libsa.es
www.libsa.es

ISBN:978-84-662-1325-7
Depósito Legal: CO-38-07

Colaboración en textos: Carolina Aquino
Documentación: Antonio Piera
Edición: Equipo editorial Libsa
Diseño de cubierta: Equipo de diseño Libsa
Maquetación: Carolina Aquino y Equipo de maquetación Libsa

Queda prohibida, salvo excepción prevista en la ley,
cualquier forma de reproducción, distribución,
comunicación pública y transformación de esta obra sin contar
con la autorización de los titulares de la propiedad intelectual.
La infracción de los derechos mencionados pueden ser constitutiva
de delito contra la propiedad intelectual (art. 270 y ss. del Código Penal).
El Centro Español de Derechos Reprográficos vela por el respeto
de los citados derechos.

Impreso en España/ Printed in Spain

CONTENIDO

Saltamontes. Sedna. Senotlke. Sequoyah. Serpiente. Sioux. Sipapu. Sutalidihi. Takuskanskan. Tatanka. Taxet. Tcolawitze. Tejón. Tipi. Tortuga. Tótem. Tsul'Kalu. Unktahe. Urraca. Wakinyan. Wakonda. Yanauluha. Zorro.

Tribus indias. El diluvio universal de los indios. El coyote y las cataratas Shuswap. Canto sioux lakota. Las decisiones de Nanabozho. La camisa moteada del cervatillo. Cómo nació el primer indio. Los cuatro mundos de los hopi. El dios de los coyotes. Ofrenda zuñi. Glooskap y Malsum. Historia del primer «atrapasueños». El gran montículo de la serpiente. Los indios y la guerra. La creación según el pueblo apache. Ioskeha y Taxviscan. La venganza del topo. Sedna, la hija del mar. Sin Voz. El muchacho lobo. El rapto de Shunka. El origen de la medicina. La creación para los indios omaha. La sonrisa nórdica.

Achuykaak. Acolmiztli. Acuecucyoticihuati. Ah Mun. Aluxes. Bacabs o pauahtuns. Biembienes. Brujas. Camaxtli. Centéotl. Chalchiuhtlicue. Chiccan. Chac. Chicomecóatl. Cihuacóatl. Coatlicue. Cosheenshen. Coyolxsauhqui. El Jaguar Dios del Sol. Ek Chuak. Gucumatz. Huehuetéotl. Huión. Huitzilopochtli/Vislipuzli. Hun Batz y Hun Chuen. Hunab Ku. Hurakan. Igú. Ix Chel/Chack Chel. Ixtlilton. Itzamná. Itzam Yeh. Ixbalanqué. Ixchel. Ixtab. Ixtitlan. Iztaccihuatl. Juego de pelota. K'awil/Bolon Dzacab. Kinichkaakamó. Kinich Ahau. Kukulcán. Macuilxóchitl. Mapou. Metztli o Yohualticitl. Mictlantecuhtli. Mixcóatl. Nahuatl. Omacatl. Ometeotl. Ometochtli. Opochtli. Peyote. Pulque. Pukuj. Quetzalcóatl. Segua. Siboney. Uayeyab. Tecciztecatl. Tezcatlipoca. Tianquiztli. Tijean Petro. Tlahuizcalpantecuhtli. Tláloc. Tlaltecuhtli. Tlazoltéotl. Tonatiuh. Tulevieja. Xaman Ek. Xkanleox. Xilonen. Xiuhcoatl. Xiuhtehcutli. Xochipilli. Xochiquetzal. Xochitónal. Xólotl. Yun-Kaax. Yum-Kimil. Zotzilaha Chimalman.

La Llorona. Iztarú. El árbol de la vida es la mujer. La laguna Guanaroca. El cielo de los mayas. El rabioso nacimiento de Huitzilopochtli. La Xtabay. El Rincón de la Vieja. El nacimiento de los hombres según los mayas. Sac Muyal. Los cuatro soles. El quinto sol. La fiesta del maíz Huichol. Los sacrificios humanos. La tristeza del maya. Canto azteca. Ceremonia otomí a la tierra. La serpiente emplumada. Leyenda del Popocatépetl y la montaña Iztaccihuatl. El muñeco Canancol.

Achikee. Amalivaca. Aman. Amarú. Anhanga. Antumiá. Asiaj. Bachué. Bochica. Boitatá. Boraro. Bufeo. Cacanching. Coquena. Costé. Cunuñunun Pishco. Curupí. Curupira. Chenche. Ches. Chonchón. Chulla Chaqui. El AI. Emesek. Fiura. Furufuhué. Los gatos. Guarmi Volajun. Hatu Runa. Huayra Tata. Huecuvú. Igpuriara. Inti. Iobec Mapic. Irampavanto. Ivunche/Ivúm Koñi. Iwanch. Jepá. Kai Kai Filu. Katsivoreri. Kókeske. Kóoch. Machi. Maiturús. Manco Cápac. Madreselva. Máip. Mama Quilla. Mankóite. Matinta Pereira. Millalobo. Mohán/Muán. Naipú. Nalladigua. Ngnechen. Nóshtex. Nunsí. Pacha Mama. Pachacutej. Pagki. Payak. Pihuchén. Pishtaco. Pisibura/Sisibura. Pombero. Los

INTRODUCCIÓN

Un estudio acerca de los mitos y leyendas del mundo ha de ser, por definición, enormemente limitado, por mucho esfuerzo de síntesis que haya realizado el autor. Imagínese el lector las innumerables razas, civilizaciones, tribus o clanes que pueblan o han poblado hasta ahora el mundo en el que vivimos, y que cada una de estas unidades, que a su vez podrían subdividirse hasta el infinito, dispone de una pléyade de creencias, mitos, leyendas, héroes, monstruos y versiones de la historia que le es propia y particular, diferente, por tanto, de la del vecino. No es difícil suponer, pues, lo imposible que resulta una tarea tan vasta, de modo que ya desde el planteamiento debíamos ceñir nuestro trabajo a conceptos selectivos, del género de «lo más conocido» o «lo más curioso».

En el caso de esta publicación, que ahora tiene en sus manos, los criterios de selección utilizados han sido el geográfico y el de la trascendencia cultural que ha quedado plasmada a lo largo de la historia del arte y de una larga y continuada tradición literaria ya sea oral o escrita. Pero, al ofrecer una visión general del universo de mitos y leyendas del mundo, no podemos evitar haber trazado, advertida o inadvertidamente, una panoplia de índole generalista de la que es posible entresacar numerosas lecturas, a modo de enseñanzas, o de curiosidades, que no evitaremos ofrecerles, y en cuyo marco les resultará sin duda más agradable y eficaz la lectura de esta obra.

Resulta importante subrayar, en principio, la extraordinaria coincidencia que se observa en mitos o leyendas de pueblos separados entre sí por océanos entonces infranqueables, o entre razas tan distantes como incomunicadas. ¿Qué puede haber incitado a los aborígenes australianos a adorar a la «Serpiente del Arco Iris», coincidiendo con la cultura azteca en su «Serpiente emplumada», también llamada Quetzalcoatl? ¿A qué se puede deber que un diluvio universal aparezca por doquier en mitologías de pueblos como los sumerios o los celtas? ¿De dónde proviene la similitud entre la comunicación cielo-tierra de la escalera de los dioses china y la cuerda viviente maya? Todo tiene respuesta, o al menos explicación plausible, aunque a simple vista pueda parecer que no. Y esta respuesta se halla, indudablemente, en el hecho incontestable de que el origen de todas las leyendas y mitos de todos los pueblos del mundo es el mismo. ¿Acaso la existencia del único dios creador? ¿O antes bien la llegada y posterior espantada de viajeros intergalácticos de civilizaciones avanzadísimas?

Cada cual ha de creer lo que considere, o en algunos casos lo que le convenga, pero más parece que la común explicación a estas coincidencias se encuentre en el único elemento, común a todas las civilizaciones, que resulta incuestionable. Todos ellos provienen de la naturaleza humana.

Desde las sucesivas apariciones del hombre en cada lugar, y aunque fueran sus razas y grados de evolución diferentes, su percepción del entorno, su sometimiento a la naturaleza y al rigor y capricho de los fenómenos naturales, su incomprensión de las causas de la vida, su miedo a la muerte, su dependencia del fuego…, todos y cada uno de los elementos reales de su existencia que le resultaban inexplicables, dieron origen a interpretaciones que le permitieran a aquel humilde homínido, y luego hombre, sobrevivir a la angustia que le hacía sentir todo lo desconocido. Debía encontrar una explicación a los fenómenos que le acosaban, a los animales crueles cuyo comportamiento apenas entendía, a su sensación de profunda soledad, a su incomunicación con los demás, pero, sobre todo, a su miedo, a su enorme Miedo con mayúscula, fruto del sentimiento de impotencia y de la certeza de que era diminuto al lado y enfrente de todo lo demás. Eso, y la creciente capacidad de procesar mentalmente todas aquellas sensaciones y sentimientos, está en el origen del mito, del cuento, de la leyenda, del héroe, del fantasma, del dragón o de las supuestas cualidades benéficas del arco iris.

Pocas cosas han cambiado, desde entonces, a este respecto. Aunque hagamos la luz con un gesto, enviemos sondas a Marte o veamos al instante lo que ocurre en cualquier lugar del mundo, aunque nos sintamos superiores a nuestro entorno, y nos aseguren que somos sus reyes y dominadores, quedan en lo más profundo de cada uno los vestigios, no por lejanos menos eficaces, e incluso dolorosos, de aquel miedo creador del mito. Y, si no, que cada uno mire hacia dentro, si puede o se acuerda, y busque en lo más profundo sus propias respuestas al mito de la creación, de la trascendencia de la vida, del concepto de eternidad, de lo infinito del universo y de las estrellas, o de la inmanencia de los dioses.

MITOLOGÍA

Cualquier mitología es un entramado de historias fabulosas o fabuladas acerca de los dioses, mediante las cuales los pueblos intentan explicar tanto sus orígenes como el comportamiento de su entorno y los fenómenos de la naturaleza. Un recurso, pues, para entender la vida. Tradicionalmente se entiende que la mitología es el conjunto de las leyendas y que una leyenda es todo relato de sucesos que son inciertos e incomprensibles, pero sobre los cuales existe una tradición que los presenta como acaecidos.

Leyenda y mito, en sus sentidos más amplios, son una misma cosa. Mito *(mythos)* es un término griego que significa «narración» y que especialmente se aplica a una «narración» antigua y oral por lo tanto podemos definir como mitos a «aquellos relatos que explican temas de la vida y del mundo mediante el recuerdo de las acciones de dioses y héroes y que se conservan en la memoria colectiva».

Se llama mitología clásica al conjunto de leyendas o mitos griegos y romanos que tuvieron vigencia como tales en cualquier momento del ámbito temporal que va desde los orígenes de la civilización griega y romana hasta el año 600 d. C., coincidiendo con el comienzo de la Edad Media. Estas mitologías personificaban en los dioses las fuerzas de la naturaleza. Les dotaron de los principios morales que consideraban fundamentales para su propia sociedad. Estos seres, por supuesto invencibles e inmortales, eran a menudo altamente caprichosos y les adornaban los mismos defectos que a los seres humanos. Por culpa de estas semejanzas, o gracias a ellas, los dioses tendían a mezclarse con los hombres, sobre todo con las mujeres y, fruto de estas concupiscencias, engendraban con ellas/os divinidades menores, encargadas de regir algunos aspectos no muy importantes de la vida cotidiana.

La religión de los griegos era politeísta (adoraban y temían varios dioses) y antropomórfica. Los dioses manifestaban total semejanza física y psíquica con los hombres; comían, amaban, reían, lloraban, luchaban... Los dioses griegos intervenían en la vida de los hombres, bien castigándolos o protegiéndolos. Eran inmortales y poderosos. El conjunto de hechos en los que intervienen los dioses y que de alguna manera, intentan dar una explicación simbólica y poética del mundo en el que viven los hombres, se entiende como mitología.

Hay quien ofrece explicaciones menos trascendentes al nacimiento de la mitología clásica. Según algunos estudiosos, los griegos solían celebrar en otoño unas ceremonias en el curso de las cuales se bebía un licor, con sabor a menta, que era «la ambrosía» y al que ellos epitetaban «Néctar de los Dioses», del que luego se afirmaría que era la bebida habitual en el Olimpo. El principal componente de esa bebida era, siempre según esta iconoclasta versión, un hongo llamado *amanita muscaria*, que produce alucinaciones, visiones predictivas y una notable fuerza muscular. Un genuino alucinógeno que inducía a sus consumidores a inventar y contar historias fantásticas de todo género, tan delirantes que sus oyentes consideraban que por sus bocas se expresaban los mismísimos dioses (acerca del origen divino de la mitología).

Por nuestra parte, creemos que alguna de las afirmaciones siguientes, o aspectos parciales y complementarios de ellas, se acercan más a una explicación razonable del nacimiento y desarrollo de toda mitología:

— Todos los mitos nacen para explicar las fuerzas o fenómenos de la naturaleza y las cualidades o realidades morales del individuo y de sus experiencias sociales (simbolismo). Así, los dioses representarían ideas o símbolos: Apolo y Hefestos, el fuego; Poseidón, el agua; Hera, el aire; Atenea, la inteligencia...

— O los mitos explican hechos triviales de la vida corriente que se convierten en hazañas o rarezas por confusión en la tradición oral de la leyenda. Por ejemplo, Pasífae, la mujer de Minos, no tuvo relaciones con un toro, de las que nacería el Minotauro, sino con un joven llamado Toro.

- O los mitos de los dioses proceden de la historia y aventuras de algunos gobernantes que por su enorme poder acabaron siendo considerados como dioses, de ahí su elevado número.

Lo que es evidente es que hay tres características comunes a todos los mitos o leyendas:

- Falta de comprobabilidad: esto afecta a parte de las leyendas, aunque muchas son por naturaleza imposibles: por ejemplo, Helena nació de un huevo.

- Pretensión de veracidad: todos pretenden ser ciertos en su totalidad, tal y como los relata el mito.

- Tradicionalidad: todos han sido narrados por muchas personas y vueltos a narrar por otras.

El mito está pues entre la historia y la novela. La historia se caracteriza por su certeza y la novela, por su ficción. El mito participa de ambas características y habitualmente se subdivide en tres subespecies:

- Mito propiamente dicho. Es el relato acerca de dioses o de fenómenos de la naturaleza más o menos divinizados (Zeus, Hera, Atenea...).

- Leyenda. Es el relato acerca de héroes, heroínas o personajes similares, caracterizados siempre como seres humanos notables dentro de su colectividad y con nombre propio (Edipo, Orestes, Teseo, Jasón...).

- Cuento popular. Es el relato acerca de personajes humanos indeterminados, a veces sin nombre propio, pero de notable interés por sus hazañas o cualidades (un cazador, un pastor...).

Estos tres subtipos suelen mezclarse en una misma narración mítica, por lo que esta división a veces no resulta demasiado efectiva. Por otra parte, la mitografía es el conjunto de obras literarias que tratan o se apoyan en la mitología.

La mitología griega se inició, más probablemente, hacia el año 3000 a. C. con las primeras creencias religiosas de los pueblos de Creta, en el Mar Egeo, que consideraban que todos los elementos naturales estaban dotados de espíritus y que ciertos objetos tenían poderes mágicos. Estos habitantes eran procedentes de Asia Menor y se mezclaron con los pueblos europeos. Paulatinamente, todos los nuevos asentamientos fueron cayendo bajo el mando del rey de Cnossos, llamado Minos, que dio nombre a la civilización minoica. Hacia el año 1750 a. C., Cnossos sufrió las invasiones de diferentes pueblos europeos. Con ellos se dio un fenómeno de mezcla cultural que permitió no sólo el mantenimiento de la riqueza de la cultura minoica, sino también su engrandecimiento y ampliación.

La principal fuente escrita con la que cuenta el conocimiento de la mitología se concentra en dos autores, Hesiodo y Homero. Hesiodo vivió ente los siglos VIII y VII a. C. y las obras que a él se le atribuyen son *Los trabajos y los días, La Teogonía, Catálogo de mujeres* y *Escudo de Heracles.* Homero vivió en el siglo VIII a. C., y de toda su obra destacan sus poemas épicos *La Ilíada* y *La Odisea.*

Otros textos que cabe destacar de este último son los 33 poemas llamados *Himnos homéricos* desarrollados entre los siglos VIII y IV a. C., al lado de las *Odas* de Píndaro, las tragedias de Esquilo, Sófocles y Eurípides, los estudios históricos de Herodoto, las comedias de Aristófanes, la influencia filosófica de Platón, los forjadores de la poesía alejandrina o los textos de Pausanias, inspirador de los llamados libros de viajes. Todos estos últimos autores contribuyeron al conocimiento general de los mitos, y a pesar de que en algún momento, sobre todo a partir del período helenístico, reflejaran influencias de otras culturas circundantes, los principios básicos de la mitología griega se mantuvieron imperturbables.

EL OLIMPO

Con respecto a dónde estaba el Olimpo, los relatos no se ponen de acuerdo. En un comienzo se le identificaba con el Monte Olimpo, de 2.917 metros de altitud, el más alto de la península griega y situado al norte, en la región de Tesalia. Sin embargo, en *La Ilíada* se expresa la idea de que el Olimpo estaba ubicado en una región misteriosa desde la cual se dominan todas las montañas del mundo.

También existen otras hipótesis al respecto, pero sea cual fuese el lugar donde estuviese, la entrada al Olimpo estaba cerrada con una gran reja de nubes y cuidada por las Estaciones. Los palacios de cristal de los dioses, que habían sido construidos por los cíclopes, se hallaban en su interior y allí vivían, dormían y celebraban sus fiestas.

El Olimpo era un lugar donde existía la felicidad perfecta. Ni siquiera el viento turbaba su paz, no nevaba, ni llovía y un firmamento sin nubes rodeaba sus cumbres. Los dioses saciaban su sed con néctar, una bebida dulce hecha con miel fermentada, y comían ambrosía, una mezcla de agua, miel, aceite de oliva, queso y cebada. Los dioses y las diosas del Olimpo fueron 12, aunque existía una amplia corte con variedad de dioses menores y de semidioses, nacidos de la unión entre los dioses y los humanos.

En el Olimpo el rey era Zeus sobre su trono de mármol negro pulido con incrustaciones de oro. Siete escalones llegaban hasta él, cada uno de un color del arco iris. Sobre uno de los brazos del trono, se posaba un águila de oro con un rubí en cada ojo, entre cuyas garras apresaba los mortíferos rayos de Zeus. Su esposa Hera, eternamente joven y hermosa, se sentaba enfrente, en un trono de marfil. En el lado de Hera se situaban cinco diosas y cinco dioses lo hacían en el de Zeus.

Poseidón, dios de las aguas, se sentaba en el segundo trono de mayor tamaño, decorado con animales del mar. Enfrente de Poseidón, lo hacía Deméter, que estaba casada con Hades, rey de los infiernos. Junto a Poseidón, se sentaba el cojo Hefestos en un trono giratorio y articulado y frente a ál, Atenea, la diosa de la sabiduría. A su lado, Afrodita, diosa del amor y la belleza. Enfrente de Afrodita se sentaba el violento Ares, dios de la guerra, en su trono de bronce tapizado con piel humana y decorado con calaveras. Junto a él estaba el bello Apolo en su trono de oro pulido con respaldo en forma de lira. Artemisa, diosa de la caza, se sentaba enfrente. El último asiento del lado de los varones correspondía a Hermes, dios del comercio, y Hestia, diosa del hogar, que ocupaba el último del lado de las diosas, sería quien cedería su puesto a Dionisos cuando Zeus le incorporó al Consejo por haber inventado el vino.

Entre los dioses menores figuraban Hércules, portero del Olimpo, Semele, Eris, diosa de las peleas, e Iris mensajera de Hera. Así mismo podía encontrarse a Némesis, Eros, Hebe, diosa de la juventud, y Ganímedes, copero de Zeus, que vigilaba por la pureza de los vinos y la ausencia de venenos en sus bebidas. También estaban las nueve musas, que cantaban en los comedores del palacio, y las parcas, que eran las que decidían cuánto tiempo debía vivir cada mortal y que conocían el destino de todos los dioses inmortales.

Capítulo 1

GRECIA Y ROMA

Los dioses romanos

En muchas ocasiones se presentan al lector dos listas paralelas, con los nombres de los dioses griegos una y, al lado, los nombres de los dioses latinos «equivalentes», pero los romanos de los primeros tiempos tenían sus dioses propios llamados «indigetes», que representaban las fuerzas de la naturaleza: Ianus, Flora, Fauno o Pomona entre otros, además de los dioses protectores del territorio que se conocían como «penates», del hogar, lares, o de los difuntos, manes.

Además, cada romano disponía de su «genius» particular, a menudo representado por una serpiente. Las mujeres no tenían «genios», y su lugar lo ocupaba Juno.

Los principales dioses romanos («indigetes» significa indígenas) eran:

- Carmenta, diosa de las fuentes.
- Ceres, diosa de los frutos de la tierra.
- Fauno, dios de los rebaños.
- Flora, diosa de las flores.
- Jano, dios de la luz; abre las puertas.
- Juno, diosa de la mujer.
- Júpiter, dios del cielo y del trueno.
- Liber, dios de las viñas.
- Marte, dios de la vegetación y de la guerra.
- Minerva, diosa de la inteligencia.
- Pales, dios y diosa de los pastos y pastores.
- Pomona, diosa de los frutos y de los árboles.
- Quirino, se confunde con Marte y con Rómulo.
- Saturno, dios de las semillas y de la cultura.
- Tellus, la Madre Tierra.
- Vertumno, dios de las estaciones y el comercio.
- Vesta, diosa del hogar.
- Vulcano, dios del fuego.

Muchos de estos dioses acabaron por entroncar con la cosmogonía heredada de los griegos, que cuando fueron adoptados por los romanos eran llamados «novensides».

También cada lugar tenía su dios protector, al que había que honrar y tener contento para que fuera propicio.

Dioses de Grecia y Roma y dioses menores

Afrodita

Diosa del amor, de la fertilidad y de la belleza, los romanos la identificaron con Venus. Según Hesiodo, fue hija de Urano, a quien su hijo Cronos mutiló arrojando al mar Egeo sus testículos. Éstos produjeron una espuma blanca *(aphros)* que flotó sobre las aguas, de la cual nació la diosa en todo su esplendor.

De allí viajaría a Citerea; después, a la isla de Chipre y, por último, se encaramó al Olimpo, morada de los inmortales. Hay quienes afirman, sin embargo, que la bella Afrodita era hija de Zeus y de la ninfa Dione.

Todos los dioses estaban sometidos a su poder, en la medida en que participaban del sentimiento amoroso. Zeus mismo cedía a veces con complacencia a su belleza. La Juventud era su mensajera y las gracias (Áglae, Talía y Eufrosina), sus compañeras y servidoras, las mismas que al salir de las olas cubrieron su cuerpo de ricas vestiduras.

Se solía representar a Afrodita sola y desnuda emergiendo de las olas o acompañada de los amorcillos, en un carro tirado por palomas; a veces aparecía montada sobre un toro o sobre un macho cabrío, en clara referencia a su proverbial promiscuidad.

Su culto principal estuvo situado en la isla de Chipre aunque se le adoraba en toda Grecia y Asia Menor. El más popular de sus atributos era un cinturón que tenía el don de enamorar al que lo portaba.

Los autores clásicos contaban que en sus grandiosos palacios, como el que se dice que tuvo en Cnosos, las más bellas conchas marinas cubrían los suelos, mientras que los pescados y los mariscos eran su manjar simbólico. Por eso hoy todavía se tiene por «afrodisíacos», «de Afrodita», a estos alimentos. A Venus se le edificaban los templos extramuros de las ciudades romanas para no propagar su lujuria entre las jóvenes y las matronas.

LOS AMORES DE AFRODITA

Zeus había concedido su mano a Hefestos (Vulcano para los romanos), en agradecimiento por haber inventado el rayo con el que se había librado del ataque de los gigantes. Éste no era más que un matrimonio de Estado y Afrodita no quería rendirse a aquel herrero cojo, feo y desagradable, por lo que tuvo muchos amantes.

El primero de ellos, el dios Ares, era poco «delicado» y al llegar ante Afrodita le explicó sin mayores circunloquios sus deseos sexuales. Ésta no estaba acostumbrada a la ausencia de cortejo y se asustó, pero entonces Ares se despojó de su coraza y de sus armas y Afrodita se entregó a él al verle, desnudo, mucho más humano.

Afrodita dio a luz de esta relación tres hijos: los dos varones, Deimos (el espanto) y Fobos (el miedo), hacían gala de unos pésimos sentimientos, mientras que la hija era la hermosa Armonía. Todo hubiera sido perfecto de no mediar una indiscreción de Afrodita y la curiosidad de Helios, que sorprendió un día, ya al atardecer, a Afrodita durmiendo plácidamente en su lecho, pero en compañía del poderoso dios Ares.

Este descubrimiento explicaba la vocación bélica de Deimos y Fobos, escuderos, lógicamente, de su sanguinario padre. Helios corrió a dar la noticia al burlado Hefestos, el cual, para vengarse, tejió una malla metálica invisible con el fin de tenderles una trampa.

Salió de viaje para propiciar que Ares y Afrodita se abandonaran de nuevo a la pasión, y en el mejor de los momentos hizo que la malla, atada a los extremos de la cama, cayera sobre ellos para inmovilizarles.

Todo el Olimpo acudió a presenciar el espectáculo de ambos desnudos y atrapados. Los dioses se divertían con enormes carcajadas ante las bromas elocuentes de Apolo y Hermes, quien llegó a comentar:

«¡Oh vergüenza, digna de envidia! Multiplicad todavía estas innumerables ligaduras, que todos los dioses y diosas del Olimpo rodeen este lecho y que pase yo la noche entera en brazos de la rubia Afrodita!».

Hefestos solicitó de Zeus la devolución de los presentes de la boda dado que Afrodita le había sido infiel, pero el gran dios se mostró receloso ante tal petición.

Sin embargo, Poseidón, admirado ante la desnudez de Afrodita, prometió que él pagaría los tributos oportunos si es que antes no lo hacía Ares, con lo que Hefestos liberó a los dos amantes y terminó olvidando su enojo porque no quería separarse de Afrodita.

Afrodita tuvo también relaciones amorosas con Hermes, con Poseidón, por ayudarla ante su esposo, con Dionisos, con Anquises, con Adonis, con Butes... Hijos suyos fueron también Eros, más conocido como Cupido, su hermano gemelo Anteros, Himeneo, Erófilo, Eneas, Golgos, Beroa, Érice, Rodo, Príapo, Hermafrodito...

LA PASIÓN DE ADONIS

La reina de una región asiria, hablando de la belleza de su hija Esmirna, se atrevió a afirmar que era mucho más bonita y atractiva que la vieja Afrodita, y ésta, en venganza, infundió en Esmirna un amor loco por su propio padre hasta inducirle a cometer incesto. Cuando el rey, que estaba borracho en el momento en que su hija le provocó, descubrió lo que había hecho, la persiguió con su espada. Entonces Afrodita, supuestamente para salvarle, la convirtió en una planta llamada mirto.

Llegado el tiempo de dar a luz, Esmirna (ahora convertida en mirto) parió un varón, llamado Adonis. Afrodita hizo encerrar al bebé en un caja que confió a la custodia de Perséfone quien, llena de curiosidad, abre la caja y se enamora del muchacho, haciéndole salir para criarle en su palacio. El hecho llega a oídos de Afrodita, quien se pone celosa porque quiere al bello muchacho para ella y se lo reclama a la Reina del Averno (Perséfone), pero ésta se niega a devolverle.

Afrodita apela a Zeus para que obligue a Perséfone a devolverle a Adonis; Zeus confía el caso a la musa Calíope, que decreta que Adonis pase una tercera parte del año con Perséfone, la segunda parte con Afrodita y una tercera con él mismo.

El mito griego continúa cuando Perséfone, no contenta con el veredicto, le cuenta a Ares la traición de su amada. Éste, furioso, se disfraza de jabalí para dar muerte a Adonis, que se encontraba de caza en el monte del Líbano.

AFRODITA Y LA GUERRA DE TROYA

Afrodita fue una de las causantes de la guerra de Troya. Cuenta la leyenda que en la boda de Peleo y Tetis, todos los dioses estaban invitados salvo Eris (la diosa de la discordia), la cual, llena de ira, lanzó una manzana de oro sobre la mesa del banquete en la que había grabada una inscripción: «para la más bella».

Hera, Atenea y Afrodita se disputaron la propiedad de la manzana, por lo que solicitaron a Zeus que fuera él quien decidiera la ganadora. Zeus, previniendo el conflicto, se desentendió delegando en Paris, hijo del rey Príamo de Troya, para que decidiera por él. Las tres diosas quisieron sobornar a Paris simultáneamente.

Cada una de ellas le ofreció un regalo: Atenea, victorias militares; Hera, ser rey con importantes riquezas y poder..., y Afrodita le ofreció la mujer más hermosa de la Tierra, comparable a ella misma.

Paris decidió quedarse con el regalo de Afrodita y ésta a cambio le dio el amor de Helena, la mujer de mayor belleza, aunque casada con el rey Menelao. Y ahí, con sus amores y su rapto, empezó el conflicto.

Anteros

Hermano de Eros, actúa de dos formas diferentes: venga a su hermano cuando los mortales rechazan el amor o lo traicionan, y reemplaza la pasión por antipatía o frialdad en los corazones de las gentes.

Como le molestan las uniones monstruosas y no desea la vuelta al Caos primigenio, pone en los desórdenes amorosos un factor de organización y ponderación.

Apolo

Dios protector de las artes, la música y la salud. Hijo de Zeus y Leto (hija de un titán) y hermano de Dionisio, Apolo era el dios solar y arquero celeste, Aplu para los etruscos y Febo entre los romanos.

Dios que curaba las enfermedades, joven y hermoso, dios de la vida, la alegría y la armonía de la naturaleza.

Dios de la música, de gran habilidad tocando la lira. Luego, por antonomasia, dios de todas las artes. Era un arquero diestro y un atleta veloz, acreditado por haber sido el primer vencedor en los juegos olímpicos.

Su hermana gemela, Artemisa, que nació minutos antes que él y de quien se dice asistió al parto de su divino hermano, era la guardiana de las muchachas y diosa de la caza, mientras que Apolo protegía de modo especial a los muchachos.

También era el dios de la agricultura y de la ganadería, de la luz y de la verdad, y enseñó a los humanos el arte de la medicina.

En Grecia fue, después de Zeus, el dios más venerado. Le expulsaron del Olimpo dos veces, una por haber conspirado contra Zeus, con Poseidón, Atenea y Hera, y otra por haber atacado con sus flechas a los cíclopes aliados de Zeus.

Apolo era conocido como el jefe de las musas *(musageta)* y director de sus coros. Entre sus atributos figuraban cisnes, lobos, delfines, arcos y flechas, una corona de laurel o la lira. El trípode sacrificial era otro de sus atributos, representativo de sus poderes proféticos. Los juegos píticos se celebraban en su honor cada cuatro años en Delfos. Los himnos cantados a Apolo recibían el nombre de paeanos.

En la leyenda homérica, Apolo era sobre todo el dios de la profecía. Su oráculo más importante estaba en Delfos. Solía otorgar el don de la profecía a aquellos mortales a los que amaba, como a la princesa troyana Casandra. Apolo era también llamado Délico, porque provenía de Delos, la isla de su nacimiento, y Pitio, por haber matado a Pitón.

Siendo joven, Apolo mató al fiero dragón Pitón, que vivía en Delfos junto a la fuente de Castalia, y custodiaba el santuario del Parnaso, al parecer porque Pitón había intentado violar a Leto cuando ésta estaba embarazada de él y de su hermana. Esta fuente era la que emitía los vapores causantes de que el oráculo de Delfos pudiese realizar sus profecías.

Apolo nombró a Pitia sacerdotisa de este templo en el que ejercía como pitonisa (de Pitón) porque a través de ella los hombres solicitaban predicciones a su dios. Zeus le castigó por la muerte del dragón, ya que Pitón era un hijo de Gaia.

Como castigo fue desterrado nueve años del Olimpo. Durante este tiempo trabajó como pastor o vaquero para el rey Admeto de Feras en Tesalia. Tras su destierro, Apolo volvió disfrazado de delfín y llevó consigo a sacerdotes cretenses para ayudar a fundar su culto en Delfos.

También bendijo a las sacerdotisas del oráculo de Delfos, haciendo de éste uno de los más famosos y certeros de Grecia. Apolo tenía otros oráculos, incluyendo los de Clarus y Branchidae.

LOS AMORES DE APOLO

Hermoso y atractivo, Apolo tuvo numerosos amoríos con ninfas y con mortales, con mujeres y varones. Así, amó a la ninfa Dafne, hija del dios-río Peneo, en Tesalia, tras recibir la flecha dorada del arco de Eros. Al clavar, sin embargo, la flecha de plomo en Dafne, la ninfa no correspondió a su dios y huyó a las montañas.

Apolo la persiguió y cuando estaba a punto de alcanzarla, Dafne dirigió una plegaria a su padre, suplicándole que la metamorfosease para permitirle escapar de sus abrazos. Su padre la transformó en laurel, árbol consagrado luego a Apolo y con el que a partir de entonces se fabricaban las coronas que premiaban a los poetas y los atletas.

Además, Apolo tuvo una aventura con una princesa mortal llamada Leucotoe, hija de Orcamo y hermana de Clitia. Leucotoe amó a Apolo, quien se había disfrazado como la madre de Leucotoe para lograr acceder a sus aposentos.

Clitia, celosa de su hermana, se lo contó a su padre quien, enfurecido, ordenó que Leucotoe fuese enterrada viva. Apolo se negó a perdonar a Clitia por esta traición y ella se marchitó lentamente y murió. Apolo la transformó en planta de incienso, o bien (según versiones) en heliotropo o girasol, que persigue al sol cada día.

El dios tuvo más amoríos: con la ninfa Cirene, que engendró al semidiós Aristeo; con Talía, una de las musas, fue el padre de los coribantes, demonios del cortejo de Dioniso; con Urania, que engendró a los músicos Lino y Orfeo.

Otra de sus conocidas aventuras fue con Coronis, la que fuera madre de Asclepio, a la que mandó matar porque le engañaba con Isquis; con Marpesa, hija de Evenno; con la ninfa Castalia, que se convirtió en fuente al huir de él; con Casandra, hija de Príamo; con Hécuba, madre de Casandra y que le dio un hijo, Troilo.

Apolo, eternamente joven y sin barba, fue como se ha dicho, el que más amantes masculinos tuvo de todos los dioses griegos, quizá porque era el dios de la palestra, lugar donde los jóvenes se reunían para practicar atletismo, siempre desnudos.

Muchos de sus jóvenes amantes murieron «accidentalmente», como Jacinto. Jacinto era un príncipe espartano, muy guapo y atlético. Ambos estaban practicando el lanzamiento de disco cuando Jacinto fue golpeado por uno que desvió intencionadamente Céfiro, celoso porque también amaba a Jacinto.

Cuando su amante murió, Apolo creó la flor que lleva su nombre a partir de su sangre. Otro de sus otros romances fue con Acanto, el cual, tras su muerte, fue transformado por Apolo en una hierba amante del sol, y su afligida hermana, Acanta, fue convertida en jilguero por los demás dioses.

Otro amante masculino fue Cipariso, un descendiente de Heracles. Apolo dio al muchacho un ciervo domesticado como compañero, pero Cipariso lo mató accidentalmente con una jabalina cuando éste yacía dormido entre la maleza.

Cipariso pidió a Apolo que hiciera que sus lágrimas cayesen para siempre. Apolo transformó al triste muchacho en un ciprés, del que se dice que es un árbol triste porque la savia forma gotas como lágrimas en su tronco.

A VUELTAS CON LA LIRA

En una ocasión un dios menor, de pastores y rebaños, llamado Pan, tuvo la audacia de comparar su música con la de Apolo y de retar a éste, el dios de la lira, a una prueba de habilidad. Tmolo, el dios montaña, fue elegido árbitro. Pan sopló sus flautas y su rústica melodía le gustó mucho a su ferviente seguidor, Midas, que estaba presente. Entonces Apolo pulsó las cuerdas de su lira y Tmolo, inmediatamente, le declaró vencedor. Sólo Midas se manifestó en desacuerdo con el veredicto y cuestionó la justicia del fallo. Apolo, enfadado, trasformó sus pésimos oídos en orejas de burro.

A Marsias tampoco le fue mejor. Marsias era un sátiro que desafió a Apolo a un concurso de música porque se había encontrado un aulos (flauta) y lo tocaba de maravilla. Se trataba de un invento de Atenea, pero ésta lo había tirado porque le deformaba el rostro.

Marsias perdió y fue colgado de un pino y luego desollado vivo en una cueva de Frigia por su orgullo desmedido al desafiar a un dios. Su muerte causó duelo universal. Los faunos, los sátiros y las dríades le lloraron tanto que sus lágrimas engendraron un río de Frigia que recibió el nombre de Marsias.

Ares

Dios de la guerra, hijo de Zeus y Hera, amante de Afrodita, Ares es uno de los dioses olímpicos. Marte en la mitología romana, fue adorado principalmente en Tracia.

Aunque importante para la poesía y la mitología, fue raramente objeto de adoración, lo que no es extraño porque siempre le acompañaba un séquito que incluía al dolor, el pánico, la hambruna y el olvido. Era habitual que fuera venerado junto con otros dioses.

Se le representaba como un hombre joven y fuerte montado en un gran carro tirado por fogosos corceles y con lanza y escudo en las manos, además de un gallo a sus pies. Entre sus compañeras habituales estaban su hermana Enio y la diosa de la discordia, Eris.

A menudo también le acompañaban sus hijos Deimo y Fobo, dioses que representan el miedo y el terror. Junto con todos ellos, solía viajar a menudo Niké, diosa de la victoria. Se le consagraron y fueron sus atributos el perro y el buitre y se le hacían sacrificios de estos animales, junto con gallos y toros.

Oto y Efialtes eran dos gemelos gigantes (los alóadas), hijos de Aloos, quienes para tomar al asalto el monte Olimpo lograron secuestrar a Ares y encerrarlo en una vasija durante 13 meses. Para rescatarlo, Hermes se transformó en ciervo y consiguió que los hermanos se lancearan el uno al otro, muriendo ambos en la batalla.

Durante la guerra de Troya, Diomedes luchaba con Héctor cuando vio a Ares peleando en el bando troyano. Diomedes pidió a sus soldados que se retirasen lentamente, dejándole al descubierto para que Hera, la madre de Ares, viera la injerencia de éste en una lucha de humanos, ante lo que ésta pidió permiso a Zeus para alejarle del campo de batalla.

Hera animó entonces a Diomedes a arrojar su lanza contra el dios. Atenea guió la lanza hasta el cuerpo de Ares, quien rugiendo de dolor, se retiró al monte Olimpo, lo que obligó a los troyanos a retirarse.

El nacimiento de Ares había supuesto la alteración de las normas de guerra en el mundo, pues se empezó a utilizar el hierro para crear espadas y escudos y se determinaron normas precisas para el ataque y la defensa.

Ares poseía un carácter sumamente brutal y descortés y le gustaba el dolor ajeno. Por eso no era objeto preferente de culto en Grecia, porque este pueblo prefería la cordura y la armonía a la violencia.

Los mitos griegos mostraban a menudo a un Ares que perdía importantes batallas con todo aquel que le superase en tamaño e incluso Atenea le derrotó en más de una ocasión, demostrando que la razón siempre triunfa sobre la brutalidad.

En cambio, la versión romana de Ares, Marte, era menos sangrienta y combativa. Aunque también era la deidad de la guerra, se le consideró además uno de los dioses de la vegetación y el padre de Rómulo y Remo, fundadores de Roma, según la mitología clásica.

AMORES Y DESCENDENCIA

Fueron muy importantes sus episodios de amor con Afrodita, aunque tras el escándalo que supuso ser descubiertos, Hefesto, que era el esposo de Afrodita, se quejó a Zeus y Ares tuvo que marcharse del Olimpo.

La noche que le descubrieron mientras estaba en la cama con Afrodita, Ares había puesto a un joven llamado Alectrión a su puerta para que vigilara. Éste se quedó dormido y Helios, el sol, sorprendió a la pareja y se lo fue a contar a Hefesto. Ares, entonces, transformó a Alectrión en un gallo, que nunca se olvida de anunciar la llegada del sol por la mañana, y el animal se incorporó a sus atributos.

Tras su separación de Afrodita, Ares tuvo montones de amantes, la mayoría de ellas por la fuerza, ya que a menudo era despreciado por su rudeza.

Entre sus concubinas, con las que engendró a otros tantos hijos, algunos de una enorme bestialidad, estuvieron Aglauro, Altea, la ninfa Harmonía, Harpina, Demonice, Protogenia, Dotis, Filónome, Pirene, Estilba y Egina.

EL AERÓPAGO

Ares protagonizó diversas hazañas entre los mortales como en la citada guerra de Troya o cuando asesinó a Alirrocio, hijo de Poseidón, porque sometía a duros ultrajes a Alcipa, hija de Ares.

Poseidón le hizo entonces comparecer ante un tribunal ateniense, pero su elocuencia y sencillez le dieron la inocencia y Ares volvió al Olimpo.

Desde entonces dicho tribunal fue llamado Aerópago.

Artemisa

Hermana gemela del dios Apolo, e hija por lo tanto de Zeus y Leto.

Protectora de las parturientas porque fue ella, aun recién acabada de nacer, la que ayudó en el parto de su hermano.

En contraposición a su hermano, dios del sol, era la que regía la luna. Como él, también fue de una gran belleza y siempre iba acompañada del arco y las flechas con las que cazaba y castigaba a los hombres. Por esta razón se le considera guardiana de los animales salvajes.

Diosa virgen de la caza, los animales no domésticos, la curación, las tierras salvajes, la castidad y paradójicamente los partos (era adorada como una diosa de la fertilidad y los partos principalmente en las ciudades).

Sus sacerdotisas eran designadas con el título de Melisa. En el monte Olimpo se sentaba enfrente de su hermano Apolo, al costado de Hermes, y su atributo animal era el oso.

Su naturaleza sexual era muy recelosa y de ahí sus conflictos con Afrodita.

La diosa Artemisa, Diana en la mitología romana, se erigió como la protectora de las doncellas vírgenes, y no es raro encontrar pasajes mitológicos en que la diosa se muestra cruel con quienes desean poseerla.

En una de estas historias, Artemisa se bañaba desnuda en el lago cuando Acteón, acompañado de sus perros y cegado por la belleza de la diosa, no pudo impedir detenerse a contemplarla, escondido entre la maleza.

Artemisa se percató del mirón y lo convirtió en ciervo, de tal manera que sus perros de caza le mataron y descuartizaron.

Asclepio

Dios de la medicina, dios sanador, cuyo origen es probablemente la deificación de un héroe vestida luego de leyenda. Esculapio para los romanos, se le representaba con gran barba, como Zeus, pero de aspecto benigno.

Sus atributos eran un báculo y una serpiente enredada en él. En algunas representaciones aparecía un perro tumbado a sus pies. También solía llevar tablas para escribir, emblema de la ciencia médica.

Fue hijo de Apolo y de Corónide (o Coronis), hija a su vez del rey Flegias. El inmortal Apolo sorprendió a la mortal Corónide bañándose desnuda en un lago y, perdidamente enamorado, la dejó embarazada. Sin embargo, Flegias la obligó a casarse con su novio de siempre, Isquis.

El cuervo, que era el animal que informaba a Apolo de las cosas que pasaban en la tierra, y que entonces tenía el plumaje blanco, le contó la supuesta traición de su amada y Apolo le maldijo, por lo que el cuervo se volvió negro para toda la eternidad.

El vengativo dios solar convenció a su hermana Artemisa de que la matara para castigar su infidelidad. Más tarde, en el momento en que su cuerpo iba a consumirse en la pira funeraria, Apolo arrancó al feto del cadáver de su madre y confió su hijo al centauro Quirón, quien lo educó y le enseñó las artes de la medicina y de la caza, aunque de su propio padre que era también dios de la salud, recibiría muchos más conocimientos que le caracterizarían como prototipo del médico.

Asclepio puso esta ciencia al servicio de los hombres, por lo que fue objeto de un culto fervoroso durante toda la Antiguedad. Millares de enfermos acudían cada día a sus santuarios buscando alivio para sus males, sobre todo en Epidauro, su principal centro de devoción.

En su trayectoria como sanador llegó incluso a resucitar a los muertos, entre ellos a Hipólito, el hijo de Teseo. Para ello utilizó la sangre del flanco derecho de Medusa, regalo de Atenea, que era la que daba la vida (la sangre del flanco izquierdo era un fuerte veneno).

También resucitaría a Capaneo, Licurgo y Tindareo, Glauco y Orión. Zeus, ante las quejas de Hades, dios de los muertos, y para evitar que el orden del mundo se alterase con los poderes de Asclepio, decidió fulminarlo con un rayo.

Apolo vengó a su hijo matando a los cíclopes, hijos de Zeus y encargados de fabricarle los rayos. Asclepio, sin embargo, no fue precipitado al Tártaro después de su muerte, sino que le fue devuelta la vida, con lo que se cumplió una profecía hecha por Euipe, hija del Centauro (predijo que aquel niño renovaría sus destinos dos veces y que muriendo semidiós, sería convertido en dios), e incluso le fue concedida la inmortalidad, convirtiéndose en la constelación llamada Serpentario (Ofiuco).

El célebre Hipócrates, patrón de la medicina, era tenido por descendiente de Asclepio, a quien la tradición le atribuye dos hijos, Podalirio y Macaón, que prestaron sus servicios como médicos en el bando griego durante la guerra de Troya, y varias hijas, entre ellas Higía (la salud) y Panacea (el remedio para todos los males).

Atenea

Virgen perpetua, hija favorita de Zeus, adorada como Minerva en Roma. Tantos deseos tenía Zeus de tener una hija, que un día consiguió que saliera de su cabeza una diosa adulta cubierta con una armadura, una lanza y un escudo en ambas manos.

Así pues, la diosa carece de madre física, aunque la leyenda menciona a Metis, la diosa del pensamiento y el progreso intelectual, como la compañera de Zeus cuando ella nació. Es la primera de las tres diosas vírgenes, protectora de la ciudad, de la vida urbana, de la agricultura y de la artesanía. Le acompaña siempre Niké, diosa de la victoria.

Personificaba la razón, la ciencia y la sabiduría, y fue la inventora de la brida, que otorgaba a los hombres el dominio del caballo, de la flauta que nunca utilizó porque afeaba su rostro, de los zapatos, la construcción de naves y el arado.

Tutora de los hogares, amparo de sabios y artistas, patrocinadora de jueces, su ciudad favorita era Atenas, que tomó de ella su nombre y para cuya advocación tuvo que enfrentarse a Poseidón, que también deseaba la ciudad. En ese sangriento enfrentamiento hizo brotar el olivo, razón por la cual este árbol se convirtió en su atributo preferido.

Los atenienses, agradecidos, erigieron en su honor el Partenón (de *parthenos,* virgen). Su animal sagrado era la lechuza.

Conservaba su virginidad celosamente, sin participar en los innumerables amoríos de los otros dioses. Incluso el adivino Tiresias fue cegado por haberla sorprendido bañándose. Palas Atenea siempre se mantuvo fiel a su idea inicial de ser virgen por vocación, porque entendía que su nacimiento había marcado su destino separada de un sexo que ni siquiera existió en su concepción.

Cuando Atenea tuvo que buscar armas para intervenir en la guerra de Troya, tutelando a los héroes griegos según Homero, se dirigió al dios de la fragua, Hefesto, para que forjase su arsenal. Hefesto aceptó el encargo y se puso a trabajar, enamorado de la decidida diosa.

A pesar de su fealdad y su cojera, Hefesto había sido el marido de Afrodita y la belleza de Atenea le hizo pensar en un nuevo matrimonio, por lo que como precio por su trabajo indicó que le bastaba el amor de Atenea.

Un día que estaba muy excitado, Hefesto se lanzó sobre la virgen, pero al no lograr poseerla, eyaculó contra su muslo. Ésta se limpió con unos vellones de lana que encontró en la forja y los arrojó al suelo pensando que así zanjaba el incidente, sin imaginar que Gea, la Tierra, al recibir el esperma quedaría preñada.

Gea no aceptaba el hijo resultante de la estupidez de otros y Atenea, sintiéndose en parte responsable del incidente, tomó la decisión de hacerse cargo de la criatura. Ese hijo, Erictonio, fue educado en la corte del rey Cécrope y alcanzó el trono de Atenas como sucesor de su padre adoptivo.

Entre las leyendas que le afectan, se dice que a cambio de ayudar a Perseo en su enfrentamiento con Medusa, éste le regaló su sangre y su cabeza, con cuya mirada se podía convertir a los hombres en piedra.

También enseñó a Heracles a despellejar al león de Nemea usando sus propias garras como herramienta y convirtió en araña a Aracne por tener la osadía de vencerla en una apuesta sobre cuál de las dos era mejor tejedora.

Caos

Ser hueco, vacío infinito, previo a todo comienzo y que puede contener todo. Caos está personificado en la *Teogonía* de Hesíodo como la fuente creadora de Érebo, Nix, Gaya y Tártaro.

En la época romana identificaron a Caos, divinidad primigenia, con Jano, dios de los comerciantes. A veces se le ha identificado como hijo de Cronos y hermano de Éter.

Caribdis

Hija de Gaya y de Poseidón, dotada de un feroz apetito, se comió unos cuantos corderos de Heracles. Para castigarla, Zeus la hundió en un abismo en el estrecho de Mesina. Allí absorbía poderosamente las aguas del mar, arrastrando también a los barcos, que eran tragados por el remolino.

Los marinos que viraban rápidamente para evitar a Caribdis se encontraban de frente con Escila, dispuesta a devorarlos.

Circe

Poderosa hechicera mencionada en la Odisea y en las aventuras de Jasón y los argonautas, hija de Helio y Perseis (titán y oceánide), vivía en un palacio situado en la isla de Eea y fue hermana de Eetes, guardián del Vellocino de Oro, de Parsífae, que se casaría luego con Minos, y de Perses.

Madre de Fauno, con Zeus, y de Telégono y Casífone, con Odiseo, una de sus habilidades era transformar a los hombres en los animales que más se asemejaban a su propia naturaleza, aunque conservaban la razón y la conciencia de ser humanos.

Dejemos que el propio Homero, en *La Odisea,* describa los procedimientos de Circe: «Proseguimos la navegación en el barco abarrotado y arribamos nuevamente a una isla, la de Eea, habitada por una bella semidiosa, hija de Helio y de Perseis, que tiene por padre al Océano y es hermana del rey Eetes.

Llamábase Circe y poseía un soberbio palacio en la isla, pero nosotros nada sabíamos de ella. Anclamos en una bahía agotados por la fatiga. A la mañana tercera, yo, armado con la lanza y la espada, me dispuse a ir a explorar el país y anduve hasta que descubrí una columna de humo que se elevaba del palacio de Circe.

Pronto todos nos dirigimos a aquel palacio, construido en piedra tallada y oculto en un apacible valle de la isla. Pero, ¡qué asombro el de mis compañeros al descubrir que en la cerca del edificio y delante de las puertas había lobos de agudos dientes y leones de abundantes melenas, paseándose de un lado a otro!

Al ver que aquellas bestias no les causaban ningún daño, mis amigos se acercaron a las puertas del palacio, en cuyo interior resonaba la voz de Circe, que era una excelente cantante. Por consejo de Polites, el más querido de mis compañeros, llamaron a la mujer, pidiéndole que saliese, y, en efecto, ella se presentó y les invitó a pasar.

Circe acompañó a los demás al palacio, tratándoles con gran amabilidad. Luego trajo queso, harina y miel y con estos ingredientes la maga amasó un exquisito pastel; pero, mientras lo confeccionaba, mezcló en la pasta, sin ser vista por nadie, ciertos jugos nocivos, destinados a perturbar los sentidos de aquellos infelices. Y, en efecto, apenas probaron el tentador manjar, todos quedaron convertidos en cerdos».

Odiseo partió al rescate de sus compañeros pero en el camino fue detenido por el dios Hermes, que le regaló una hierba que necesitaría para protegerse del mismo destino que habían tenido sus compañeros.

Odiseo siguió su consejo, por lo que Circe no pudo convertirlo en animal y fue obligada a devolver a sus hombres a su forma humana. Circe acogió entonces a Odiseo y a sus hombres durante un año, período en el que se enamoró de Odiseo.

Cuando finalmente decidieron volver, Circe le enseñó a Odiseo cómo encontrar el espíritu del adivino tebano Tiresias en el mundo subterráneo para que le enseñara a encontrar con seguridad el camino de regreso a casa.

En la leyenda de los argonautas, Circe aparece en el viaje de regreso, cuando Jasón viene con Medea, quien le había ayudado a obtener el Vellocino de Oro y que estaba enamorada de él.

El Argos llega a la isla de Eea, donde la hechicera les recibe y purifica a Jasón y Medea por la muerte de Apsirto, pero no le da hospitalidad a Jasón, y se limita a conversar largamente con su sobrina.

Según otra leyenda, fue Circe la que transformó en monstruo a Escila, para vengarse de la bella ninfa y acabar con su competidora por los amores del dios marino Glauco.

Cloris

Diosa de las flores y de la primavera, casada con Céfiro, es representada como una doncella con corona y vestido de flores, y se le atribuye haber facilitado a los hombres la miel y semillas de numerosas plantas.

El gran poeta Ovidio, empeñado en identificar con Cloris a la diosa romana Flora, cuenta que cierto día de primavera Céfiro, el viento del oeste, descubrió paseando a la ninfa Cloris y se enamoró de ella, la raptó y posteriormente la hizo su mujer.

Céfiro nombró a su amada reina de las flores y le concedió el poder de germinar todas las semillas. Cloris ayudó a Hera, según una leyenda, a dar a luz a Ares.

DOS EPISODIOS DE CELOS

Aunque se decía muy enamorado de su mujer, a Céfiro también le gustaba Jacinto, un príncipe espartano hermoso y atlético, amante de Apolo, con quien practicaba a menudo lanzando el disco. Jacinto murió golpeado por un disco que había sido desviado por Céfiro, celoso del amor entre ellos dos.

En el jardín de Cloris vivían otras muchas ninfas y, entre ellas, una muy jovencita llamada Anémona. Al ver que Céfiro la cortejaba, Cloris, celosa e irritada, arrojó a Anémona de su jardín para que pereciera en los bosques salvajes.

Pasado el tiempo, Céfiro se encontró a la infeliz Anémona moribunda y la hizo vivir eternamente convirtiéndola en la conocida flor que crece en primavera al pie de los árboles.

Crono

No confundir con Cronos. Dios del tiempo, este titán, que era hijo de Urano y Gaia, fue el padre de Zeus, por lo que se encuentra en el origen de toda la mitología griega, igual que su réplica Saturno de la romana.

Cuando Urano quiso encerrar en el Tártaro a sus hijos menores, los cíclopes de un solo ojo y los hecatónquiros de cincuenta cabezas y cien brazos, su madre Gaia quiso que sus otros hijos lo impidieran, aunque sólo le hizo caso Crono.

Armado con una hoz de pedernal que le había dado su madre, se acercó a su padre, que yacía con una de sus amantes llamada Nix, y de un tajo le cortó los genitales y los arrojó al mar. De la sangre que tocó la tierra nacieron gigantes, erinias y melias; de la espuma que crearon sus testículos al caer al mar, la gran Afrodita; y la hoz que arrojó lejos dio origen a la isla de Corfú.

Derrotado Urano, Crono le encerró en el Tártaro junto a sus hermanos menores, se casó con su hermana Rea y juntos se convirtieron en los reyes de todos los dioses, dándose lugar a una época durante la que no hicieron falta, para gobernar el mundo, ni leyes ni reglas ni tribunales, porque todos hacían siempre lo correcto. Este tiempo tomó el nombre de Edad Dorada.

Era considerado el dios del trigo, la cosecha, el grano y la agricultura. Su atributo fue una hoz.

Más tarde empezaron a nacerle hijos a los que se comía para evitar la maldición que le habían transmitido los oráculos según la cual también sus propios hijos acabarían con él. Así hizo con Hestia, Deméter, Hera, Ares y Poseidón, a los que se comió a medida que iban naciendo. Cuando nació Zeus, su madre Rea le ocultó en Creta y en su lugar le dio a Crono una piedra envuelta en pañales que el titán se tragó sin pestañear.

Zeus volvería para obligar a Crono a vomitar vivos, uno a uno, a sus hermanos y acabó encerrándole en el Tártaro, tras vencerle en una guerra llamada Titanomaquia.

Deimo

Junto con su inseparable hermano Fobo, ambos hijos del dios de la sangre y de la guerra, Ares, y de la diosa del amor, Afrodita, Deimo es el temor, el miedo que paraliza a los guerreros cuando entran en combate, mientras Fobo va más alla y es el pánico, el que consigue que los guerreros huyan abandonando el campo de batalla.

Conducían en todas las aventuras y batallas el carro de su padre Ares, dominando con mano de hierro sus briosos corceles, y no es casualidad que posteriormente se denominara con los nombres de estos inseparables hermanos a los dos satélites del planeta (guerrero) Marte.

Deméter

Ceres para los romanos, era Deméter hija de Cronos y Rea, y por tanto hermana mayor de Zeus. A sus sacerdotisas se les daba el título de melisas y fue una pieza fundamental en las religiones antiguas de Grecia.

Diosa madre, diosa de la explotación de la tierra, del ciclo de la vida y la muerte, protectora de la ley sagrada y de los matrimonios, enseñó a la humanidad las artes de la agricultura, a sembrar la semilla, arar y recolectar.

Era por ello especialmente popular entre la gente del campo, de naturaleza conservadora, al ser los beneficiarios más directos de su ayuda.

Su animal emblemático era el cerdo, y en la época romana aún se sacrificaba una marrana a Ceres cuando había una muerte en la familia, para purificar la casa.

Madre de Perséfone, a la que en un principio se llamaba Coré (la doncella), y que fue fruto de sus amores con su hermano Zeus según refleja la Teogonía de Hesíodo. Madre e hija, a la que también haría un hijo su propio padre Zeus, solían ser invocadas juntas como «las dos diosas» y así aparecen en escritos pre-helénicos.

También se las solía representar juntas, con Deméter subida en un carro, y rodeadas ambas de grano, frutas y flores.

Dioniso

Dios del vino y los excesos, de la orgía y del éxtasis, de la danza y la tragedia, es el último en incorporarse al grupo de los doce olímpicos. Hijo de Zeus y una mortal, Sémele, hija a su vez del rey Cadmo de Tebas.

Sus atributos incluyen una sucinta corona de hojas de parra y bastones coronados de yedra, viaja siempre en un carro tirado por panteras, rodeado de numerosos sátiros y bacantes (o ménades) e incluso el dios Pan formaba parte de su cortejo.

Se le asocia simbólicamente al burro y, según la leyenda, a sus enseñanzas deben los hombres el cultivo de la vid y la elaboración del vino.

La fábula de su nacimiento cuenta que estando embarazada Sémele de seis meses, Hera, esposa de Zeus, fue a verla disfrazada de anciana y la convenció para que exigiera al padre del hijo que esperaba que le mostrara su verdadera naturaleza.

Zeus no accedió porque temía asustarla, negándole entonces Sémele sus favores en tanto no lo hiciera, ante lo que el dios de todos los dioses se transformó en rayo y consumió a su amante. Por suerte, Hermes consiguió salvar al niño cosiéndolo al muslo de Zeus y asistió al parto al cabo de tres meses y se lo entregó a Sileno para que lo criara.

Se dice que Dioniso, al que en el siglo V a. C. llamaron Baco (y bacantes a sus servidoras y bacanales a sus fiestas), moría cada invierno y resucitaba en primavera, de modo que con él renacían también los frutos de la tierra.

Para celebrar esta resurrección se organizaban grandes fiestas de rituales orgiásticos que incluyeron también una competición de obras dramáticas cuya sede era la ciudad griega de Atenas.

Estas competiciones dionisíacas se llevaban a cabo durante cinco días en la primavera. Grandes dramaturgos griegos como Esquilo, Sófocles y Eurípides, escribieron obras para estas fiestas.

Cuenta la leyenda que, al huir de Creta, Teseo se llevó consigo a Ariadna, hija del rey Minos, pero luego la abandonó dormida en la isla de Naxos, aprovechando una escala del barco. Allí la encontró el dios Dioniso y la hizo su esposa, regalándole como presente nupcial una magnífica corona de oro fabricada por Hefesto. Ariadna le dio seis hijos, Enopión, Toante, Estáfilo, Latramis, Evantes y Taurópolo, y también tuvo amores con Afrodita.

Fue un dios conquistador y guerrero, que incluso llegó hasta Libia o a la India, y casi todos sus enemigos enloquecían y se mataban entre ellos, en clara alusión a los devastadores efectos del vino.

Cuando ascendió al Olimpo, ocupando el puesto de una tímida Hestia, bajó al Tártaro, morada de Perséfone, y la sobornó para rescatar de la muerte a su madre Semelé.

Doride

Hija de Océano y de Tetis y esposa de Nereo, tiene poderes proféticos, como las demás divinidades acuáticas. Fue la madre de las nereidas, y una de sus hijas engendró a Aquiles.

Enio

Diosa que aparecía en la imaginería cubierta de sangre y llevando las armas de la guerra, conocida con el epíteto de «destructora de ciudades», era con frecuencia representada junto con Fobos y Deimos como acompañante de Ares y se ha dicho de ella tanto que era su madre como su hermana, su auriga o su musa.

Una estatua de Enio, hecha de por los hijos de Praxíteles, se erigía en el templo de Ares en Atenas. Figuraba entre las grayas que enumeraba Hesíodo en su Teogonía.

Su equivalente en la mitología romana era Belona, que tenía su templo en el campo de Marte, fuera de los muros de la ciudad de Roma, y en él esperaba el senado a los generales cuando regresaban triunfadores de una campaña, se recibía a los embajadores extranjeros o se hacían las declaraciones de guerra.

Posteriormente sería identificada con Minerva.

Eolo

Dios de los vientos, nieto de Hépotas, Eolo vivía en la isla flotante de Eolia con sus seis hijos y sus seis hijas.

Zeus le había dado el poder de administrar, aplacar y provocar los vientos y Eolo los tenía encadenados en un antro profundo, desde donde los gobernaba a su antojo, apresándolos o liberándolos según le convenía.

Eolo era también responsable del control de las tempestades, y los dioses, sabedores de ello, le imploraban su ayuda como hizo Hera para impedir que Eneas desembarcase en Troya.

También ayudó a Odiseo en sus expediciones, dándole un viento favorable, además de un odre que contenía todos los vientos, con la advertencia de que debería utilizarlo con sumo cuidado. Sin embargo, la tripulación de Odiseo creyó que el odre contenía oro y lo abrió, provocando grandes tempestades.

Se le representa empuñando un cetro como símbolo de su autoridad, y rodeado de turbulentos remolinos, los vientos, cada uno de los cuales era un dios.

Eos

Hija de Titán y de Gea, hermana de Helios y Selene, Eos (la aurora) precedía siempre como un heraldo al nacimiento del día y abría para su hermano las puertas del cielo «con sus rosados dedos» haciendo huir a Morfeo, dios del sueño, y al resto de los dioses de la noche.

Era representada como una joven bellísima, vestida de amarillo y montada en un carro tirado por cuatro caballos blancos.

Por venganza de Afrodita, celosa al haberla descubierto haciendo el amor con su amado amante Ares, fue condenada a vivir eternamente enamorada.

Pese a que se había casado con Titón, el hermano de Príamo, para quien Eos olvidó pedir a Zeus la inmortalidad y que acabó convertido en un saltamontes, fue amante de Ganímedes, Clito, Eolo, Céfalo, Astreo, Orión..., a todos los cuales dio hijos, incluidos los vientos de cualquier tipo y todas las estrellas del firmamento. Con su esposo Titón (Tetono) tuvo dos hijos, Memnón, que murió en la guerra de Troya luchando al lado de los sitiados, y Ematión.

Eos secuestró a Céfalo cuando estaba cazando. Algunas fuentes dicen que éste rehusó ser infiel a Procris, su esposa; otras que tuvo una relación con Eos durante algún tiempo y que ésta le dio tres hijos, pero que pronto empezó a añorar a Procris, provocando que Eos le enviase de vuelta con ella, maldiciéndolos.

Céfalo mató a Procris, algún tiempo después, al confundirla con un animal mientras cazaba: Procris, esposa celosa, estaba espiándole oculta en la maleza.

Érebo

Es la personificación de las tinieblas infernales y, como Nix, nació del Caos primordial. De la unión con su hermana Nix nacieron Éter (el aire), Hémera (el día) y Caronte.

En la lucha de los titanes contra Zeus y los demás dioses olímpicos, Érebo tomó partido por los primeros. Al ser derrocados los titanes, fue condenado a permanecer eternamente en las profundidades de Tártaro (prisión para réprobos).

Las erinias

Había que llamarlas euménides (benévolas) para evitar los efectos de la ira que desataban al escuchar su verdadero nombre, que en latín era las furias.

Nacidas de la tierra (Gea) cuando recibió la sangre de Urano al ser castrado por su hijo Crono, su número es indeterminado, aunque Virgilio cuenta tres: Alecto (la implacable, que castiga los delitos morales), Mégara (la celosa, que castiga los delitos de infidelidad) y Tisífone (la vengadora, que castiga los delitos de asesinato).

Protagonistas de la tragedia *Las Euménides* de Esquilo, castigaban todos los ultrajes contra la sociedad humana como el perjurio, el exceso (hibris), la violación de los ritos de hospitalidad y, sobre todo, los delitos de sangre contra la familia.

Para Esquilo eran hijas de Nix, para Sófocles lo eran de Gaia y Scotos, pero Epiménides las situaba como hermanas de las parcas. En lo que todos coinciden es en que las erinias eran fuerzas primitivas anteriores a los dioses olímpicos, que moraban en el Tártaro, donde torturaban a los condenados, y que nunca se sometieron a la autoridad de Zeus.

Son las responsables de castigar los crímenes, en vida o tras la muerte de sus autores persiguiéndoles hasta el inframundo; son justas pero sin un atisbo de piedad, rechazan las circunstancias atenuantes y ningún sacrificio o rezo puede impedir que apliquen el castigo de los delitos.

Se representa a estas deidades vengadoras como genios femeninos con serpientes enroscadas en sus cabezas, mezcladas con sus cabellos, portando látigos y antorchas, y con sangre manando de sus ojos en lugar de lágrimas.

También se decía que tenían grandes alas de murciélago o el cuerpo de un perro. Solían ser comparadas con las gorgonas, las grayas y las arpías debido a su espantosa y oscura apariencia y al poco contacto que mantenían con los dioses del Olimpo.

Atormentaban a los delincuentes, persiguiéndolos incansablemente sobre la Tierra hasta volverlos locos, y podría decirse que representan la rectitud de las cosas dentro del orden establecido, las protectoras del cosmos frente al caos.

Aparecen con frecuencia en las leyendas mitológicas: inspiran la venganza de Altea contra su hijo Meleagro, impulsan a Clitenmestra a matar a su marido Agamenón o persiguen a Orestes por el asesinato de su madre.

Éride

Diosa que personifica la discordia. Una de las versiones la hace hija de Hera y hermana de Ares, del que resultaba compañera inseparable al ser ella quien provocaba las guerras.

Otra versión la coloca entre los dioses primitivos, haciéndola hija de Nix, la noche. Se le atribuyen como hijos a Ponos, la pena; Lete, el olvido; Limos, el hambre; Algos, el dolor; y finalmente Horcos, el juramento.

En ciertos mitos se distinguen dos discordias, una perniciosa y otra que es el espíritu de la emulación. Esta última habría sido puesta en el mundo por Zeus para estimular en los hombres el gusto por su oficio y el espíritu de superación. Sería Éride quien originó el juicio de Paris que desembocó en la guerra de Troya. Se la representa como un genio alado.

Eros

Hijo de Afrodita y de Ares, hermano de Anteros, el amor correspondido, Eros es el dios del amor, una de las fuerzas fundamentales del universo. Dios también de la fertilidad, la lujuria y el sexo, su nombre está en la raíz de la palabra erotismo.

Asegura la continuidad de las especies y el orden interno del cosmos. Dios poderosísimo, produce heridas tan difíciles de curar que hasta su madre le temía y le trataba con respeto.

Ser bisexual, protector tanto de los amores homosexuales como de los heterosexuales.

Se le considera una fuerza eternamente insatisfecha que siempre consigue lo que persigue. Aunque en principio fue representado como un hermoso adolescente, más tarde se impuso la imagen (Cupido) de un niño travieso armado con un arco y unas flechas, que disparaba tanto contra dioses como contra humanos. A veces también le encontramos portando antorchas con las que inflama pasión en los corazones.

En su carcaj había flechas de dos géneros: unas doradas, con plumas de paloma, que provocaban el amor instantáneo, y otras de plomo, con plumas de búho, que causaban la indiferencia.

Un día, Eros, enfadado con Apolo porque había puesto en duda sus habilidades como arquero, le disparó una flecha dorada que hizo que se enamorase de la ninfa Dafne, pero a ella le lanzó otra flecha con punta de plomo, por lo que desdeñaba la pasión de Apolo. Ante el acoso del dios de la belleza, Dafne rezó al dios río Peneo pidiendo ayuda, y éste la transformó en un árbol de laurel.

Fobo

Dios del miedo, junto a su hermano Deimo, el terror, acompaña a su padre Ares como aurigas de su carro de guerra en las batallas, junto a un ejército de fieros demonios.

En la mitología griega y romana el miedo era tan poderoso que fue divinizado; se le rendía culto como a cualquier otro dios, cuanto más al que hacía que los guerreros enemigos se batieran en retirada en medio del combate. Además, para mayor intimidación, Fobo residía a las puertas del Infierno.

Hijo de Afrodita, diosa del amor, y también hermano de Fuga y de Harmonía, parece que amor y violencia vayan juntos en la mitología griega, como las dos caras de la misma moneda.

Gaia

Es la Tierra, la de los amplios pechos, la primera de las criaturas hijas del caos original. De ella nació, «sin dulce unión de amor», Urano (el cielo) y la incestuosa (o poética) relación entre ambos dio origen a los titanes, a las titánides, los cíclopes y los monstruosos hecatonquiros.

Gaia está, pues, en los orígenes de Crono y Rea, padres a su vez de Zeus y columna vertebral de toda la mitología griega.

Tuvo también otros hijos sin padre, como Tártaro y Ponto, y también con ellos mantuvo relaciones y engendró, fértil tierra, muchos hijos. Para algunos, Gaia no era más que un inmenso lugar provisto de todo lo necesario para la morada eterna y segura de los seres vivientes.

Según otras fuentes, Gaia fue la deidad original tras el oráculo de Delfos. Traspasó sus poderes a Poseidón, Apolo o Temis.

Apolo es el más conocido por su poder tras el oráculo, sobre todo después de haber matado al hijo de Gaia, Pitón, en Delfos. Por este motivo fue castigado a muerte exiliándole durante nueve años, como pastor al servicio de la corte del rey Admeto.

A diferencia de Zeus, un errante dios nómada del cielo abierto, Gaia se manifestaba en diferentes y variados lugares cerrados: la casa, el patio, la matriz, la cueva.

Sus animales sagrados son la serpiente, el toro lunar, el cerdo y las abejas. En su mano, la amapola adormidera se puede convertir en una granada.

LOS HIJOS DE LA TIERRA

Segun las leyendas más comúnmente aceptadas, un día, Urano, que contemplaba a su madre desde las más altas cumbres de las montañas, hizo caer sobre ella una lluvia fina de la que nacieron todas las plantas, todos los animales, todos los pájaros y todos los mares y ríos, englobados bajo el nombre de titanes (Océano, Ceo, Crío, Hiperión, Jápeto y Crono) y titánides (Temis, Rea, Tetis, Tea, Mnemósine y Febe).

Nacieron también los cíclopes de un solo ojo, Brontes, Estéropes y Arges, constructores de murallas, los gigantes y los tres horribles hecatonquiros, de cincuenta cabezas y cien brazos cada uno (Coto, Briareo y Giges), que acabaron encerrados en el Tártaro.

Tras la castración de Urano por parte de Crono, Gaia parió a Equidna y a Tifón, engendrados por Tártaro, mientras que de Ponto, Gaia tuvo a Nereo, Taumante, Forcis y Euribia.

Los genios

Manifestaciones primitivas del culto a la naturaleza, los genios (o sátiros o faunos). Solían representarse con forma humana en la mitad superior de su cuerpo, aunque con cuernecillos de cabra y orejas puntiagudas, y la mitad inferior con patas de macho cabrío, larga cola y el miembro viril, muy poderoso, perpetuamente erecto. Poseen un desenfrenado apetito sexual, que les obliga a estar siempre al acecho de ninfas y doncellas. Les gusta el vino, la danza y la música. Pertenecen a la corte de Dioniso.

Cuando son viejos se les llama silenos. Meros acompañantes de los dioses, rara vez desempeñan un papel predominante en las leyendas, aunque hay excepciones como la del sileno Marsias.

Otros genios, considerados como benéficos, eran los que acompañaban a los humanos durante toda su vida. También los distintos grupos sociales y zonas geográficas tenían asignado un genio protector (daimon Agatos), cuyo objetivo primordial era la consecución de fines relacionados con la productividad del suelo y, al propio tiempo, beneficiar con su presencia a todos los habitantes de los lugares en que el daimon se hubiera asentado.

Eran representados por un joven ataviado con la clámide, o capa corta, que brillaba movida por el viento. Solía llevar en sus manos la cornucopia de la abundancia.

Las tres gracias

Son el encanto y la belleza. Hijas de Zeus y la ninfa Eurínome, esparcen la alegría, la elocuencia, la libertad y la sabiduría por el mundo.

Se llamaban Áglae, Eufrósine y Talía, formaban parte del cortejo de Apolo y presidían o cantaban y bailaban en los banquetes de los dioses. Sus atributos, las rosas, el mirlo y un dado de juego.

Eran compañía habitual en el Olimpo de Afrodita o de Eros o Dionisio y están muy relacionadas con las musas, con las que se divertían al son de la música que Apolo tocaba.

Áglae, la más joven, era también la más hermosa y estaba casada con el dios Hefesto. Siempre se las representa desnudas y en círculo, cogidas de las manos a punto de comenzar una danza, dos mirando hacia un lado y la tercera hacia el contrario.

También llamadas carites, eran tan bellas que incluso compitieron en belleza con la mismísima Afrodita, se dice que por inspiración de la misma Afrodita celosa de su hermosura.

Como juez, fue elegido el mejor adivino de Grecia, el ciego Tiresias, que gozaba de la visión interior que le había concedido Hera. Tiresias tuvo que decir la verdad y presentar a Áglae como la mujer más bella. Como de costumbre,

Afrodita reaccionó coléricamente y castigó al sincero y honesto Tiresias, a quien convirtió en un achacoso anciano. Áglae entonces se lo llevó con ella a la isla de Creta, donde pudiera cuidarle y atenderle como se había merecido.

Hades

Hijo de Cronos y Rea y por lo tanto hermano de Zeus. Conocido como Plutón en la mitología romana, en el reparto del mundo entre los hermanos le tocó el espacio subterráneo, el dominio de los muertos, que es donde habita y al que da su propio nombre: el Hades.

Se le representa en un carro de oro con el cuerno de la abundancia en la mano, o con larga barba blanca sentado en su trono y con Perséfone al lado. El principal atributo de Hades es el casco que hace invisible a quien lo posee, regalo de los cíclopes.

También es dios de todo lo que proviene del subsuelo y por tanto de las riquezas en metales de las profundidades de la tierra y rige la fecundidad del suelo. No participa de la vida de los dioses olímpicos. Sólo salió una vez de los infiernos y fue para raptar a la joven Perséfone y llevarla consigo a lo profundo para hacerla su esposa.

Vive rodeado de divinidades infernales como el can Cerbero, monstruoso perro de tres cabezas y cola de serpiente, que vigila a la puerta del reino de los muertos para que no la atraviese ningún ser vivo, y Caronte, el barquero loco que traslada las almas de los muertos a través de la laguna Estigia.

Por ser inflexible, es aborrecido por hombres y dioses aunque no sea injusto ni malvado. Su nombre da mal augurio, por lo que no se le nombra. Hades significa invisible.

Cuando alguien fallecía, Hermes conducía al muerto hasta la orilla del río Aqueronte o de la laguna Estigia, donde el barquero Caronte le recogía en su barca a cambio de una moneda (que los parientes ponían en la boca del difunto) y lo trasladaba al otro lado.

Allí era juzgado por Minos, Radamantis y Éaco, quienes le enviaban por uno de los tres senderos que había, según sus actos.

El primer sendero conducía a la llanura de Asfódelos, donde se quedaban los mediocres. El segundo llevaba a los Campos Elíseos, donde iban los afortunados. Y por último, el tercero desembocaba en el Tártaro, que era lo más parecido al infierno cristiano.

Hebe

Diosa de la juventud, hija de Zeus y Hera. Según *La Ilíada,* durante mucho tiempo cumplió la función de copera de los dioses, a quienes servía néctar y ambrosía.

También enganchaba los caballos de su madre y bañaba y vestía a su hermano Ares. El príncipe troyano Ganímedes la sustituyó en estas tareas cuando se casó con el héroe Hércules, que acababa de subir al Olimpo.

Tradiciones posteriores contaban que había sido madre con Hércules de dos hijos, Alexiares y Aniceto, y que tenía el poder de rejuvenecer a los ancianos, como hizo en una ocasión con Yolao por un día cuando éste iba a luchar contra Euristeo.

Solían representarla con un vestido sin mangas y era muy venerada en Atenas. Su correspondiente romano era Juventas, a la que los muchachos debían ofrecer una moneda la primera vez que vestían la toga de los adultos, como rito iniciático.

Hécate

Para algunos, Hécate era la titánide más joven, hija de Perses y Asteria. Otros afirmaban que era hija de Coeo y de Febe, y a su vez reencarnación lunar de su propia madre. Según otras versiones sería hija del propio Zeus con Deméter. Tres interpretaciones, como sus tres cabezas.

Pero en lo que todas las versiones se muestran de acuerdo es en su preeminencia sobre lo misterioso y lo fantástico, la hechicería y la noche, en que manipulaba con gran destreza las hierbas mágicas y los venenos, y que podía detener el curso de los ríos.

Diosa telúrica, diosa del más allá, protectora de los que litigan ante los tribunales, de los atletas y de los políticos; paradójicamente, es la que vela como nodriza por los niños pequeños.

Era venerada en las encrucijadas de tres caminos, donde los griegos situaban postes con máscaras de cada una de sus cabezas mirando en diferentes direcciones, y sus estatuas están representadas con tres cuerpos y tres cabezas; una de perro, otra de serpiente y otra de caballo. Llevaba una o dos hachas en las manos y serpientes enrolladas al cuello.

En representaciones tardías también figuraban a su costado dos perros. Estas tres cabezas fueron explicadas más tarde como símbolo de una triada femenina, en que aparecerían Selene, reina del cielo nocturno, Artemisa, reina de la tierra, y Hécate, reina del abismo subterráneo. En la mitología romana era la diosa Trivia («la de los tres caminos»).

Asociada a la brujería, cuando se mostraba a alguno le espantaba de tal manera que la mayoría de las veces moría de miedo. Era invocada contra los amores deshechos y tenía el don de atraer o matar al amante que se había alejado del ser amado.

Medea, que era una de sus sacerdotisas, practicaba la hechicería, aparentemente bajo la guía de la diosa.

En el Hades gozó de gran autoridad, pues era conocida como la reina invencible, y presidía las ceremonias de penitencia y purificación de las malas acciones.

Animales y plantas

Las criaturas de la oscuridad, cuervos, búhos, ranas, serpientes y dragones, están casi todas consagradas a ella, aunque el perro es el animal más comúnmente asociado a Hécate, quien a veces es llamada la «perra negra».

Los ladridos de los perros eran la primera señal de su cercanía en la literatura griega y romana.

El tejo, el ciprés, el avellano, el álamo negro y el sauce estaban consagrados a esta diosa. Las hojas del álamo negro son oscuras por una cara y claras por la otra, simbolizando el límite entre los mundos.

El tejo ha estado asociado desde siempre con el inframundo. Un veneno preparado a partir de sus semillas se usaba en las flechas, y su madera se utilizaba comúnmente para fabricar flechas y empuñaduras de dagas.

La poción del caldero de Hécate contiene «esquejes de tejo». Las bayas del tejo pueden otorgar la sabiduría o la muerte.

Sus semillas son muy venenosas, pero las carnosas bayas rojas que las rodean no. Si se preparan correctamente, estas bayas pueden provocar alucinaciones visuales.

También se asociaban a Hécate el ajo, las almendras, la lavanda, la mirra, la artemisia, el cardamomo, la menta, el diente de león y la celidonia menor.

Varios venenos y alucinógenos le están vinculados, incluyendo la belladona, la cicuta, la mandrágora, el acónito (conocido como hecateis) y el opio.

Hefestos

El herrero cojo, Vulcano para Roma, era hijo de Zeus y Hera, quien le arrojó del Olimpo porque le nació feo.

Tras caer en el océano y romperse las dos piernas, es curado y educado por las nereidas Tetis y Eurínome, que le ocultan durante nueve años en una gruta submarina. Allí aprendió el oficio de herrero, de joyero y muchas otras artes manuales en las que se hizo el mayor experto. Hefestos es el dios del fuego. Los volcanes son sus talleres; los cíclopes, sus ayudantes.

La conocida «fragua de Vulcano» la situaba Virgilio en el interior del Etna, aunque la sabiduría popular la ubicaba en el cráter del volcán Estrómboli, siempre activo.

Se solían referir a él como «el ilustre cojo de ambos pies». En las imágenes lleva unas tenazas y un martillo en las manos. El yunque y la llama son sus atributos.

A pesar de su dolencia y su fealdad, Hefestos fue amado por las más bellas. Zeus le dio como mujer a Afrodita. Pero ésta le engañó descaradamente, entre otros, con Ares.

Hefestos, avisado por el sol, tendió una trampa a los amantes y los atrapó en una red metálica invisible e indestructible, para que todos los dioses les vieran juntos y desnudos.

Lo mismo hizo para vengarse de su madre Hera, a la que regaló un maravilloso trono de oro donde la mantuvo apresada hasta que Dionisios consiguió que el tullido herrero, al que había emborrachado, la liberara. Se reconciliaron madre e hijo y el dios de la fragua vivió en el Olimpo desde entonces.

Otras maravillas metálicas salidas de sus manos fueron el escudo del héroe Eneas, que era de oro y cuyos relieves hacían alusión a un idílico tiempo futuro que no pudo ver cumplirse nunca, a pesar de que contra él nada podían las flechas enemigas.

Construyó la cuadriga de Helio, el más célebre de los aurigas celestiales, que brillaba tanto como el sol. También creó la armadura de oro, el casco y el escudo de Aquiles por encargo de su madre, Tetis, y fabricó la gran variedad de presentes en bronce, joyas de exclusivo diseño e incalculable valor, que regaló agradecido a las ninfas del mar, sus salvadoras.

Incluso se dice que fue él mismo quien construyó para Zeus su temible rayo de fuego.

Helios

En palabras de Homero:

«Hiperión se casó con la ilustre Eurifaesia, su hermana; ella le dio hermosos hijos: Eos, de brazos de rosa; Selene, de bellas trenzas; y Helios, infatigable, semejante a los inmortales, quien, arrastrado por caballos, esparce su luz sobre los hombres y sobre los dioses».

Para otros, hijo de los titanes Hiperión y Tía, es la personificación del sol. Su esposa fue la oceánide Perséis, que le dio a Eetes, Circe, Calipso y Pasifae.

Dispensador de todos los bienes, es el dios que da al hombre la riqueza y la felicidad. Todo lo bello procede de él; es el dios de la verdad y de la sabiduría.

Tuvo muchas amantes, como Clitia, que fue convertida en la flor que sigue al sol, llamada heliotropo, o la ninfa Leucótoe. Con Clímene engendró siete hijas, las helíades, y un hijo llamado Faetón.

La ninfa Rodos le dio siete hijos, los sabios helíadas (Oquimos, Cercafo, Actis, Macareo, Candalo, Triopes y Tenages). Con su hermana Selene tuvo a las horas y con Egle a las carites.

Cuando los olímpicos desplazaron a las deidades anteriores y Zeus repartió el mundo entre los nuevos dioses, Helios quedó excluido, por lo que protestó enérgicamente.

Zeus se avino a repetir el reparto, pero no lo hizo, y finalmente Helios tomó posesión de la isla de Rodas, que acababa de surgir del mar. Luego tuteló también Sicilia y la acrópolis de Corinto.

Todos los días, precedido por Eos, emprende su carrera montado en un carro de fuego tirado por caballos luminosos. Atraviesa el cielo de Oriente a Occidente, donde sus caballos se bañan y él descansa.

El camino de vuelta, durante la noche, lo hace en una embarcación que va bajo la tierra. Nada de lo que ocurre escapa a su mirada. Fue él quien descubrió los amores entre Ares y Afrodita, o el que reveló a Deméter el nombre del raptor de Perséfone.

Se le representa como un auriga con un disco solar en torno a la cabeza y montado en un carro tirado por cuatro caballos. Estos corceles son: Flegonte (ardiente), Aetón (resplandeciente), Pirois (ígneo) y Éoo (amanecer).

Hera

Reina de los dioses, señora del Olimpo, que gobernaba desde su trono de oro, era hija de los titanes Crono y Gea. Hermana y mujer de Zeus, cuando se casó con él, la noche de bodas duró trescientos años.

Hera fue la diosa del matrimonio, la fidelidad, la maternidad y protectora de las mujeres casadas.

Era madre de Ares, dios de la guerra, de Hefestos, dios del fuego, de Hebe, diosa de la juventud, y de Ilitía, diosa del alumbramiento, aunque con el exclusivo concurso de su madre Gea (la Tierra) tuvo también a Tifón, monstruo terrible de piel escamosa y fuego en los ojos.

Enormemente celosa, Hera perseguía a menudo a las amantes y a los hijos de Zeus. Nunca olvidó una injuria y se la conocía por su naturaleza vengativa. Irritada con el príncipe troyano Paris por haber preferido a Afrodita antes que a ella, en el famoso «Juicio de Paris», Hera ayudó a los griegos en la guerra de Troya y no se apaciguó hasta que Troya quedó destruida.

Fue la eterna enemiga de Heracles, su auténtica némesis, por ser hijo de Zeus con Alomena. Hera intentó evitar que naciera, pero sus planes fueron frustrados por Galantis, por lo que la transformó en comadreja.

Cuando Heracles era niño, Hera envió dos serpientes para matarlo mientras dormía en su cuna, pero éste estranguló una serpiente con cada mano y su niñera le halló divirtiéndose con sus cuerpos flácidos como si fueran juguetes.

Hera fue quien le encargaría trabajar para el rey Euristeo de Micenas e intentó hacer imposibles los conocidos 12 trabajos de Heracles.

Llamada Juno entre los romanos, se la representaba como una mujer joven, bella, casta y algo severa, con una diadema en la cabeza y vestida discretamente con una túnica que la envolvía con nobleza y modestia; en la mano, el cetro, en cuyo extremo están el cuchillo y una piedra preciosa, el granate, que simbolizan el amor conyugal y la fidelidad. A veces suele sostener en la mano una granada, atributo de la fecundidad.

Hermes

Es el dios mensajero, el que anuncia las noticias, el protector de los caminos y guía del viajero. Hijo de Zeus y de la bella ninfa Maya, fue tan precoz que nació al alba y a mediodía ya había inventado la lira y aprendido a tocarla. Después encontró un caparazón de tortuga y con él creó la primera cítara y se la cambió a su hermano Apolo por el caduceo o bastón de la concordia para, acto seguido, robarle astutamente 50 bueyes.

Protector del comercio y de lo que se pacta en tratos, pasa por ser el inventor de las pesas y medidas usadas en las transacciones comerciales. El principal símbolo de Hermes es el «pétasos», o gorro con alas, y las sandalias aladas, elementos que le facilitan el vuelo.

Llamado Mercurio entre los romanos, el mismo nombre de la deidad aparece relacionado con los términos «merx», que significa «mercancía», y «mercari», sinónimo de comerciar.

Está presente en múltiples mitos: le entregó a Odiseo la planta mágica (moly) con que se libró de que Circe le convirtiera en cerdo, aunque hay quien afirma que le salvó por interés, ya que en el año que pasaron juntos y enamorados Circe y Odiseo, tuvo él mismo tiempo suficiente para resquebrajar la fidelidad de Penélope y conseguir sus favores, relación de la que nacería luego el dios Pan.

Era el más granuja de entre los dioses y los mortales y su manía cleptómana le costó, en ocasiones, serios disgustos, como su expulsión del Olimpo. No hubo atributo de deidad alguna que no sufriera la apetencia de este ilustre ratero.

Una vez, el dios del amor no pudo disparar sus dardos porque Hermes le había robado el carcaj con todas sus flechas y lo mismo le sucedió a la bella Afrodita, que no pudo hacer realidad el sueño de una de sus conquistas porque el cinturón que volvía irresistibles sus encantos se lo había birlado Hermes.

Estos y otros robos colmaron la paciencia de los dioses del Olimpo, quienes decidieron por unanimidad expulsarle de tan idílico lugar.

Sin embargo, el poderoso Zeus no tardaría en perdonarle y permitirle, de nuevo, acomodarse en la morada de los dioses para aprovecharle como mensajero.

Algunos de sus encargos, que Hermes cumplirá sin vacilar, resultan cuando menos crueles e innecesarios. Entre éstos podemos citar la orden de dar muerte al fiel Argos o el cruel castigo al que sometió a Prometeo.

Hestia

Era la mayor de los seis hijos de Crono y Gea, por lo tanto olímpica y hermana de Zeus, Hera, Demeter, Hades y Poseidón. Diosa abstracta, virgen, personificación y garante del fuego sagrado del hogar, que debía permanecer siempre encendido, su simbolismo alcanza, por extensión, al propio centro de la tierra, como el ombligo del mundo.

Fue el mismísimo Zeus, precisamente, quien ayudó a Hestia a mantenerse siempre virgen y pura, incomprensible paradoja cuando se sabe que el rey del Olimpo era el más mujeriego y enamoradizo entre dioses y mortales.

Lo cierto es que Hestia, Vesta para los romanos (sus ministras eran llamadas vestales), permaneció siempre «ávida de pureza». Tan importante era mantener vivo el fuego sagrado como para que no se ocupara de otras cosas.

En todas las casas y ciudades protegía a los suplicantes que le pedían protección. A Hestia se le rendía un culto y devoción universal, no sólo porque era la más apacible, recta y caritativa de todas las deidades del Olimpo, sino también porque había inventado el arte de construir casas.

Hestia, inmutable e inalterable, simboliza también la perpetuidad religiosa y la continuidad de la civilización y la cultura. Por su misma naturaleza, no está apenas presente en las leyendas de la mitología.

Himeneo

Dios de las bodas, se le representa con una flauta, una antorcha y una corona de flores. Durante los esponsales se le ofrecía vino, leche y una torta o pastel. Es a quien se dirigía el canto ritual que se efectuaba en los casamientos. Una de las leyendas le hace hijo de Apolo o de Dioniso.

Según este relato, Himeneo fallecería el día de su boda y posteriormente fue resucitado por Asclepio.

Otra versión cuenta que perdió la voz en la boda de Dioniso y Ariadna, mientras cantaba para ellos. Muy mencionado en la poesía griega, y sin embargo de historia harto incierta.

Hijo de Ares para otros y de infortunado matrimonio, hermoso como nadie, probablemente no fuera más que la pura personificación de las alegrías de la iniciática noche de bodas.

Hipnos

Es el dios del sueño (personificación del sueño en la mitología griega, su equivalencia romana es Somnus) y hermano gemelo de Tánato, la muerte no violenta.

Su descendencia, más de 100 hijos, la formaban las cosas que ocurrían en sueños, los oneiros. Los tres más importantes eran los que aparecían en los sueños de los reyes: Morfeo, su principal ayudante, que evita los ruidos que podrían despertarle, Iquelo (también llamado Fobetor) y Fantaso.

Era hijo de Nix, la noche.

Vivía en un palacio construido dentro de una cueva que el sol jamás alcanzaba, como tampoco el madrugador gallo, ni los gansos, ni los perros, de forma que Hipnos vivía siempre en paz y silencio.

A un lado del palacio pasaba Lete, el río del olvido, a cuyas orillas crecían amapolas y otras plantas narcóticas, y en el centro del edificio se encontraba un hermoso lecho de ébano rodeado de cortinas negras en el que reposaba Hipnos sobre blandas plumas.

Dice la leyenda que Hipnos, a petición de Hera, durmió a Zeus para permitir a Poseidón intervenir a favor de los griegos en la guerra de Troya. Como recompensa, recibió de la diosa la mano de Pasitea, una de las tres gracias. Endimión recibió de Hipnos el poder de dormir con los ojos abiertos para así vigilar constantemente a su amada Selene.

Era representado como un hombre joven, desnudo y alado, que en ocasiones llevaba una varita con la que tocaba la frente de los hombres para dormirlos. Así, Hipnos recorrería la tierra durmiéndolo todo a su paso.

Las horas

Con la palabra «horas» los griegos designaban a las divisiones del año, no a las del día. Incluso sólo se reconocieron, al principio, tres horas o estaciones: la primavera, el verano y el invierno.

Las horas eran hijas de Zeus y Temis, hermanas de las moiras. Hesíodo contaba tres: Eunomía, Diké y Eirene, es decir, el buen orden, la justicia y la paz.

Rigen el ordenamiento social y el ritmo de la naturaleza.

Criaron a Hera, aparecen en el séquito de Afrodita por la que descendieron al inframundo para traerle a Adonis, acompañan a Perséfone y al dios Pan, custodian las puertas del Olimpo y acumulan o disipan las nubes con lluvia.

Se las representa como doncellas con largas túnicas que sujetan con una mano mientras bailan, a menudo con las tres gracias.

Las horas presidían la educación de los niños y regulaban toda la vida de los hombres. Asistían a las bodas celebradas en la mitología y tenían todas la apariencia juvenil, fragante y atractiva de la primavera.

Ilitía

Hija de Zeus y Hera, hermana por tanto de Ares, Hebe, Hefestos y del montruo Tifón, Ilitía fue la diosa de los partos, de las comadronas, de la gestación y protectora de las madres en el momento del nacimiento de sus hijos para suavizar los dolores del parto y darles aliento y valor.

Carece de mitos propios, y apenas son mencionadas acciones suyas en las leyendas. Sólo aparece cuando la utilizaba su madre, Hera, en las numerosas venganzas que urdía contra las amantes de Zeus, como Leto o Alomena.

En las representaciones aparecía arrodillada o agachada, que es la postura adecuada para asistir al parto. En la mano portaba una tea o antorcha encendida.

Eirene (Irene)

Hija de Zeus y Temis, es una de las tres horas o estaciones, hermana por lo tanto de Dike (justicia) y Eumonía (orden). Eirene es la paz, entendida como todo lo calmado, tranquilo y sereno, como la condición virtuosa de la convivencia humana que hace posible la riqueza, el bienestar y la gloria.

Ella es la que reparte sus dones con dulzura y se decía que era la más hermosa de las diosas, siendo la que se encarga de abrir los portales que conducen a la prosperidad y a todo lo que de ésta se deriva.

Por esa razón, los artistas la han representado como la nodriza de Riqueza, y los poetas la llamaban ama de cría de Deméter, amiga preferida de las musas, gran bendición de la humanidad, y enemiga de todas las tristezas.

Puesto que no puede haber paz sin justicia, y ninguna de ellas permanecería si el desorden prevaleciera, las tres hermanas se mencionan frecuentemente juntas y cuando una se va, las otras la siguen. Eran veneradas prácticamente por todos, pues nadie se atreve a declarar abiertamente que es beneficioso despreciar la justicia, destruir la paz o vivir en el desorden.

No obstante, hay quienes han afirmado que no son diosas, y prefieren llamarlas «abstracciones», argumentando que no se trata de deidades personales, sino de objetos de nuestro deseo o propiedades inherentes a nuestra manera de pensar. En ese orden de cosas, su principal enemiga sería Ananke, la necesidad, que desconoce toda ley. Suele representarse a Eirene con un cuerno de la abundancia (cornucopia) en la mano.

Iris

Diosa de segunda fila en el Olimpo, una más de la pléyade de servidores y servidoras de los 12 grandes dioses, hija de Taumas, genio del mar, y de Electra, la oceánide, a no confundir con la conocida hija de Agamenón.

Hermana de las harpías (Aelopos, Ocipeta y Podargé), que eran la personificación de los vientos súbitos y seres de buen corazón. El cometido de Iris (la del arco iris) era volar de un lado a otro, a gran velocidad, sirviendo los deseos de los olímpicos.

Como Hermes, se la representaba con alas, o con aladas sandalias de oro, siempre joven, hermosa y llevando el caduceo que significaba paz y comunicación.

Era la auxiliar excelente y dispuesta, al servicio de la corte, y cumplía con lo que le mandaban, aunque fueran órdenes contradictorias fruto de los rencores existentes entre sus grandes patrones. Como arco iris, era el nexo de unión entre el cielo de las divinidades y la tierra de los mortales.

Jano

Uno de los más antiguos dioses de la mitología romana, para algunos hijo de Saturno. Tenía la fuerza generadora de la luz y una de sus principales misiones consistía en abrir las puertas del sol todas las mañanas y cerrarlas por la noche.

Se le representaba bifronte, con dos caras de perfil mirando hacia lados opuestos. Jano era el dios de las puertas, los comienzos y los finales. Por eso el mes de enero, el primero del año, recibe este nombre en su honor.

Es el dios de los cambios y las transiciones, de los momentos en los que se traspasa el umbral que separa el pasado y el futuro. Su protección, por tanto, se extiende hacia aquellos que desean variar el orden de las cosas y, por eso, su templo se cerraba en tiempos de paz.

Se le atribuye entre otras cosas la invención del dinero, de las leyes y la agricultura.

Saturno le dotó de una curiosa facultad: la de ver con toda claridad y al mismo tiempo el pasado y el porvenir para regirse con sabiduría en las circunstancias del momento presente.

Momo

Hijo de la noche (Nix) y el sueño (Hipnos), en la mitología griega era el dios de la burla y el sarcasmo. Momo era el patrón de los carnavaleros y se le representaba como un personaje estrambótico, la cabeza coronada con un ridículo gorro como el de arlequín adornado de cascabeles, riendo a carcajadas, con una máscara cubriéndole medio rostro y llevando en la mano un tirso florido, símbolo de la locura báquica.

Personifica la crítica jocosa, la burla inteligente, el dios de la locura que con chistes y agudezas y una mímica grotesca, divertía a los excelsos dioses del Olimpo.

Se le consideró especial protector de los escritores y los poetas. Hades, Hefestos, y Atenea se desafiaron para ver quién era capaz de producir una obra perfecta e insuperable, y nombraron juez de sus obras a Momo. Hades había creado al toro y Momo se rió de él por haberlo hecho con los cuernos mal colocados (deberían ir debajo de los ojos, para que viera lo que embestía).

De Hefestos se mofó porque a su obra, el hombre, le faltaba una ventanilla en el corazón para poder conocer sus intenciones y pensamientos secretos.

A Atenea la criticó sardónicamente porque la casa que había construido era demasiado pesada y no se podía mover si el propietario quería trasladarse a causa de unos molestos vecinos. Estas mofas fueron las últimas que le toleraron y, rápidamente, Zeus le expulsó del Olimpo. También se cuenta que se burlaba de Afrodita porque hablaba mucho y porque sus sandalias hacían mucho ruido al andar.

Su compañero de andanzas era Como (dios griego de la alegría, los festines y la ostentación), cuyos adoradores corrían por la noche, con antorchas encendidas, coronados con flores, enmascarados y cantando al son de la música.

Morfeo

Hermano de Momo, e hijo por tanto de la noche (Nix) y el sueño (Hipnos), es el dios de los sueños. Morfeo, cuyo nombre significa «forma», se encargaba de constituir los sueños de cada persona y de dar apariencia humana a las personas que en ellos aparecían. Además, velaba porque nadie despertara de su letargo a su padre. Era el que generaba las visiones placenteras y también las pesadillas.

Se le representaba como un anciano alado, sumamente silencioso, que llevaba en la mano una adormidera, planta de la que se obtiene el opio, la heroína, la morfina y la codeína. La primera referencia escrita en torno al opio se encuentra en *La Odisea*.

Homero describe a los reyes de Esparta preparándose para recibir a Telémaco, hijo de Odiseo, que viene a solicitar información sobre su padre desaparecido en la guerra de Troya concluida diez años antes, mientras Helena prepara una potente droga que disipa el dolor y la agrega al vino.

Esa potente droga era el opio, que había aprendido a utilizar en Egipto, en el viaje de regreso, con Menelao, de la destruida ciudad.

En la mitología griega y romana también se encuentran referencias constantes al opio. Un mito relata cómo Démeter, diosa de la tierra fecunda y hermana de Zeus, utilizaba la adormidera para aliviar el dolor que le provocó el rapto de su hija Perséfone por Hades, dios del Tártaro. En el culto oficial a esta diosa se utilizaba el opio.

Moros

Es una divinidad ciega. Representa el destino. Salida de Nix y de Caos, están sometidas a ella las demás divinidades. Los cielos, la tierra, los mares y los infiernos forman su imperio.

Las leyes de Moros están escritas, a lo largo de la eternidad, en un lugar al que pueden acudir los dioses para consultarlas.

Sus ministras son las parcas y se encargan de ejecutar todas sus órdenes. Solamente los oráculos pueden entrever y revelar lo que está escrito en el libro del destino.

Las musas

Hijas de Zeus y su tía Mnemosine (la memoria), y nietas por lo tanto de Urano y de Gea.

Son nueve hermanas y habitan el monte Helicón que está frente al Parnaso, el monte de los sabios, donde se encuentra el santuario de Delfos. Protectoras e inspiradoras de todas las manifestaciones de la inteligencia: elocuencia, sabiduría, matemáticas, historia, arte, las representan jóvenes, bellas y modestas.

Algunas veces se nos muestran presididas por Apolo pulsando la lira, el cual recibe entonces el sobrenombre de Musagetes, o sea, guía de las musas.

Son las divinidades tutelares de las artes y de las ciencias, la personificación del interés del pueblo griego hacia las formas conocidas de expresión sensible e intelectual.

Las musas, aparte de su patrocinio del estudio y la creación, tañen instrumentos musicales, cantan armoniosamente y danzan ante sus compañeros en el Olimpo, actuando siempre desinteresadamente, entregándose a los demás con generosidad, como depositarias que son de la sabiduría, de la belleza formal y de la alegría de la divinidad.

Están presentes en todas las grandes fiestas de los dioses. No poseen leyendas propias, pero aparecen frecuentemente en leyendas ajenas.

La clasificación más aceptada de las musas es la de Hesiodo

Calíope, musa de la poesía épica. Sus atributos son la trompeta, la tablilla de escritura y estilo y los libros. Lleva una corona de laurel.

Clío, musa de la historia. Sus atributos son los libros, el rollo de pergamino, la tablilla de escritura y estilo, el cisne y la trompeta. Lleva una corona de laurel.

Erato, musa de la lírica coral y poesía amorosa. Sus atributos son el tamboril, la lira, la viola y a veces el cisne.

Euterpe, musa de la música. Sus atributos son la flauta simple o doble principalmente, también la trompeta.

Melpómene, musa de la tragedia. Sus atributos son la máscara de tragedia, la trompa musical, la espada y el cetro a sus pies. Lleva corona.

Polimnia, musa de la pantomima. Sus atributos son un pequeño órgano u otro instrumento musical.

Talía, musa de la comedia. Sus atributos son el rollo, máscara de comedia, viola u otro instrumento musical.

Terpsícore, musa de la danza. Sus atributos son viola, lira o instrumentos musicales de cuerda.

Urania, musa de la astronomía. Sus atributos son la esfera y el compás. Lleva una corona de estrellas.

Némesis

Hija de Océano y Nicte, diosa de la venganza, aunque podría ser considerada, más exactamente, la diosa del equilibrio.

Su labor era castigar a aquellos que cometían crímenes y quedaban impunes, o que tenían demasiada buena suerte; a la vez que recompensaba a aquellos que sufrían injustamente o tenían mala suerte.

Sus sanciones tenían por objeto dejar claro a los hombres que, debido a su condición humana, no pueden ni deben trastocar con sus actos el equilibrio universal. Para los griegos, el equilibrio *(svfrosunh)* era lo más importante. Un claro ejemplo lo encontramos en Creso, quien por ser demasiado afortunado fue arrastrado por Némesis a una expedición contra Ciro que provocó su ruina.

Némesis era originaria del Ática y como deidad antigua no formaba parte de las divinidades olímpicas. Se la representa con una corona y a veces con un velo que le cubre la cabeza, lleva una rama de manzano en una mano y una rueda en la otra.

Cuenta la leyenda que Némesis era objetivo amoroso de Zeus, y ella no lo deseaba, por lo que para tratar de huir del gran dios, ella cambió de forma mil veces, hasta que al final se convirtió en una oca. En ese momento, Zeus se convierte en cisne y la hace suya. Fruto de esta unión, Némesis puso un huevo que recogieron unos pastores y se lo entregaron a Leda.

De este huevo nacieron los dioscuros (Cástor y Pólux) y la bella Helena, quien luego sería la causa de la terrible guerra de Troya.

Nix

Surgió de Caos, como su hermano Érebo, con quien se unió para procrear a Éter, Hémera e incluso se dice que a Caronte. Ella sola pasa por ser el padre y la madre de Gea, la Tierra.

También engendró a toda una serie de abstracciones, algunas entre los brazos de su amante Urano, como Moros (la suerte), las keres negras (genios violentos), Hipnos (el sueño), Momo (el sarcasmo), Miseria (la angustia y el apuro), las moiras (el destino), Némesis (la venganza), Apaté (el engaño), Filotés (la ternura),

Geras (la vejez), Eris (la discordia), Tánato (la muerte), gemelo de Hipnos (el sueño), y las Hespérides (ninfas del poniente).

Diosa de las tinieblas y de la noche, su morada se encontraba en Hesperia, más allá de las columnas de Hércules (el estrecho de Gibraltar).

Se la representaba como una mujer que llevaba en la mano derecha a un niño blanco dormido (el color del cadáver) y en la mano izquierda a un niño negro que fingía dormir (el sueño). Tenía pocos templos y careció de un culto verdaderamente popular.

Se le sacrificaban gallos y ovejas negras. Le estaba consagrado el búho y formaba parte del cortejo de Perséfone. En un antiguo camafeo se la ve repartiendo adormideras a los hombres para llevar a sus ojos el sueño.

Océano

Dios de las aguas, era el primero de los seis titanes, hijos de Urano y Gea. Fue la personificación de los mares y padre de los ríos, que tuvo con su esposa y hermana Tetis, igual que fueron sus hijas las 3.000 ninfas marinas u oceánides.

Para los griegos, la tierra era un círculo plano que estaba rodeado por un gran río de agua (el mar). De ahí la importancia de los mundos marinos en la mitología griega.

Océano fue el único de los titanes que se puso de parte de Zeus cuando éste se rebeló contra Crono en la gran guerra (Titanomaquia) por la que se asentaría el nuevo mundo de los dioses olímpicos. Por ello no acabó sus días en el Tártaro junto a todos sus hermanos, aunque más tarde, Poseidón y su mujer, Anfitrite, sucederían a Océano y a Tetis como soberanos de las aguas.

Pan

Deidad de los pastores y los rebaños, Fauno o Silvano entre los romanos, era especialmente venerado en la Arcadia.

Dios de la fertilidad, del desenfreno de la sexualidad masculina y de las brisas, cazador, curandero y músico, formaba parte del cortejo de Dionisos.

Vivía en los bosques correteando tras las ovejas y espantando a los hombres. Llevaba en la mano el cayado de pastor y tocaba la siringa, también llamada «flauta de Pan». Le agradaban las fuentes y la sombra de los bosques, entre cuya maleza se escondía para espiar y acosar a las ninfas. Muy irascible cuando se le molestaba durante la siesta.

Hijo de Hermes y de Penélope, la que no fuera del todo fiel a Ulises (hasta el punto que Pan significa «hijo de todos»), nació con su parte inferior en forma de macho cabrío y el resto de su cuerpo con apariencia de hombre, dos cuernos, cara arrugada de barbilla prominente, el cuerpo cubierto de pelo y un falo desproporcionado y siempre erguido.

Con su mirada astuta y animal, Pan representa las emociones y deseos bestiales que yacen en la psique humana. Dios lascivo, que persigue por igual a ninfas y a muchachos. Cuando no encontraba ninguno se daba placer a sí mismo.

Por esa fuerza vital se le considera una divinidad de la fertilidad de los campos y del ganado. De una derivación de su imagen, nacería el diablo de los cristianos.

Pan tuvo varios hijos con distintas ninfas, y se jactaba de haber poseído a todas las ménades de Dioniso cuando estaban borrachas.

DUELO CON APOLO

En una ocasión Pan tuvo la audacia de comparar su música con la de Apolo, y de retar a éste a una prueba de habilidad. Tmolo, el dios montaña, fue elegido árbitro. Pan sopló sus flautas y Apolo pulsó las cuerdas de su lira. Tmolo declaró vencedor a Apolo y todos, salvo Midas, que cuestionó la justicia del fallo, estuvieron de acuerdo. Apolo no quiso volver a sufrir el depravado par de oídos de Midas e hizo que se le convirtieran en orejas de burro.

Panacea

Fueron los mismos hombres los que ascendieron al Olimpo, como dios «electo», al sanador Asclepio (Esculapio romano), que tuvo con su esposa Epione a Panacea, la que cura todos los males.

Hermanos de Panacea serían Higea (de donde proviene la palabra higiene), Laso, Akeso, Egle y los dos médicos Macaón y Podaliros, que atendieron a los griegos durante la guerra de Troya.

En la familia se dan, pues, las principales corrientes de la medicina moderna en la que Higea (mensajera del orden natural, partidaria de vivir en armonía para conservar la salud y ferviente defensora de los cambios sociales, culturales, económicos y políticos para mejorar la salud individual y colectiva) sería básicamente la medicina preventiva y Panacea (docta en el manejo de las técnicas y en el uso de drogas, insaciable en sus pretensiones económicas y cada vez más hábil en producir vida artificialmente, prolongando existencias vegetativas y resucitando muertos por pocas horas), la diagnóstica y curativa.

Las parcas

Hijas de la titánide primigenia Temis y de su amado Zeus, las moiras o parcas eran tres, Cloto, Láquesis y Átropo, a su vez hermanas de las horas, las ninfas de Erídano y la virgen Astrea.

Eran las diosas que determinaban (predestinaban) la vida de los hombres, sus dichas y desgracias, incluida su duración. Ninguna de sus decisiones podía ser revocada, ni siquiera por los propios dioses, cuyo destino también controlaban.

Vivían en el Hades y eran representadas como tres hilanderas, con un cesto con la rueca, el huso y las tijeras como atributos. Cloto era la hilandera, Láquesis, la suerte, y Átropo, la inflexible.

Las tres miden la vida con un hilo de lana que la primera hila, la segunda devana y la tercera corta. El hilo de la felicidad estaba hecho de lana blanca, el de la desgracia de lana negra y la normalidad era una mezcla de ambas lanas. El hilo era, pues, el sostén de la vida y de él dependíamos todos los mortales. Las temibles tijeras de Átropo cortaban de un tajo el hilo y daban paso a la muerte.

Las pléyades

Son hijas del titán Atlas y de la oceánide Pléyone. Eran siete: Maya, Electra, Taigete, Astérope, Mérope, Alcíone y Celeno.

Forman la constelación de las pléyades. Según la tradición, fue Zeus el que las colocó con las estrellas, después de haberlas convertido en palomas para protegerlas de Orión, que las perseguía.

Otra leyenda dice que ellas mismas se mataron, desesperadas por el castigo que Zeus había impuesto a su padre; después, se transformaron en estrellas.

Pomona

Era la diosa romana de los frutos y los jardines. Se pasaba el día junto a los pastores encargada de podar, regar, cuidar e injertar los árboles.

Muchos dioses campestres intentaron desposarla, pero ella ignoró a todos cuantos se acercaban y valló sus jardines con un alto muro. Sin embargo, el dios Vertumno no se resignó a tales desprecios y prometió que se casaría con ella. A tal efecto, se convirtió sucesivamente en pastor, labrador, viñador y segador para presentarse a las puertas de la ninfa, pero no fue recibido.

Finalmente, cuando el dios se convirtió en una anciana y fue accesible para Pomona, la convenció, con su elocuencia, de la conveniencia de tener hijos, de dar frutos. Vertumno se transformó entonces a su apariencia normal y se casaron.

Pomona es representada sentada junto a una cesta con frutas y flores o de pie portando dicha cesta, a menudo con manzanas, en la mano o en el regazo.

Poseidón

Hijo de Cronos y Rea, Poseidón es el dios del mar y del elemento líquido en general. Intrigante y pendenciero, iguala a Zeus en dignidad, aunque no en poder, y ni siquiera es el primer dios marino, pues antes que él hubo otros como Océano.

Era marido de Anfitrite, una de las nereidas, con quien tuvo a Tritón, Rode y Bentesicime. Vivió numerosos amores con ninfas de los manantiales y las fuentes, y fue padre de varios hijos famosos por su salvajismo y crueldad, entre ellos el gigante Orión y el cíclope Polifemo.

Poseidón y la gorgona Medusa fueron los padres de Pegaso, el famoso caballo alado.

Vive en las profundidades del mar Egeo, en un hermoso palacio. Se desplaza en un carro tirado por seres que son mitad corceles, mitad serpientes, y acompañado por un cortejo de seres marinos, delfines, de nereidas y diversos daimones del mar, como Proteo, el pastor que guarda sus rebaños de focas, dotado del poder de metamorfosearse, o Glauco.

Se representa a Poseidón como una figura barbada y majestuosa que sostiene un tridente (herramienta de los atuneros) y aparece acompañado por un delfín, o bien montado en un carro tirado por seres marinos. Los romanos identificaban a Poseidón con su dios del mar, Neptuno. Fracasó siempre que quiso ser patrono de varias ciudades, en conflicto con otros dioses, como en Atenas con Atenea.

Después de que Apolo y él decidieron ayudar a Laomedonte a construir la muralla de Troya, éste se negó a pagarles el salario convenido. En venganza,

Poseidón les envió un terrible monstruo marino a que devastara la tierra y al que tuvo que matar Hércules y además, durante la guerra de Troya, luchó al lado de los griegos.

Rea

Titánide hija de Urano y Gaia, llamada reina de los dioses, hermana y esposa de Crono, reinó con él en los cielos durante la Edad Dorada y con él tuvo a Deméter, Hades, Hera, Hestia, Poseidón y Zeus.

A medida que nacían, Crono se los comía hasta que, en vez de Zeus, Rea le dio a comer una piedra envuelta en pañales. Zeus luego combatiría a su padre y devolvería a la vida a sus hermanos, dando lugar al tiempo de los olímpicos.

En la mitología griega, el símbolo de Rea es la luna. Sin embargo, en la mitología romana, su símbolo se conocía como el lunar. También tenía otros: el cisne, por ser un animal delicado, y dos leones, que supuestamente tiraban de su carro.

Fuertemente asociada a Cibeles, en Roma se la identificaba con Ops.

Rode

Rode era hija de Poseidón y de Anfitrite y la preferida del dios Helios, según aparece en una de las odas de Píndaro.

Cuando los dioses se repartieron entre ellos el mundo, Helios se encontraba en su viaje diario alrededor del mismo, por lo que no pudo participar en el reparto. Cuando volvió, Zeus, que no quería ser injusto con él, le preguntó qué reino le gustaría.

En sus recorridos, Helios había visto una isla bella y grande y se la solicitó al rey de los dioses como su parte y el lugar que había elegido para su unión con la ninfa Rode. De esta unión nacerían posteriormente seis hijos, los helíades, y una hija, Helectrión.

El primogénito, Cércafo, tuvo a su vez tres hijos: Yáliso, Lindo y Camiro, que se repartieron la isla y fundaron tres ciudades, cada una con sus respectivos nombres.

Otro mito vinculado con el nombre de la isla pero también con sus primeros pobladores, refiere que la región fue inicialmente colonizada por los telquines, hijos del mar. Los telquines eran muy hábiles en las artes del fuego y los metales, y grandes magos. Poseidón se enamoró de su hermana Halia, y tendría con ella seis hijos y una hija, Rode, que dio su nombre a la isla.

Un día, Afrodita solicitó a los telquines permiso para atracar en ella, pero éstos se lo negaron. La diosa, para vengarse, lanzó sobre ellos una maldición que los condenaba a cometer incesto con su madre, y además cubrió la isla con las aguas del mar. Zeus informó a tiempo a los telquines de la maldición de la diosa y escaparon, dejando abandonada a su hermana Rode.

Las aguas cubrieron durante mucho tiempo los valles de Rodas hasta que Helios la descubrió y, enamorado, arrojó sobre ella el calor de sus rayos y evaporó las aguas malditas.

El coloso de Rodas

En su época, fue una de las siete maravillas del mundo. Se ha discutido mucho sobre sus colosales dimensiones y especulado acerca del lugar exacto en el que se encontraba.

Sin embargo, y al no haberse conservado uno solo de sus fragmentos, la única evidencia de su existencia son los relatos y descripciones de los viajeros de la época.

Los rodios construyeron el coloso para honrar a su dios protector Helios tras el fracasado intento de Poliorcetes de conquistar y ocupar la ciudad de Rodas en el año 305 a. C.

Los gastos inmensos de aquel increíble monumento serían cubiertos con el dinero que se reunió por la venta de las armas y carruajes de guerra que Demetrio abandonó en su retirada y que ascendía a la cantidad de 300 talentos, equivalentes a tres billones de dracmas actuales.

La construcción de la estatua fue encargada al escultor Jaris, de Lindos, y fueron necesarios alrededor de 12 años para terminarla. Según se afirma en las fuentes históricas disponibles, los miembros de la estatua fueron construidos por partes. Inicialmente se construyó una base de mármol, en la que se aseguraron los pies de la estatua hasta la altura de los tobillos. Más tarde se colocó el resto de los miembros del cuerpo.

Las partes ya ensambladas se iban cubriendo con tierra a medida que la construcción avanzaba, ampliándose también proporcionalmente la base de la montaña que esta tierra añadida formaba. Esta era la forma que encontraron para que los trabajos continuaran a nivel del suelo.

Así, al parecer, alrededor de la estatua se alzó poco a poco una colina de tierra que debió alcanzar al final unos treinta metros de altura. La cabeza del coloso, muy probablemente, aparecía enmarcada por rayos, tal como se puede apreciar en una cabeza de barro del dios Helios que se expone en el Museo de Rodas. En la mano derecha, muy probablemente, sostenía la antorcha real que se encendía todas las noches y era utilizada por los marinos como faro y punto de orientación.

Sobre el lugar exacto en el que se encontraba la estatua se han escrito muchas hipótesis. Según una de ellas, la más romántica y repetida, se encontraba a la entrada del puerto de la ciudad, con las piernas separadas para que los barcos pudieran pasar entre ellas. Según otras, estaba en el recinto del templo del dios Helios, que debe ser identificado con el lugar que ocupa actualmente el palacio del Maestre General.

Respecto al tamaño del coloso, viajeros de la época afirmaban que tenía una altura de más de 30 metros. Según sus descripciones, 12 hombres podían sentarse en su pecho, un hombre cabía de pie en su cabeza, su nariz medía 30 centímetros de largo y una uña casi 15.

El escritor romano Plinio, que vio la estatua en Rodas en el año 77, refiere que con dificultad un hombre alcanzaba a rodear con los brazos uno de los pulgares de la figura.

El coloso permaneció en su lugar original durante 56 años, hasta que al parecer fue derrumbado por un fuerte seísmo que sacudió la isla. Los rodios, aunque reunieron los fondos necesarios para su reconstrucción, decidieron no volverlo a levantar pues, al parecer, una profecía les advertía que, si lo hacían, grandes calamidades afectarían a la población de la isla.

Durante cerca de 800 años, los pedazos permanecieron tal y como habían quedado tras el movimiento sísmico, constituyendo un espectáculo para los viajeros de Rodas, y ello a pesar de que el bronce con el que estaba construido fuera un material muy valioso en la época, lo que demuestra que los rodios estaban especialmente orgullosos de su creación.

En el año 653, los árabes de Moab, que ocuparon la isla, vendieron sus restos de bronce a un comerciante judío que, se dice, necesitó 900 camellos para transportar tanto metal.

Selene

Diosa de la luna, hija de los titanes Hiperión y Tía, hermana de Helios y de Eos, se la representaba como una mujer joven y hermosa, que recorría el cielo en un carruaje de plata tirado por dos caballos. De Zeus tuvo una hija, Pandia. En Arcadia fue amante de Pan, quien le había obsequiado una manada de bueyes blancos.

Una noche de verano, el pastor Endimión se refugió en una gruta del monte Latmos para descansar. Selene, que paseaba en su carruaje, vio al joven dormido y se enamoró de él. Descendió del cielo a besarle y entre los dos nació una gran pasión.

Selene subió entoces al Olimpo, y rogó a Zeus que le concediera a su amado la realización de un deseo, y Endimión le pidió el don de la eterna juventud, y poder dormir en un sueño perpetuo, del que sólo despertaría para recibir a Selene. Zeus se lo concedió y desde entonces, Selene visita a su amante dormido en la caverna del monte.

De este amor nacieron 50 hijas y, en varias versiones, también Naxo, el héroe de la isla de Naxos.

Sileno

Sátiro del cortejo de Dioniso, junto con Príapo y las ménades o bacantes. Por la hospitalidad que brindó a Sileno, Dioniso estaba muy agradecido y le ofreció al rey Midas concederle cuanto deseara.

Fue entonces cuando el rey pidió que se convirtiera en oro todo lo que tocara, pero pronto lamentó su elección porque hasta la comida y el agua se convertían en el metal.

Tánato

Personificación de la muerte, va envuelto en un manto negro. Hijo de Érebo y de Nix, es el hermano gemelo de Hipnos. Representado como un genio alado, con espada al costado y las piernas cruzadas, acude a buscar a los mortales cuando el tiempo de su vida ha expirado.

Corta entonces un mechón de los cabellos del difunto para entregárselo como presente a Hades y luego lleva su cuerpo al reino de los muertos.

Dice una leyenda que Zeus, irritado por la intervención de Sísifo en la conquista de Egina, le había enviado a Tánato para que lo matase. Pero Sísifo sorprendió a Tánato y lo encadenó, por lo cual durante un tiempo ningún hombre murió.

Zeus intervino y obligó a Sísifo a liberar a Tánato, con objeto de que éste pudiese seguir cumpliendo su misión, con lo que la primera víctima fue, naturalmente, Sísifo.

Tellus

La diosa Tierra de los romanos, madre por excelencia, está considerada como el principio femenino de la fecundidad.

A menudo asociada con Júpiter (el padre) o con Ceres (la diosa de la germinación y del crecimiento), acabó confundiéndose con Cibeles.

Temis

Diosa de la ley y de la justicia en la mitología griega, Fas en la romana. Titánide hija de Urano y de Gea, madre de las parcas, las horas y de la virgen Astrea.

En *La Ilíada,* Temis aparece como asesora de Zeus en asuntos relacionados con la Ley eterna. Es de las pocas divinidades de la primera generación que fue aceptada entre los olímpicos.

Debía este honor no sólo a su relación como esposa de Zeus, sino a los servicios que prestaba a los dioses inventando los oráculos, los ritos y las leyes.

Temis era la representación de la sabiduría unida a la prudencia, y su conocimiento se extendía desde el recuerdo del pasado a la certeza de lo que iba a suceder. Era sabia y correcta, el ejemplo que los demás dioses debían observar en su comportamiento oficial.

En sus representaciones, Temis empuña una espada en una mano mientras que en la otra sostiene una balanza. Una venda le tapa los ojos, queriendo indicar que la justicia es ciega porque no entiende de rangos, riquezas o intereses particulares.

Además, está sobre un león para denotar que la justicia debe ir acompañada de la fuerza para administrarla.

Tetis

Nereida de singular belleza, hermana de Eurínome, ambas recogieron y criaron a Hefestos tras caer del Olimpo en el océano y romperse las dos piernas. Le ocultaron durante nueve años en una gruta submarina y allí aprendió el oficio de herrero y de joyero, colmando a sus salvadoras de joyas y regalos.

Titánide hermana y esposa de Océano, con quien tuvo las 3.000 ninfas marinas como hijas, de Tetis se enamoraron tanto Zeus como Poseidón, aunque no quisieron procrear con ella por temor a que se cumpliera el oráculo que vaticinaba que el hijo que de ella naciera sería muy superior a su padre.

En compensación, Tetis se casó con el más justo de los hombres, Peleo, con quien fue la madre de Aquiles. Quiso darle la inmortalidad a su hijo, para lo que le que introdujo en las aguas de la laguna Estigia.

Únicamente el talón de Aquiles quedó sin entrar en contacto con las aguas inmortales. Sólo en esa parte del cuerpo iba a resultar vulnerable el héroe.

Las tríadas

Entre los romanos, como entre muchos otros pueblos, existía cierta tendencia a reunir a los dioses en grupos de tres, y fruto de esta tendencia son las distintas tríadas que aparecen a lo largo de la historia.

La primera estaba formada por Júpiter, Marte y Jano, pero muy pronto Jano fue sustituido por Quirino.

La tríada clásica, que por haber construido su templo en el Capitolio era conocida con el nombre de «tríada capitolina», estaba formada por Júpiter, Juno y Minerva.

De ellos, Júpiter era el Zeus de los griegos, padre de todos los dioses, todopoderoso señor de la luz y el rayo, cuyos atributos eran el águila y el rayo. Juno, la Hera de Grecia, era hermana y esposa de Júpiter. Se le consideraba la diosa protectora de la parte femenina del mundo, de la mujer y del matrimonio y su atributo era el pavo, mientras que Minerva, la Atenea griega, hija de Júpiter, era la diosa de la inteligencia, y su animal, la lechuza.

Urano

El cielo estrellado divinizado. Fue creado en el principio del mundo por Gaya. Dios masculino hecho a imagen de su madre, engendró en ella a los irreductibles titanes, a los cíclopes y a los monstruosos hecatonquiros. Sintió odio por sus hijos desde el primer día, por lo que los hundía en el seno de la tierra sin dejarlos que vieran la luz.

Gaya imploró ayuda a sus hijos y le dio a Crono, el último de los titanes, la hoz para que mutilara a su padre. Protegido por la noche, Urano se disponía a penetrar en Gaya en ese momento, cuando Crono cortó con su hoz el sexo de su padre.

Pero los pedazos fertilizaron a Gaya una vez más y de las salpicaduras nacieron las poderosas erinias, los terribles gigantes y las melíades.

Algunos trozos del sexo de Urano que cayeron al mar formaron una blanca espuma de la que se formó Afrodita. De la hoz, tirada también al mar, surgió la isla de Corfú.

Zeus

Cuando nació Zeus, su madre Rea le ocultó en Creta y en su lugar le dio a su padre Crono una piedra envuelta en pañales que el titán se tragó sin darse cuenta.

Zeus fue criado por unas ninfas y volvería para obligar a Crono a vomitar vivos, uno a uno, a sus hermanos (Poseidón, Hades, Hestia, Demeter y Hera).

Acabó encerrando a su padre en el Tártaro, tras vencerle en una guerra que duró 10 años llamada Titanomaquia. Zeus, Júpiter entre los romanos, es desde entonces el soberano de todos los dioses del Olimpo y protector de los humanos, el que ostenta mayor poder y reconocido dios del cielo.

Posee un rayo con el que controla la lluvia, las nubes y el cielo. Su arma principal era la égida, su ave, el águila, y su árbol, el roble. Zeus presidía a los otros 11 dioses del monte Olimpo, en Tesalia. Zeus se casó con Hera, su hermana, proclamándola madre de los dioses y de los hombres.

Ella fue la diosa protectora del matrimonio y con ella Zeus fue padre de Ares, de Hebe, de Hefestos y de Ilitía.

No obstante, si por algo se caracterizó Zeus fue por una total infidelidad. Era dios de múltiples apetencias eróticas, de ahí sus varios matrimonios, sus numerosas aventuras con diosas y, sobre todo, con mortales, e incluso su relación homosexual con el joven Ganímedes, por lo que habitualmente despertaba las iras y los celos de Hera.

Persiguió durante 17 generaciones a las mujeres de los mortales, entre ellas a su propia madre y a sus hijas, utilizando en estas conquistas todo tipo de recursos.

Para amar a Semele se transformó en cenizas, por Danae se convirtió en lluvia de oro, y otras veces se metamorfoseaba para sus propósitos amorosos, en toro, cisne, palomo, águila, hormiga, etc.

Su matrimonio con Hera perdurará para siempre, aunque Zeus mantuviera relaciones con muchas otras divinidades, entre las que estuvieron:

- Metis: de esta unión surgirá una hija que prosigue su proceso de gestación (tras comerse a Metis) en la cabeza de Zeus de donde nacerá, adulta y perfectamente armada, Palas Atenea.
- Temis: de ella nacen las parcas y las horas.
- Eurínome: madre de las gracias.
- Deméter: fruto de la unión es Perséfone, que fue raptada por Hades.
- Mnemosine: surgen las nueve musas.
- Leto: engendra a Apolo y a Artemisa, el sol y la luna.
- Dione: para algunos autores Zeus y Dione fueron los padres de Afrodita.
- Maya: tuvieron a Hermes.

Zeus tuvo además numerosos hijos con mujeres mortales entre las que mencionaremos, junto con sus hijos, las siguientes:

- Io: Épafo.
- Níobe: Pelasgo y Argos.
- Calisto: Arcas.
- Europa: Minos (rey de Creta), Sarpedón y Radarnantis.
- Sémele: Dionisos.
- Taígete: Lacedemón, padre de Eurídice.
- Antíope: Anfión y Zeto.
- Danae: Perseo.
- Electra: Dárdano y Iasión.
- Pinto: Tántalo.
- Egina: Éaco.
- Laodamía: Sarpedón.
- Alcmena: Hércules.
- Leda: Helena, Clitemnestra y los gemelos Dioscuros, Cástor y Pólux.

Todas las ninfas son llamadas hijas de Zeus y son muy numerosas. Las más conocidas son las Náyades, Crénides, Epipotámides, Dríades, Antríades, Alseides, Oréades, Permélides y las Limónides.

Zeus triunfó siempre sobre sus adversarios, como Tifón, el demonio de los huracanes, y los cuatro gigantes Encelado, Hiperbios, Efialto y Polibotos, hijos también de Gea y Urano, que fueron encadenados bajo el Etna y otros volcanes donde no cesarían de gemir y agitarse jamás.

Las grandes guerras de los dioses y el nacimiento del hombre

Aunque se han mencionado ya en estas mismas páginas, de forma parcial y dispersa, las grandes guerras merecen un resumen que sistematice y haga plausible la comprensión global de la mitología grecolatina en cuanto tiene de previo al nacimiento del hombre y portal de la civilización tal y como la entendían nuestros antepasados.

LA TITANOMAQUIA

Ayudado por Metis, la prudencia, hija de Océano, Zeus tomó por sorpresa a su padre Crono, lo atacó y logró vencerlo. Luego lo forzó a tomar una pócima con poderes mágicos, fabricada por la propia Metis, que le hizo vomitar primero la piedra y después a sus cinco hijos anteriores: Hestia, Deméter, Hera, Hades y Poseidón y todos juntos declararon la guerra a Crono, su padre, que tenía como aliados a sus hermanos los titanes.

En esta terrible guerra, llamada Titanomaquia, tomaron parte todos los dioses, los antiguos y los recién llegados: los titanes habían acampado en la montaña Otres, mientras que Zeus y sus aliados se concentraban en el Olimpo.

Sólo los titanes más sabios como Mnemosine, Temis, Océano e Hiperión, se sometieron al nuevo soberano, como también lo hiciera Prometeo, uno de los hijos de Japeto, mientras que los demás nombraron a Atlas, otro hijo de Japeto, jefe de los titanes opuestos a Zeus, pues las fuerzas de Crono comenzaban a flaquear.

Así comenzó la primera guerra de los tiempos, una guerra civil que enfrentó a hermanos contra hermanos.

La Titanomaquia fue una guerra cruenta, que se prolongó durante diez años, en la que Atlas capitaneó a sus hermanos, menos Prometeo, Epimeteo y Océano, y a todos sus linajes. Desde el alto Cielo hasta el profundo Tártaro resonaba el fragor de la batalla.

Los titanes eran más numerosos e imponentes, por su furia y vigor, que los seguidores de Zeus, quien sin embargo contaba entre los suyos, además de sus hermanos con la oceánide Estigia y sus numerosos hijos. En agradecimiento a su ayuda, Estigia recibiría luego el privilegio de que los dioses juraran en su nombre, lo que daba al juramento un valor absoluto.

Zeus sopesó sus fuerzas y las contrarias, y estimó que debía buscar ayuda. Entonces se acordó de los cíclopes y de los centímanos o hecantóquiros, que seguían encarcelados en el Tártaro, olvidados por todos. Otros en cambio indican que fue su madre Gea quien advirtió a Zeus que para vencer debía reclutar en sus filas a los habitantes del Tártaro.

Así Zeus bajó sigilosamente a los infiernos y mató a Campe, la carcelera, cogiendo las llaves y liberando luego a los prisioneros. Los fortaleció con comidas y bebidas variadas y abundantes, y marchó con ellos al combate.

Los cíclopes le dieron a Zeus sus armas: el trueno, el relámpago y el rayo, a Poseidón, el tridente, y a Hades, el casco que lo hacía invisible. Los tres hermanos urdieron entonces un plan para terminar rápidamente con la guerra, que ya se alargaba demasiado.

Y así Hades entró, al ser invisible, hasta las estancias del retorcido Crono para robarle las armas, mientras Poseidón le entretenía amenazándole con el tridente y, finalmente, Zeus hacía caer sobre él su terrible rayo. Los tres hecatónquiros, con sus 300 brazos, arrojaron enormes rocas sobre los titanes, y la victoria de los olímpicos no tardó en llegar.

De este modo, Zeus se convirtió en el joven heredero de su generación de dioses. Era el más sabio, el más valeroso, el que había encabezado la revuelta y liberado a sus hermanos, quien poseía cualidades superiores y representaba además a las fuerzas naturales. Se repartió a suertes el mundo con sus hermanos Poseidón y Hades. Así cuenta *La Ilíada,* en palabras de Poseidón, cómo fue el reparto:

«El mundo se dividió en tres partes, una para cada uno de nosotros: a mí me tocó en suerte habitar siempre en el mar que blanqueó la espuma; a Hades, en cambio, las sombras y la niebla, y a Zeus, el inmenso cielo, en el éter siempre entre las nubes, en tanto que la Tierra y el Olimpo nos pertenecen en común a los tres».

Al final de la Titanomaquia, Crono y sus hermanos fueron encadenados y arrojados en el Tártaro y a los hecatónquiros se les dio el encargo de vigilarlos.

Las consecuencias del nuevo orden de cosas que empezó a reinar resultaron dolorosas para algunos como Atlas, el cabecilla de los aliados de Crono, quien fue duramente castigado por haber participado en la lucha contra Zeus.

Fue enviado a los confines de la tierra, hacia el Poniente, en las fronteras de la Noche (Nicte) y del Caos, en donde las hespérides guardaban las manzanas de oro. En este lugar, fue condenado a llevar eternamente sobre sus hombros la bóveda del cielo, mientras apoyaba sus pies en la tierra (en la antigüedad se creía que la tierra era el centro del universo y sobre ella estaba la bóveda celeste).

La Tifonomaquia

Se trata de una de las campañas menos conocidas de Zeus en su etapa de asentamiento como líder de los nuevos dioses, que sin embargo tiene su lugar en la leyenda pese a tratarse del enfrentamiento con un solo ser, Tifón, un nuevo y horripilante hijo de Gea, el más espantoso y horrible de los dioses.

Cuentan que «de sus hombros salían 100 cabezas de serpiente, de terrible dragón», que de sus ojos «brotaba ardiente fuego cuando miraba» y que sus 100 bocas producían las voces más variadas y fantásticas:

«Unas veces emitían articulaciones como para entenderse con dioses, otras un sonido con la fuerza de un toro de potente mugido, bravo e indómito, otras de un león de salvaje furia, otras igual que los cachorros, maravilla oírlo, y otras silbaba y le hacían eco las altas montañas.»

El caso es que Zeus debió enfrentarse y acabar con él, de cuyo enfrentamiento saltaron chispas según lo escribió el poeta:

«Tronó reciamente y con fuerza y por todas partes terriblemente resonó la tierra, el ancho cielo arriba, el ponto, las corrientes del océano y los abismos de la tierra. Se tambaleaba el alto Olimpo bajo sus inmortales pies cuando se levantó el soberano y gemía lastimosamente la tierra.

Un ardiente bochorno se apoderó del ponto de azulados reflejos, producido por ambos y por el trueno, el relámpago, el fuego vomitado por el monstruo, los huracanados vientos y el fulminante rayo.

Hervía la tierra entera, el cielo y el mar. Enormes olas se precipitaban sobre las costas por todo alrededor bajo el ímpetu de los inmortales y se originó una conmoción infinita».

Zeus debió, en el empeño, «concentrar toda su fuerza y coger sus armas, el trueno, el relámpago y el llameante rayo, lo golpeó saltando desde el Olimpo y envolvió en llamas todas las prodigiosas cabezas del terrible monstruo. Después de que lo venció fustigándole con sus golpes, cayó aquél de rodillas y gimió la monstruosa tierra.

Fulminado el dios, una violenta llamarada surgió de él cuando cayó entre los oscuros e inaccesibles barrancos de la montaña. Gran parte de la monstruosa tierra ardía con terrible humareda...».

Se dice que sepultó al derrotado en la isla de Sicilia, bajo el monte Etna, donde todavía pueden verse, de vez en cuando, los humos fruto de su combustión eterna.

La Gigantomaquia

Gea vio con disgusto el castigo que había impuesto Zeus a algunos de sus hijos, los titanes, y además, pensaba que los dioses no la honraban como era debido y no estaba de acuerdo con la parcela de poder que le había correspondido en el nuevo orden del reino de los dioses, por lo que decidió vengarse y puso en pie de guerra a los gigantes, nacidos de la sangre de Urano cuando lo castró Crono.

Los gigantes eran seres enormes, tenían serpientes en lugar de cabellos y su cuerpo terminaba en forma de cola de dragón.

Su apariencia provocaba un gran espanto, y pasaban por ser invencibles.

Apenas nacidos, iniciaron un ataque contra los dioses del Olimpo, lanzándoles antorchas encendidas y una enorme lluvia de rocas y árboles arrancados de raíz y envueltos en llamas.

Las montañas vibraron y los cielos y el mar se convirtieron en un infierno.

Los dioses olímpicos se enfrentaron a esta nueva batalla, con Zeus y sus poderosos rayos a la cabeza, protegido el cuerpo con la égida, la mágica coraza que se hizo con la piel de la cabra Amaltea y con el apoyo de otros dioses de similar talla, dispuestos a repeler el ataque.

Los dioses combatientes fueron Poseidón, Apolo y Hefestos, así como las moiras, Dioniso con su poderoso séquito, y algunos más.

No obstante, la gran protagonista en este combate fue Atenea, que nació durante los enfrentamientos de la cabeza del dios Zeus.

Atenea emergió de su padre completamente armada, también con égida y preparada para la guerra, protegida tras su escudo redondo adornado con la cabeza de Medusa.

Nada más ver la luz, dio muerte al gigante Palante y combatió siempre al lado de su padre.

La Gigantomaquia duró siglos y habría durado más, si no hubiera sucedido lo que predijeran las moiras: que los olímpicos conseguirían la victoria, a condición de que un mortal fuera su aliado.

Y así fue. A su bando, se unió Hércules y, uno tras otro, los gigantes cayeron derrotados.

La aparición del hombre

En los tiempos en que sólo existían dioses inmortales y ningún mortal sobre la Tierra, pensaron los dioses en crear unos seres para que la poblaran.

Zeus encargó entonces a los hijos del titán Jápeto, que dotaran de gracias y fuerzas a las futuras criaturas terrenales y Epimeteo rogó a su hermano que le permitiera hacer el reparto de los dones que deberían adornar a las criaturas. De este modo, a un animal le donó la belleza, a otro la potencia, a otro la agilidad, a otro la constancia, a otro lo hizo pequeño pero veloz, a otro grande y a otro sagaz. Epimeteo adornó, otorgó y repartió entre todas y cada una de las creaciones lo que creyó conveniente.

Pero, no siendo tan sabio como Prometeo, ofreció todos los dones a los animales y los gastó en ellos, dejando al hombre para el final. En consecuencia quedó el hombre desnudo, indefenso y sin arma alguna frente a la naturaleza.

Fue entonces cuando Prometeo, el amigo del hombre, viendo la injusticia que había cometido su hermano y que dejaba al ser humano impotente, trató de enmendar aquel error y, hurtando de la diosa Atenea la sabiduría, entregó al hombre la lógica.

Acto seguido, robó el fuego del taller de Hefesto y se lo regaló al hombre, que empezó a calentarse, a vivir y a crear mediante el fuego. Prometeo tomó al género humano bajo su protección y le enseñó todo lo que sabía.

Zeus, al enterarse de que había dado al hombre tales dones, gracias a los cuales podía pretender asemejarse a los dioses, montó en cólera y arrojó rayos y relámpagos, preso de rabia.

Entonces fue cuando dirigió sus iras contra Prometeo y lo castigó duramente; le hizo encadenar en el monte Cáucaso, en los límites de Universo. Allí llegaba todas las mañanas un águila que le comía el hígado con su pico de acero, con la particularidad de que, durante la noche, volvía a crecerle el hígado para que el águila volviera de nuevo, al día siguiente, a cumplir con su dolorosa operación.

Treinta años más tarde, Hércules liberó a Prometeo de tan cruel suplicio.

Mientras tanto Hefestos, el herrero cojo, dios del fuego, modeló en su fragua a la primera mujer, haciendo primero una estatua de metal.

La hermosura de aquella figura era tal, que Zeus resolvió insuflarle vida para que, acto seguido, cada uno de los dioses del Olimpo le hiciera un don en forma de belleza, gracia, inteligencia, habilidad o poder de persuasión. La llamaron Pandora, pero ocurrió que, quizá para compensar, Hermes plantó en ella la astucia y la mentira y Hera, la curiosidad, que no le dejaría en paz un solo instante a partir de aquel momento.

Zeus envió a Pandora como regalo a Epimeteo quien, hechizado por su exuberante belleza, decidió casarse con ella. Como regalo de bodas les ofrecieron una hermosa caja adornada de piedras preciosas y oro. La caja estaba cerrada, pero Zeus al darle a Pandora la llave, le advirtió que si quería que vivieran felices, no la abriera jamás.

Por un tiempo Epimeteo y Pandora disfrutaron de una vida plácida; sin embargo, la curiosidad que había clavado Hera en el alma de la mujer fue más fuerte que el consejo recibido y un día Pandora abrió la caja.

En aquel momento, empezaron a salir de la caja todas las desdichas y los males de los hombres. Las enfermedades, las amarguras, los dolores y otras desgracias.

La esperanza salió la última, en forma de pequeño pájaro y como símbolo de consuelo para la humanidad.

Según Hesíodo, durante el reinado de Crono, vivía el Género Humano de Oro. La vida entonces era idílica, ya que los hombres vivían ajenos a los problemas, felices como dioses. Sin pena que les preocupara ni amenaza de vejez.

Por siempre jóvenes, vivían para divertirse y sólo se alimentaban de frutas de la tierra, puesto que no mataban a ninguna criatura viviente. No había puertas ni cerraduras porque el robo era un acto totalmente desconocido.

Cuando los hombres se sentían cansados de vivir, se acostaban a la sombra de algún árbol y allí dormían dulcemente. Entonces sus cuerpos se hacían transparentes y ligeros y un viento suave los trasladaba a un país tranquilo y mágico.

Después del Género de Oro, sobrevino el de Plata, que no era tan feliz como el primero, ya que surgieron los primeros actos ilegales. Hasta el reino de los dioses había cambiado.

Las cosas empeoraron notablemente durante el Género de Cobre, cuando sobrevinieron las calamidades, las enfermedades, la violencia y la guerra. De ahí que aparecieran los primeros héroes para luchar contra el mal.

El Género de Hierro, que vino a continuación, hizo la vida de los seres humanos casi imposible, luchando a diario para sobrevivir.

Héroes y mitos

Acis y Galatea

Acis, hijo del dios Pan y hermoso pastor siciliano, vivía una historia de amor con Galatea, hija de Nereo y una de las nereidas (ninfas del mar) cuyo nombre significa «leche blanca» en alusión al claro color de su piel, asistente de Poseidón.

La leyenda cuenta que el cíclope de un solo ojo Polifemo, que estaba perdidamente enamorado de ella, sorprendió a la pareja yaciendo dormidos en la hierba. Loco de celos, y en venganza por las burlas que el pastor hacía de sus cantos de amor despreciado, Polifemo aplastó a Acis bajo una enorme roca. La sangre del pastor fluyó formando una leve corriente en el suelo y Galatea la transformó por ensalmo en el río que se llamó Acis.

Aconcio y Cídipe

Leyenda literaria sobre la astucia, en la que Aconcio era un joven enamorado de una muchacha llamada Cídipe, a la que no podía ni acercarse por ser de clase superior.

Estando Cídipe con su nodriza en el templo de Artemisa, Aconcio le lanzó una manzana con una inscripción que decía: «Juro por Artemisa que no me casaré con nadie más que con Aconcio». Al leer Cídipe en alta voz esas palabras en lugar sagrado, se convirtieron en un juramento que debería cumplirse.

A partir de entonces, cada vez que su padre pretendía casarla, Cídipe contraía una grave enfermedad, que no se curaba hasta que la boda era cancelada. La familia de la joven consultó al oráculo de Delfos, que les reveló la causa de la enfermedad de la joven, ante lo que, finalmente, el padre de Cídipe aceptó que su hija se casara con Aconcio.

Acteón

Leyenda recogida en *Las Metamorfosis* de Ovidio. Acteón, hijo de Aristón y Autónoe, había sido educado por el centauro Quirón, que le enseñó el arte de la caza. Agotado por la sed durante una cacería, entró en una gruta donde manaba una fuente.

Allí solía bañarse Artemisa, a la que Acteón, sin pretenderlo, sorprendió desnuda, rodeada de sus ninfas. En lugar de retirarse ante aquella visión prohibida, el joven se quedó contemplando la escena con sus mortales ojos, extasiado por la belleza de la diosa. La irritación de Artemisa fue tal que arrojó a la cara de Acteón unas gotas de agua que transformaron al joven en un ciervo que escapó corriendo de la cueva y al que sus 50 perros devoraron sin reconocerle.

Adonis

Divinidad de origen sirio, incorporada a la mitología griega, según la cual fue hijo de Cíniras, rey chipriota de Pafos, y de su propia hija Esmirna. Afrodita había hecho que Esmirna se enamorase de su padre y se acostara con él cuando estaba borracho, en represalia por haber alardeado de que su hija era más hermosa que ella. Al ver que estaba embarazada, su padre trató de matarla pero Afrodita, compadeciéndose de Esmirna, la convirtió en un árbol de mirra.

El árbol, posteriormente, se partió en dos y de él nació el bellísimo Adonis. Afrodita colocó al bebé en un cofre y se lo dio a Perséfone para que lo cuidara, pero Perséfone se enamoró perdidamente de él disputándole su amor a la misma Afrodita.

Ante el conflicto, Zeus sentenció que el joven pasara seis meses en los infiernos (otoño e invierno) y los otros seis en el Olimpo. De Adonis, Afrodita tuvo dos hijos, Golgos y Beroe.

Adonis estaba cazando cuando un jabalí, de quien las leyendas dicen que era el celoso Ares, le destrozó con sus colmillos. De su sangre nacieron unas flores llamadas anémonas. Cuando Afrodita corrió a socorrerle, se hirió con unas zarzas y sus gotas de sangre se transformaron en unas flores parecidas a las rosas que fueron llamadas adonis.

Alcestes y Admeto

Leyenda de amor y fidelidad, Admeto era rey de Tesalia cuando Apolo, que había sido condenado por Zeus a servir a un mortal en la tierra durante nueve años, agradecido por haber sido un buen amo para él, le vaticinó que podría conseguir la inmortalidad si encontraba a alguien que le amase tanto que se ofreciera a sustituirle para morir en su lugar.

Cuando el mensajero de la muerte apareció en su palacio, sólo su esposa, Alcestes, se dispuso al sacrificio («Amo más tu vida que la mía, muero de buena gana...»).

Los dioses aceptaron el cambio y Alcestes partió para el Hades, de donde la sacó Hércules, que estaba de paso en el reino buscando las yeguas de Diomedes.

Commovido por aquella gran prueba de amor, el héroe bajó a los infiernos a rescatarla, devolviéndola a la vida y a su esposo, quien había prometido serle fiel también en la muerte.

Alcmeón

Hijo de Anfiarao y Erífila. Después de que Anfiarao fuese asesinado en la expedición de los Siete contra Tebas, Alcmeón condujo a los epígonos (los hijos de los Siete) en una segunda expedición.

Para vengar la muerte de su padre, a su regreso a casa mató a su madre, por haber obligado a su marido a formar parte de la expedición. Después él mismo se volvió loco y vagabundeó de un lugar a otro, acosado por las diosas de la venganza, las erinias, hasta que se refugió en Psófide, en la Arcadia. Allí se casó con Arsínoe, la hija del rey.

Cuando la tierra sufrió el flagelo de la aridez a causa de su presencia, él huyó hacia la desembocadura del río Aqueloo y se casó con Calírroe, hija del dios del río. El rey y sus hijos persiguieron a Alcmeón y lo mataron.

Los aloades

Gigantes hijos de Poseidón y de Ifidmedeia, quien se había enamorado del dios del mar hasta que éste, un día en que la muchacha paseaba por la orilla recogiendo para jugar la espuma de las olas, satisfizo su pasión y la hizo madre de dos gigantes llamados Otos y Efialtes, cuyo padre humano era su esposo Aloeis, de quien proviene su nombre.

Los aloades eran tan monstruosos y terribles que cada estación crecían brutalmente hasta que, con nueve años, medían ya cerca de 17 metros de alto por más de cuatro de envergadura.

Cuando decidieron hacer la guerra a los dioses, trasladaron el monte Ossa hasta ponerlo encima del Olimpo y sobre él colocaron además el monte Pelión, decididos a escalar hasta el cielo.

Incluso quisieron rellenar el mar con montañas para que el agua rebosante inundara las costas.

Consiguieron capturar a Ares y le metieron en un puchero de bronce, donde le tuvieron 13 meses hasta que Hermes pudo liberarlo. También requirieron de amores a Hera y a Artemisa.

Acabaron reducidos por los rayos de Zeus o derrotados por Artemisa, según versiones, la que se transformó en cierva, para meterse entre ellos y conseguir que los gigantes, ansiosos por capturarla, se hirieran entre sí.

En los infiernos continuó su castigo, atados mediante serpientes a una columna, que consistía en que una lechuza permanecía constantemente atormentándoles con sus graznidos.

Altémenes

Hijo de Catreo, rey de Creta. Cuando un oráculo reveló a su padre que moriría a manos de uno de sus hijos, Altémenes decidió marcharse a Rodas para no matar él a su padre. Años más tarde, Catreo visitó Rodas para ceder el poder a su hijo.

Cuando él y sus hombres desembarcaron en la playa, unos pastores los confundieron con piratas y comenzaron a pedir auxilio. Acudió Altémenes, quien trabó una lucha con los recién llegados y mató accidentalmente a su padre.

Cuando supo lo que había hecho, pidió que se lo tragase la tierra, como en efecto sucedió.

Las amazonas

Eran una sociedad de mujeres guerreras, supuestamente hijas o seguidoras de Ares. Se gobernaban sin la presencia de varón alguno por medio de una o dos reinas elegidas periódicamente entre ellas.

Sólo se reunían una vez al año con hombres desconocidos para perpetuar la especie. Si los bebés nacidos eran varones, los mataban o los entregaban a sus respectivos padres.

Cuando las niñas crecían, se les cortaba o quemaba un pecho para que no les impidiera manejar el arco, según se deduce de que, en griego, su nombre significa «sin senos».

Las amazonas, cuya existencia parece tener fundamentos históricos claros, rendían culto a Artemisa, diosa cazadora y virgen.

En los poemas homéricos eran una horda de mujeres guerreras que luchaban contra los hombres y cuyos conflictos temían los guerreros más bravos. Sus territorios se extendían por la zona del río Don, aunque otras fuentes sitúan su reino a las orillas del río Termodonte, en Capadocia. Para Virgilio:

«La fogosa Pentasilea conduce las huestes de las amazonas, con sus broqueles en forma de media luna (...) atado el dorado ceñidor bajo el descubierto pecho, guerrera virgen, osa competir en denuedo con los hombres».

La leyenda dice que las amazonas fueron las primeras en montar a caballo y en utilizar el hierro para sus armas. Podían bailar encima del caballo, levantarse al galope y saltar de una montura a otra o a través del fuego. Su vestimenta era una corta túnica ceñida para la acción, abierta en un lado para exhibir su figura de mujer. También llevaban capas de piel de pantera y armaduras.

Amazonas famosas por sus acciones fueron: Agave, Alcipe, Anaea, Antinoe, Cimea, Climena, Esmirna, Esfiona, Harpa, Lámpedo, Menipa, Mirto, Sinopea, Éfeso o Telespina.

Cuentan que una reina de las amazonas, Talestris, y su ejército de 300 mujeres, fueron en busca de Alejandro Magno y sus soldados para pedirles que por amor o por dinero mantuviesen relaciones sexuales con ellas.

Andrómaca

Como hija de Eetión, rey de Tebas, y esposa de Héctor, es mencionada en obras de Homero y Eurípides, donde se conoce como «la de los blancos brazos» o «mujer de rica dote».

Su padre, hermanos y esposo fueron muertos por Aquiles en la guerra de Troya, y ella fue retenida como prisionera de guerra. Hasta su hijo Astianax fue precipitado desde las murallas tras la conquista de la ciudad.

Fue tomada como amante por Neptolemo, también llamado Pirro, hijo de Aquiles, que la llevó consigo a Tracia y Tesalia, donde le dio tres hijos: Molosos, Pielos y Pérgamos.

Estuvo a punto de morir a manos de Hermione, la celosa mujer de Pirro, y se unió después a su cuñado, el adivino Heleno, con quien tuvo otro hijo.

Andrómeda

Siendo Cefeo rey de Etiopía, su esposa Casiopea afirmó que ella y su hija Andrómeda eran más bellas que las nereidas. Irritadas, las ninfas del mar exigieron venganza a Poseidón, que amenazó al reino con el monstruo marino Cetus y con una inundación.

Asustado ante estas amenazas, Cefeo ofreció al monstruo a su propia hija, a la que encadenó a una roca al borde del mar. Allí la encontró Perseo, que venía de regreso tras matar a Medusa, y la rescató acabando con el monstruo. Más tarde se casaría con ella, regresando ambos a Grecia.

Anfiarao

Héroe y adivino de Argos del cual pretendían descender los clitíades, en ocasiones aparece en la lista de los argonautas.

Era hijo de Oícles e Hipermestra, y marido de Erífila, hermana de Adrastro, con quien tuvo dos hijos, Alcmeón y Anfíloco y dos hijas, Eurídice y Demonasa.

Participó en la expedición de los siete contra Tebas, aunque él no quería ir porque sabía de antemano que iba a morir, pero su mujer, sobornada por Polínice con el collar de oro y diamantes de Harmonía, le obligó a cambiar de parecer.

Por ello hizo prometer a sus hijos que la matarían en cuanto recibieran la noticia de su vaticinada muerte.

Así ocurrió. Atacó Tebas en la puerta Homoloia pero fue rechazado y en la huida Zeus abrió la tierra con un rayo y Anfiarao desapareció por la hendidura con el carro y los caballos.

EL ORÁCULO DE ANFIARAO

Situado a unos 50 kilómetros al norte de Atenas, era una auténtica «fábrica de sueños», donde por diversos métodos se hacía dormir días enteros a las personas y se las programaba para que soñaran su futuro.

Se trataba de un lugar muy distinguido, y sus instalaciones de reposo atraían sobre todo a los ricos e intelectuales, que desconfiaban de los rituales de los oráculos mayores.

El santuario oracular tenía el aspecto de un sanatorio mundano en el que se servía agua mineral para favorecer el sueño curativo e incluso, en los casos más difíciles, vino. Fue tan importante como el de Delfos.

Antígona

Leyenda sobre la tragedia. Antígona era hija de Edipo y Yocasta. Cuando Edipo se quitó la vista arrepentido y mendigó por los caminos, iba acompañado de

Antígona, que al morir su padre regresa a Tebas. Allí vivió con su hermana Ismena y sus hermanos Eteocles y Polinices hasta que éstos murieron el uno a manos del otro luchando en bandos contrarios en la guerra de los Siete Jefes.

Creonte, rey de Tebas, decretó exequias solemnes para Eteocles, y prohibió que se diese sepultura a Polinices, acusado de traidor a la patria.

Antígona, considerando sagrado el deber de dar sepultura a los muertos, infringió el decreto de Creonte y enterró a su hermano, por lo que fue condenada a muerte y enterrada viva en la tumba de sus ascendientes, los labdácidas.

Se ahorcó en su prisión, y Hemón, su prometido e hijo de Creonte, se suicidó sobre su cadáver, mientras que Eurídice, la esposa de Creonte, también se suicidó por la muerte de su hijo. Junto a Edipo Rey y Electra, Antígona fue una de las tragedias más reconocidas de Sófocles.

Aquiles

Aquiles era el hijo de Peleo, rey de los mirmidones, y la ninfa marina Tetis. Para hacerle inmortal, su madre le había sumergido de niño en la laguna Estigia agarrándole por el talón derecho, que fue desde entonces su única zona vulnerable.

Peleo confió a Aquiles, junto con su joven amigo Patroclo, al centauro Quirón para que los criase, y éste les enseñó todas las artes de la guerra, el tiro con arco, el arte de la elocuencia y la curación de las heridas.

La musa Calíope les enseñó canto, y el profeta Calcante predijo que a Aquiles se le daría a escoger entre una vida corta y gloriosa o larga en años y anodina.

Pese a que llegó a disfrazarse de mujer para evitar su participación en el conflicto, como caudillo de los mirmidones tuvo que intervenir en la guerra de Troya junto a los invasores griegos, aunque se enfrentó en numerosas ocasiones a su jefe Agamenón porque le había arrebatado a su esclava Briseida.

Tras la muerte de su íntimo Patroclo (para algunos, como la propia Tetis, su enamorado), Aquiles recibió de su madre una armadura forjada por el mismo Hefestos y dio muerte al príncipe troyano Héctor, arrastrando con su carro el cadáver.

Paris, hermano de Héctor, le disparó una flecha que acertó en su talón, gracias a la ayuda de Apolo, y le mató. Sus cenizas se guardaron en una urna que contenía las de su amigo Patroclo.

Aracne

Este mito contra el orgullo está incluido en *Las Metamorfosis* de Ovidio. Desarrolla la fábula de Aracne, habilísima tejedora nacida en Lidia, quien ensoberbecida por sus méritos en tan difícil oficio, se atrevió a desafiar a la misma Atenea.

La diosa aceptó el reto y tejió un hermoso tapiz representando a los 12 dioses del Olimpo y en recuadros adyacentes los castigos que les esperaban a quienes osaban desafiarlos. Aracne tejió otro sin fallo representando los amoríos adúlteros de Zeus con Europa o con Danae.

Palas, enojada por estos contenidos irrespetuosos, rompió el tapiz y golpeó a Aracne. Ésta quiso suicidarse, pero Palas la convirtió en la primera araña sobre la tierra, conservando eternamente su habilidad como tejedora.

Arcas

Epónimo de la región de Arcadia, de la que fue rey. Fue hijo de Calisto y Zeus, y nieto de Licaón. En una ocasión, su abuelo se vio obligado a matarlo y dárselo a comer a los dioses en un banquete; los hijos de Licaón intentaban así probar que los invitados de su padre eran realmente los dioses. Los dioses, naturalmente, se dieron cuenta, y Zeus hizo volver a la vida a Arcas.

Años más tarde, cuando ya era rey, salió de cacería y se encontró con una osa, que era en realidad su madre. Persiguiéndola, él y el animal entraron en el templo de Zeus y lo profanaron, falta que estaba castigada con la muerte. Para evitarlo, Zeus los catasterizó a ambos: Calisto se convirtió en la Osa Mayor y Arcas en el Boyero.

Los argonautas

Jasón fue acompañado en su viaje por 50 héroes griegos, entre los que destacaban Heracles, Orfeo el músico, Cástor y Pólux, Teseo, Laertes, Idas, Linceo, Tifis y Anceo los pilotos, Peleo, Meleagro e incluso una única mujer, la amazona Atalanta, quienes fueron conocidos como los argonautas (navegantes del Argo).

En el viaje llegaron a la isla de Lemnos, habitada sólo por mujeres y gobernada por la reina Hipsípila; al pasar por Samotracia, los argonautas se iniciaron en los misterios de los cabiros; tras cruzar el Helesponto, fueron recibidos favorablemente por los doliones y su rey Cícico, al que luego matarían en un ataque nocturno confundidos con piratas; tocaron la costa de Misia donde las ninfas secuestraron al joven Hilas y donde su enamorado Heracles, que fue a buscarle, perdió el barco.

Fueron obligados por el rey Amico a boxear contra él, lo que hizo Pólux venciéndole, y en el Salmideso encontraron a Fineo, ciego y adivino, al que ayudaron a deshacerse de las arpías, y que les indicó los secretos del trayecto a la Cólquida, y cómo superar el paso entre las Rocas Cianeas.

El viaje de vuelta, que duró mucho más tiempo, se caracterizó por la persecución de los colquianos y porque consiguieron pasar entre Escila y Caribdis, tuvieron que cargar la nave a hombros por las arenas de Sirtes y vencer al gigante artificial Talos, monstruo mecánico creado por Hefestos.

Aristeo

Dios menor de la mitología griega, Aristeo («el mejor» o «el guardián de las abejas») era el hijo de Apolo y la cazadora Cirene, quien despreciaba el hilado y otras artes femeninas, prefiriendo pasar su tiempo cazando.

Según Píndaro, Apolo le animó a ir a Libia y fundar en ella la gran ciudad de Cirene, en la fértil llanura costera.

Cuando Aristeo nació, Hermes se hizo cargo de él para hacerle tomar la ambrosía y fue elevado a inmortal por Gaia. Las ninfas de Mirto le enseñaron artes útiles y misteriosas: cómo cuajar la leche para obtener queso, cómo domesticar las abejas de la diosa y mantenerlas en colmenas y cómo domesticar los olivos salvajes y hacer que den aceitunas.

Así se convirtió en el dios patrón del ganado, de los árboles frutales, de la caza, la agricultura y la apicultura. También fue un héroe cultural e instruyó a la humanidad sobre tareas cotidianas y sobre el empleo de redes y trampas en la caza.

Cuando fue más mayor, viajó en barco desde Libia a Beocia, donde fue iniciado por Quirón, el centauro, acerca de los misterios más profundos. En Beocia se casó con Autonoe y fue padre del tristemente destinado Acteón, quien heredó, para su desgracia, la pasión familiar por la caza.

También fue padre de Macris, la que fuera niñera del niño Dionisos.

Una profecía délfica aconsejó a Aristeo navegar hasta Ceos, donde recibiría grandes honores. Él así lo hizo, y encontró a los isleños padeciendo los efectos de una funesta enfermedad que los entumecía bajo la influencia de Sirio, el perro-estrella.

Aristeo averiguó que sus problemas procedían de asesinos que se ocultaban en la niebla, que eran, de hecho, los asesinos de Ícaro. Cuando tales sinvergüenzas fueron descubiertos y ejecutados, y se hubo erigido un santuario a Zeus, se hicieron ofrendas al gran dios y se decretó que de allí en adelante el viento Etesiano debería soplar y refrescar todo el Egeo durante 40 días a partir de que Sirio se elevase en el cielo.

Aunque los océanos continuaron propiciando al perro-estrella justo antes de que se elevase, únicamente para estar seguros.

Entonces Aristeo, en su misión civilizadora, visitó Arcadia y se estableció durante una temporada en el valle de Tempe. Allí, mientras Aristeo perseguía a Eurídice, ésta fue mordida por una serpiente y murió. Pronto las abejas de Aristeo se pusieron enfermas y comenzaron a morir.

LAS ABEJAS DE ARISTEO

Hijo de la ninfa acuática llamada Cirene, se dice que fue el primero en desarrollar la apicultura. En una ocasión en que sus abejas murieron, recurrió a su madre y la preguntó por qué había ocurrido eso.

Ella le contestó hablándole de un viejo profeta llamado Proteo que habitaba en el mar como favorito de Poseidón, para quien pastoreaba sus rebaños de vacas marinas, y al que las ninfas respetan porque es muy sabio y conoce todas las cosas pasadas, presentes y futuras.

Cirene mandó a su hijo a ver a ese profeta, no sin antes advertirle de que le sería difícil convencerle para que le ayudase. Aristeo debía encadenar por sorpresa al profeta para que éste, aunque se convirtiese en jabalí, tigre o león, cosas que sabía y podía hacer, no pudiese escapar de las cadenas y al final accediese a contestar a Aristeo para que le liberase.

Así ocurrió y al final Proteo le dijo lo que había pasado. Le contó que, por su culpa, Eurídice había encontrado la muerte cuando huía de él y pisó una serpiente cuya picadura le resultó mortal. Para vengar su muerte, sus amigas ninfas habían enviado la muerte a las abejas de Aristeo.

Proteo le dijo también que tenía que aplacar su cólera eligiendo cuatro toros de perfectas proporciones y cuatro vacas de igual belleza y después levantar altares a las ninfas y sacrificar a los animales dejando sus despojos en el bosque.

A Orfeo y Eurídice dedicaría tales honras fúnebres en la esperanza de que pudieran aplacar su resentimiento. Nueve días más tarde regresaría donde dejó los cuerpos del ganado muerto y tendría que observar lo que había sucedido.

Así lo hizo Aristeo, y al noveno día regresó y examinó los cuerpos de los animales, y vio con gran alegría que un enjambre de abejas se había apoderado de uno de los esqueletos y realizaban en su interior sus labores como si fuera un panal.

La arpías

Como Iris, eran hijas de Taumas, genio del mar, y de Electra la oceánide. Su nombre significaba «arrebatadoras» y esa definición aclara bien su cometido original de ladronas de almas en sufrimiento.

Las tres, Aelopos, Ocipeta y Podargé, personificaban los vientos súbitos y se las representaba como mujeres provistas de alas, o pájaros con cabezas de mujer y agudas garras. Su ajetreada existencia dentro de la mitología, es porque las arpías jamás fueron otra cosa que cumplidas mensajeras de los designios divinos.

En el relato mitológico, son bien conocidas por un episodio de la historia de Jasón y los argonautas. En viaje hacia el este de Tracia, los argonautas encontraron a Fineo, por cuya agudeza profética le atormentaban dos arpías. Antes de informar a Jasón sobre el vellocino de oro, Fineo exigió ser librado de las arpías. Realizaron esta tarea Zetes y Calais, hijos alados de Bóreas, el viento norte.

La asamblea de los dioses

Una vez que los troyanos huidos de la Troya destruida, después de haber pasado por la experiencia de Cartago, llegaron a Italia, tuvieron que emplear la fuerza para instalarse en un lugar en el que vivían desde antiguo los latinos.

El rey Latino no vio con malos ojos a los que acababan de llegar, a quienes tomaba por héroes, e incluso entregó a su hija Lavinia como esposa a Eneas, el jefe troyano.

Troyanos y latinos peleaban entre sí porque los troyanos querían asentarse en los lugares más cercanos a la desembocadura del Tíber, que era el lugar que les habían indicado los dioses para fundar una nueva Troya, y los latinos porque era su tierra y no querían admitir a los advenedizos. Además, Turno, jefe de los rútulos, era el prometido de la hija del rey Latino, y le sentó muy mal que se la quedase Eneas quien, además, pretendía quitarle el territorio.

Los dioses del Olimpo tenían en las luchas terrestres sus intereses y sus favoritos. Venus apoyaba a los troyanos al ser la madre de Eneas y Juno era partidaria de los latinos. Júpiter, al final, después de oír a unos y otros, no se decantó por ninguno, y emitió un fallo salomónico: «que los hados resuelvan».

El poeta épico Virgilio cuenta en su poema *La Eneida* esta asamblea de los dioses de la siguiente manera: entretanto, la mansión del todopoderoso Olimpo se abre de par en par y el padre de los dioses y rey de los hombres convoca una asamblea en su sede tachonada de estrellas, desde donde, elevado, mira con atención todas las tierras. También ve el campamento de los troyanos y los pueblos latinos. Todos los dioses toman asiento en las moradas abiertas a ambos lados. En aquel momento Júpiter toma la palabra y comienza a hablar de esta manera:

«¡Oh dioses excelsos! ¿Por qué queréis cambiar de opinión, y discutís en vuestros injustos espíritus? Yo había prohibido a los troyanos dirigirse a Italia con intenciones guerreras. ¿Qué intereses existen para oponerse a esta prohibición? ¿Qué temor ha incitado a unos y a otros a tomar las armas y a hacer sonar las espadas? Ya llegará el tiempo oportuno para que se peleen (no lo hagáis llegar demasiado pronto), cuando la feroz Cartago un día traiga la destrucción a la ciudadela romana y deje abierto el camino de los Alpes: entonces estará permitido luchar con odio, y vosotros podréis tomar partido por unos o por otros. Ahora no intervengáis y con alegría, preparad un pacto que nos convenga a todos».

Así habló Júpiter y, como de costumbre, con pocas palabras dijo muchas cosas. Por el contrario, Venus, la de los cabellos dorados, no tuvo inconveniente en hablar más tiempo de esta manera:

«Oh Padre, oh poder eterno sobre los hombres y las cosas (¿hay alguna otra razón por la que podamos implorarte?): los rútulos se vanaglorian y Turno es conducido sobresaliendo en medio de todos sobre su caballo. Lleno de orgullo galopa contento, ya que sabe que la guerra le es favorable. ¿No te das cuenta? En cambio, los troyanos no pueden protegerse por sus murallas, ya que están destruidas. Luchan aquí y allí, dentro de sus hogares, y encima de los montones que hacen de improvisadas murallas se afanan en la lucha y llenan las fosas con su sangre. ¿Es que estás tan ciego que no lo ves?»

Eneas está lejos y no conoce la situación. ¿No vas a permitir que se libren del asedio? El enemigo una y otra vez está a punto de pasar por encima de los muros de esta Troya que intenta nacer de nuevo, incluso el ejército está totalmente renovado y es inexperto. Y otra vez contra los troyanos se levantará un nuevo Tidida procedente de los Alpes Etolios. Ciertamente, creo, sólo falta que yo sea herida también. Yo, hija tuya, mantengo a raya las armas mortales.

Si los troyanos se han dirigido a Italia sin tu beneplácito y en contra de tus deseos, purguen su pecado y no les envíes tu auxilio; pero si no han hecho otra cosa que seguir las indicaciones que les daban los dioses inmortales y los manes, que no eran otra cosa que tu voluntad, ¿por qué ahora alguien puede cambiar tus órdenes? ¿Por qué puede alguien organizar nuevos hados? ¿Por qué tengo que buscar de nuevo la escuadra quemada en la costa de Ericina? ¿Por qué me voy a enfrentar una vez más con el rey de las tormentas y con los vientos enfurecidos soltados por Eolo, o con Iris, nacida de las nubes? Ahora, alguien incluso mueve los manes, que era una clase de cosas que permanecía intocable, y Alecto, expulsada del cielo, de repente, recorre las ciudades italianas vestida de bacante.

No me mueve nada referente a quién debe mandar; teníamos ciertas esperanzas de esto mientras las cosas nos fueron prósperas. Que venzan los que tú quieras. Si no hay ningún lugar que Juno, tu cruel esposa, pueda dar a los troyanos, suplico, ¡oh Padre!, por los despojos destruidos y humeantes de Troya que, por lo menos, se me permita sacar de la pelea sin daño a Ascanio, que sobreviva mi nieto.

Que Eneas, ciertamente, sea arrojado a costas desconocidas, y que siga el camino que le presente la fortuna, cualquiera que sea: tendré fuerzas para proteger a éste y sacarlo de la cruel batalla.

Tengo diferentes santuarios: Amato, y la elevada Pafos y el templo de Cytera y el de Idalia: que pase lo que le queda de vida en uno de ellos, entregadas las armas y sin honor. Manda que, con un gran poderío, Cartago sojuzgue a Ausonia, las ciudades tirias no encontrarán ningún obstáculo.

¿De qué le ha servido a Eneas escaparse de la peste de la guerra, o haber huido a través de los fuegos que encendieron los griegos, o haber sorteado tantos peligros agotadores, tanto en el mar como en la extensa tierra en la búsqueda del Latio por los troyanos, y de la construcción de una nueva Troya?

¿No hubiera sido mejor haberse instalado sobre las últimas cenizas de la patria o en el suelo en el que estuvo Troya? Te ruego que les devuelvas el Janto y el Simoenta a estos desgraciados troyanos, y dales la oportunidad de revivir las vicisitudes troyanas, oh Padre».

Entonces la real Juno, movida por una enorme rabia, dijo:

«¿Por qué me obligas a romper mi excelso silencio y a divulgar con palabras mi oculto dolor? ¿Alguien de los hombres o de los dioses obligó a Eneas a emprender la guerra o buscó que se dirigiera a Italia como enemigo para el rey Latino? Se dirigió a Italia porque los hados se lo impusieron, sea así.

Fue impulsado por las predicciones de Casandra: ¿acaso le animamos a abandonar el campamento o a dejarse llevar de los vientos? ¿Acaso le hemos animado a meter a su hijo en el feroz combate o a defender los muros y la fe Tirrena, o a remover unos pueblos tranquilos? ¿Qué dios le ha engañado? ¿Qué poder de entre todos nosotros? ¿Se nota aquí la mano de Juno o la de Iris, salida de las nubes? Es indigno que una Troya que renace rodee a los italianos con llamas y que expulse a Turno de la tierra de sus antepasados, su abuelo Pilumno y su madre, la diosa Venilia.

¿No es indigno que los troyanos lleven la violencia con negro fuego contra los latinos, que opriman los campos ajenos con su yugo, y que se lleven el botín? ¿Que roben suegros y aparten la novia de su hogar, que rueguen la paz a la fuerza y que pongan las armas delante de las naves? Tú puedes arrebatar a Eneas de las manos de los griegos, y disimular a tu hijo bajo la niebla o un viento débil, y puedes convertir completamente en ninfas toda la flota: al contrario, si yo ayudo a los rútulos, ¿es un crimen espantoso?

Eneas está ausente y no lo sabe; que siga sin saberlo y estando lejos. Tú tienes distintos templos: Pafos, Idalia y la alta Citera: ¿Por qué atacas a una ciudad preñada de guerras, y a unos ásperos corazones? ¿Acaso yo trato de destruir desde sus cimientos los restos que se desvanecen de Frigia? ¿Yo, quien enfrentó a los desgraciados troyanos con los griegos? ¿Cuál fue la causa por la que Europa y Asia se hayan levantado en armas y por la que se han roto los tratados? ¿No fue un rapto, el de Helena? ¿Dirigí yo a Paris, el adúltero troyano, cuando asaltó Esparta? ¿He sido yo quien ha puesto los dardos en las manos, o quien favoreció las guerras por medio de Cupido?

Entonces tuvieron ocasión los tuyos de haber tenido miedo; ahora es tarde para quejarse; además, pleiteas con unas quejas tan injustas y a destiempo».

Con tales palabras terminó de hablar Juno y todos los habitantes de cielo se estremecían con diferentes sentimientos, de la misma manera que cuando las primeras brisas hacen murmurar a los bosques y los ciegos murmullos que revolotean, auguran a los marineros los vientos y las tempestades que han de venir.

Entonces, el padre omnipotente que tiene el primer poder de las cosas, comienza a hablar (cuando él habla, la alta casa de los dioses enmudece, y también la tierra tiembla en el suelo, y se calla el alto aire; en ese momento los céfiros se calman y la tranquilidad se extiende por el mar): «Así pues, recibid mis dichos en vuestro espíritu, y fijadlos bien».

Puesto que no es lícito que los latinos y los troyanos se unan en un pacto, y vuestra discordia no encuentra un final, la suerte que cada uno tiene hoy, y la esperanza que cada uno abra para sí, no haré ninguna diferencia, sea rútulo o troyano, ya sea que el campamento de los italianos esté asediado porque así lo quieren los hados, o ya sea por un error malvado de Troya, o por siniestras advertencias. Y no resuelvo a favor de los rútulos; que cada uno lleve su labor y su fortuna, la que ha merecido; el rey Júpiter es el mismo para todos. Los hados encontrarán el camino».

Lo jura por los ríos de su hermano Estigio, y por los torrentes de pez y por las orillas de negros torbellinos, y con su movimiento de cabeza tiembla todo el Olimpo. Con esto terminó de hablar. Júpiter se levantó de su sede de oro y los dioses le llevaron en medio de ellos a su mansión.

Ascalafos

Hijo del dios río Aqueronte y de Orfné, la ninfa de la oscuridad. Rondaba un día por el jardín del infierno cuando vio cómo Perséfone comía un grano de granada, rompiendo el ayuno que le hubiera permitido volver a la tierra con su madre.

Ascalafos lo contó, y este hecho fue la causa de que Perséfone tuviera que quedarse en el infierno como esposa de Hades. Por indiscreto, fue castigado por Perséfone a permanecer bajo una enorme roca, hasta que fue liberado por Heracles, cuando en su trabajo número 12 bajó al infierno a buscar al perro Cerbero.

Ascalafos escapó entonces del infierno, pero Deméter lo convirtió en una lechuza o en un búho, según versiones.

Atalanta e Hipómenes

Originalmente diosa frigia, Cibeles fue asimilada a la mitología griega como una de las más antiguas deidades de vida, muerte y resurrección, madre del titán Crono.

Era representada sobre un carro que simboliza la superioridad de la madre Naturaleza, a la que se subordinan los poderosos leones que tiran del carrro. La leyenda relaciona estos leones con una singular pareja mitológica, Hipómenenes y Atalanta, que compitieron en una carrera de velocidad.

La astucia de Hipómenes inspirado por Afrodita, ya que el premio era la mano de Atalanta, hizo caer al suelo tres manzanas de oro que la distrajeron y perdió la carrera. El mito concluye con el encuentro amoroso de los amantes en un recinto sagrado dedicado a Zeus, quien, irritado, los convirtió en leones.

Más tarde, Cibeles se compadeció de ellos y los unció a su carro. Atalanta era hija de Esqueneo, rey de Esciros, y hay quien la incluye en la lista de los argonautas como única mujer. Hipómenes, hijo de Megareo, era primo de Atalanta.

La leyenda de la Atlántida

La historia de la isla de la Atlántida empezó a ser conocida a partir de dos de los diálogos de Platón, los de Timeo y Critias.

La historia que se cuenta en ellos se centra en torno a Solón, un gran poeta y legislador griego que habría viajado a Egipto unos 150 años antes. En la ciudad egipcia de Sais, Solón recibió de los sacerdotes, que conocían su reputación, la historia de la Atlántida.

Los egipcios respetaban a los atenienses, a los que estimaban como parientes, porque creían que su deidad Neith era la misma Atenea. Por lo tanto, se creía que ella era la madrina y la protectora de los griegos y los egipcios.

De acuerdo con los registros de un antiguo templo egipcio, los atenienses pelearon en una guerra agresiva contra las huestes de los atlántidas unos 9.000 años antes y les vencieron.

Los reyes o gobernantes antiguos y muy poderosos de la Atlántida formaban una confederación con la cual controlaban la suya y otras islas. Ellos habrían empezado una guerra desde su tierra natal, en el océano Atlántico, y enviaron tropas de asalto contra Europa y Asia. Ante este ataque, los hombres de Atenas formaron una coalición venida de toda Grecia para hacerles frente.

Como dicha coalición no prosperó, sus aliados desertaron y los atenienses tuvieron que enfrentarse en solitario con las tropas de los gobernantes atlánticos y consiguieron detener la invasión liberando también a los egipcios y, poco tiempo después, a casi todos los países sojuzgados por los soldados de la Atlántida.

Poco después, tras estas victorias, e incluso antes de que los atenienses volvieran a casa, la Atlántida sufrió un catastrófico terremoto que hizo que su propia tierra desapareciera bajo el mar. Todos aquellos valerosos hombres fueron tragados por las aguas en un solo día, de acuerdo con la leyenda. Ésta habría sido la razón por la que los egipcios siempre estuvieron agradecidos a los atenienses.

Los diálogos de Platón también dicen que los guerreros de la Atlántida destruían cualquier estado que quisieran conquistar. Esta historia ha sido registrada en las notas de Solón, que transmitió a su familia, según las cuales la Atlántida habría sido creada en el principio del tiempo, cuando los dioses inmortales se dividían el mundo entre sí y cada uno gobernaba su parte.

El dios Poseidón recibió la Atlántida, una isla más grande que Libia y Asia juntas, y eligió por mujer a una mortal llamada Clite con la cual se dio inicio a la familia real de la Atlántida.

Poseidón construyó la casa de Clite en la colina más alta del centro de la isla. Desde la casa se veían las fértiles llanuras bordeadas por el mar.

Para su amada esposa, Poseidón protegió los alrededores de la casa con cinco anillos concéntricos de agua y tierra, que talló con la facilidad y la habilidad de un dios.

Hizo brotar fuentes de calor y frío de la tierra, de modo que, cuando se desarrollara la futura ciudad, sus descendientes nunca carecerían de agua. Clite dio a luz diez hijos de Poseidón, cinco parejas de chicos, de los que Atlas sería el primer hijo del primer par de gemelos, por lo que fue el rey del vasto territorio de su padre.

Sus hermanos fueron nombrados príncipes y cada uno gobernaba una sección del reino. Atlas tuvo también muchos hijos, de modo que la sucesión del trono fuera pasando siempre al hijo mayor.

Durante generaciones, los atlántidas se mantuvieron como una raza apacible y que evolucionó hasta alcanzar grandes logros mediante la explotación de los recursos que ofrecían las minas, los campos y los bosques de la enorme isla que habitaban.

Los tránsitos de mercancías eran posibles gracias a un canal que se construyó que atravesaba todos los anillos desde el océano al centro del reino o la acrópolis.

El palacio real fue levantado cerca de la casa original de Poseidón y Clite. La espléndida ciudad de Metrópolis y el resto de ciudades exteriores de la Atlántida se construyeron en el exterior de un gran muro que rodeaba el palacio.

Poseidón instauró las leyes de la Atlántida, según las cuales todos los gobernantes eran iguales, y el gobierno se reunía regularmente. Consistía en diez gobernantes, representados por Atlas y sus nueve hermanos, que reinaron con poder absoluto sobre la vida y la muerte. Se reunían en el templo de Poseidón, donde los primeros reyes inscribieron las leyes en un pilar del oráculo.

Primero, tal y como requería la antigua ceremonia, se intercambiaban compromisos. Luego se capturaba y mataba un toro sagrado, cuyo cuerpo se quemaba en sacrificio al dios creador.

La sangre se mezclaba con vino y se vertía sobre el fuego como un acto de purificación, y a los gobernantes se les servía vino en copas doradas, para que cada uno vertiera un poco sobre el fuego mientras pronunciaba el juramento de que le comprometía a respetar las leyes inscritas.

Cuando terminaban su voto, bebían de su vino y dedicaban su copa al templo. El ceremonial continuaba con una cena, a la cual los gobernantes asistían ataviados con magníficas túnicas azules, y en el curso de la cual juzgaban y consideraban los asuntos concernientes al reino, de acuerdo con las leyes de Poseidón.

Los problemas se iniciaron cuando se empezaron a olvidar e incumplir estas leyes. Muchos de los gobernantes se casaban con mortales y hacían su vida como si fueran humanos, y empezaron a demostrarse codiciosos de más poder.

Entonces, Zeus se reunió con los demás dioses del Olimpo para juzgar lo que estaba pasando en la Atlántida. Justo en este momento, es donde la historia de Platón se detiene.

Si Platón tenía la intención de contar el final de la historia de la Atlántida, o no, no lo sabe nadie, como también se ignora si creía en la existencia real de la isla o se trataba de un reino puramente mítico.

Muchos han afirmado que Platón creía en la existencia de la isla porque ofreció gran cantidad de detalles en su descripción, mientras que otros denuncian esta historia como pura ficción.

También se ha especulado sobre el lapso de tiempo en el que se habría desarrollado la historia, ya que en las notas de Solón se dice que la isla existía 9.000 años antes, período en el que resulta difícil imaginar la agricultura, la arquitectura y los sistemas de navegación por mar que se describen en la historia.

Solón podría haber interpretado incorrectamente el símbolo egipcio para 100 confundiéndolo con el de 1.000, en cuyo caso la Atlántida habría existido 900 años antes, lo que situaría el momento histórico en plena Edad de Bronce, cuando sí se poseían las herramientas y conocimientos necesarios para alcanzar el desarrollo que se describe en la historia.

Por otra parte, existen evidencias geológicas de que, alrededor del año 1500 a. C., hubo una gigantesca erupción volcánica que originó que muchas de las islas del océano atlántico se hundieran en el mar.

Atlas

Era un joven titán al que Zeus condenó a cargar eternamente el cielo sobre sus hombros por haberse rebelado contra él en la guerra de los titanes contra los olímpicos (Titanomaquia).

Era hijo de Jápeto y la ninfa Clímene y hermano de Prometeo, Epimeteo y Menecio. Fue padre, con Hésperis, de las hespérides, Mera, las híades, Calipso y las pléyades. Se decía que Atlas reinó en Arcadia pero también en el noroeste de África, donde tenía un manzano de hojas y frutas de oro.

Cuenta la leyenda que Heracles engañó a Atlas para que recuperase algunas manzanas de oro del jardín de las Hespérides como parte de sus 12 trabajos. Heracles se ofreció a sujetarle el cielo mientras Atlas iba a buscarlas. Pero, al volver, Atlas no quiso aceptar la devolución de los cielos, y entonces Heracles le engañó de nuevo, pidiéndole que sujetase el cielo un momento para poder ponerse su capa como almohadilla sobre los hombros, a lo que éste accedió.

Entonces Heracles tomó las manzanas y se marchó. También le engañó Perseo, quien además le mostró la cabeza de la Medusa que convirtió a Atlas en la montaña de piedra que daría nombre a la cordillera que hoy existe en el norte de Marruecos.

Atreo

Hijo de Pélope. Su hermano Tiestes y él recibieron dos maldiciones: la que Mírtilo había lanzado sobre su padre, y la de su propio padre sobre ambos hermanos por haber matado a Crisipo.

Rivalizó con su hermano Tiestes por el trono de Argos porque, a la muerte de Euristeo, un oráculo había ordenado elegir rey a un hijo de Pélope. Su hermano propuso que fuese rey aquel que tuviese en su poder un cordero con vellocino de oro.

Atreo aceptó, pues en su rebaño había un cordero así. Pero finalmente ganó Tiestes, pues la esposa de Atreo, que era su amante, le había regalado el animal. Atreo apeló a Zeus y el dios le contestó que propusiese a Tiestes que, si el sol hacía su recorrido al revés durante un día, le cediese el trono. Tiestes aceptó y Zeus realizó el prodigio.

Atreo ocupó el trono y desterró a su hermano. Pero, para vengarse de él por la relación que mantenía con su esposa, mató a sus tres hijos y se los dio a comer en un banquete.

Tiestes, deseando vengarse, consultó el oráculo y éste le dijo que lo vengaría un hijo que él tuviese con su propia hija. A continuación, Tiestes violó a su propia hija –sin que ésta lo reconociese– y engendró así a Egisto.

Luego, la muchacha se casó con Atreo, de modo que Egisto fue criado por éste como un hijo. Cuando Atreo apresó a Tiestes y lo llevó al Argos para matarlo, se supo toda la verdad. La madre de Egisto se suicidó y éste mató a Atreo. Atreo engendró a Agamenón y Menelao, que heredaron a su vez el triste destino de su padre.

Aurora y Titón

La diosa del alba, al igual que su hermana la Luna, a veces se enamoraba de algún mortal. Su favorito era Titón, hijo de Laomedonte. Un día le secuestró y convenció a Zeus para que le hiciera inmortal, pero se le olvidó añadir la condición de eterna juventud y, algún tiempo más tarde, empezó a darse cuenta de que él estaba envejeciendo.

Cuando su pelo se volvió blanco, ella le abandonó aunque él aún permaneció en el palacio de Aurora, donde comía ambrosía y vestía los ropajes de los dioses. Con el tiempo perdió el uso de sus piernas y se encerró en su habitación, donde a veces se escuchaba su débil voz. Finalmente, se convirtió en un saltamontes.

Memnón, hijo de Aurora y Titón, era el rey de los etíopes y vivía en el extremo este de la corriente del Océano. Fue quien llegó con sus guerreros para ayudar al pariente de quien llamaba su padre, el rey Príamo, en la guerra de Troya.

Pero Memnón murió en la batalla y Aurora, que le contemplaba desde el cielo, pidió que su cuerpo fuese llevado a las orillas del río Esepus. Al atardecer, llegó Aurora acompañada por las horas y las pléyades y lloró sobre el cuerpo de su hijo.

La noche cubrió el cielo de nubes y toda la naturaleza lamentó esa pérdida. Cada año se celebra el aniversario de su muerte y, aún hoy, Aurora sigue llorando la muerte de su hijo. Sus lágrimas pueden verse por la mañana, temprano, como gotas de rocío sobre la hierba.

Áyax

Héroe proveniente de Salamina. Hijo de Telamón, caudillo de los salaminios, y hermano de Teucro, y de su esposa Hesione (hija del rey Laomedón). Homero le llama «Áyax Telamonio» para diferenciarlo de «Áyax Oileo».

Participó en la guerra de Troya. Cuando murió su primo Aquiles, él y Odiseo se enfrentaron para ver quién se quedaba con sus armas. Áyax perdió y enloqueció; se lanzó contra unos rebaños de ovejas creyendo que eran guerreros y a continuación se suicidó.

Hombre de gran corpulencia y estatura gigantesca, extremadamente parco en palabras y de inaudito arrojo. Era invulnerable en todo su cuerpo salvo en una parte, que varía según los autores.

Se cuenta que, cuando Heracles visitó a Telamón, éste le rogó que su hijo Áyax, recién nacido, fuese tan fuerte y vigoroso como la piel de un león. Zeus entonces le envió un águila que le dio su fuerza, por lo que, a veces, se le llamaba Áyax aquilino.

Sobre su muerte hay varias versiones. En una se dice que murió atravesado por una flecha disparada por Paris. Otra versión afirma que como era invulnerable, fue enterrado vivo por los troyanos, y de su cuerpo brotaron jacintos.

En *La Ilíada* aparece otro Áyax, hijo de Oileo, jefe de los locrios, que se distinguía por su rapidez y agilidad.

Bato

El anciano Bato fue el único testigo del robo que el precoz Hermes había hecho de parte del rebaño de bueyes del rey Admeto, de Tesalia, que pastoreaba su hermano Apolo. Hermes sobornó al anciano con uno de los animales si no le denunciaba, aunque más tarde, desconfiado, se metamorfoseó y con otro aspecto volvió para preguntar a Bato si sabía algo del robo del ganado.

El indiscreto le contó cuanto sabía, tentado por la promesa de un nuevo animal, por lo que Hermes le convirtió en roca. Recibe también el nombre de Bato un personaje a caballo entre la historia y la mitología a quien se le atribuye la fundación de la colonia de Cirene.

Belerofonte

Héroe de la mitología griega que se llamaba Iponoo hasta que, tras matar a su hermano por accidente, cambió su nombre por el de Belerofonte (asesino de Belero). Con ayuda de una brida de oro que le dio Atenea, domesticó al caballo Pegaso y montado en él hizo frente y venció a la espantosa Quimera, monstruo con cuerpo de león y cola de serpiente. Tras encontrar y vencer a las amazonas, se creyó un dios, por lo que Zeus le hizo caer de Pegaso y quedar lisiado para lamentar su soberbia el resto de su vida. Por supuesto, Zeus se quedó con el alado caballo.

Biblis

Paradigma del amor incestuoso, Biblis era hija de Mileto, fundador y luego rey de la ciudad que lleva su nombre, y de Ciana.

Concibió un apasionado amor por su hermano Cauno, que resultó tan evidente y comprometedor que éste, al enterarse de esta pecaminosa pasión, huyó de la ciudad, y aunque Biblis salió en su persecución no pudo alcanzarlo, tras lo que se desplomó extenuada en el suelo y empezó a llorar. Tanto lloró, que los dioses, que tanto frecuentaban a su vez los amores entre hermanos y familiares, acabaron por apiadarse de ella y la convirtieron en una fuente.

Briseida

Hija de Briseis, rey de Linneso, reino que estaba enclavado en la comarca de la Triade, fue raptada por Aquiles, de quien llegó a ser la esclava favorita. Durante el cerco de Troya, Agamenón exigió que le fuera entregada Briseida, a lo que Aquiles tuvo que acceder, pero presa de cólera se negó después a combatir contra los troyanos, y se retiró con sus soldados a las tiendas que les cobijaban.

Tras la muerte de Patroclo, el íntimo amigo de Aquiles y de quien dicen estaba enamorado, los dos caudillos se reconciliaron y Briseida le fue devuelta a Aquiles.

El caballo de Troya

Argucia con la que los aqueos, al mando de Agamenón, conquistaron y destruyeron la ciudad de Troya tras diez años de infructuoso asedio. Esta anécdota no figura en *La Ilíada* pero sí en *La Odisea,* en la que Homero atribuye a su protagonista, Odiseo, la invención de la estratagema.

Aparte de la leyenda de la fuga de Helena con Paris abandonando a su esposo Menelao, hermano de Agamenón, lo cierto es que Troya dominaba el estrecho de los Dardanelos y su subsistencia era un obstáculo para la expansión del comercio griego.

El caballo fue construido por Epeius y en su interior se escondieron 100 aqueos al mando de Odiseo. La armada griega fingió partir tras quemar los restos de su campamento, los barcos se ocultaron tras la isla de Ténedos y los troyanos aceptaron el gigantesco caballo que allí quedó como una ofrenda de paz.

El espía griego Sinon convenció a los troyanos de que el caballo era un regalo, a pesar de las advertencias de Laoconte y Casandra. Los troyanos hicieron una gran celebración y cuando los griegos salieron del caballo, la ciudad entera estaba bajo el sueño de la bebida.

Los guerreros abrieron las puertas de la ciudad para permitir la entrada del resto de las tropas y la ciudad fue saqueada sin piedad.

Caco

Después de la fundación de Roma, Rómulo fortificó primero la colina del Palatino, ya que allí era donde había sido educado por Fáustulo y Larentia, desde que fuera recogido con su hermano Remo.

Realizó sacrificios a muchos dioses según la manera y el rito de los albanos, pero los sacrificios a Hércules los llevó a cabo según el rito griego, como había sido instituido por Evandro.

Este personaje fue uno de los primeros con quien se encontró Eneas al llegar a Italia, y le fue muy útil. Era una persona que tenía mucha autoridad entre todos los habitantes del curso bajo del río Tíber. El culto a Hércules había venido de Grecia.

Cuenta la tradición más antigua que Hércules, después de haber matado a Gerión, en el curso de uno de los 12 trabajos que le encomendó Júpiter, había llevado a pastar a aquellos lugares un rebaño de bueyes y vacas, todos ellos de una gran belleza.

Cruzó el Tíber nadando y lo mismo había hecho su rebaño. Al llegar a la otra orilla, encontró un lugar muy agradable, con abundante pasto para sus animales, que invitaba a detenerse.

Cansado del esfuerzo que había hecho para llevar los toros y vacas hasta allí, se recostó y se dedicó a calmar su hambre y su sed con carne y vino. Luego le fue venciendo el sueño, hasta que se quedó dormido. Había en aquellos lugares un personaje feroz, corpulento y muy fuerte, que se llamaba Caco.

Cuando vio allí cerca un rebaño tan grande y con ejemplares tan hermosos, quiso apoderarse de ellos. De este personaje proviene el apelativo que se da a los amigos de lo ajeno, a los que se llama cacos.

Se dio cuenta de que si llevaba a su cueva el rebaño andando por su pie, iba a dejar demasiado rastro y Hércules, el dueño del rebaño, no tendría ninguna dificultad para saber dónde estaban sus toros. Entonces pensó que podría llevarlos al revés, es decir, andando hacia atrás, aunque de esta manera no se los podría llevar todos, por lo que eligió los ejemplares que le parecieron más hermosos y se los llevó a su cueva.

Con la primera luz del alba se despertó Hércules. En seguida se dio cuenta de que el rebaño había disminuido en número. Sin embargo, no encontró rastro de sus animales, incluso vio el rastro que estaba al revés, y tampoco encontró otro lugar donde pudieran haberse refugiado, por lo que quedó perplejo y decidió que lo mejor era marcharse de aquel lugar que parecía embrujado, y así siguió su camino con los toros y vacas que le quedaban.

Al marcharse, algunos animales mugieron y, al oírlo, los que estaban en la cueva también mugieron. Hércules volvió sobre sus pasos y se dirigió muy enfadado hacia la cueva. Caco quiso impedirle el paso, y llamó a los otros pastores para que vinieran en su ayuda, quienes no le hicieron ni caso. Hércules asestó a Caco un golpe certero con su cayado y lo mató.

El gobernador de todo aquel territorio era Evandro, que procedía del Peloponeso, y dirigía todos los asuntos más por la autoridad que le daba ser una persona instruida, que sabía leer y escribir, que por un nombramiento oficial. Además le veneraban porque se creía que su madre era la ninfa Carmenta, una diosa que fue oráculo de los dioses antes de la llegada de la Sibila a Italia.

Los pastores rodearon a Hércules, a quien habían cogido en el momento en que daba muerte a uno de los suyos, a Caco, el ladrón. Evandro pidió que le contaran la causa que tenían contra aquel extranjero, y ellos le narraron el asesinato con todo lujo de detalles.

Evandro se dio cuenta de que Hércules no era una persona como las demás, por el porte y el aspecto que presentaba, y quiso saber quién era. En cuanto Hércules se lo dijo, y Evandro conoció quién era su poderoso padre y de qué reino de los cielos procedía, exclamó:

«¡Oh Hércules, hijo de Júpiter! ¡Salve! Mi madre, Carmenta, que era la auténtica intérprete de los dioses, predijo que tú habrías de aumentar el número de los habitantes del cielo, y que te sería dedicado un altar en este sitio. A este altar, el pueblo que será más importante de toda la tierra le dará el nombre de 'Ara Maxima', y te ofrecerá su culto según tu propio rito».

Hércules respondió ofreciendo su mano a Evandro como señal de aceptación y acuerdo con todo lo que había dicho, de forma que se proponía levantar él mismo el altar. Incluso mató uno de sus bueyes y con él celebró el primer sacrificio en su honor.

Había dos familias importantes en aquellos parajes: los Potitio y los Pinario, que fueron invitadas al banquete ritual después del sacrificio. Sucedió que los Potitio estuvieron a tiempo en que se sirvió la carne consagrada, mientras que los Pinario llegaron cuando la carne se había acabado.

Este fue el motivo de que, mientras existió la estirpe de los Pinario, no pudieron nunca asistir a las comidas rituales después de los sacrificios. Sin embargo, los Potitio fueron nombrados sacerdotes perpetuos para que celebrasen los sacrificios en honor de Hércules. Así lo hicieron hasta que no quedó ningún miembro de dicha familia. Este fue el único culto extranjero que adoptó Rómulo, adelantándose a su propia inmortalidad, que le estaba destinada.

Cadmo

Hijo del rey Agenor, y hermano por lo tanto de Europa, a quien raptó Zeus transformado en toro llevándola hasta Creta, donde la convencieron entre él y Afrodita prometiéndole que una cuarta parte del mundo sería conocido con su nombre. La doncella se olvidó de su origen asiático y llegó a ser la madre de Minos y Radamanto, que acabaron sentándose en el Hades como jueces de la muerte.

Pero el rey de Tiro nunca cesó de llorar a su hija perdida y siempre reprochó a sus tres hijos, Cadmo, Fénix y Cilix, por no haber sabido proteger a su hermana, por lo que les envió en su búsqueda y les prohibió regresar a casa si no la traían con ellos.

Los tres hermanos la buscaron por todo el mundo, acompañados de su madre Telefasa, hasta que Fénix dejó la búsqueda y se separó para construirse una casa en la tierra llamada por él mismo Fenicia. Cilix se estableció en Cilicia, y finalmente Telefasa murió, pidiéndole antes a Cadmo que no abandonase nunca la búsqueda.

Cadmo llegó a Grecia, pero al no encontrar a su hermana fue al oráculo de Apolo en Delfos, donde pidió su consejo. Allí se le ordenó seguir a una vaca que encontraría pastando sola en un prado y que, en el primer lugar donde la vaca se tumbara, construyera una ciudad a la que llamaría Tebas.

Pronto encontró la vaca y la siguió hasta Beocia. Allí fue donde la vaca se tumbó y Cadmo se dispuso a fundar su ciudad. Pero esa tierra tenía un temible señor al que había que tener en cuenta.

Quiso ofrecer un sacrificio a Atenea para solicitar su ayuda, para lo que envió a sus sirvientes por agua de una fuente que salía de una oscura cueva y cuya boca estaba escondida en un espeso bosque de robles. Los hombres entraron en el bosque, pero nunca regresaron.

Cadmo escuchó el sonido de un siseo y vio humo saliendo de entre los árboles, por lo que fue allí y encontró a sus sirvientes muertos ante la cueva abrasados por el aliento de un enorme dragón que le atacó estirando hacia él sus tres cabezas. En cada encía tenía tres filas de dientes a través de los cuales arrojaba un humo venenoso, sus ojos brillaban como el fuego y su roja cresta relucía en la oscuridad.

Cadmo quiso vengar a sus compañeros de viaje y clavó su espada en el pecho del dragón. Éste levantó sus cabezas para dejarlas caer sobre Cadmo, pero el de Tiro dirigió su espada hacia una de las gargantas para clavarla en el tronco de un roble, matando al dragón.

Totalmente ileso, Cadmo pisaba su cuerpo muerto cuando se dio cuenta de que Atenea estaba a su lado, ya que había descendido desde el Olimpo para formar una ciudad que crecería bajo su protección.

Atenea ordenó a Cadmo que sembrase los dientes del dragón en la tierra y le dijo que de ellos nacería una raza de guerreros dispuestos a hacer su voluntad.

Cadmo cumplió con esa orden y una vez sembrados los dientes, la tierra empezó a hincharse y a agitarse hasta que salieron de ella hombres armados que empezaron a luchar entre ellos hasta que sólo quedaron cinco, que se pusieron al servicio de Cadmo. Con su ayuda, construyó la ciudad de Tebas.

Posteriormente Cadmo se casó con Armonía, hija de Ares y Afrodita. Todos los dioses fueron a la boda y entre los regalos había un collar y un velo hechos por Hefestos por encargo de Afrodita, impregnados de un filtro que envenenaría a sus descendientes.

Sus hijas y los hijos de sus hijas tuvieron finales muy tristes, entre ellos Ino, que se ahogó a sí misma después de que su marido, preso de la locura, matase a su hijo, y Sémele, consumida al contemplar la gloria de Zeus tras ser la madre con él de Dioniso.

Siendo ya viejo, Cadmo fue destronado por su propio nieto Penteo. El muy afligido rey se quedaba sin hogar, aunque con la compañía de su fiel esposa Armonía. Un día se internaron en los bosques del Norte, cuando el héroe, agobiado por la maldición que sufría desde que mató al dragón, murmuró:

«Si una serpiente es tan querida por los dioses, preferiría ser una serpiente más que un hombre»; momento en el que los esposos se trasformaron en sendas serpientes.

Calírroe

Hay dos versiones acerca de este personaje. En la primera, es el nombre de una fuente de Etolia.

Según la leyenda, Calírroe era una joven de la que se enamoró un sacerdote de Dionisos. Al ser rechazado, el sacerdote se lamentó al dios y éste envió al lugar una epidemia de locura. Para aplacarlo, los habitantes debían sacrificar a una doncella, que fue Calírroe.

En el momento del sacrificio, el sacerdote, su enamorado, no pudo resistirlo y se dio muerte en lugar de matar a la muchacha. Calírroe también se mató junto a un manantial que en adelante se llamó como ella, culminando el mito trágico tan propio de la civilización griega.

En la segunda versión, sería la hija del río Aqueloo y segunda esposa de Alcmeón. Pidió a su marido que le diese el collar y el peplo de Harmonía, que él le había arrebatado a Erifile. Pero Alcmeón se los había regalado a su primera esposa, la hija del rey de Fegea, y volvió a esta ciudad para reclamarlos. Allí fue muerto. Calírroe pidió entonces a Zeus que hiciese crecer rápidamente a sus hijos, que entonces eran pequeños, para que vengasen a su padre, como así sucedió.

Cástor y Pólux

Hijos mellizos de Leda, esposa del rey espartano Tindareo. Eran hermanos de Clitemnestra, reina de Micenas, y de Helena de Troya.

Conocidos como los dioscuros, o hijos de Zeus, en la mayor parte de las narraciones sólo a Pólux (Polideuco entre los griegos) se le considera inmortal, pues fue concebido cuando Zeus sedujo a Leda bajo la forma de un cisne.

A pesar de ser gemelos, Cástor se suponía que era hijo de Tindareo y por lo tanto mortal.

Cástor tenía fama de domador de caballos y Pólux de pugilista. Su primera hazaña consistió en liberar a su hermana Helena, que había sido raptada aún niña por Teseo.

En la expedición de los argonautas, los dioscuros salvaron al navío Argo cuando iba a perderse. Sus caballos se llamaban Flógeo y Hárpago.

Cuando Cástor murió por la lanza de Idas, Pólux, tras vengarle, pidió a Zeus que le diera la inmortalidad a su hermano, y desde entonces ambos mellizos forman en los cielos la constelación de Géminis.

Casandra

Adivina, como su hermano, Casandra era hija de Príamo y Hécuba, los reyes de Troya. Su gemelo se llamaba Heleno y era arúspice, es decir, adivinaba el porvenir por medio de las entrañas de los animales.

Casandra recibió los poderes del propio Apolo a cambio de ser su amante, aunque al no cumplir su parte del trato, el dios le escupió en la boca para que sus profecías no las creyera nadie.

Predijo que el joven Paris traería la desgracia a los troyanos, vaticinó que el rapto de Helena acarrearía la destrucción de la ciudad, anunció que el caballo de Troya era una trampa y, cuando la entregaron como botín de guerra a Agamenón, rey de Micenas (quien la tomó como concubina y procreó en ella dos gemelos, Teledamo y Pélope), le advirtió que sería asesinado si volvía a Grecia, cosa que ocurrió con ambos amantes a manos de Clitemnestra.

Céfalo y Procris

Céfalo era un hermoso joven que un día se levantó antes del alba para salir a cazar y, en cuanto la Aurora lo vio, se enamoró de él y quiso raptarle. Céfalo acababa de casarse con Procris, una bella muchacha que le adoraba y que a su vez era una protegida de Artemisa, diosa de la caza, la cual le había hecho dos regalos: un perro que corría tanto que podía dejar atrás a todos sus rivales y una jabalina con la que nunca erraría el blanco.

Procris le había entregado los regalos a su marido, y éste era tan feliz con su esposa que se resistió a los deseos de la Aurora, por mucho que ella le suplicara, de manera que la diosa terminó por despedirle con disgusto diciéndole que siguiese entre los brazos de su amada, pero que algún día lamentaría verla.

Céfalo volvió tranquilo a su casa. Pero un día, alguna deidad furiosa envió un voraz zorro que causó grandes destrozos en sus haciendas y los cazadores salieron al monte decididos a atraparlo. Como ningún perro podía atraparlo, le pidieron a Céfalo que trajese a su perro Lelaps. El perro salió disparado como una flecha persiguiendo al zorro y, cuando casi le había dado caza, un poder sobrenatural hizo que los dos se convirtieran en piedra.

Céfalo, aunque había perdido a su perro, seguía siendo muy aficionado a la caza, que realizaba con ayuda de la jabalina de Artemisa. Un día, cansado de caminar, buscó un rincón a la sombra junto a un fresco riachuelo y, dejando su ropa a un lado, se tumbó desnudo en la hierba para disfrutar de la brisa. De vez en cuando decía en voz alta:

«Ven, dulce brisa, ven y refresca mi pecho, llévate el calor que me abrasa».

Alguien que pasaba por allí creyó que se lo decía a una mujer y corrió a decírselo a Procris. Ésta fue al siguiente día a comprobarlo por sí misma. Céfalo cuando llegó, se tumbó y, como siempre, exclamó:

«¡Ven, dulce brisa, ven y refréscame, ya sabes cuánto te amo! Tú que haces que el bosque me resulte delicioso».

Así se expresaba cuando escuchó unos ruidos entre los arbustos y, creyendo que se trataba de un animal salvaje, lanzó la jabalina hacia el lugar de donde salía el ruido.

Se acercó corriendo a ver su presa y encontró a su amada Procris intentando sacarse la jabalina del pecho. Cogiéndola en sus brazos, le suplicó que no muriese, y ella abrió los ojos y musitó:

«Te lo ruego, si alguna vez me has amado, marido mío, concédeme lo último que te pido: ¡No te cases con esa odiosa Brisa!».

Sus palabras le revelaron a Céfalo lo que había pasado, pero de nada le servía descubrirlo cuando ya era tarde.

Los cíclopes

En la mitología griega, gigantes con un enorme ojo en medio de la frente.

Según la *Teogonía* de Hesiodo, los tres hijos —Arges, Brontes y Estéropes— de Urano y Gea, personificaciones del cielo y de la tierra, eran cíclopes, que fueron arrojados al mundo inferior por su hermano Crono, uno de los titanes, después de que él destronara a Urano.

Pero el hijo de Crono, el dios Zeus, liberó a los cíclopes del submundo y ellos, agradecidos, le regalaron el rayo y el relámpago, con los que derrotó a su padre y sus aliados los titanes convirtiéndose así en señor del universo. En *La Odisea* de Homero, los cíclopes eran pastores que vivían en Sicilia.

Eran una raza salvaje, fuera de la ley, y antropófagos que no temían a dioses ni a hombres. El héroe griego Odiseo fue atrapado con sus hombres en la cueva del cíclope Polifemo, un hijo de Poseidón, dios del mar. Odiseo lo cegó para escapar de la cueva en la que el gigante los tenía cautivos cuando ya había devorado a varios de sus hombres.

Cidnos

Como hijo de Poseidón, era invulnerable a las armas. Aliado de los troyanos, acudió en su auxilio al frente de una gran flota que impidió a los griegos avanzar durante mucho tiempo, hasta que se encontró con Aquiles y tuvo que enfrentarse a él.

Como no podía matarle con sus armas, el héroe griego tuvo que golpearle en la cabeza con el puño de la espada y defenderse empujándole con el escudo hasta que Cidnos, al retroceder, tropezó con una piedra y cayó al suelo de espaldas, lo que Aquiles aprovechó para abalanzarse sobre él y estrangularle.

Poseidón le transformó tras su muerte en un cisne.

Clitemnestra

Hija de Tíndaro y Leda, reyes de Esparta, quienes acogieron a Agamenón y Menelao cuando escaparon de Grecia perseguidos por Egisto. Ella y su hermana Helena se casaron con los dos hermanos, estando el rapto de Helena en el origen de la guerra de Troya.

Ya en Grecia, Agamenón había tenido varios hijos con Clitemnestra, entre ellos Ifigenia, Electra y Orestes, cuando fue nombrado jefe de la expedición griega. Protestó ante Atenea porque la falta de viento retrasaba la partida de la flota y la diosa le exigió el sacrificio de su hija pequeña Ifigenia a cambio del viento, lo que el rey aceptó ante el espanto de Clitemnestra, que juró venganza.

En los diez años que duró la ausencia de su marido tuvo de amante a Egisto, con quien pactó y organizó la muerte de su marido cuando volviera, lo que ocurrió en la misma ceremonia de celebración por el regreso, muriendo a sus manos Agamenón, su concubina Casandra y los dos pequeños hijos de ambos. Más tarde, para vengar la muerte de Agamenón, Clitemnestra sería asesinada por su propia hija Electra ayudada por Orestes.

Cócalo/Kokalós

Rey mítico de Sicilia, perteneciente a la etapa mitológica cretense, que dio asilo a Dédalo cuando escapó volando de Creta para evitar la persecución y la venganza de Minos por haber ayudado a Teseo a escapar del laberinto.

Cuando Minos llegó a Sicilia, buscó a Dédalo en el palacio de Cócalo, donde sabía que se escondía, y, para descubrirlo, mostró una concha de caracol y un hilo prometiendo una sustanciosa recompensa a cualquiera de los presentes que pudiera hacer pasar el hilo a través de las espirales del caracol.

El ambicioso Cócalo acudió a Dédalo y le pidió que le ayudara a resolver el enigma.

El ingenioso constructor no tuvo ninguna dificultad en lograr lo que se le pedía, atando el hilo a una hormiga para después conseguir que el insecto recorriese las espirales de la concha, como si se tratase de un nuevo y diminuto laberinto, por lo que Minos se dio cuenta de que una resolución tan rápida e ingeniosa sólo podía ser obra de Dédalo, y acosó a Cócalo hasta que le hizo confesar que Dédalo se escondía en su palacio.

Pero, como Cócalo no quería que Minos se llevara a su invitado, hizo que sus hijas achicharraran a Minos mientras se bañaba, utilizando un sistema de cañerías que a su vez también había inventado Dédalo, haciendo caer sobre Minos, en lugar de agua, pez hirviendo.

Las tres etapas de la creación del mundo

Existe gran confusión en torno a la cosmogonía clásica relativa a los orígenes del mundo y muchas son las versiones que se han dado de este crucial episodio, algunas de ellas mencionadas de pasada en otros capítulos de esta obra.

Para intentar aportar cierta sistemática a un elemento tan importante de toda civilización, resumimos los tres períodos en que suele subdividirse este mito esencial, en la versión sobre la que parece existir mayor grado de acuerdo entre los estudiosos.

Primera etapa: La creación

Según Hesiodo, de la existencia del Caos, surgió Gea, la Tierra. El origen de Gea es complejo y difuso pero se interpreta comúnmente que fue resultado de la unión entre el Tártaro, región espectral de las más hondas profundidades, y Eros, el amor, entendido como fuerza vital y no como personificación de un dios.

Este Eros no debe ser nunca confundido con el Eros hijo de Afrodita. Gea no era más que un inmenso lugar provisto de todo lo necesario para la morada eterna y segura de los seres vivientes.

Poco después, de nuevo por la acción de Eros, aparecieron Erebos, las tinieblas, que se disponían debajo de Gea en una amplia zona subterránea, y Nix, la noche, quien, unida al recientemente aparecido Erebos, provocó el nacimiento de Éter y Hemera, que representaron respectivamente la luz celeste y la terrestre.

Cuando Gea recibió la luz, fue convertida en diosa, personificada y, puesto que no podía engendrar con ningún varón, una noche mientras dormía, surgió de su seno Urano, el cielo, del mismo tamaño que ella y con quien podría engendrar muchos más hijos.

Un día, Urano, que contemplaba a su madre desde las más altas cumbres de las montañas, hizo caer sobre ella una lluvia fina de la que nacieron todas las plantas, todos los animales, todos los pájaros y todos los mares y ríos, conocidos bajo el nombre de titanes (Océano, Ceo, Crío, Hiperión y Crono), y titánides que se llamaron Temis, Rea, Tetis, Tea, Mnemósine y Febe.

SEGUNDA ETAPA: LA PRIMERA DINASTÍA DE DIOSES

Urano y Gea tuvieron otros hijos: los tres horribles cíclopes, Arges, Asteropes y Brontes, y los enormes hecatonquiros, con 100 brazos y 50 cabezas cada uno, llamados Coto, Briareo y Giges. Nix, la noche, había engendrado, por su parte y con la entusiasta colaboración de Urano, a Tánato, la muerte, a Hipnos, el sueño, a las hespérides, a las moiras y a Némesis, que junto a los demás seres creados por Urano y Gea forman la primera dinastía celestial.

Sin embargo, Urano, avergonzado, para algunos, de los terribles monstruos que había creado o temeroso, para otros, de que le arrebataran el poder, encerró a todos sus hijos en una horrible prisión del Tártaro, espacio situado en lo más profundo de la propia Gea.

La Tierra, que no deseaba ver a sus hijos encerrados y celosa de los excesos que Urano, ahora convertido en regidor del universo, llevaba a cabo, produjo desde sus entrañas un mineral blancuzco llamado hierro, mediante el que liberó a sus hijos y les indicó que debían vengarse de su padre por los desmanes que había cometido.

TERCERA ETAPA: LA SEGUNDA DINASTÍA DIVINA

Pese a haber sido liberados por su progenitora, sólo Crono, el hijo menor de Gea, acudió en ayuda de su madre, prometiéndole actuar conforme a sus súplicas. Crono se escondió una noche cerca del lugar donde su padre reposaba junto a Nix de sus embates amorosos y, en cuanto le vio dormido, se arrojó sobre él y le cortó sus genitales con una enorme hoz de afilados dientes, arrojándolos a su espalda.

De la sangre derramada nacieron las erinias, los enormes guerreros gigantes, y de la espuma que produjo el mar en el lugar donde cayeron sus testículos, nació la hermosa Afrodita.

Crono terminó, pues, venciendo a su padre, y convirtiéndose en señor del mundo. Sin embargo, Crono necesitaba la licencia de su hermano Titán, primogénito de sus padres, para reinar.

Gea, agradecida a su hijo Crono, consiguió, mediante súplicas y caricias, que Titán cediese la corona, pero le pidió a cambio que Crono matase a su propia descendencia, de forma que algún día el poder recaería de nuevo en alguno de los titanes. Esto sería lo que provocara la llegada al gobierno de Zeus, gracias a que éste fue salvado de morir devorado por su padre, dando inicio a la segunda dinastía de dioses.

Dafnis y Cloe

Personajes de ficción literaria, creado por Longo de Lesbos para su novela pastoril *Dafnis y Cloe,* en la cual los dos pastores que figuran en el título habían sido encontrados por familias diferentes y vecinas.

Ambos abandonados por sus verdaderos padres, y cuando estaban siendo amamantados, Dafnis, el varón, por una cabra, y Cloe, a la que encontraron dos años después, por una oveja, en la cueva de las ninfas, en las costas de Mitilene, «donde hay ensenadas seguras, lindos caseríos, cómodas playas para bañarse y bosques y jardines, ya por obra de Naturaleza, ya por industria humana, y todo bueno y grato para la vida», en palabras del autor.

Ambos niños se fueron criando juntos hasta que el amor surgió entre los dos y fue abriéndose paso a través de la extremada inocencia de ambos a pesar de las continuas intromisiones de Dorcón, un boyero enamorado de Cloe y dispuesto a hacerla suya al menor descuido.

Dafnis es raptado por unos piratas, que asaltan y dan muerte a Dorcón para quitarle los bueyes, pero Cloe, con ayuda de una flauta que le regalara Dorcón antes de morir, consiguió rescatar a su amado y bañarse con él en la cueva de las ninfas, dejando su visión desnuda en el muchacho una huella indeleble.

El propio Filetas, un anciano pastor que era su amigo, pudo comprobar que la pareja estaba bajo la protección del mismísimo Eros, siempre volando sobre ellos con su arco dispuesto.

Tras muchas aventuras, en las que se apoya el autor para describir con una prosa limpia y clara las costumbres de la época, resultaron ser ambos hijos de los ricos comerciantes Megacles y Dionisofanes. Al entregarla el segundo de ellos al primero, su padre, sus palabras describen el conjunto de esta historia:

«Esta es la niña que expusiste. Por disposición de los dioses, te la ha criado una oveja, como una cabra a Dafnis. Tómala con las prendas, y al tomarla, dásela a Dafnis por mujer. Los dos expusimos a nuestros hijos, y los dos los hallamos ahora. Amor, Pan y las ninfas nos los han salvado».

Se casaron en monumental boda y tuvieron dos hijos. De la noche de bodas el autor realiza una descripción que es un auténtico regalo:

«Dafnis y Cloe, a pesar de la música, se acostaron juntos desnudos; allí se abrazaron y se besaron, sin pegar los ojos en toda la noche, como lechuzas. Y Dafnis hizo a Cloe lo que le había enseñado Lycenia; y Cloe conoció por primera vez que todo lo hecho antes, entre las matas y en la gruta, no era más que simplicidad o niñería».

Al hijo varón le pusieron por nombre Filopoemén, y a la niña Ageles; al primero le dieron por nodriza una cabra y, a la criatura segunda, le hicieron mamar de una oveja.

Los daimones (demonios griegos)

Hasta Platón, eran entendidos y descritos como seres de naturaleza mixta, a medio camino entre dioses y hombres. Para Homero constituyen un poder sobrenatural, o resultan más bien manifestaciones de ese poder, en forma de una especie de hado o destino.

El pueblo griego, en general, creía que cada hombre tenía consigo, desde su nacimiento, dos daimones, uno bueno y otro malo, que lo acompañaban toda su vida como la eterna dicotomía entre el bien y el mal.

Para Sócrates, presente a través de sus escritos, su daimon particular era un dios desconocido, que le hablaba interiormente, y que le comunicó que su misión entre los hombres era ser «el partero del espíritu», mientras que, según Hesiodo, los daimones habrían sido, en su momento, hombres que después de la muerte flotaban invisibles sobre la tierra.

Entre los autores dramáticos, el daimon era siempre inconcreto y colectivo, como afirmaba Esquilo, Sófocles distingue una pluralidad de daimones y Eurípides invoca a un daimon subjetivo al que cada hombre está encadenado, emulando a Hesiodo y a la teoría de las almas de Pitágoras, con sus almas flotando invisibles alrededor de los vivos a la espera de su reencarnación.

Danae

Hija de Acrisio y Eurídice, que reinaban en Argos, una noche Zeus la poseyó entrando por la ventana en su habitación convertido en lluvia de oro.

De esta unión nacería el legendario héroe Perseo. Como el oráculo visitado por Acrisio había predicho que su propio nieto acabaría con su vida, en cuanto nació, Perseo arrojó hija y nieto al mar metidos en un baúl. Poseidón se apiadó de ellos (o bien por encargo de Zeus) y les permitió alcanzar la isla de Sérifos, donde fueron recogidos y protegidos por un pescador llamado Dictis.

Años más tarde, participando Perseo en unos juegos deportivos organizados por el rey Teutámides de Larisa, lanzaba el disco cuando un golpe de viento lo desvió y golpeó en la cabeza a su abuelo Acrisio, que se encontraba escondido entre los espectadores, y lo mató en el acto, cumpliéndose así la predicción del oráculo.

Deucalión y Pirra

Padres de la humanidad que sobrevivió al diluvio. Hijo de Prometeo y Clímene, Deucalión reinaba en Ftía y estaba casado con Pirra, hija de Pandora y Epimeteo.

Cuando Pandora abrió la caja prohibida, y el mal se esparció sobre la tierra, Zeus quiso castigar a la humanidad y envió un diluvio que duró nueve días y en el que todos sucumbieron menos el matrimonio de Decalión y Pirra, quienes habían realizado sacrificios al dios de todos los dioses aconsejados por Prometeo.

Construyeron un arca y así sobrevivieron a la tormenta, posándose al fin en el monte Parnaso (2.460 metros).

Para no estar solos, pidieron ayuda a Temis, que les recomendó arrojar a sus espaldas los huesos de su madre.

Ellos por fin entendieron que se refería a Gea, la madre Tierra, y arrojaron piedras de las que fueron naciendo seres humanos, hombres de las que arrojaba Deucalión y mujeres de las de Pirra, restableciéndose la humanidad.

Así engendraron a Anfictión, Helén, Melantea y Protogenia, entre otros. Helén reinó en Ftía y es el que da nombre a todos los griegos. El territorio ocupado por este pueblo fue denominado Hélade, que es el nombre de la Grecia actual.

Dido

Princesa relacionada con el mito de Eneas y a la que se considera fundadora de Cartago. Hermana de Pigmalión, la llamaban Elisa, que era su nombre tirio, y ambos eran hijos del rey de Tiro.

A su muerte, el pueblo reconoció a Pigmalión como rey, y Dido se casó muy enamorada con su tío Siqueo, gran sacerdote y hombre principal del reino. Pigmalión, temeroso del poder de Siqueo, le hizo asesinar para apoderarse de los tesoros de la corona que custodiaba en el templo, pero Dido huyó en un barco llevándoselos con ella.

Al llegar a Chipre se le unieron un sacerdote de Zeus y 80 doncellas consagradas a Afrodita, que sus acompañantes raptaron para casarse con ellas, navegando luego hacia el Sur. En África fueron bien recibidos por los indígenas, que accedieron a que Dido se quedase en sus tierras, donde obtuvo territorio suficiente para levantar la ciudad de Cartago.

Cuando ésta empezó a alcanzar el esplendor que fue su característica, Jarbas, el rey de los contornos le propuso casarse con él amenazándola con declararle la guerra si se negaba. Dido pidió un plazo de tres meses para calmar a base de sacrificios la sombra de su primer marido, aunque la verdad era que odiaba a Jarbas, que le parecía repugnante.

Preparó una pira bajo el pretexto de sacrificar víctimas a su esposo y, sobre ella, hundiéndose una espada, se mató. En *La Eneida* se cuenta otra versión de la muerte de Dido, que ya hemos mencionado.

Las enloquecidas aventuras de Dioniso

Por orden de Hera, celosa de su madre Sémele, los titanes se apoderaron del hijo recién nacido de Zeus, Dioniso, niño cornudo coronado con serpientes y, a pesar de sus transformaciones, le atrajeron con juguetes, pero luego lo desmenuzaron y cocieron los pedazos en una caldera, mientras un granado brotaba de la tierra donde su sangre había caído.

Los titanes fueron por ello fulminados por el relámpago iracundo y vengador de Zeus, que los redujo a cenizas. De estas cenizas surgió la raza humana, por lo que el hombre contiene en sí mismo algo de lo divino proveniente de Dioniso y algo de lo opuesto que proviene de sus enemigos, los titanes.

Dioniso, salvado y reconstruido por su abuela Rea, volvió a la vida. Perséfone, a quien Zeus confió su cuidado, lo llevó al rey Atamante de Orcómenos y su esposa Ino, a quienes persuadió para que criasen al niño escondiéndole en las habitaciones de las mujeres.

Pero no pudieron engañar a Hera, quien castigó al matrimonio real con la locura, de modo que Atamante mató a su hijo Learco confundiéndolo con un ciervo.

Luego, por orden de Zeus, Hermes transformó temporalmente a Dioniso en un chivo y la propia Io se lo regaló a las ninfas Mactis, Nisa, Erato, Bromia y Bacque, del monte Nisa en el Helicón. Ellas cuidaron a Dioniso en una cueva, lo mimaron y lo alimentaron con miel, por lo que un Zeus agradecido pondría sus imágenes entre las estrellas con el nombre de las híades. Fue en el monte Nisa donde Dioniso inventó el vino.

Cuando llegó a la edad viril, Hera supo que Dioniso era hijo de Zeus, a pesar del afeminamiento a que le había conducido su educación, y le enloqueció también para que se fuera a recorrer el mundo acompañado por su preceptor Sileno y un ejército salvaje de sátiros y ménades.

Sus armas eran el báculo con la hiedra enroscada y con una piña en la punta, llamada *thyrsus* (tirso), y espadas, serpientes y bramaderas que infundían el terror. Navegó rumbo a Egipto llevando consigo el vino y, en Faros, el rey Proteo lo recibió hospitalariamente.

En el delta del Nilo vivían ciertas reinas amazonas a las que Dioniso invitó a unirse a él contra los titanes para restablecer al rey Amón en el reino del que había sido expulsado. El triunfo de Dioniso sobre los titanes y la restauración de Amón fue la primera de sus muchas victorias militares.

Posteriormente se dirigió hacia el Este porque quería alcanzar la India. Al llegar al río Éufrates, se le enfrentó el rey de Damasco, al que desolló vivo, y construyó un puente con hiedra y vid; después de lo cual un tigre, enviado por su padre Zeus, le ayudó a cruzar el Tigris.

Llegó a la India después de encontrar mucha resistencia en el camino, y conquistó todo el país, al que enseñó el arte de la vinicultura, dotándolo además de leyes y fundando dos grandes ciudades.

A su regreso se le opusieron las amazonas, a una horda de las cuales persiguió hasta Éfeso. Algunas se acogieron en el templo sagrado de Artemisa y otras huyeron hacia Samos. Dioniso les dio alcance y mató a tantas que el campo de batalla se llama Panhaema. En las cercanías de Floco murieron algunos de los elefantes que había llevado a la India, y todavía se muestran allí lo que dicen ser sus huesos.

Volvió a Europa pasando por Frigia, donde Rea le purificó de los muchos asesinatos que había cometido durante su locura y le inició en sus misterios.

A continuación invadió Tracia, pero tan pronto como su gente desembarcó, el rey de los edonios, Licurgo, capturó a todo el ejército, con excepción de Dioniso, quien se sumergió en el mar y se refugió en la gruta de Tetis. Rea, molesta por este descalabro, ayudó a los prisioneros a huir y enloqueció a Licurgo, haciéndole matar a su propio hijo Driante con un hacha, creyendo que podaba una vid.

Antes de recobrar la razón, el rey cortó la nariz, las orejas y los dedos de las manos y los pies del cadáver, y toda la tierra de Tracia quedó estéril, horrorizada por su crimen. Cuando Dioniso anunció que esa esterilidad continuaría a menos que Licurgo fuese condenado a muerte, los edonios le subieron al monte Pangeo para que unos caballos salvajes lo despedazaran.

Dioniso no encontró más oposición en Tracia y se dirigió a su muy amada Beocia, donde visitó Tebas e invitó a las mujeres a que tomaran parte en sus orgías en el monte Citerón, y muchas así lo hicieron.

Como a Penteo, rey de Tebas, le desagradaba el comportamiento disoluto de Dioniso, lo arrestó junto con sus ménades, pero él también enloqueció y en vez de encadenar a Dioniso, encadenó a un toro. Las ménades escaparon y se dirigieron furiosas a la montaña, donde despedazaron a los terneros que encontraron.

Penteo trató de contenerlas, pero inflamadas por el vino y el éxtasis místico, le arrancaron un miembro tras otro. Su propia madre Ágave fue la que encabezó el tumulto y ella misma la que le arrancó la cabeza.

En Orcómenos, las tres hijas de Minia, Alcítoe, Leucipe y Arsínoe, se negaron a participar en las orgías aunque les invitó personalmente Dioniso, que había tomado la forma de una muchacha.

Luego se fue transformando ante ellas sucesivamente en un león, un toro y una pantera, y las enloqueció hasta el punto que Leucipe le ofreció a su propio hijo Hípaso como sacrificio, pues había sido elegido echando suertes, y las tres hermanas, tras despedazarlo y devorarlo, recorrieron las montañas, hasta que por fin Dioniso las transformó en murciélagos.

Cuando toda Beocia hubo reconocido la divinidad de Dioniso, éste recorrió las islas del Egeo difundiendo la alegría y el terror dondequiera que iba.

Al llegar a Icaria les alquiló un barco a algunos marineros tirrenos que resultaron ser piratas y, sin darse cuenta de que llevaban a un dios, se dirigieron hacia Asia, para venderlo como esclavo.

Dioniso hizo que brotara en cubierta una vid que envolvió el mástil, mientras una hiedra se enroscaba en los aparejos; también transformó los remos en serpientes y él mismo lo hizo en león, y llenó el barco con animales fantásticos y sonidos de flautas, hasta que los piratas, aterrorizados, se arrojaron por la borda y se convirtieron en delfines.

Fue en Naxos donde Dioniso encontró a la bella Ariadna, a quien había abandonado Teseo, y se casó con ella inmediatamente. Ariadna tuvo con él a Enopión, Toante, Estáfilo, Latramis, Evantes y Taurópolo. Más tarde Dioniso puso su diadema nupcial entre las estrellas.

A lo largo de las aventuras relacionadas en esta historia se demuestra que, cuando Dioniso es reprimido, es capaz de desgarrar a sus enemigos internamente, como el alcohol que descubriera, cegándolos y enloqueciéndolos en contra de sí mismos.

Finalmente, después de restablecer su culto en todo el mundo, Dioniso subió al cielo y ahora se sienta a la derecha de Zeus como uno de los 12 grandes olímpicos.

La modesta diosa Hestia fue la que renunció a su asiento en la alta mesa, en su favor, feliz de tener una excusa para eludir las reyertas por celos de su familia y sabiendo que siempre podía contar con una acogida tranquila en cualquier ciudad griega que le apeteciese visitar.

Luego, Dioniso descendió por Lerna al Tártaro, donde sobornó a Perséfone con el regalo de un mirto para que dejase en libertad a su madre difunta, Sémele, quien ascendió con él al templo de Artemisa en Trecén; pero, para que las otras ánimas no se sintiesen celosas y agraviadas, le cambió el nombre y la presentó a los otros olímpicos como Tione. Zeus puso un aposento a su disposición y Hera, que se dio cuenta del engaño, guardó un silencio airado, pero resignado.

Driope

Hija única del rey Driops, un día, mientras apacentaba los rebaños de su padre, fue localizada por Apolo, quien quiso hacerla suya y se acercó a ella tomando la forma de una tortuga. Sus compañeras empezaron a jugar con la tortuga haciéndola rodar como si fuese una pelota hasta que Driope la cogió y la puso sobre su regazo, momento que aprovechó Apolo para transformarse en serpiente y poseer a la muchacha.

Por vergüenza, Driope nunca contó lo sucedido y se casó con Andremón, aunque de su unión con Apolo naciera Anfiso, con el tiempo fundador de una ciudad al pie del monte Eta.

Se cuenta que, estando un día amamantando a su hijo, cortó unas flores para que el niño jugara con ellas, ignorando que el árbol del que las cortaba era el cuerpo metamorfoseado de la ninfa Lotis. El árbol sangró y Driope fue transformada también por la ninfa en otro árbol, el loto, mientras que las doncellas que la acompañaban se convirtieron en pinos mediterráneos.

Éaco

Era hijo de la ninfa Egina, de quien tomó su nombre la isla en la que reinaba, y del dios Zeus. Hera, reina de los dioses, enfadada con Zeus por su amor a Egina, envió una plaga que destruyó a la mayor parte de los egitanos.

Éaco suplicó a su padre que transformase a un grupo de industriosas hormigas en seres humanos para poblar su ciudad desertizada. Zeus le otorgó su deseo, creando una raza que fue llamada la de los mirmidones.

Éaco gobernó a su pueblo con tanta justicia que después de su muerte se convirtió en uno de los tres jueces del submundo.

Era padre de Peleo y abuelo de Aquiles. Su madre, Egina, era hija del dios-río Asopo, y fue raptada por Zeus que la llevó a la isla de Enone. La isla cambió su nombre y a partir de este momento fue llamada Egina. Durante su estancia en la isla, dio a luz a Éaco, un hijo de Zeus. Posteriormente se trasladó a Tesalia, donde se casó con Áctor y con quien tuvo a Menecio.

Padre de Foco, con la ninfa Pásmate, a quien sus hermanastros, envidiosos de su agilidad, le dieron muerte, por lo que Éaco hubo de desterrarlos de la isla de Egina.

Edipo

Leyenda sobre la fuerza del destino. Era Layo rey de Tebas cuando fue desterrado por sus amores homosexuales con Crisipo. Cuando volvió, se casó con Yocasta, con quien no mantenía relaciones por sus propias tendencias y por miedo a las predicciones del oráculo, hasta que por una borrachera concibieron a Edipo.

Asustado, Layo hizo agujerear los talones de su hijo para venderle como esclavo (Edipo significa «el de los pies hinchados») y éste acabó en Corinto acogido por su rey. Al oír que le llamaban espúreo, consultó con el oráculo y éste le dijo que mataría a su padre y se casaría con su madre.

Para que esto no ocurriese, huyó de Corinto, ya que creía que el rey era su padre, y viajó hacia Tebas, encontrándose en el camino con el cortejo de Layo, al que mató tras una discusión.

En ese tiempo, en Tebas, la Esfinge se comía cada día a un tebano si éste no respondía correctamente al enigma que le planteaba, por lo que Yocasta prometió casarse con quien les librara del monstruo (cabeza de mujer, cuerpo de león, cola de serpiente y alas de pájaro).

Edipo es llevado ante la Esfinge y ésta le pregunta qué ser provisto de voz es el que tiene cuatro patas, luego dos y finalmente tres. El joven afirma que ese ser es el hombre y, ante el acierto, la esfinge se suicida, por lo que Edipo y Yocasta se casan.

De esa unión nacerían Eteocles, Polinices, Antígona, Gon e Ismene. Al cabo de un tiempo se desencadena una peste en Tebas. Se consulta al adivino Tiresias y éste indica que la peste no terminará mientras no se castigue al asesino de Layo.

Al enterarse de que vive con su hijo, Yocasta se ahorca y Edipo se saca los ojos, maldice a sus descendientes y desaparece.

Egimio

Hijo de Doro, antepasado mítico de los dorios. Proporcionó leyes a su pueblo. Cuando fueron atacados por los lapitas, solicitó la ayuda de Heracles. Agradecido por la victoria, adoptó al hijo de Heracles, Hilo, y le dio una parte de sus tierras como a sus propios hijos, Dimante y Pánfilo.

Los tres son epónimos de las tres tribus dorias: hileos, dimanes y pánfilos.

Eneas y Dido

Troya estaba en llamas. Los griegos acababan de entrar por medio de la conocida treta del caballo. Habían cogido por sorpresa a los troyanos, los habían vencido y habían incendiado la ciudad. Ya no tenía salvación. Sus principales héroes, Héctor y Paris, habían muerto. Sólo quedaba Eneas, que tomó sobre sí el encargo divino de fundar otra Troya en el lugar donde los dioses le indicaran. Por eso tomó los dioses penates de la ciudad y con su hijo Ascanio o Iulo y la compañía de unos cuantos troyanos, se hizo a la mar para buscar ese nuevo país.

Los dioses penates eran los protectores del lugar. Cada ciudad tenía los suyos propios, que generalmente se enterraban al poner la primera piedra de la ciudad. Es simbólico que Eneas se llevara de Troya los dioses penates.

Quería decir que Troya dejaría de existir en el lugar donde se encontraba, pero que, donde enterrara los penates, renacería con una nueva fuerza. La tradición indicaba que Roma era esa heredera de los penates troyanos.

Se explica así que los romanos tuvieran tanta ilusión por los sucesos de Troya, y que *La Eneida* fuera considerada desde entonces el poema nacional por excelencia.

Pero los dioses del cielo no se ponían de acuerdo entre ellos acerca del viaje de Eneas. Juno no quería que los hados se cumpliesen, y por eso, en cuanto tuvo la oportunidad, logró que Eolo, dios de los vientos, y Neptuno, dios del mar, desencadenaran una gran tempestad que apartó a los troyanos de su ruta y les hizo recalar en las costas del norte de África. El lugar al que llegaron fue el que actualmente ocupa Túnez.

Allí reinaba Dido, procedente de Fenicia, que se había escapado de la matanza de su hermano y había fundado un nuevo reino.

Se dice que su hermano había matado al marido de Dido, Siqueo, y la había expulsado de su país. Ésta había llegado al norte de África y había pedido asilo al rey Jarbas, que le regaló el terreno que ocupase una piel de toro extendida. En ese poco terreno no podría hacer nada, y, mucho menos, establecerse con sus leales.

Sin embargo, la reina Dido tenía mucha perspicacia e inteligencia, y cortó cuidadosamente la piel de toro en tiras muy estrechas y con la soga resultante rodeó un terreno, que, si bien seguía siendo pequeño, era mucho más grande de lo que su dueño había pensado en un principio.

A aquel lugar llegó Eneas con sus compañeros. La diosa Venus, madre de Eneas, quiso sacar partido de la situación y de la pelea que existía entre Júpiter y Juno, para que su hijo consiguiera ser el rey de aquellos lugares. Hizo que Eneas se presentara ante Dido con un aspecto casi divino, para que la reina lo mirara con buenos ojos. De modo que, cuando Eneas fue encontrado por los centinelas de la ciudad y presentado a la reina, ésta se quedó sin habla ante la espléndida presencia del héroe.

Para que la reina se enamorase de Eneas, Venus urdió un plan que le iba a proporcionar buenos resultados. Dido había organizado un banquete y se interesó por todo lo que le había ocurrido a Eneas desde que Troya fue asediada por los griegos; ansiosa por conocer su final.

Eneas, triste al recordarlo, refirió todas sus vicisitudes: cómo los griegos habían rendido Troya por medio del engaño del caballo; cómo él había luchado por su patria; cómo había muerto la causante de todos los males de Troya, la bella Helena; cómo había perdido a su esposa Creusa; cómo, protegido por su madre, se había librado de los atacantes y había conseguido salir de Troya; cómo había muerto su padre; cómo había sido el viaje hasta la tempestad; y cómo había llegado por fin ante la reina.

Durante el relato de Eneas, Venus envió a su otro hijo, Cupido, dios del amor, disfrazado con las facciones de Ascanio, el pequeño hijo de Eneas.

Así, mientras Dido estaba absorta escuchándole, el pequeño, sentado en el regazo de la reina, la hirió con las flechas del amor, de forma que, al terminar el relato, Dido estaba perdidamente enamorada de Eneas.

Sin embargo, Dido había querido mucho a su marido Siqueo, y no se sentía con fuerzas para volver a enamorarse. Todos estos pensamientos se los contó a su hermana Anna, con quien tenía mucha confianza. Seguía enamorada de su marido muerto, y no le parecía correcto enamorarse de un recién llegado pero, por otra parte, las flechas de Cupido estaban haciendo su efecto y la arrogancia, la hermosura, la dignidad y las desgracias de Eneas eran suficientes armas para templar el corazón más frío.

Anna intentó que su hermana viviera el presente: su marido había sido estupendo, pero estaba muerto. Ahora se le presentaba la ocasión de renovar aquellos momentos, y, además, Eneas y sus hombres defenderían el reino de sus enemigos, sobre todo del rey Jarbas, su vecino, que también quería casarse con ella.

A las diosas tampoco les parecía mal aquella situación: a Juno, porque apartaba a Eneas de su destino de fundar una nueva Troya, y a Venus, porque quería a su hijo, y no le importaba dónde estuviera, si era feliz y triunfante.

Entre las dos prepararon el guión. Se organizaría una cacería, y en un momento determinado, se desatarían las furias de los cielos con una gran tormenta. Dido y Eneas estarían separados del resto de los compañeros, y encontrarían una cueva a propósito. Lo demás lo dejaban en manos de la naturaleza, y por si no ocurría nada, Juno, diosa del matrimonio, echaría una mano. Así fue, tal como lo habían planeado.

Virgilio añade que este fue el comienzo de grandes males, refiriéndose a la enemistad que surgió entre romanos y cartagineses, motivo de tres grandes guerras.

Pero Júpiter no estaba dispuesto a que los destinos de Troya no se cumplieran y envió al mensajero de los dioses, Mercurio, para que le recordase a Eneas la misión que le estaba reservada.

Eneas, a pesar de lo colmado que se sentía al lado de Dido, acató la orden de Júpiter, y preparó en secreto su marcha. Pero Dido se dio cuenta y todo fueron lamentos, recuerdos de su marido muerto, remordimientos por lo que había hecho. Reunió en un gran montón todo lo que le podía recordar a Eneas, para prenderle fuego y desembarazarse del amor que todavía sentía por él.

Una de las cosas que había amontonado era la espada de Eneas, que fue el instrumento que empleó para quitarse la vida sobre la pira, al mismo tiempo que quemaba todo lo que le había pertenecido, ella misma entre todas las otras cosas.

Sin embargo, el golpe que se dio no fue todo lo certero que hubiera sido necesario, y como tardaba en exhalar el último suspiro, Júpiter se compadeció de ella y envió a la mensajera de los dioses, Iris, a que aliviara los últimos instantes de la vida de la reina. Iris, mientras volaba para llegar hasta la hoguera, iba dejando la estela de los siete colores por el aire.

Eneas, entre tanto, navegaba a toda vela para alejarse lo más rápidamente posible de aquellas tierras, y en un momento dado miró hacia la costa y vio las llamas y el humo que se alzaba hacia el cielo y supo que, a pesar del sacrificio que le imponían los dioses, estaba llamado a más altas empresas.

Equidna

Fue la nube de tormenta de negros contornos tantas veces comparada a la serpiente de la mitología aria, nube compañera natural del huracán.

Había sido originariamente una divinidad de la tempestad y del invierno. Equidna, la víbora, en la mitología griega era hija de Tártaros y Gea, monstruo con cuerpo de mujer y cola de serpiente. Para otros era hija de Forcus y Ceto o de Stix o de Crisaor.

Habitaba en una cueva de Sicilia desde la que vigilaba a los caminantes para asaltarles y acabar con ellos a continuación. Junto a Tifón engendró a los perros Ortos y Cerberos, al perro de Haides y a la hidra de Lerne, y con su propio hijo Ortos, concibió a la Esfinge y al león de Nemea. Fue muerta por Argos, el de los cien ojos, aprovechando que la sorprendió dormida.

Erigone

Dos personajes de la mitología griega comparten este nombre, lo que suele dar lugar a ciertas confusiones. La más conocida es la hija del ateniense Icarios, a quien dieron muerte unos pastores tras haberse embriagado con el vino que Dionisos le había enseñado a hacer. Buscando a su padre, descubrió el lugar donde había sido enterrado por los ladridos de su perra Maira y, ciega de dolor al encontrarle muerto, se colgó del árbol que daba sombra al sepulcro.

Con Dionisos tuvo a su hijo Estáfilo, y a su muerte fue transformada en la constelación de Virgo.

También con el mismo nombre se conoce a la hija de Egisto y Clitemnestra, hermana de Orestes por parte de madre. Consiguió que Orestes se presentara ante el Areópago, que lo absolvió de haber matado a su madre, aunque para otros autores Orestes quiso acabar con ella como había hecho con su madre y Egisto, pero Atenea la salvó.

Para mayor confusión, hay quien afirma que se casó con Orestes a quien le dio por hijo a Pentilo.

El apetito de Erisictón

En Tesalia había un hombre que despreciaba a los dioses de tal manera que presumía en público de haber violado con el hacha un bosque consagrado a la diosa Deméter. Se llamaba Erisictón.

En aquel bosque crecía un roble tan grande que su viejo tronco se alzaba como una torre y de él colgaban guirnaldas votivas en las que se podían leer talladas multitud de inscripciones que expresaban la gratitud de los adoradores de la ninfa del árbol (las ninfas del bosque, llamadas dríadas o hamadríadas, se creía que perecían con los árboles que habían sido su morada y con los que habían nacido).

Erisictón ordenó a sus sirvientes que lo cortaran, pero, ante la negativa de éstos, empezó a cortarlo él mismo. Cuando el primer golpe cayó sobre el tronco, el tajo sangró. Todos los presentes se horrorizaron y uno de ellos hasta se atrevió a quitarle el hacha, ante lo que su airado amo cortó la cabeza del atrevido sirviente. Fue el momento en que se escuchó una voz que provenía del árbol y que dijo:

«Yo, la que mora en este árbol, una ninfa amada por Deméter y que muero por tus manos, te advierto que tendrás tu castigo».

Él siguió dando hachazos hasta que derribó el árbol.

Las dríadas, desoladas por la pérdida de su compañera, fueron a ver a Deméter y a pedirle un castigo ejemplar para Erisictón. Deméter decidió un castigo severo que consistiría en poner al blasfemo a disposición de Famina.

Como las parcas no permitían que esta diosa se acercara por los alrededores, Deméter envió a una oréade (una ninfa del bosque) de su montaña para que buscase a Famina y le comunicase que debía apoderarse de las entrañas de Erisictón.

El pelo de Famina era áspero, sus ojos estaban hundidos, su cara pálida, era de labios mortecinos, sus mandíbulas estaban cubiertas de polvo y bajo su piel tirante podían verse, uno a uno, todos sus huesos. La ninfa le entregó el mensaje y volvió enseguida a Tesalia.

Famina obedeció las órdenes de Deméter y voló hasta la morada de Erisictón, entró en el dormitorio donde el culpable dormía, le rodeó con sus alas y se dejó inhalar por él, difundiendo el veneno de su cuerpo en sus entrañas.

Cumplida su misión, volvió hacia sus tierras, mientras Erisictón aún dormía y en sus sueños devoraba abriendo y cerrando sus mandíbulas como si comiera.

Cuando se despertó, su hambre era tan terrible que mandó que le pusieran una comida compuesta por todo cuanto la tierra, el mar y el aire crían y, cuanto más comía, más se quejaba de hambre.

Lo que habría bastado para satisfacer a una ciudad no parecía suficiente para él. Su hambre era como el mar que recibe agua de todos los ríos y nunca se llena o como el fuego que quema todo el combustible que encuentra y siempre quiere más.

Sus riquezas y propiedades disminuyeron rápidamente para hacer frente a las incesantes demandas de su apetito hasta que, finalmente, gastó todo lo que tenía y sólo le quedaba su hija, que también vendió. Ella, convertida en la esclava de su comprador, fue hasta la orilla del mar y elevó sus brazos en plegaria a

Poseidón, quien escuchó sus ruegos y la cambió de apariencia de tal forma que su dueño reciente no pudiese reconocerla.

Cuando éste se marchó, ella recuperó su apariencia y pudo volver con su padre, pero él la volvió a vender y ella se volvió a escapar de la misma forma.

Así ocurrió muchas veces, hasta que, cuando ya no le quedaba nada, Erisictón empezó a devorar sus propios miembros para alimentarse, devorando así su cuerpo, hasta que la muerte le pareció dulce porque le rescataba de la venganza de Deméter.

Leyenda de los amores de Eros y Psique

Hubo un rey que tenía tres hijas tan hermosas que las dos mayores se casaron con príncipes, pero la tercera, Psique, era tan bella que nadie la cortejaba, porque más parecía digna de adoración que de ser requerida para amores terrenales.

Incluso había mortales que preferían adorar a Psique antes que a Afrodita, de modo que los templos más importantes de ésta se estaban quedando vacíos.

Afrodita, envidiosa por haber sido relegada a un segundo lugar, pidió a su hijo Eros que la vengara con su flechas peores, las que tenían la punta de plomo. Le pidió que llenase su corazón del amor más ardiente por el ser más infeliz de la Tierra, para que tuvieran que compartir amante y amada la pobreza y el dolor.

Eros quiso cumplir el encargo de su madre, pero nada más ver a Psique, se maravilló tanto de su belleza que se confundió y la flecha que tenía en el arco para ella se cayó y se le clavó en un pie, quedando así el mismo dios locamente enamorado de Psique, lo que ésta supo de inmediato quedando también prendida del dios, pero sufriendo porque sabía que los amores con los dioses les estaban vedados a los mortales.

El padre de Psique, al ver que ésta no conseguía marido, acudió al oráculo de Hermes para proclamar que cualquiera que enamorase a su hija sería castigado como enemigo de los dioses, pero que siete besos de la misma Afrodita se ofrecían como recompensa para el que la llevara al altar.

Esta proclamación llegó a los oídos de Psique, y se lanzó a recorrer la ciudad de templo en templo buscando alguna solución a su soledad, hasta que algunos dioses le aconsejaron conseguir el perdón de la diosa del amor. Se aproximó a los templos de Afrodita, donde uno de los criados la condujo por el pelo a presencia de su señora.

Afrodita rasgó sus ropas, la azotó y la obligó a realizar humillantes trabajos para ella, como separar de un montón de semillas las de cada clase en un tiempo limitado, conseguir un puñado de lana dorada de un rebaño de salvajes carneros, llenar una urna de cristal de las aguas negras de un río negro que riega las marismas estigias y cae en el salvaje río de Cócito o bajar al Hades para traerle un frasco de una de las pócimas de belleza que usaba Perséfone.

Por suerte para ella, para todos estos trabajos Psique contó con la ayuda de varios personajes.

Cuando Eros supo de la crueldad de su madre, la humildad de Psique hizo que la amase mucho más que antes, por lo que se escapó en secreto de sus aposentos y voló hasta el Olimpo para implorar el favor de Zeus con el fin de que se le permitiera casarse con la hija de un hombre.

Zeus envió a Hermes a convocar una asamblea de dioses, a la que Afrodita debería asistir, aunque no le gustase la idea, y Psique también fue llevada allí, cabizbaja, aunque sus labios se encendieron al ver a su perdido amante entre el radiante grupo.

Zeus comunicó a los dioses la intención de Eros de casarse con la hija de un hombre, y con la aprobación de la mayoría convirtió a Psique en inmortal y la subió al cielo, advirtiendo a todos que no debían negar el derecho a casarse de Eros en justa correspondencia, ya que él había hecho que muchos de esos dioses triunfasen en el amor.

Todos celebraron la unión de Eros y Psique, y su primer hijo fue una niña llamada Alegría.

Escila y Caribdis

Homero puso en boca de Odiseo estas palabras, refiriéndose al estrecho de Mesina:

«Pasábamos el estrecho llorando, pues a un lado estaba Escila y al otro la divina Caribdis (...)».

Monstruosas criaturas mitológicas que acechaban a los marineros, Escila vivía en una cueva, donde se sujetaba con sus 12 patas y por donde asomaba las seis cabezas que atacaban al viajero, mientras Caribdis trasegaba tres veces al día grandes cantidades de agua del mar, llevándose en el remolino que formaba cuanto en él había.

Huyendo del remolino Caribdis, las naves se ponían al alcance de Escila en medio de una densa niebla. Ambos monstruos habían sido en su día hermosas mujeres hechizadas por Circe y Zeus.

El mito hace referencia a los peligros naturales del estrecho, siendo Escila las rocas presentes y Caribdis el mar de fondo.

Europa

La hermosa hija de Agenor, rey de Tiro, jugaba un día en la playa cuando Zeus, transformado en un toro blanco, consiguió raptarla y, montada sobre él, la llevó hasta Creta.

Allí, bajo unos plátanos –que desde entonces no pierden sus hojas–, la hizo suya, y fruto de esa unión Europa le dio tres hijos, Minos, Sarpedón y Radamanto.

Zeus le hizo a su vez tres regalos; un autómata de bronce (Talos), un perro que jamás soltaba a su presa (Laelaps) y una jabalina que nunca erraba, formando después con el toro la constelación de Tauro.

Al cabo del tiempo el dios la casó con Asterión, rey de Creta, quien adoptó a sus hijos.

El rapto de Europa ha sido motivo inspirador para muchos pintores.

Faetón

Era hijo no reconocido de Climene y Helios, el que conduce todos los días el sol (carro de oro que construyera Hefestos) a través del cielo, tirado por los salvajes corceles Flegonte, Aetón, Pirois y Éoo.

Molesto porque sus amigos no se creían que su padre era Helios, convenció a éste para que un día le dejase a él llevar el carro, a pesar del peligro que suponía.

Helios se lo concedió y Faetón no pudo controlar los caballos, por lo que el sol se acercó demasiado a la Tierra, quemando los árboles y las cosechas, dando origen a los desiertos africanos y oscureciendo el color de la piel de sus habitantes, o se alejó en exceso creando las heladas extensiones polares.

Harto del desbarajuste, Zeus le envió un rayo que acabó con su carrera, cayendo hasta apagarse en el río Po (Erídano).

PRECISIONES SOBRE EL MITO DE FAETÓN

Hijo del Sol y de la oceánide Climene, que casó luego con el rey de Etiopía Merope. Se encuentra mención de la leyenda de Faetón en algunos fragmentos de Hesiodo, y el mismo asunto ha sido tratado por Esquilo en sus *Heliadas,* así como por Eurípides en uno de sus dramas.

Sin embargo, es el poeta de *Las Metamorfosis* quien nos ha dejado el relato más completo de la trágica aventura del hijo de Helios.

Según Ovidio, Faetón, «discutiendo la superioridad del nacimiento» con Epafo, nieto de Inaco, se vanaglorió de ser hijo de Helios.

«Insensato, le dijo Epafo; dando crédito a los discursos de tu madre, alimentas tu soberbia con las mentiras de tu ilustre origen.»

Dirigiéndose a su madre, Faetón le cuenta el ultraje que acaban de infligirle y le suplica que le haga conocer a su padre. Climene, alzando las manos al cielo y con los ojos fijos en el Sol, exclama:

«Por estos rayos centelleantes, por este astro que nos ve y que nos oye, ¡te juro, oh hijo mío!, que este Sol que contemplas, árbitro del mundo, es tu padre. Si te engaño, que me retire su luz y luzca hoy a mis ojos por última vez. El Oriente es donde reside. Si lo deseas, sube a su palacio y ve a interrogarle tú mismo».

Así pues, Faetón va al encuentro de Helios, que lo acoge benévolamente. El joven pide al Dios que le facilite cualquier prenda que le declare hijo suyo.

Helios se compromete a ello, jurándolo por la Estigia. Faetón pide entonces el carro de su padre, y el derecho a guiar, un solo día, las riendas de los caballos alados. Esta petición asusta a Helios, que intenta hacerle renunciar de tan imprudente pretensión, exponiéndole sus innumerables inconvenientes.

«Para creerte de mi sangre, le dice, pides una señal indudable: ¿la hay más cierta que esta intensa turbación en la que me encuentro?»

Pero Faetón insiste tanto que no se detiene hasta que ha montado en el carro de su padre, quien le aconseja la mayor prudencia.

«Haz más uso de las riendas que del látigo», le dice.

Pero los caballos, nada más salir del Oriente, emprenden una carrera vertiginosa por caminos desconocidos, porque saben que es otro quien les conduce. Prosigue Ovidio:

«Desde lo alto de los aires, el infortunado Faetón, que ha visto desaparecer la tierra en un profundo alejamiento, palidece, sus rodillas tiemblan de terror profundo, y sus ojos, en el mismo seno de tantos resplandores, se cubren de tinieblas. ¡Ah, cómo querría jamás haber tocado las riendas de su padre! ¡Cuánto siente haber conocido su origen y haber triunfado con sus súplicas! (…)

Es arrebatado como un buque batido por el soplo furioso de los Bóreas, y cuyo piloto, vencido por la tempestad, abandona el timón a los dioses y la salvación a la tempestad. (…)

En esas carreras desordenadas, el carro del Sol lleva a todas partes el incendio y la llama. Faetón ve al universo entero preso del incendio; no puede por más tiempo sostener su violencia. No respira más que un vapor quemante parecido al aire que sale de un horno profundo; siente que su carro se calienta y se pone candente al contacto de la llama. Ya las cenizas y las chispas que vuelan hasta él le sofocan y le oprimen; un humo ardiente le rodea por donde quiera.

¿A dónde va? ¿En dónde está? En medio de la espesa niebla que le rodea, no puede descubrirlo y se deja llevar al capricho de sus fogosos corceles».

Finalmente, las riendas escapan de las manos de Faetón cuando ya la tierra entera y el mismo cielo están abrasados. En medio de esta ruina, los astros tratan de huir y la Tierra, despavorida, levanta los brazos hacia Zeus implorándole ayuda.

Para evitar una catástrofe mayor, el padre de los dioses decide fulminar al imprudente Faetón, cuyo cuerpo es precipitado en el río Erídano.

Filemón y Baucis

Leyenda acerca del amor y la bondad. Zeus y Hermes tomaron forma humana y viajaron a Frigia, donde pidieron hospitalidad a cuantos encontraban y éstos se la negaron. Hartos de caminar, llegaron a una humilde choza de las colinas, donde vivía una pareja de ancianos. Filemón y Baucis se apiadaron de ellos y les dieron de comer lo poco que en casa tenían, disculpándose por la humildad de su ofrenda.

Los dioses se manifestaron luego, inundaron las tierras de los que no fueron hospitalarios con ellos, convirtieron la choza en un templo de oro y ofrecieron a la pareja cumplir cualquier deseo que tuvieran.

Tras hablar entre ellos y llorar por sus vecinos, les dijeron que sólo deseaban ser guardianes de ese templo y que la muerte se los llevara juntos cuando fuera su hora. Así ocurrió y, pasado mucho tiempo, estando un día sentados en la escalinata, les comenzaron a salir hojas y ramas del cuerpo. Entonces se miraron y dijeron, a la vez, «adios, mi amor», quedando Filemón convertido en un roble y Baucis en un tilo, con las ramas entrelazadas.

Filoctetes

Héroe tesalio, que recibió de Heracles su poderoso arco y sus infalibles flechas como reconocimiento por haber sido el único que se atrevió a encender su pira funeraria.

Prometió a Heracles no decir jamás dónde había estado la hoguera, aunque, instado a confesarlo, y para no incumplir su promesa, se limitó a caminar hacia el Oeste y golpear con el pie el lugar.

Como castigo de los dioses, cuando marchaba hacia Troya con los ejércitos griegos, al llegar a Tenedos, fue mordido en el pie por una serpiente venenosa en el momento en que iba a celebrar un sacrificio.

La herida se infectó, desprendiendo su cuerpo tan mal olor que Odiseo convenció a los jefes de que era necesario abandonarlo, y lo desterraron en la isla de Lemnos, donde permaneció diez años.

Cuando los griegos capturaron a un hijo de Príamo, Heleno, que era adivino, éste les reveló que Troya no caería si no estaban del lado de los invasores el arco y las flechas de Heracles, que ya habían conquistado la ciudad una vez. Odisea y Neotolemo fueron entonces a buscar a Filoctetes.

En Lemnos, tras mucho insistir, lo convencieron de que acudiese a Troya, donde los hijos de Asclepio y médicos del ejército griego, Podaleitios y Machaón, curaron su herida. Tras la toma de la ciudad, fue uno de los pocos griegos que consiguió regresar a su patria.

Filomela

Pandión, nieto de Cécrope, el que fuera fundador de Atenas, tenía dos hijas llamadas Progne y Filomela. Su reino era acosado por los bárbaros y recibía solamente la ayuda de Tereo, el rey de Tracia, al que sólo pudo ofrecer en matrimonio a una de sus dos hijas como recompensa.

Tereo eligió a Progne, la mayor, y la boda auguró malos auspicios, ya que ni Himen ni Hera ni sus gracias bendijeron la fiesta; los principales invitados fueron las furias y un búho que anidó en el baldaquino del lecho nupcial. El rudo Tereo, haciendo caso omiso a estos presagios, llevó a su mujer a Tracia, donde tuvieron un hijo, al que llamaron Itis, y vivieron juntos durante años.

Pasados los años, Progne se fue hartando de los salvajes tracios y le pidió a Tereo que la dejase volver por un tiempo a su casa, pero éste sólo accedió a que les visitase su añorada hermana Filomela. El anciano rey Pandión que no quería que su otra hija le dejase solo, aunque fuera por poco tiempo, no obstante la dejó marchar, porque conocía el amor de Progne hacia su hermana. Antes de la partida le hizo jurar a Tereo que trataría bien a su hija y que ésta regresaría a salvo a Atenas.

Pero el juramento del bárbaro tracio era tan falso como su amor. En seguida, al verla más joven que su esposa, Tereo se interesó por Filomela, y cuando llegaron a Tracia, Tereo le dijo que la quería como esposa, pero ésta no le amaba y pidió inútilmente ayuda a los dioses. Hasta suplicó a Tereo que la matase antes que deshonrarla, pero Tereo le cortó la lengua para que no le pudiese traicionar y la encerró en una solitaria prisión en un bosque donde Progne no la pudiese encontrar.

A Progne le anunció que su hermana se había muerto y, cuando su padre se enteró, en Atenas, murió de pena. Filomela pasaba sus horas de encierro tejiendo, y sobre un tejido blanco elaboró con hilos de color púrpura la historia de su vida. Con ayuda de un mensajero, aquel tejido llegó a manos de su hermana Progne, que se presentó en la prisión, mientras que Tereo estaba fuera; siguiendo las indicaciones del mensajero, liberó a Filomela y la llevó a su casa.

A las puertas del palacio, salió a recibirlas Itis, el hijo de Progne, muy querido por su rudo padre porque era muy parecido a él, por lo que descargaron su furia sobre él. Progne cortó el cuello de Itis y entre las dos hermanas lo descuartizaron, hirvieron su carne en una olla y se lo dieron de comer a Tereo. Éste, maravillado por su sabor, preguntó a Progne qué era lo que estaba comiendo. En ese momento apareció Filomela y le arrojó al rey la cabeza sangrante de su hijo, tras lo que salieron huyendo después de provocar un incendio en palacio.

Tereo las persiguió por el bosque, donde los dioses transformaron a Progne en una golondrina y a Filomela en un ruiseñor, que volarán siempre perseguidas por una abubilla, que no es otro que su marido y amante.

Folos

Era un centauro hijo de Seleno y de una ninfa al que se menciona en el mito de Heracles, que cuando se dirigía a cazar al jabalí de Erimantos se hospedó en su casa.

Para obsequiarle, Folos abrió un tonel de vino regalo de Dionisos, cuyo aroma atrajo a todos los centauros de la comarca, desencadenándose un combate entre los centauros y Heracles, del que no se salvó ningún centauro.

Mientras Folos enterraba a uno de sus congéneres, vio la flecha que había acabado con él y exclamó:

«¿Cómo es posible que un rasguño de esta flecha haya matado a un ser tan robusto?».

Pero la flecha se le escapó de las manos hiriéndole en una de sus pezuñas y muriendo al instante, ya que las flechas de Heracles estaban emponzoñadas con la sangre de la hidra de Lerne.

El hijo de Zeus le sepultó luego al pie de la montaña que desde entonces lleva el nombre de aquel imprudente y torpe centauro.

Foroneus

Según las leyendas de la Argólide, en el Peloponeso, Foroneus habría sido el primer hombre en habitar la Tierra.

Su padre habría sido el dios río Inachos, río de la Argólida, hijo de Océanos y Tetis, y su madre una ninfa llamada Melia, que era la personificación del fresno.

Una leyenda lo casaba con Cerdo, otra con Celedicé y otra con Perto, siendo la lista de sus hijos igual de variada.

Se decía de él que era quien había enseñado a los hombres a reunirse en ciudades y el uso del fuego. Todo ello parece corresponder con la antiquísima tradición indoeuropea relativa al pájaro que trajo el rayo a la tierra gracias al cual los hombres aprendieron a utilizar en su servicio el fuego, dando origen a la civilización.

Frixo

Hijo de Atamante y Néfele y hermano de Hele. Atamante repudió a Néfele y tomó a Ino como esposa.

Con ella tuvo dos hijos, Learco y Melicertes. Ino fue la cruel madrastra que ideó una estratagema para librarse de sus hijastros asegurando que los dioses exigían el sacrificio de Frixo como ofrenda para hacer crecer el trigo en el reino.

Cuando Frixo estaba a punto de morir, su madre le envió un carnero volador, con el vellón de oro, que le había regalado Hermes.

Los jóvenes subieron a lomos del carnero y volaron hacia oriente. Hele miró hacia abajo para ver el mar, se mareó y cayó a las aguas, en una región llamada desde entonces mar de Hele o Helesponto (estrecho de los Dardanelos).

Frixo llegó sano y salvo a Cólquide, y pidió asilo en la corte del rey Eetes. El rey le acogió hospitalariamente y le dio a su hija Calcíope como esposa. Frixo sacrificó el carnero a Zeus y entregó su piel de oro a Eetes.

El rey la colgó en una encina consagrada a Ares y puso un dragón para vigilarla. Éste sería el vellocino de Oro buscado por los argonautas al mando de Jasón.

Ganímedes

De la estirpe de los fundadores de Troya, Ganímides estaba considerado el más hermoso de los mortales, por lo que Zeus se enamoró de él y, convirtiéndose en águila, le raptó mientras cuidaba los rebaños de su padre, el rey frigio Tros, para llevárselo al Olimpo.

Para compensar al rey por el secuestro de su hijo, Zeus le dio la vid de oro que había forjado Hefestos y le regaló un par de caballos inigualables como dote por este irregular matrimonio consumado con su hijo.

Luego nombró a Ganímedes copero real, desplazando del cargo a su propia hija Hebe, e incluso le otorgó el don de la eterna juventud, para luego dejarle en los cielos como una constelación.

Grifo

Animal fabuloso cuya mitad superior era la de un águila y la mitad inferior la de un león, al que se consideraba guardián de los tesoros consagrados a Apolo, a los que defendía de la codicia ajena. Aparecen también grifos en otros casos mencionados como guardianes del vino de Dionisos.

Helena de Troya

Nacida de un huevo que tuvo Leda de sus amores con Zeus transformado en cisne, Helena era tan bella que ya de niña fue raptada por Teseo y rescatada luego de sus brazos por Cástor y Pólux, sus hermanos.

Tras el conocido «juicio de Paris», Afrodita premió a Paris con el amor de Helena, aunque ésta estuviera casada con Menelao, rey de Esparta.

La huida de los amantes a Troya dio lugar a la guerra que acabó con la destrucción de la ciudad tras diez años de asedio.

Muerto Paris, Menelao y Helena regresaron a Esparta en un accidentado viaje en el que las tormentas enviadas por los dioses les hicieron detenerse en Egipto, Fenicia y Chipre. Tuvieron una hija, Hermione, y al morir Menelao, la bella Helena fue expulsada del Peloponeso y murió ahogada en el baño por orden de Polyxo, reina de Rodas. Ya muerta, fue colgada de una horca.

Heleno

Hijo de Príamo y Hécuba, hermano por tanto, entre otros, de Paris, Héctor y gemelo de Casandra. Como ella, tenía el don de la profecía y aconsejó a su hermano Paris que no raptara a Helena prediciendo los males que acontecerían a su pueblo por esta causa.

Durante la guerra de Troya luchó con sus compatriotas pero, a la muerte de Paris, muy decepcionado porque su padre se negó a darle a Helena en matrimonio entregándosela a su hermano Deifobo, no quiso seguir combatiendo y se retiró al monte Ida.

Allí fue capturado por los griegos, los cuales, gracias a Ulises, lograron que les dijese lo que sería necesario para tomar la inexpugnable Troya.

Entre otras cosas, que utilizaran el arco y las flechas de Heracles, que debería combatir con los griegos Neoptólemo, el hijo de Aquiles, que tenían que llevar consigo los huesos de Pelops y que desalojaran a los troyanos del Paladión.

A la caída de Troya se congració con Pirro, nombre con el que se conocía también a Neoptólemo, quien le cedió a Andrómaca, a la que mantenía cautiva, como esposa.

Se dice en *La Eneida* que el héroe visitó las tierras de Epiro, donde fueron acogidos con alegría por los reyes Heleno y Andrómaca, quienes habían construido allí una ciudad que era una réplica reducida de la destruida Troya.

Los helíades

Se llamaba con este adjetivo a los hijos de Helios habidos unos de la oceánide Climent, el varón llamado Faetón y las hembras Faetusa, Lampetia y Febea, y a otros que habría tenido con la ninfa Rodos, que eran siete y todos ellos varones.

Cuando Faetón, fulminado por Zeus, cayó en el río Eridano, sus hermanas las helíades lloraron su muerte durante largo tiempo en las orillas del río Eridano, hasta que los dioses las convirtieron en álamos y a sus lágrimas en ámbar. El origen del ámbar se explica por esta leyenda.

Los hijos de la ninfa Rodos eran todos sabios astrólogos pero Tenages sobrepasaba en ciencia a los demás, por lo que sus hermanos Macareo, Candalo, Actis y Triopas, envidiosos, lo asesinaron.

Los rebaños de Helios y otras leyendas del Sol

Según la leyenda, el Sol poseía maravillosos rebaños cuya residencia fija *La Odisea* en la isla de Trinacria.

«En este lugar pacían los bueyes y las ricas ovejas de Helios. El dios tiene tantos grandes rebaños como apriscos: siete de cada clase, todos de 50 cabezas; no tienen crías y están al abrigo de la muerte y la vejez. Dos ninfas de cabellos elegantemente trenzados cuidan de estos rebaños: Faetusa y Lampecia, hijas de Helios y de la divina Mera. Cuando su augusta madre las hubo parido y criado, les dio por morada la lejana isla de Trinacria, y les confió la guarda de las ovejas y de los soberbios bueyes de su padre.»

Ulises, en el curso de sus viajes, llegó cerca de la isla donde residían los rebaños de Helios. Alertado por Circe, Ulises hace jurar a sus compañeros que no tocarán los bueyes ni las ovejas del Sol pero, instigados por Euricolo, los desgraciados quebrantan este juramento. Lampecia lo puso en conocimiento de Helios, quien, «con el corazón rebosante de enojo», se dirigió a los inmortales habitantes del Olimpo:

«Poderoso Zeus, y vosotros, dioses bienaventurados eternos, castigad a los compañeros de Ulises, hijo de Alertes, porque, en su orgullo, acaban de inmolar los bueyes que regocijaban mis ojos cuando ascendía al cielo o descendía a la tierra. Si no me concedéis una justa venganza, me iré a la morada de Hades, y en adelante alumbraré a los muertos».

A lo que le contesta el rey de todos los dioses:

«Helios, continúa tu alumbrando a los dioses y a los frágiles humanos en la tierra fértil, que yo no tardaré en herir el bajel de Ulises con las ardientes saetas del rayo y lo destruiré en medio de las sombrías olas».

En otros mitos relativos a Helios, éste representa en la Gigantomaquia un papel algo borroso, como cuando, para impedir que los gigantes se alimentaran de la hierba mágica que debía hacerles inmortales, Zeus prohibió a Helios que apareciera.

En otra historia parecida se contaba que, después de la derrota de sus congéneres, el gigante Picoloo se había refugiado en la isla habitada por la maga Circe, hija de Helios, a la que había querido expulsar de su dominio, por lo que el dios había matado al intruso, cuya sangre dio vida a una planta de flor blanca a causa de Helios y negra por la sangre del gigante.

Se ha escrito que, en el curso de la lucha de los dioses contra los gigantes, Hefesto, abrumado de fatiga, había sido llevado por Helios en su carro, y por Helios tuvo igualmente el divino cojo de los dos pies la noticia de la traición de su esposa Afrodita y por Helios conoció Deméter el nombre del raptor de su hija.

De todos es sabido que cuanto sucede a la luz del Sol puede resultar conocido por éste, quien en estos y otros casos resulta ser un comunicador transitivo.

Muy celoso de su poder, Helios se mostraba despiadado con los que osaban compararse con él. Un hijo de Nereo, llamado Nerito, aseguraba ser más rápido en la carrera que el mismo Helios y se pavoneaba por ello.

En castigo fue metamorfoseado en el molusco que lleva su nombre (nerita). La cazadora Argé, al ver cuánto corría un ciervo, afirmó que ella lo alcanzaría aunque fuera tan veloz como el Sol, por lo que resultó transformada en cierva. Helios figura igualmente en la leyenda de Fineo, quien se había quedado ciego porque, cuando tuvo que escoger entre una vida larga y el don de la vista, había optado por la primera alternativa.

Se decía que había incurrido en la cólera de Helios porque era mejor adivino que el mismo dios, o porque había enseñado a Fixo el camino de la Cólquida, contra la voluntad de Eetes, hijo de Helios, quien le maldijo por ello, ante lo que Helios habría recogido sus maldiciones privando de la vista a Fineo.

Heracles, vida y trabajos

Héroe tebano, era hijo de Zeus y de Alcmena, mujer del general Anfitrión. Para engendrarlo, Zeus se transformó en su marido y se unió a ella en su lecho la misma noche en que el propio Anfitrión dejó embarazada a su mujer de Ificles.

Hera, para vengarse de la traición de su marido Zeus, envió dos grandes serpientes para que acabaran con su retoño, pero el pequeño las estranguló.

Hermes entonces engañó a Hera para que diera de amamantar a Heracles (Hércules para los latinos), convirtiéndole en inmortal.

Heracles debía vasallaje a Euristeo, rey de Micenas (Argos), porque la diosa de la fortuna había decidido que el que naciera antes de los dos sería siervo del otro.

Hera provocó que se adelantara dos meses el nacimiento de Euristeo por su odio hacia Hércules, para que Euristeo pudiera imponerle la realización de 12 pruebas con riesgo para su vida. Cuando murió el déspota, su cabeza le fue entregada a Alcmena, madre de Heracles, que le sacó los ojos.

LOS DOCE TRABAJOS DE HERACLES

- El león de Nemea: consiguió estrangularlo con sus propias manos tras aturdirle con un garrote, ya que las armas no podían herirle. Se quedó la piel del animal como trofeo.

- La hidra de Lerna: Heracles cortó ocho cabezas del monstruo quemando las heridas para que no se multiplicaran y sepultó la novena bajo una roca. Tomó la sangre venenosa de la hidra para envenenar su flechas.

- La cierva de Cerínia: persiguió durante 12 meses a la velocísima cierva de cuernos de oro y pezuñas de bronce hasta capturarla y llevársela viva a Euristeo.

- El jabalí de Erimanto: le entregó vivo al rey un enorme jabalí que devastaba la Arcadia. Euristeo se escondió en un tonel asustado al ver el animal.

- Los establos de Augias: tuvo que limpiar en un solo día las caballerizas de la suciedad acumulada por 3.000 vacas durante 30 años. Para ello desvió el río Alfeo e hizo que sus aguas sanearan el establo.

- Las aves del lago Estínfalo: libró con sus flechas a la Arcadia de unos pájaros, con picos, garras y plumas de bronce, que atacaban a las gentes y devastaban las cosechas.

- El toro de Creta: Heracles capturó vivo al animal que había enviado Poseidón.

- Las yeguas de Diomedes: se apoderó de las yeguas que se alimentaban de carne humana. Como su amigo Abderos había sido devorado por las yeguas, fundó en su memoria la ciudad de Abdera.

- El cinturón de Hipólita: lo consiguió con la ayuda de Teseo, aunque tuvo que matar a la reina de las amazonas.

- Los bueyes de Gerión: Helios le dio un carro de oro para que atravesara el océano hasta la isla de Eritia, donde los capturó. En el estrecho de Gibraltar levantó las llamadas columnas de Hercules (el peñón y Ceuta).

- Las manzanas de oro de las hespérides: engañó a Atlas para que se las recogiese y le volvió a engañar cuando el titán quiso que se quedara Heracles sosteniendo el cielo.

- El can Cerbero: condujo ante el rey al perro de dos cabezas que guardaba las puertas del infierno, sin hacerle mal alguno como había prometido a Hades, y luego lo devolvió a su lugar.

La muerte de Hércules

El final de la vida y las aventuras de un aparentemente inmortal Hércules tiene que ver con su fatal matrimonio con Deyanira, en una unión que se había concertado durante el descenso del héroe al Hades, donde se había encontrado con Meleagro, hermano de su futura esposa, y le prometió que se casaría con ella. Ese pacto, concertado en el inframundo, resultaría decisivo.

En uno de sus viajes, el héroe y Deyanira debían cruzar el río Eveno, donde el centauro Neso se ganaba la vida de barquero, pasando a los viajeros de una orilla a otra. Neso cruzó primero a Hércules y luego volvió por su pareja, aprovechando el momento para intentar violarla.

El héroe, al oír sus gritos de socorro, disparó una flecha que atravesó el corazón del centauro quien, para vengarse, en medio de las ansias de la muerte, le dijo a Deyanira que podría mantener a su esposo siempre a su lado, cuando sintiera que existía peligro de perderlo, si preparaba una mágica poción con la sangre que manaba de su propia herida. Ella, crédula, recogió la sangre de Neso y la guardó consigo.

Tras la victoria del héroe sobre el rey Eurito y después de ocupar sus tierras de Ecalia, quiso agradecer sus favores a su padre Zeus, y erigir un altar en su honor para ofrecerle un sacrificio. Envió entonces a su heraldo Licas a Traquis, donde estaba Deyanira, para que le trajera una túnica nueva, apropiada para la ceremonia. Deyanira, temerosa de que la abandonara quedándose en brazos de Yole, hija de Eurito, que se había convertido en su amante, empapó la túnica en la sangre de Neso.

Hércules vistió la roja túnica y, nada más empezar la ceremonia del sacrificio, el veneno de la sangre de Neso comenzó a abrasarle la piel. Preso de terribles dolores, el héroe intentaba arrancarse la túnica mortal sin conseguirlo, pues sus carnes se habían fundido con ella. Entonces ordenó que le trasladasen a Traquis, donde Deyanira, dándose cuenta de lo que había hecho, acabó suicidándose.

Hércules confió entonces a Yole a su hijo Hilo, al que exigió la promesa de que se casaría con ella cuando fuese mayor.

Subió al monte Eta, donde construyó una gran pira, mas ninguno de sus sirvientes quería prender la hoguera. Sólo Filoctetes consintió en hacerlo para librarlo del martirio, recibiendo de Hércules como recompensa su arco y las flechas untadas con el veneno de la hidra de Lerna. Mientras el fuego destruía el cuerpo mortal del héroe, entre truenos y relámpagos, una gran nube lo envolvió y lo elevó al cielo. El héroe había accedido a la inmortalidad y subió al Olimpo donde se casó con Hebe, la diosa de la juventud eterna.

Hermafrodito

Afrodita tuvo un hijo con Hermes llamado Hermafrodito, un hermoso muchacho. Una vez que el joven paseaba por la orilla de un lago, una ninfa se enamoró de él en cuanto le vio, pero él se mostró indiferente y no le prestó la menor atención. Entonces, ella se escondió detrás de un árbol para contemplarle mientras se desnudaba para tirarse a nadar a las aguas del lago.

La obcecada ninfa se lanzó también, nadó hasta él y, en un descuido del muchacho, se le aferró con brazos y piernas abrazándole y pidiendo a los dioses que no dejaran que nada les separara nunca. Su plegaria fue atendida y quedaron convertidos en una sola persona, que sería hombre y mujer al mismo tiempo.

Hero y Leandro

Leyenda de amor y tragedia. Leandro vivía en Abidos, y estaba tan enamorado de Hero, que era sacerdotisa en Sesto, que todas las noches atravesaba a nado el Helesponto (estrecho de los Dardanelos) para estar con su amada, guiado por la luz de la antorcha que encendía ésta en lo alto de su casa. Una noche de tormenta, la luz se apagó y Leandro murió ahogado. Al enterarse Hero, se arrojó también al mar y en él murió.

Los hiperbóreos

Pueblo mítico cuya nación estaba enclavada en el extremo norte de la Grecia antigua, más allá del reino de Boreas, donde se asegura que se desconocían los rigores del invierno y las sombras de la noche.

Las fábulas del país de los hiperbóreos están ligadas a las leyendas de Apolo, ya que, según la tradición, algunos de los objetos sagrados del culto de Apolo en el templo de Delfos procedían de este país y habían sido traídos por jóvenes que tenían aquel origen.

Cuenta Herodoto que los mancebos y doncellas de Delfos, antes de casarse, se cortaban el pelo y lo depositaban en las tumbas de los jóvenes hiperbóreos portadores de objetos de culto que se hallaban dentro del templo de Artemisa.

Hipólito

Era hijo de Teseo y la amazona Antíope. Fedra, la esposa oficial de su padre y hermana de Ariadna, se enamoró de él e intentó seducirle. Ante su rechazo, Fedra acusó al muchacho de intentar violarla y después se suicidó. Teseo maldijo a su hijo y esta maldición le causó la muerte camino del exilio, aunque luego Artemisa informó al héroe de lo que realmente había ocurrido.

Asclepio, hijo de Apolo, resucitó a Hipólito utilizando la sangre del costado derecho de la Medusa, motivo por el cual fue aniquilado por Zeus.

Hipsipila

Las mujeres de la isla de Lemnos habían abandonado el culto a Afrodita, por lo que la diosa les castigó haciéndolas tan repugnantes ante los ojos de sus amantes y maridos que éstos huían de ellas y buscaban el amor en brazos de cautivas extranjeras.

Las mujeres decidieron vengarse, y una noche mataron a todos los hombres. Pero Hipsipila, la hija de Toas, el rey, no quiso matar a su padre y lo escondió en un cofre, lanzándole al mar para salvarle de la muerte.

Cuando los argonautas desembarcaron en Lemnos, se unieron a aquellas mujeres que no tenían hombres, y la propia Hipsipila se unió a Jasón y tuvo de él dos hijos, Euneo y Nepronio. Posteriormente sería raptada por unos piratas y vendida como esclava a Licurgo, el rey de Nemea, quien le confió el cuidado de su hijo Ofeltes.

Un día al pasar por el reino los siete caudillos que se dirigían contra Tebas, le pidieron a Hipsipila que les indicase el lugar donde podían encontrar una fuente. Ella dejó en el suelo al niño un momento, para darles a los guerreros las indicaciones que le solicitaban, pero en ese simple lapso de tiempo una serpiente atacó y mató a su hijo.

Los padres de Ofeltes, Licurgo y Eurídice, quisieron matar a Hipsipila por ello, pero los guerreros intervinieron en su favor y lograron salvarle la vida y que se le permitiera regresar a Lemnos.

Horacios contra curiacios

Los romanos estaban en guerra contra los albanos, y en aquella guerra sucedió un hecho legendario que perduró en las mentes de los romanos durante mucho tiempo.

Por casualidad, en los dos ejércitos enfrentados había trillizos que tenían una edad y una complexión semejante. Entonces, ambas facciones se pusieron de acuerdo en que, en lugar de enfrentarse en bloque los dos ejércitos, lo hicieran por delegación sólo los trillizos romanos contra los trillizos albanos.

De esa manera se economizarían vidas y energías, y el pueblo cuyos trillizos vencieran, mandaría sobre el otro, que se convertiría en su esclavo.

Todos lo aceptaron y se dirigieron al campo de batalla. Los dos ejércitos y los dos pueblos se colocaron uno a cada lado. Los trillizos romanos eran los horacios y los albanos, los curiacios. Cuando se dio la señal, corrieron hacia sus adversarios con tanta fuerza como dos ejércitos.

El pensamiento de los dos grupos de jóvenes no estaba en el peligro que corrían, sino en que el futuro de su patria estaba en sus manos.

En la primera embestida cayeron heridos de muerte dos de los horacios, mientras que el tercero quedó ileso. Los curiacios, por su parte, estaban los tres heridos, pero de distinta gravedad. El ejército y el pueblo albano levantaron un grito de alegría en cuanto se desvaneció el polvo producido por el primer ataque, mientras los romanos permanecían absortos por la preocupación y se veían ya sometidos a la esclavitud de sus enemigos.

El horacio que quedaba vivo valoró rápidamente la situación. Viendo que los tres curiacios estaban heridos, pero que si trataba de luchar con los tres al mismo tiempo, llevaba las de perder, echó a correr como si huyera. De esa manera pensaba conseguir que los curiacios le persiguieran, pero cada uno según sus fuerzas, y serían tres enfrentamientos de uno contra uno y no un combate de uno contra tres.

Efectivamente, cuando los curiacios, creyéndose fáciles vencedores, comenzaron la persecución, se vio claramente que uno, el menos herido, se adelantaba a sus hermanos, pero no podía alcanzar al horacio. Éste también se percató de ello, se paró y esperó a que llegara. Sin darle tiempo a descansar, según llegaba, le asestó un golpe mortal.

El horacio esperó al segundo curiacio, que llegó en seguida, y, animado por su ejército y por su pueblo, también lo mató. Ahora la pelea estaba igualada, el horacio acababa de vencer en dos combates y estaba ileso, mientras el curiacio había visto cómo habían caído sus dos hermanos y era el más malherido. Llegó a duras penas hasta donde se encontraban los cadáveres de sus hermanos, donde el horacio le estaba esperando:

«Llega hasta donde yo estoy, que te voy a matar de la misma forma que he matado a tus dos hermanos», le dijo.

La muchedumbre romana vitoreó a su adalid mientras éste clavaba la espada en el cuello del albano, y le seguía vitoreando mientras el vencedor despojaba de sus armas y vestidos a los tres vencidos. Había conseguido una victoria muy importante para su pueblo, y los albanos se habían convertido en sus esclavos.

Formando un cortejo, se dirigieron a Roma aclamando al vencedor, llenos de júbilo, tanto por la victoria como por la manera como se había producido.

El horacio vencedor se había puesto sobre su armadura la túnica de uno de los vencidos. Al llegar a la ciudad salió a recibirlo su hermana, que estaba casualmente prometida con uno de los tres albanos muertos, y, cuando reconoció la túnica de su novio, que ella misma había tejido, comenzó a sollozar y a desgarrarse las vestiduras.

El horacio vencedor, que esperaba alegría y felicitaciones, se encontró con que su propia hermana se entristecía por su victoria, de modo que desenvainó su espada, teñida todavía con la sangre de los muertos, y mató a su hermana, diciendo estas feroces palabras:

«¡Ve a estar con tu novio! ¡Mira que olvidarte de tus hermanos muertos y del que vive que ha salvado a tu pueblo de la esclavitud...! ¡Así morirá todo aquel que se entristezca por la victoria romana y llore por los enemigos vencidos!».

Ícaro y Dédalo

Dédalo, arquitecto del laberinto del minotauro, tuvo un hijo de una esclava de Minos llamada Neucrate, y le llamó Ícaro.

Después de que Ariadna facilitara a Teseo la forma de salir del laberinto, el rey Minos encerró a Dédalo y a su hijo en una torre. Consiguieron escapar de su prisión, pero no podían abandonar la isla por mar, ya que el rey mantenía una estrecha vigilancia.

Entonces Dédalo fabricó unas alas para él y su hijo enlazando plumas entre sí, empezando por las más pequeñas y añadiendo otras cada vez más largas. Aseguró las más grandes con hilo y las más pequeñas con cera, y le dio al conjunto la curvatura de las alas de un pájaro.

Cuando terminó el trabajo, Dédalo batió sus alas y se halló suspendido en el aire. Equipó entonces a su hijo de la misma manera, y le enseñó cómo volar. Cuando ambos estuvieron preparados para escapar, Dédalo advirtió a Ícaro que no volase demasiado alto porque el calor del sol derretiría la cera, ni demasiado bajo porque la espuma del mar mojaría las alas.

Volando sobrepasaron Samos, Delos y Lebintos, y entonces el muchacho comenzó a ascender, entusiasmado, hasta que el sol ablandó la cera que unía las plumas y éstas se despegaron cayendo Ícaro al mar, donde murió.

Su padre lloró, lamentando amargamente su ciencia, y llegó a la isla de Sicilia donde hizo construir un templo en honor de Apolo en el que colgó sus alas como ofrenda.

Idas

Hijo de Arene y del rey Afareo (aunque algunos aseguran que lo era directamente de Poseidón) y hermano mellizo de Linceo; ambos formaron parte en la expedición de los argonautas y de la caza del jabalí de Calidonia.

Se casó con su prima Febe, pero fue secuestrado por los gemelos dioscuros, Cástor y Pólux. Intentó disputar el amor de Marpesa al dios Apolo, que se había encaprichado también de ella. El elegido fue Idas.

En una ocasión, los dioscuros condujeron hasta la Arcadia un rebaño de bueyes robados, que dejaron al cuidado de Idas. Cuando llegó el momento de repartir el botín, Idas descuartizó un buey y dijo que el primero de ellos que comiese entero uno de los cuartos de la res sería dueño de la mitad del botín, y el que acabara el segundo lo sería de la otra mitad.

Idas acabó de comer su parte al tiempo que su hermano Linceo acababa la suya, y se quedaron con todos los bueyes, dejando a Castor y Pólux sin nada.

Los dioscuros, indignados por la estratagema, organizaron una expedición contra la comarca, recuperaron los bueyes y tendieron una emboscada a los mellizos, pero Linceo, con su penetrante vista, alcanzó a verles desde lo alto del monte Taigeto y huyó con Idas.

Pólux salió tras ellos y mató a Linceo, pero Cástor fue herido de una lanzada por Idas y murió. Zeus fulminó a Idas con su rayo y colocó a Pólux en el cielo convertido en estrella junto a su hermano.

Idomeneo

Rey cretense, hijo de Deucalión y nieto de Minos, que acaudilló las tropas de su país en la guerra de Troya, fue uno de los pretendientes de Helena.

Se cuenta que, en el concurso en que Medea y Tetis compitieron en belleza, el juez fue Idomeneo y que se decidió por Tetis, por lo que Medea, furiosa, maldijo a la raza de Idomeneo.

A su regreso de Troya y ante una terrible tempestad, juró a Poseidón que, si se salvaba, le sacrificaría al primero que se encontrara en cuanto pusiera los pies en tierra, y la fatalidad quiso que éste no fuera otro que su propio hijo, por lo que ordenó que fuera sacrificado.

Entonces Creta se vio azotada por la peste y los cretenses indignados por el cruel acto de Idomeneo, lo arrojaron del país, aunque siempre se pensó que fueron los dioses quienes le habían expulsado de la isla. Regresó, pasado el tiempo, a Cnosos, donde moriría.

Su leyenda fue la base de la ópera de Mozart que lleva por título «Idomeneo, rey de Creta».

Se le menciona también a menudo en *La Ilíada,* en párrafos ciertamente descriptivos y emocionantes:

«Deífobo, irritado por la muerte de Asio, se acercó mucho a Idomeneo y le arrojó la reluciente lanza. Mas Idomeneo advirtiolo y burló el golpe encogiéndose debajo de su liso escudo, que estaba formado por boyunas pieles y una lámina de bruñido bronce con dos abrazaderas, la broncínea lanza resbaló por la superficie del escudo, que sonó roncamente, y no fue lanzada en balde por el robusto brazo de aquél, pues fue a clavarse en el hígado, debajo del diafragma, de Hipsenor Hipásida, pastor de hombres, haciéndole doblar las rodillas».

«Idomeneo no dejaba que desfalleciera su gran valor y deseaba siempre o sumir a algún troyano en tenebrosa noche, o caer él mismo con estrépito, librando de la ruina a los aqueos».

Ificles

Hijo de Anfitrión y de su esposa Alcmene, quien era a su vez madre de Heracles, en cuyo mismo parto nació, por lo que Ificles era finalmente mellizo de Heracles aunque de distinto padre.

Se casó con Automedusa y, posteriormente, con la segunda hija de Creón, el rey de Tebas. Heracles, en uno de los numerosos accesos de locura que le enviaba Hera, mató a dos de sus hijos, pese a lo cual otro de ellos, Iolaos, colaboró con el hijo de Zeus en muchas de sus aventuras, conducía su carro y fue su mejor ayuda en muchas ocasiones: al matar a la hidra, al limpiar los establos...

Se dice que murió en la batalla contra los molionidas o contra los eleos de Arcadia, donde al parecer estuvo su tumba.

Ifigenia

Hija de Agamenón rey de Aulis, que estaba situado en la región de Beocia. Allí existía la costumbre de sacrificar a Artemisa a todos los extranjeros que eran arrojados por el mar a las costas de Taurice. La sacerdotisa encargada de tal misión era Ifigenia, la cual fue salvada por Artemisa cuando ella misma iba a ser sacrificada en Aulis, poniendo en su lugar una cierva.

Ifigenia permaneció varios años cumpliendo su ritual sangriento, hasta que un día le fueron conducidos ante ella, para su inmolación, su hermano Orestes junto con su gran amigo Pilades, a quien el oráculo de Delfos había enviado a aquellas tierras para rescatar una estatua de la diosa Artemisa. Al reconocerlos, Ifigenia escapó de allí con ellos llevándose también la estatua que, al llegar a Grecia, entregaron en el santuario de Braurón.

El «Indigamenta»

Se trata de un libro, que sólo aparece profundamente ligado a la mitología romana, que guardaba un conjunto de oraciones en las que se contenían los nombres de las divinidades que había que invocar en cada circunstancia de la vida.

Era pues una especie de libro guía de los rezos, que incluía a los diosecillos intermedios entre la religión oficial de los grandes dioses y los cultos domésticos, creados por la fe popular del pueblo romano, en su creencia de que el mundo estaba poblado por seres misteriosos que eran verdaderos dueños de los actos de los hombres y contra los cuales, o sin su favor, nada se podía hacer.

El inframundo: Estigia y Perséfone

En la mitología griega, Estigia es el nombre del río que constituía el límite entre la tierra y el inframundo, el Hades, al que circundaba nueve veces.

Los ríos Estigia, Flegetonte, Aqueronte y Cocito convergían en el centro del Hades formando una gran laguna. Otros importantes ríos del Hades eran el Leto y el Erídano. El Estigia era guardado por Flegias, quien pasaba las armas de un lado a otro del río aunque, en otras versiones, Flegias era el guardián del Flegetonte.

Por haber luchado junto a él su representación en la Titanomaquia, Zeus hacía que los juramentos prestados por el agua del Estigia se cumplieran (todos los demás podían romperse).

Si alguno de los dioses derramaba un trago de su agua o abjuraba de ella, le condenaba a yacer sin respiración durante un año, y sin probar ambrosía ni néctar, permaneciendo sin espíritu ni voz.

Tras este año de enfermedad, continuaba excluido durante nueve años de las reuniones y banquetes de los dioses, a los que no podía volver hasta el décimo año.

Según diferentes versiones, el Estigia era milagroso y servía para hacerse inmortal. Aquiles habría sido bañado cuando niño en él adquiriendo la invulnerabilidad, a excepción del talón, por donde su madre lo sujetó al sumergirlo.

Es común creer que el barquero Caronte transportaba las almas de los muertos recientes a través del río hasta el inframundo, aunque en las fuentes griegas y romanas originales, así como en la obra de Dante, era el río Aqueronte el que navegaba Caronte. Dante situó a Flegias en el Estigia e hizo a éste el quinto círculo del Infierno, donde los coléricos reciben el castigo de ser perpetuamente ahogados en las fangosas aguas.

Estigia era también el nombre de una diosa primordial que representaba al río. Era la más respetada y la mayor de las oceánides, hijas de Océano y Tetis o, según otros autores, de Érebo y Nix. Tuvo cuatro hijos con Palas: Niké, Cratos, Bía y Zelo. En otras fuentes se indica que también fue madre de Escila con Palas, de Perséfone con Zeus y de Equidna con Peiras.

Como se ha mencionado, cuando Zeus se alzó contra los titanes, Estigia fue la primera en acudir en su ayuda, hecho por el cual el rey de los dioses la colmó de honores y recibió a sus hijos en su séquito además de hacer que los juramentos otorgados en su nombre fueran los más sagrados, castigando rigurosamente a quienes los violasen.

Para los griegos, los muertos se alimentaban de asfódelo. El asfódelo *(Asphodelos ramosus)*, de la familia de las liliáceas, es una planta perenne de jardín, oriunda de la Europa central y meridional, que llega a medir casi un metro de altura y se adorna de grandes flores blancas y numerosas y largas hojas.

Su nombre deriva de la palabra griega «cetro», siendo la flor que, según se dice, llenaba las llanuras del Hades. Considerada como el alimento favorito de los muertos, los antiguos a menudo la plantaban cerca de las tumbas.

En la mitología griega, Perséfone, «la que destruye la luz», hija de Deméter, era la reina indiscutible del inframundo. Los romanos tuvieron noticia de ella por primera vez a través de las ciudades dóricas de la magna Grecia, donde usaban la variante dialéctica Proserpina.

De ahí que en la mitología romana fuese llamada Proserpina, y como tal llegase a convertirse en un personaje emblemático del Renacimiento.

Entre los dioses residentes del inframundo pueden mencionarse los siguientes: Elíseo, Minos, Hades, Éaco, Radamanto, Piriflegetón, Cerbero, Caronte, Keres, Perséfone, Serapis y Tánato.

Ixión

Padre de todos los centauros. Se le suponía hijo de Flegias, rey de los lapitas, aunque también de Ares, de Antión…, pero todas las versiones asumen que su madre fue Perimelé. Rey de Tesalia, también reinó sobre los lapitas.

Para obtener la mano de Día, hija del rey Deioneo, le hizo grandes promesas pero, una vez celebrado el matrimonio, cuando su suegro reclamó lo ofrecido, Ixión, por toda recompensa, le arrojó a un foso repleto de carbones encendidos.

De aquel crimen tan tremendo, en el que se unían perjurio y asesinato, nadie se atrevió a purificarle, como era costumbre, hasta que lo hizo el mismo Zeus, el cual hasta le libró de la locura en la que había caído tras su crimen.

En agradecimiento, el malvado Ixión trató de violar a Hera y entonces fue cuando Zeus le engañó dándole a una nube la apariencia de la diosa, a la que Ixión, tomándola por la verdadera, le hizo un hijo que fue el primero de los centauros. Zeus para castigar tanta atrocidad recalcitrante, ató a Ixión a una rueda ardiendo que giraba sin cesar y la lanzó a través del espacio donde el condenado (al purificarle le había hecho Zeus probar la ambrosía, con lo que le había convertido en inmortal) seguirá girando eternamente.

Fue también padre de Peiritoos, el amante y amigo de Teseo, y se dice en otras leyendas que la rueda sigue girando en el fondo del Tártaro junto a los otros grandes criminales condenados a castigos eternos.

Jacinto

Príncipe espartano, hijo de Clío y Pierus, rey de Macedonia, Jacinto era un hermoso y atlético muchacho del que se enamoró Apolo. Jugaban a lanzarse el disco el uno al otro, cuando Céfiro, a causa de los celos, desvió el disco que golpeó la cabeza del joven matándole en el acto. De la sangre derramada, Apolo hizo brotar una flor, que se llamó jacinto.

Jasón y los argonautas

Héroe de la mitología griega, nacido en el reino de Yolcos e hijo del rey Aetes, al que había destronado su hermanastro Pelias. Exiliado, Jasón fue criado por el centauro Quirón hasta que, al cumplir los 20 años, volvió a Yolcos para reclamar su reino.

Prevenido por el oráculo, Pelias le puso como condición que le trajera el vellocino de oro, que estaba en la Cólquida, región situada al pie del Cáucaso gobernada por el rey Aetes. Jasón hizo que Argos, hijo de Frixo, le construyera una gran embarcación a la que llamaron Argo en su honor.

Los viajes, de ida y vuelta, estuvieron plagados de infinidad de aventuras que superaron gracias a las habilidades de los expedicionarios y a las ayudas de los dioses.

Una vez en Colcos, Jasón tuvo que superar las pruebas que le impuso Aetes con la ayuda de la hechicera Medea, hija del rey, que se enamoró de él, y con la que más tarde tendría dos hijos.

Escaparon con el vellocino y tras muchas vicisitudes volvieron a Yolcos entregándoselo a Pelias, aunque éste fue pronto asesinado por sus hijas, por culpa de una artimaña de Medea, y la pareja viajera tuvo que huir a Corinto, donde Jasón repudió a Medea para casarse con Glauca, hija del rey.

La hechicera, en venganza, mató a Glauca y a los hijos que tuvo con Jasón, quien a partir de entonces llevó una vida triste y solitaria hasta que la caída de un madero del Argo segó su vida.

Laoconte

Hijo de Capis o de Antenor, estaba casado con Antíope, con quien tuvo dos hijos llamados Etron y Melanto, aunque en otros casos se menciona que sus hijos fueron Antifas y Timbreo.

Vivía en Troya y formó parte de la expedición de los argonautas, pero pasó prácticamente inadvertido y, de hecho, su figura sólo destaca al final de la guerra que asoló su ciudad.

Laoconte había atraído sobre sí la cólera de Apolo por haber cometido el sacrilegio de unirse con su esposa ante la estatua consagrada al dios. Fue designado por la suerte para ser sacerdote de Poseidón, ya que el anterior había sido lapidado, y se dice que poseía ciertos poderes de adivinación.

Cuando los griegos cercaban Troya, él advirtió a sus conciudadanos de que el caballo dejado a sus puertas era una estratagema e incluso, para demostrarlo, lanzó una flecha contra el vientre del intruso que sonó a hueco, aunque nadie le hizo caso.

Según Virgilio, estaba Laoconte inmolando un toro en el altar de Poseidón, cuando aparecieron dos enormes serpientes de las que se dice se llamaban Caribea y Porce. Los troyanos huyeron aterrorizados, pero los dos monstruos se lanzaron contra los hijos de Laoconte y los atraparon entre sus fauces.

Éste intentó salvarlos, en vano, y los tres sucumbieron asfixiados por los gigantescos reptiles. Cumplida la venganza, las serpientes fueron a esconderse bajo los pies de la estatua de la diosa Atenea.

Lamia

Monstruo femenino en quien confluyen muchas leyendas, todas ellas crueles. Al principio, Lamia era una hermosísima reina de Libia que fue madre de muchos hijos. Al haberse el infatigable Zeus enamorado de ella, la celosa Hera hizo que toda su prole muriera, a causa de lo cual Lamia se volvió loca y se retiró a vivir al desierto.

Se creía que Zeus le había concedido el don de quitarse y ponerse los ojos a voluntad, para que lograra conciliar el sueño, ya que Hera la había condenado a estar siempre despierta recordando la vida de sus hijos.

Cuando dormía, o estaba embriagada, resultaba inofensiva, pero despierta se convertía en un vampiro que chupaba la sangre de los niños.

En la mitología libia, Lamia se identifica a menudo con Neith, diosa del amor y de la guerra, mientras que en la griega resulta ser hija de Belo y madre de Escila en una caverna de la Focide, e incluso es mencionada por Safo, que la consideraba como una bella joven de Lesbos.

Predominó, sin embargo, la imagen terrorífica de devoradora de niños, a la que se definía otras veces como un ser maléfico, mitad hombre, mitad mujer, o la visión en forma de demonio alado que amamantaba a los niños durante la noche, con sus pechos llenos de sangre envenenada, según los romanos.

Los lares

En la mitología romana, los dioses lares eran unas divinidades complejas, anteriores a la época clásica, concebidos como hijos de Vulcano y Maia.

Básicamente, se trataba de divinidades agrícolas, protectores del hogar, guardianes de puertas y cruces de caminos, de las almas inmortales...

En su faceta, muy común, de protectores del hogar, velaban por la salud, fortuna y prosperidad de la familia que les acogía. Cada casa tenía un lar y también dos penates, que eran sus dioses familiares. Dos lares praestites eran los guardianes de las puertas y llegaron a ser divinidades públicas y, por extensión, guardianes de las ciudades.

Aunque la influencia griega aportó, quizá voluntariamente, cierta confusión entre lares, manes y penates, al tener todos ellos su origen en Maia, lo cierto es que para los romanos estaban perfectamente diferenciados y por ejemplo las celebraciones de los manes, en honor de los difuntos deificados, tenían carácter fúnebre, mientras que las de los lares se distinguían por su alegría.

Una de aquellas fiestas principales de los lares eran las Campitalia, en las que se veneraba a los protectores de las encrucijadas de los caminos.

Leto

Titánide de segunda generación y amante de Zeus, Leto (la noche) fue la madre de Apolo y de Artemisa. Aunque nacieran juntos, fue Artemisa quien asistió al parto de Apolo, pues la celosa Hera había ordenado que en ningún lugar de la Tierra se acogiera a Leto cuando le llegara la hora de parir. Zeus hizo surgir desde las profundidades del mar una nueva tierra, la isla de Delos (u Ortigia), que era una isla errante para que Hera no pudiera localizar el lugar del nacimiento de sus hijos.

Apolo y Artemisa defendieron siempre a su madre, matando al gigante Tizio cuando pretendía violarla o castigando las burlas de Níobe asaeteando a 13 de sus hijos.

LEYENDA DE LETO Y LOS LICIANOS

Unos campesinos de Licia ofendieron a la diosa Latona, la que fuera amante de Zeus y madre de Apolo y Artemisa, y la ofensa no quedó impune.

Viajaba un hombre a Licia para recoger unos bueyes que había comprado y allí encontró la charca donde había sucedido el prodigio. Junto a ella había un altar viejo, negro por el humo de los sacrificios y medio oculto por las cañas.

El hombre preguntó a quién estaba dedicado ese altar y uno de los lugareños le contestó:

«Este altar no es de ningún dios del río ni de las montañas, sino de alguien a quien Hera, obsesionada por los celos, hizo errar de país en país negándole un lugar en la Tierra donde criar a sus hijos gemelos».

Entonces le contó esta historia: llevando en brazos a sus dos hijos, Latona llegó a estas tierras fatigada por su carga y abrasada de sed. Divisó en el fondo del valle este estanque de agua clara, donde la gente del lugar se encontraba recogiendo sauces y mimbres. La diosa se aproximó y, arrodillándose en la orilla, se disponía a saciar su sed, cuando los campesinos se lo prohibieron.

«¿Por qué me negáis el agua?», preguntó.

«El agua es de todos. La naturaleza no permite que nadie reclame como suya la luz del Sol, el aire o el agua. Yo sólo he venido a tomar mi parte de esta bendición que es de todos. Sin embargo, os lo pido como un favor. No tengo intención de bañarme en la laguna a pesar de estar fatigada; tan sólo quiero calmar mi sed y la de mis hijos. Tengo la boca tan seca que apenas puedo hablar. Un solo trago de agua me sabría a néctar; me haría revivir y quedaría en deuda con vosotros para toda la vida. Tened compasión de estos niños, ved cómo alargan sus bracitos suplicando por mí».

Pero los aldeanos no se conmovieron con esas palabras e insistieron en su grosería.

Más aún, se metieron en el estanque y removieron el lodo con sus pies para enturbiar el agua, de manera que no se pudiese beber. Latona se enfadó tanto que se olvidó de su sed. Entonces, levantando las manos hacia el cielo, exclamó:

«Así no abandonen nunca esta charca y se pasen la vida en ella». Y así sucedió.

Ahora, los aldeanos groseros viven en el agua. Unas veces se sumergen totalmente, y otras asoman la cabeza fuera o nadan por la superficie.

De cuando en cuando salen a la orilla pero en seguida vuelven al agua de un salto y aún siguen insultando a la gente los muy ruines, con sus voces ásperas y profundas. Ahora, sus gargantas se hinchan, sus voces se han hecho potentes de tanto decir groserías, sus cuellos han desaparecido de forma que llevan la cabeza pegada totalmente al cuerpo. Tienen la espalda verde y la tripa blanca y desproporcionada.

Ahora son ranas y viven entre el fango de la charca.

La isla de Léucade

Léucade es una isla del mar Jónico, cerca de Corfú, famosa por un promontorio desde el cual se precipitaban al mar los infortunados amantes que querían curar su pasión y borrar sus penas.

La leyenda nació porque Afrodita, perdidamente enamorada de Adonis, no podía olvidar su desdicha al haber sido asesinado éste ante sus ojos por el vengativo Ares transformado en jabalí. Su dolor de amor era tan insoportable que recurrió al oráculo de Delfos, donde la Pitia le aconsejó que realizara el salto de Léucade. Afrodita le hizo caso y quedó sorprendida al comprobar que salía de las aguas tranquila y consolada. Este remedio fue pronto reputado como infalible.

La gente acudía a Léucade desde las más alejadas regiones, se preparaban con sacrificios y ofrendas, y se comprometían por medio de un acto religioso, persuadiéndose de que, desterrando para siempre las cuitas del amor, recobrarían la calma y la felicidad.

Se dice que Safo y el poeta Nicóstrato comprobaron en su propia piel la veracidad de esta leyenda.

Linos

Hijo de Apolo y de la musa Ourania, se considera que fue uno de los más grandes músicos, inventor del ritmo y la melodía, que habría sido el que reemplazó, en la lira, las cuerdas de lino por cuerdas de tripa, que resultaron ser mucho más sonoras.

Según algunas tradiciones, fue muerto por Apolo en castigo por haber querido rivalizar como músico con él, aunque para otras versiones quien lo mató fue Heracles, de una pedrada, harto de las muchas regañinas que recibía de Linos cuando éste intentaba, sin mucha fortuna, enseñarle y hacerle disfrutar los placeres de la música.

Medea

Hechicera hija del rey Aetes, de la Cólquida, ayudó por amor a Jasón a recuperar el vellocino de oro, adormeciendo al dragón que lo custodiaba e indicándole que arrojara una piedra en medio de los guerreros que surgían de la tierra cuando sembraba los dientes de un dragón por encargo de Aetes, tras lo que los gigantescos soldados se enfrentaron entre sí.

De vuelta a Yolcos, fue capaz incluso de matar y desmembrar a su propio hermano, Apsirto, para evitar que los ejércitos de su padre dieran alcance al Argo.

Cuando Jasón la repudió en Corinto para casarse con la hija del rey, Glauca, Medea enloqueció y dio muerte a su sucesora y a los dos hijos que ella misma había tenido con el héroe. Luego huyó a Atenas y allí se casó con el anciano Egeo, con la promesa de darle un hijo.

Tuvo a Medo y quiso después matar a Teseo, el hijo mayor de su marido, que había vuelto de incógnito. Fue desterrada y murió en su tierra natal, Colcos, acompañada por Medo.

El dios del vino y la alegría, Dionisos, tenía entre su cortejo muchos sátiros, genios de la naturaleza que tenían forma de hombre de la cintura para arriba, pero que tenían patas y cola de macho cabrío, además de un miembro viril de gran tamaño y siempre erecto. Bebían vino constantemente, y perseguían a las ménades y a las ninfas para saciar su lujuria.

El más anciano de los sátiros era Sileno. Tenía la nariz chata, ojos de toro y una gran barriga. Cabalgaba sobre un asno, pues en su permanente ebriedad no podía sostenerse por sí mismo.

En una ocasión, después de una gran fiesta, Sileno se extravió y fue encontrado por campesinos, quienes lo capturaron sin reconocerlo y lo llevaron en presencia de Midas, el gran rey de Frigia. Midas había sido iniciado en los misterios dionisíacos, y reconoció inmediatamente a Sileno. Lo liberó de sus cadenas y le rindió grandes honores, tras lo cual lo condujo de regreso al cortejo de Dionisos.

El dios agradeció amablemente al rey y le ofreció concederle un deseo. Midas, quien gustaba de grandes lujos y era avaricioso, pidió entonces que todo lo que tocara se transformara en oro puro. Dionisos aceptó y Midas muy contento regresó a su palacio.

Tal como Dionisos había prometido, todo objeto que el rey tocaba se tranformaba en el precioso metal. Las estatuas, las telas, las lanzas y las columnas del palacio no tardaron en convertirse en valiosos objetos.

Satisfecho, Midas se acomodó en su trono dorado y ordenó que se le trajera vino. Pero en cuando la bebida tocó sus labios, se transformó en polvo de oro, que el rey tuvo que escupir. Igual pasó con un trozo de pan, que se convirtió en un bloque de oro.

La carne y las frutas se transformaban en metal, y muy pronto Midas fue acosado por el hambre y la sed. Ni siquiera sus amigos y su familia osaban ayudarlo, pues temían acercarse y ser convertidos en estatuas de oro.

Dejando un rastro dorado tras de sí, Midas corrió en busca de Dionisos, y le pidió que le retirara el regalo.

Dionisos le dijo que debía lavarse las manos y la cara en el río Pactolo. Midas siguió este consejo, y aunque el río se llenó de hojuelas de oro, pronto Midas volvió a la normalidad. Desde ese entonces el oro abunda en las orillas del Pactolo.

Esta no fue la única de las desventuras de Midas. Años antes, la diosa Atenea había recogido un hueso, le hizo agujeros y creó la primera flauta. En una fiesta de los dioses había tocado el instrumento, pero Hera y Afrodita se burlaron al ver las mejillas de Atenea infladas al soplar. La diosa se trasladó de inmediato a Frigia para ver su reflejo en un río, y al darse cuenta de que las otras tenían razón, arrojó la flauta lejos de sí, maldiciendo a quien la tocara.

Éste resultó ser el sátiro Marsías, quien encontró la flauta y en poco tiempo se convirtió en un gran flautista. Orgulloso por la belleza de su música, desafió al dios Apolo a un duelo musical.

Midas pasaba cerca del lugar donde se realizaba la competencia, y sin que nadie pidiera su opinión, declaró que el arte de Marsías era superior. Apolo de inmediato hizo que las orejas del rey se tranformaran en orejas de asno. Marsías fue vencido por Apolo y desollado.

Avergonzado, Midas ocultó sus enormes orejas bajo la corona. El único que sabía el secreto era su peluquero, quien tenía prohibido divulgarlo bajo pena de muerte. Pero el hombre no podía soportar la presión del silencio, salió al campo, abrió un agujero en el suelo y confió a la Tierra el secreto del rey Midas. En ese lugar crecieron cañas, y al ser agitadas por el viento susurraban:

«El rey Midas tiene orejas de asno...».

Pronto toda Frigia y los reinos vecinos supieron la afrenta que sufría Midas, que tuvo que soportar la vergüenza el resto de sus días.

Melampous

En la leyenda de Argos, era un hijo de Amitaón e Idomene, al que llamaban el hombre de los pies negros, debido a que, siendo niño, su madre le guardaba del sol en un sombrajo que le tapaba todo el cuerpo menos los pies, que se le fueron poniendo morenos.

Se casó con una hija de Preto, rey de Argos, de quien tuvo tres hijos llamados Antipates, Mantio y Abas, y dos hijas que tenían por nombres Pronoe y Manto.

Alcanzó el don de la profecía cuando encontró una serpiente muerta, cuyos restos quemó en una hoguera, pero guardando con él a sus dos crías, a las que crió con todas las atenciones.

Cuando crecieron, estas serpientes, agradecidas, le purificaron las orejas con sus lenguas de tal manera que Melampous pudo entender desde entonces el lenguaje de todos los animales.

Le transmitieron también conocimientos y magias naturales capaces de purificar a los enfermos y devolverles la salud, haciendo de él un experto conocedor de todo tipo de hierbas medicinales.

Meleagro y Atalanta

En Calidón, el rey Eneo y su esposa, Altea, tuvieron un hijo llamado Meleagro. Recién nacido, visitaron la casa las parcas, que mirando al pequeño, dijeron de él:

«Será un hombre bueno como su padre».
«Será un héroe reconocido en todo el mundo».
«Vivirá hasta que se consuma la tea del hogar».

Su madre captó estas palabras y, en cuanto las parcas se fueron, fue al hogar a coger la tea, la apagó con agua y la escondió entre sus mayores tesoros.

Meleagro sería uno de los argonautas que viajó con Jasón a buscar el vellocino de oro y que, al volver a casa, mató al jabalí de Calidón.

En ausencia de su hijo, el rey Eneo se había ganado la ira de una diosa cuando, para agradecer un año próspero en frutos, ofreció en el altar de Deméter maíz, a Dioniso vino y en el de Atenea aceite, pero se olvidó de Artemisa, por lo que esta altiva doncella se vengó del mortal que no la había honrado y envió a su país un monstruoso jabalí de ojos brillantes y colmillos enormes, largos como los de un elefante, que todo lo destrozaba: cosechas pisoteadas, rebaños dispersos, los pastores huían de sus rebaños y los agricultores no se arriesgaban a recoger el fruto de sus viñas y olivos, dejándolos pudrirse en los árboles y matas.

Por eso, cuando Meleagro fue a casa de Colco, se encontró la tierra de su padre devastada por el monstruo, por lo que, de inmediato, reunió un grupo de cazadores y sabuesos para rastrear su guarida.

Entre los cazadores había un mujer, Atalanta, de quien se contaban historias extrañas.

Se decía que su padre también era rey y había esperado un hijo para que fuese su heredero, así que cuando le nació una niña la abandonó en la montaña para que muriese; pero la niña fue amamantada por una osa y creció como un varón, fuerte y hábil en el manejo del arco y de la lanza.

Pocos jóvenes podían superarla en fuerza o en coraje.

Cuando encontraron al jabalí, todos se lanzaron contra él con redes y perros, pero la primera lanza que alcanzó al jabalí fue la de Atalanta. El jabalí se precipitó sobre ellos como un trueno, pero cuando parecía que los hombres iban a perder la batalla ante su embestida, una flecha de Atalanta atravesó al jabalí que otra vez se detuvo, dolorido, y los hombres, avergonzados porque una mujer llevaba el protagonismo, se lanzaron al ataque.

El monstruo se tumbó en el suelo por culpa de las heridas que tenía y murió cuando Meleagro le clavó su espada hasta la empuñadura. Cortaron la cabeza del jabalí y le quitaron las aceradas cerdas, y Meleagro entregó estos trofeos a Atalanta, porque pensaba que era la única que se los merecía.

Pero algunos cazadores no estaban de acuerdo con esto, entre ellos los dos tíos de Meleagro, y se pelearon con él, acabando muertos a los pies de su sobrino.

Cuando las noticias de la muerte del jabalí llegaron a Altea, ésta salió al templo para dar gracias, pero en el camino se encontró con el séquito que llevaba a sus dos amados hermanos a la pira funeraria.

Al saber que había sido su hijo el que los había matado, le maldijo y, sacando la tea apagada que guardaba desde su nacimiento, la arrojó a las llamas que consumían a sus hermanos.

Meleagro murió cuando regresaba a casa trayendo el triunfo y el botín de la gran caza, y así se cumplió la profecía de las hermanas parcas. Al darse cuenta de las consecuencias de su venganza, la desconsolada Altea acabó con sus días arrojándose a la pira de sus hermanos.

Atalanta regresó a sus espacios salvajes, sin querer unirse con hombres desde que murió aquel que había conmovido su corazón. Pero su padre se enteró de esta promesa y procuró conseguirla un hombre que fuese o le diese el heredero de su reino, que aún no había encontrado.

Había muchos pretendientes que querían casarse con esa bella mujer, pero ella insistía en que no quería casarse. Por fin accedió ante las presiones de su padre, pero con una condición: el pretendiente tendría que ganarla a una carrera, si no ganaba, éste moriría.

El pretendiente debía correr desnudo y sin armas, pero la doncella llevaría una lanza para matarlos si perdían la carrera. En una de estas carreras triunfó Hipómenes, como ya se menciona en otro apartado de este volumen, con la ayuda de Afrodita y las tres manzanas de oro, hasta que el ganador olvidó agradecer a la diosa su ayuda y él y Atalanta fueron transformados en la pareja de leones enganchados al carro de Gea, a quien algunos asimilan con la diosa Cibeles.

Minos

Rey de Creta, hijo de Europa y Zeus (convertido en toro) y hermano de Sarpedón y Radamante.

Minos se casó con Pasifae y sus hijos fueron Acacálide, Ariadna, Androgeo, Catreo, Glauco y Fedra. Poseidón hizo salir del mar un enorme toro blanco, del que se enamoró la bella Pasifae por culpa de una maldición. Para copular con el toro, la reina pidió ayuda a su arquitecto Dédalo y éste le construyó una vaca de madera hueca, en la que se introdujo Pasifae para cumplir sus propósitos.

De esta relación nacería el minotauro, monstruo poderoso y antropófago, con la parte superior del cuerpo de toro y la inferior humana.

Cuando el minotauro fue imposible de dominar, Minos le encerró en el laberinto que había hecho construir a Dédalo, donde le daría muerte Teseo, hijo del rey

Egeo, que fue uno de los 14 jóvenes atenienses ofrecidos anualmente en sacrificio al minotauro. Para poder escapar del laberinto, Teseo contó con la ayuda de Ariadna, hija del rey Minos.

Mirra

De origen sirio, esta leyenda cuenta que el padre de una bella mujer llamada Esmirna (Cíniras, rey chipriota de Pafos), presumió de que su hija era más hermosa que Afrodita.

Ésta maldijo a Esmirna a desear sexualmente a su padre y una noche consiguió emborracharle para satisfacer sus deseos. Al quedarse embarazada y enterarse su padre, quiso matarla, pero Afrodita acabó compadeciéndose de ella y la convirtió en el árbol de la mirra, que al partirse en dos dio vida a Adonis.

Se dice que sus lágrimas de tristeza son las muy apreciadas gotas de resina del árbol.

Narciso

Cuando nació Narciso, hijo de una ninfa y un río, sus padres consultaron al adivino Tiresias que les dijo:

«Vivirá hasta viejo si no se contempla a sí mismo».

Así que hicieron retirar todos los espejos de la casa, pero un día Narciso, que estaba paseando, tuvo sed y se acercó a un riachuelo. Cuando iba a beber, vio su imagen reflejada en el río y quedó absolutamente cegado por su propia belleza. Hay quien cuenta que allí mismo murió de inanición, ocupado eternamente en contemplarse.

Otros dicen que, enamorado de su imagen, quiso abrazarse con ella y murió ahogado tras lanzarse a las aguas. En el lugar de su muerte quedó una nueva flor a la que se le dio su nombre: el narciso crece sobre las aguas de los ríos, reflejándose en ellos.

Las nereidas

Ninfas del mar, eran hijas de Nereo, antiguo dios de los mares, con Doris. Su función era velar por los navegantes en sus travesías.

Se conocen más de 70 nombres de nereidas, aunque entre las pocas que tienen mitos propios se encuentran Tetis, madre de Aquiles, Anfitre, esposa de Poseidón, o Galatea, amante del pastor Acis a quien por celos de ella mató Polifemo.

Representaban todo lo hermoso y amable del mar. Cantaban con voz melodiosa y bailaban alrededor de su padre.

En una relación no exhaustiva de nereidas, se puede recordar a Ploto, Eucranta, Sao, Eudora, Galena, Galuca, Cimótoa, Espeo, Toa, Halía, Pasítea, Érato, Eunice, Mélite, Eulímene, Ágave, Doto, Proto, Ferusa, Dinámene, Nesea, Actea, Protomedea, Doris, Pánope, Hipótoa, Hipónoe, Cimódoca, Cimatolega, Égone, Halimeda, Glaucónoma, Pontoporea, Leágora, Evágora, Laomedea, Polínoe, Autónoe, Lisiánasa, Evarna, Psámata, Menipa, Neso, Eupompa, Temisto, Prónoe y Nemertes, además de las tres antes citadas.

Néstor

Era el más joven de los hijos de Neleo (rey de Pilos) y Cloris. Fue el único superviviente de la matanza de sus hermanos llevada a cabo por Heracles, por haber tratado aquellos de robar los bueyes de Gerión.

Fue rey de Pilos y se le atribuía la muerte del gigante Ereutalión en la Arcadia. Tomó parte en el combate de los centauros y los lapitas, en la caza del jabalí de Calidón, y fue seguramente uno de los argonautas. Su gran longevidad le permitió participar también en la guerra de Troya. En los consejos, se distinguía por su elocuencia y era muy venerado y respetado por todos.

Terminada la guerra, en la que perdió a su hijo Antiloco, regresó a Pilos, donde aún vivió varios años más junto a su esposa Eurídice, hija de Climenos. A Pilos fue a visitarle Telémaco para que le diera noticias de su padre.

Las ninfas

Divinidades secundarias, «seres intangibles que todo lo pueblan y gobiernan» personifican la fecundidad de la Naturaleza. Forman parte del cortejo de dioses como Artemisa, Dionisos, Pan o incluso de otras ninfas de más alto rango como Calipso. Frecuentemente encontramos a ninfas en leyendas de amoríos con dioses o humanos.

Se las representa como jóvenes desnudas o semidesnudas, bellas y alegres. Su vida llega a tener una gran longevidad, pero son mortales.

Ninfas especialmente conocidas fueron Carna y Flora. Carna fue compañera de Jano, el de las dos caras, y Flora, famosa después por dar a luz al dios Marte, era la encargada del renacimiento anual arbóreo y sus fiestas se denominaban florales.

Céfiro se enamoró perdidamente de ella. Robigo, ninfa protectora del trigo, y Maia personificaban también el despertar de la Naturaleza.

El mes de mayo le debe su nombre a esta última. Pomona estaba especializada en la protección de los árboles de cultivo, tan importante, que tenía sacerdocio propio. Furrina, Marica, Florentina y Lara eran ninfas vinculadas a los bosques y a las fuentes.

De Lara nacieron los dioses lares, protectores de los hogares romanos. Feronia era la ninfa de los brotes más jóvenes de los árboles.

Relacionadas con Fauno, mitad hombre, mitad cabra e incansable perseguidor de ninfas, se han renombrado Dríope y Simetis, madre de Acis.

Según donde habitaban, eran llamadas de una forma u otra. Alguno de sus grupos: oréades (ninfas de las montañas), nereidas (ninfas del mar), náyades (ninfas de los ríos), crénides (ninfas de las fuentes), napeas (ninfas de los valles), antríades (ninfas de las cuevas), hamadríades (ninfas de los árboles), alseídes (ninfas de los bosques), agrónomos (ninfas de los campos), limónides (ninfas de los prados), perimélides (ninfas del ganado menor), epimélides (ninfas de las ovejas) o hespérides (ninfas del ocaso).

Níobe

Leyenda trágica de la hija de Tántalo, quien fuera condenado a sufrir eternamente de hambre y sed por haber robado la comida de los dioses. Níobe se casó con Anfión y llegaron a ser reyes de Tebas.

Tuvieron siete hijos y siete hijas, pero Níobe se atrevió a presumir de ello de forma exagerada, criticando a Leto por tener tan solo dos. Leto exigió a sus hijos que la vengaran.

Desde las murallas tebanas, Apolo abatió uno a uno a los hijos de Níobe, que participaban en los juegos atléticos. Sólo se salvó Cloris, pero también el padre, Anfión, pereció bajo sus flechas.

Por su parte, Artemisa asaeteó una a una a las siete hijas, desoyendo sus súplicas. Níobe huyó con el cadáver de su hija pequeña hasta el monte Sípilo donde, pese a transformarse en roca, sus ojos siguieron llorando y dieron origen sus lágrimas a un manantial que mana todavía.

Odiseo

Ulises para los romanos, el héroe de *La Odisea,* rey de Ítaca, estaba casado con Penélope, hija de Icario, y tuvo que ir con sus naves a Troya a rescatar a Helena debido a una promesa que le había hecho a Tíndareo, tío de su esposa.

Atrás dejó un hijo, Telémaco, apenas recién nacido.

La Odisea desarrolla el viaje de vuelta del héroe tras la victoria, con sus 12 naves, a través de peligros innumerables y a lo largo de 20 años.

Homero relata en ella cómo superó con tapones de cera los engaños de las sirenas, o la guerra con los cícones, y cuando les encerró el cíclope Polifemo, a quien cegó su único ojo y burló diciéndole que su nombre era «nadie», por lo que los cíclopes no ayudaron a Polifemo al creerle loco («nadie me ha cegado...») y de donde escaparon agarrados a las lanas de sus gigantescas ovejas, ganándose el odio de Poseidón.

Casi fue derrotado por los antropófagos lestrígones, que destruyeron once de sus naves, se enamoró de la hechicera Circe con quien tuvo a Telégono, y consiguió pasar entre Escila y Caribdis y superar también las rocas errantes, aunque se quedó solo y sin embarcación.

Calipso le retuvo muchos años en su reino, siendo padre con ella de Nausitoo y Nausinoo, hasta que los feacios le devolvieron a Ítaca.

Penélope había estado durante años rodeada de pretendientes a quienes engañaba para aguardar a su esposo, aunque existen versiones mucho más prosaicas sobre aquel período, pero ha pasado a la historia reputada como ejemplo de fidelidad.

Con ayuda de Telémaco, Odiseo acabó con la vida de tan indeseados ocupantes tras ser el único que consiguió tensar su antiguo arco, por lo que fue reconocido por todos.

Incluso por Penélope, a la que sin embargo, tuvo que contar destalles íntimos de sus relaciones para que aceptase que era su marido.

Se dice que Atenea alargó la noche de aquel día para que los esposos pudieran disfrutar su reencuentro.

Oinomaos

Hijo de Ares y de Harpina, era el rey de Pisa y tenía una hija, Hipodamia, a la que pretendían muchos jóvenes.

Se afirmaba que Oinomaos estaba profundamente enamorado de ella, aunque para otros expertos la versión fiable era que un oráculo le predijo que moriría a manos de su yerno, razón por la cual ponía grandes impedimentos a los enamorados de su hija, exigiendo a cuantos la pretendían que le venciesen en una carrera de carros.

Como el rey tenía un carro tirado por caballos divinos, regalo de Ares, que no podían ser vencidos, una vez empezada la carrera, sacrificaba un carnero a Zeus mientras el contrincante cabalgaba en vano, pues en cuanto Oinomaos montaba en su carro, le alcanzaba y adelantaba con facilidad para, una vez vencido, inmolar al pretendiente.

Había obtenido ya 12 victorias, seguidas de 12 sacrificios, cuando se presentó Pelops, hijo de Tántalos, quien más tarde daría su nombre a una ciudad y una región, el Peloponeso.

Hipodamia se enamoró de él y, con la ayuda de Mirilos, el cochero de su padre (que era hijo de Hermes y al que después mataría Pelops), saboteó la lanza del carro para que se rompiera durante la carrera.

Así ocurrió y Oinomaos murió arrastrado y bajo las pezuñas de sus propios caballos, gracias a lo cual Pelops se casó con Hipodamia, aunque no se cumplió el oráculo.

Los oráculos griegos

Situado al pie del monte Parnaso, el oráculo de Delfos estaba consagrado a Apolo, dios de la música, la razón y la verdad.

Era un oráculo que estaba relacionado con el agua. Antes de comenzar el ritual del oráculo, la pitonisa se bañaba o bebía de la fuente del agua divina y, una vez purificada, podía subir al santuario.

Luego bebía una pócima para inspirarse y masticando hojas de laurel se sentaba sobre un trípode de bronce suspendido sobre una profunda grieta que había en el suelo de la roca. Ante las preguntas de los consultantes, la pitonisa respondía con palabras entrecortadas, que posteriormente interpretaban los sacerdotes del templo.

Según el mito, Zeus liberó dos águilas, una en los confines de Occidente y otra en el extremo de Oriente. Las rapaces atravesaron la tierra hasta coincidir en Delfos, el centro del mundo, donde se podían encontrar respuestas para todas las preguntas y donde los legisladores llevaban las leyes para obtener la aprobación de los Dioses.

También el oráculo de Dodona era muy venerado, aunque éste estaba consagrado al dios Zeus, rey de los dioses del Olimpo, y a la diosa de la tierra, Diove.

Según la leyenda, el de Dodona fue fundado por mandato de una paloma negra, que llegó del Alto Egipto. Esta ave milagrosa se posó en las ramas de un árbol y hablando con voz humana, ordenó la construcción de un templo para Zeus, donde el dios pudiese manifestar su voluntad.

También Delos (pequeña isla del archipiélago de las Cicladas) albergaba un oráculo consagrado al dios Apolo, así como a su madre Leto y a su hermana Artemisa.

Delos se consideraba el hogar terrenal de Apolo a quien se adoraba como rey de los ratones. Los ratones cumplían un papel importante en el oráculo, pues se interpretaban los nacimientos de éstos y su deambular a través de una serie de laberintos para obtener respuestas a las preguntas formuladas. La santidad de la isla era tan grande que la tradición afirmaba que no se permitía a la muerte posarse en ella.

Orestes

Hijo de Agamenón y Clitemnestra, hermano de Electra, de niños vieron cómo su propio padre daba muerte a su hermana pequeña Ifigenia para conseguir de los dioses vientos favorables para su ejército en su ataque a la ciudad de Troya.

Electra, temiendo por su vida, le envió a Fócide, al cuidado de su tío el rey Estrofio, hasta que ya mayor volvió disfrazado tras conocer la muerte de su padre asesinado por Clitemnestra y su amante, el viejo Egisto.

Juntos los hermanos tramaron venganza, de modo que una noche mandaron aviso a su madre de que Electra iba a dar a luz. Cuando Clitemnestra abandonó la casa, Orestes asesinó a Egisto y fue seguidamente a donde se encontraban su hermana y su madre.

Pese a tener grandes dudas y un trágico sentimiento, no supo contradecir a su hermana y hundió su espada en el pecho de quien le había dado la vida.

Orfeo

Hijo de Apolo y de la musa Calíope, de su padre aprendió cuanto tenía que ver con la música, aunque fue también su amante y hasta le regaló su propia lira (fabricada por Hermes del caparazón de una tortuga), como prueba de amor.

Más tarde, Orfeo añadiría dos cuerdas a esta lira, inventando la de nueve cuerdas.

Con su música era capaz de calmar a las bestias salvajes e incluso de mover árboles y rocas y detener el curso de los ríos.

Viajó con los argonautas, a los que ayudó a pasar indemmes los islotes de las sirenas. Cuando empezaron sus cantos, que usaban para atraer a los marineros hacia los arrecifes, tocó su música, que al ser tan bella hizo que enmudecieran.

Se le supone uno de los pioneros de la civilización, que enseñó a la humanidad la medicina, la escritura y la agricultura. También fue augur y profeta, y practicó las artes de la magia, en especial la astrología.

Su leyenda más conocida fue la de su esposa Eurídice, que mientras huía de Aristeo fue mordida por una serpiente y murió.

Consternado, Orfeo descendió al Hades y con su música ablandó el corazón de Perséfone, quien permitió a Eurídice retornar con él a la tierra a condición de que él caminara delante de ella y no se volviera. Orfeo se giró para comprobar si su esposa seguía sus pasos y Eurídice se desvaneció ante sus ojos.

Desde entonces, Orfeo renegó del amor de las mujeres y tomó únicamente jóvenes efebos como amantes. Murió despedazado por las ménades.

Orión en el cielo

Fue un mortal «engendrado» por tres dioses, Zeus, Hermes y Poseidón (aunque otras versiones le hagan hijo de Poseidón y Euriale), que creció hasta convertirse en un gigante que podía caminar por el fondo del mar con la cabeza y los hombros sobre el nivel del agua.

Era un apuesto gigante y poderoso cazador, hijo de Poseidón. Su padre le había otorgado el poder de atravesar nadando las profundidades del mar o, según otros, de caminar sobre su superficie.

Orión amaba a Merope, la hija de Enopión, rey de Chíos, y ansiaba casarse con ella. Limpió la isla de animales salvajes y le regaló toda la caza a su amada, pero

Enopión constantemente negaba su consentimiento, así que Orión intentó hacerse con la muchacha por la fuerza. El padre de Merope, encolerizado por esta conducta, emborrachó a Orión, le privó de la vista y le arrojó a la orilla del mar.

El héroe, ciego, siguió el sonido de los martillos del cíclope hasta que le condujo a Lemnos y entró en la fragua de Vulcano, quien se apiadó de él y le cedió a Kedalión, uno de sus hombres, para que lo guiara hasta la mansión del Sol. Llevándole Kedalión sobre sus hombros, Orión se dirigió hacia el Este y allí encontró a Helios, que le devolvió la vista con sus rayos.

Después de esto vivió como cazador con Artemisa, convirtiéndose en uno de sus favoritos. Una vez estuvieron a punto de casarse, pero Apolo, su hermano, no deseaba esta unión, de manera que, un día, observando que Orión vadeaba el mar del que sobresalía tan sólo su cabeza, Apolo se lo señaló a su hermana y le desafió a que no era capaz de acertarle a aquella cosa negra que flotaba en el agua.

La diosa arquera lanzó su dardo con terrible puntería, de manera que, más tarde, las olas llevaron el cadáver de Orión hasta la orilla y, dándose cuenta de su fatal error, Artemisa lo colocó entre las estrellas, donde aparece como un gigante con su cinturón, una espada, un mazo y vestido con la piel de un león; Sirio, su perro, le va siguiendo, y las pléyades vuelan delante de él.

Las pléyades eran ninfas de Artemisa, hijas de Atlas. Un día Orión las vio, se enamoró y las persiguió, por lo que ellas rogaron a los dioses que las transformaran. Zeus las transformó en palomas y las colocó entre las pléyades del cielo.

Aunque las pléyades eran siete, sólo se ven seis estrellas porque una de ellas, llamada Electra, abandonó su lugar para no contemplar la destrucción de Troya, la ciudad que había sido fundada por su hijo Dárdano. La visión de la derrota troyana tuvo tal efecto entre sus hermanas, que palidecieron desde entonces para siempre.

Otros cultos

Durante el Imperio se concentraron en Roma los cultos de las religiones que se practicaban en los muchos países conquistados, que tomaban cada día más auge en detrimento de los cultos y religión propiamente romanos.

Sobre todo, fueron los cultos de las religiones orientales los que más profundamente penetraron entre los ciudadanos, como los cultos de Isis, Serapis,

Cibeles o Mitra. Nunca pudieron detener esta progresión y los emperadores no tuvieron más remedio que darlos por buenos.

Incluso, a estos cultos, se añadió además el culto al emperador, a imitación de ciertas prácticas de Oriente. Tras de la muerte de Augusto, el Senado, por medio de un decreto, le elevó al rango de dios, circunstancia conocida como la «apoteosis».

Otros emperadores, como Nerón, Calígula y Domiciano, se hicieron adorar mientras vivían.

Pales

Dios que pertenece exclusivamente a la mitología romana, para la que era una antigua divinidad protectora de pastores y rebaños. Unas veces se decía de él que era un genio masculino y otras, femenino.

Sus celebraciones festivas eran las Palilies, que se celebraban en primavera, en el mes de abril, y que fueron muy bien descritas por Ovidio en sus *Fastos.*

Comenzaban con una gran ceremonia de purificación en la que se echaba agua sobre las ovejas y se purificaban los establos con azufre. En los hogares sólo se quemaba aquel día leña de pino y al dios/diosa se le ofrecían bollos hechos con mijo y leche.

La salmodia que acompañaba a la ofrenda la repetían tres veces y posteriormente se prendía fuego a grandes hogueras de paja sobre las que tenía que saltar tres veces quien quisiera purificarse. También se decía que estas fiestas coincidían con el aniversario de la fundación de Roma por Rómulo.

Pandora

Para vengarse de Prometeo por haber entregado el fuego a los mortales, Zeus ordenó a Hefestos que le fabricara con arcilla una mujer para que no pudiera vivir con ella ni sin ella.

El herrero fabricó una hermosa mujer y le dio vida. Venus le concedió la belleza, Atenea la sabiduría y la habilidad, Mercurio la palabra fácil y el ingenio rápido, las horas y las gracias el encanto de los vestidos, y le adornaron el pecho y los brazos con joyas y guirnaldas de flores. Le pusieron por nombre Pandora, que significa «todos los dones», y el gran dios de dioses le regaló una cajita con orden de que no la abriera. Fue, pues, la primera mujer sobre la tierra.

Cuando quiso Zeus regalarle la mujer a Prometeo, éste sospechó y dejó que Pandora se quedara con su hermano Epimeteo. Por curiosidad, Pandora abrió la misteriosa caja, de la que brotaron todos los males de la tierra.

Cuando, aterrorizada, intentó cerrarla, sólo consiguió dejar encerrada a la Esperanza, lo único bueno que contenía. Pirra, hija de Epimeteo y Pandora, y su esposo Deucalión, hijo de Prometeo, fueron las dos únicas personas que sobrevivieron al diluvio que Zeus mandó sobre la humanidad para destruirla.

Paris

Segundo hijo de Príamo y Hécuba, reyes de Troya. Un oráculo les anunció que su hijo traería la destrucción de la ciudad, y que para evitarlo, deberían darle muerte al nacer. Incapaces de matar al niño, lo abandonaron en el monte Ida donde, durante cinco días, una osa le amamantó. Años más tarde, su hermana Casandra, que era hechicera, le reconoció y volvió con su familia.

Según la leyenda, Atenea, Hera y Afrodita se disputaban una manzana de oro regalo de Zeus y las tres se sometieron al juicio de Paris.

Hera le prometió el dominio de toda Asia si decidía a su favor.

Atenea le ofreció la prudencia, la sabiduría y la victoria en todas las batallas.

Y Afrodita le ofreció el amor de la mujer más hermosa del mundo, Helena, esposa del rey Menelao de Esparta.

Paris decidió en favor de Afrodita, viajó a Esparta enamorando a Helena para llevarla a Troya. Menelao, furioso, reunió a los reyes aliados y, con el apoyo de Hera y Atenea, atacó Troya, iniciándose de este modo la guerra en la que perdieron la vida Aquiles, Paris y su hermano Héctor, que terminó con la destrucción de la ciudad-estado.

Pasífae

Hija de Helios y de la oceánide Perséis, esposa de Minos, sus hijos fueron Acacálide, Ariadna, Androgeo, Catreo, Glauco y Fedra. Poseidón hizo salir del mar un enorme toro blanco, del que se enamoró Pasífae por una maldición.

Para copular con el toro, Dédalo le construyó una vaca de madera hueca cubierta con la piel de una vaca auténtica, en la que se introdujo Pasífae con las piernas encajadas en los cuartos traseros del artilugio para cumplir sus deseos.

De esta relación nacería el minotauro, mitad toro y mitad hombre, al que daría muerte Teseo con ayuda de Ariadna, que le dio una madeja de hilo para que pudiera salir del laberinto de Cnossos, donde vivía encerrado el monstruo.

Patroclo

Hijo de Menecio, fue el mejor amigo de Aquiles y posiblemente su amante, desde que su padre tuvo que huir al exilio y se refugió con su hijo en el palacio del rey Peleo.

Aquiles y Patroclo fueron educados por Quirón, rey de los centauros, que les alimentó de jabalíes, entrañas de león y médula de oso para aumentar su valentía. También les enseñó el tiro con arco, todas las artes relacionadas con la elocuencia y la curación de las heridas, mientras la musa Calíope les enseñaba el canto.

Patroclo luchó con los griegos en la guerra de Troya y, cuando Aquiles se negó a luchar por su disputa con Agamenón, Patroclo vistió su armadura y fue muerto por Héctor con la ayuda de Apolo, creyéndole el héroe.

Tras recuperar su cuerpo inerte, Aquiles volvió al combate y vengó la muerte de su amigo, matando a Héctor y arrastrando su cuerpo por la arena con su carro de combate.

El dolor de Aquiles era enorme y durante algún tiempo se negó a enterrar el cuerpo de Patroclo, se cortó un mechón de pelo y sacrificó caballos, perros y 12 prisioneros troyanos antes de colocar el cuerpo en la pira.

Después organizó una competición atlética en honor de su amigo muerto, en lo que fue una de las primeras referencias al deporte griego.

Pegaso

Caballo alado, hijo de Poseidón y del cuello de la Medusa cercenado por Perseo. Tras nacer, voló al Olimpo para servir a Zeus.

Atenea le entregó a Belerofonte una brida de oro para que le domase y pudiera montarlo, y a su grupa el héroe venció a Quimera y a las amazonas, hasta que un tábano enviado por Zeus encabritó a Pegaso y éste tiró a Belerofonte de sus lomos, volviendo al servicio de su auténtico amo, quien le convirtió en una constelación en los cielos.

Peleo

Fue el padre de Aquiles y de Neptodemo. Incluso a Aquiles se le denominaba en ocasiones «el Pélida» en honor de su padre, y era, a su vez, hijo de Aiacos, por tanto, nieto del mismo Zeus, y de Endeis.

Siendo rey de Ftia, viajó a Iolcos para ver al rey Acasto, pero Astidamia, la reina, se enamoró de él. Al ser rechazada, Astidamia le acusó ante su marido de intentar seducirla, motivo por el que se ahorcaría la mujer de Peleo.

Acasto, creyendo a su esposa, invitó a Peleo a una cacería, en la que le robó la espada que le había dado Hefestos, el dios herrero, y lo abandonó entre los centauros para que le mataran, pero fue salvado por Quirón, quien se hizo su amigo. Incluso, más tarde, el centauro le ayudaría a seducir a Tetis, con quien Peleo tuvo a Aquiles, que fue educado por Quirón para protegerle, ya que Tetis tenía por costumbre matar a todos los hijos que tenía.

Tras la emboscada, Peleo regresó a Iolcos, mató al rey y a la reina y se apropió del reino con ayuda de Jasón y de los gemelos dioscuros. Ya anciano, luchó al lado de su hijo en la guerra de Troya pero, perseguido por los hijos de Acasto, huyó a la isla de Cos, donde murió después de encontrar a su hijo Neptolemo.

Pelopia

Era hija de Tiestes, al que un oráculo había anunciado que acabaría sus días a manos de un hijo que tendría con su propia hija, como venganza de su hermano Atreo por haber matado al resto de sus hermanos.

A pesar de ello, una noche Tiestes violó a Pelopia, huyendo después asustado. Pelopia no supo quién había sido su violador, pero se guardó la espada que éste se había dejado a los pies de su cama.

Cuando nació Egisto, fue abandonado por su madre, aunque por suerte fue encontrado y criado por unos pastores. Pelopia se casó con Atreo sin conocer la historia de la pasada muerte de sus hermanos, y mandó entonces buscar al hijo que había abandonado, encontrándolo y trayéndolo a su casa, donde su esposo Atreo le adoptó y crió. Cuando Egisto ya era un fuerte muchacho, Atreo le envió a Delfos para que matara a Tiestes, entregándole como arma la espada que su esposa guardaba celosamente.

Al ver Tiestes aquella espada que reconoció como la suya, preguntó a su agresor por su origen y le pidió que le llevara junto a su madre, lo que el joven hizo, de manera que Tiestes pudo confesarles, a su madre y a él, su delito. Pelopia, al enterarse de que su propio padre la había violado, se apoderó de la espada y se suicidó con ella. Egisto se la desclavó ensangrentada y, para acabar con la maldición, fue a buscar a Atreo, y le mató con ella, tras lo cual volvió con su progenitor y abuelo a Micenas, donde ambos reinaron.

Penélope

Esposa de Odiseo, madre de Telémaco, e hija de Icario y de la náyade Peribea.

En un principio, dice la leyenda que Odiseo acudió a Esparta para pedir la mano de Helena, pero al ver la cantidad de competidores que tenía, solicitó en su lugar la de una sobrina de Tindáreo, Penélope, que le fue concedida por inventar el juramento mediante el que todos los pretendientes de Helena se comprometían defender al que eligiera la muchacha.

Por eso Odiseo tuvo que partir hacia Troya, atrapado por el juramento que el mismo ideó, cuando Helena fue raptada por Paris.

Penélope ha pasado a la historia como un ejemplo de fidelidad conyugal, pues esperó la vuelta de su esposo durante 20 años, rechazando al menos a un centenar de pretendientes que codiciaban tanto a la mujer como las riquezas del héroe y celebraban banquetes que vaciaban las arcas del país.

Para ganar tiempo, les comunicó que elegiría marido el día que terminase de tejer un sudario para su suegro, Laertes, con lo que se pasaba el día tejiendo, pero por la noche deshacía el trabajo del día.

Peroboia

Madre de Áyax, el héroe troyano, al que tuvo con Telamón, e hija del rey Alcatos de Megara.

Una leyenda contaba que, habiendo viajado Minos a Atenas para reclamar un tributo que se le adeudaba, en el camino de vuelta se encaprichó de una de las cautivas que trasladaba a su reino, llamada Peroboia que, junto a su hermana Eriboia, figuraba entre las jóvenes víctimas destinadas a alimentar al Minotauro.

Minos trató de violarla y la joven llamó en su ayuda a Teseo, de modo que ambos discutieron y, al despreciar Minos a Teseo, éste se manifestó dispuesto a demostrarle que era más fuerte que él, pues si Minos era hijo de Zeus, Teseo lo era de Poseidón.

Minos invocó enseguida a su padre Zeus, que hizo restallar un terrible relámpago, tras lo cual Minos, quitándose un anillo, lo lanzó al mar e invitó a Teseo a que fuera a buscarlo y demostrar así lo que había dicho. Teseo se zambulló en el mar, llegó al palacio de Poseidón y éste le entregó el anillo.

Más tarde se dijo que Teseo se había casado con Peroboia, pero nunca se escucharon otros relatos de aquel matrimonio.

Perseo

De la unión de Zeus, transformado en lluvia de oro, con Danae nace Perseo.

Enterado Acrisio, el marido, arroja a ambos en un cofre al mar y en él llegan hasta Serifos, donde Perseo crece. Polidectes, el rey de Serifos, le obliga a matar a la gorgona, para lo que las ninfas le entregan unas sandalias aladas, una alforja y el casco de Hades, que convierte en invisible a quien se lo pone.

Recibe también de Hermes una espada curva y de Atenea un espejo. Con todas estas armas Perseo llega hasta el país de las gorgonas que se supone estaba en Hispania, en la región de Tartessos (Andalucía).

Las gorgonas eran monstruos terribles con la cabeza rodeada de serpientes, colmillos de jabalí, manos de bronce, alas de oro y el poder de petrificar a quien las miraba a los ojos.

Perseo se acerca a ellas de espaldas utilizando el espejo y le corta la cabeza a Medusa, que era la única mortal de las tres hermanas, la introduce en la alforja y emprende el regreso. El estrépito despierta a las otras gorgonas, que no pueden perseguirle porque lleva puesto el casco que le hace invisible.

En su camino de vuelta convierte a Atlas en una montaña de piedra y libera a Andrómeda, hija del rey de Etiopía. Andrómeda y Perseo viven juntos y tienen un hijo, Perses. Más tarde, Perseo, Andrómeda y Danae vuelven a Argos, donde aún gobierna Acrisio, que huye a Larisa. Allí será donde, por accidente, un disco lanzado por Perseo acabará con la vida de Acrisio, cumpliéndose la profecía.

Pigmalión

Rey de Chipre, justo y sabio, amado por su pueblo, era un escultor tan dedicado a su arte, que no demostraba interés alguno por encontrar esposa. Encerrado durante tiempo en su taller, elaboró la estatua de una mujer de gran belleza que hasta parecía estar viva, por lo que la vistieron, y a la que Afrodita insufló la vida conmovida por las súplicas de su creador.

Pigmalión la llamó Galatea, y al preguntarle si quería convertirse en su reina, ésta le contestó que le bastaba con ser su esposa.

Polícrito

Fue un rey etolio que se casó con una doncella de Locres, con la que sólo vivió tres días, falleciendo en el transcurso de la cuarta noche. De él se contaba una leyenda tan extraña como poco conocida.

Se dijo que, al cabo de nueve meses, su mujer dio a luz un niño que tenía ambos sexos. Asustada, la madre se fue al Ágora y reunió al pueblo para que juzgara qué debía hacerse con el pequeño hermafrodita, y todos los presentes consideraron que se trataba seguramente de una maldición divina, por lo que procedía quemar al niño y a la madre.

En aquel dramático momento, Polícrito apareció vestido de negro de la cabeza a los pies, y reclamó para sí al niño y, como el pueblo vacilara en entregárselo, el fantasma del rey se apoderó de su hijo y lo devoró todo excepto la cabeza, desapareciendo a continuación.

La cabeza del niño, que reposaba en el suelo, comenzó entonces a hablar, profetizando que en breve estallaría una guerra, y pidió luego que, en vez de enterrarla, la colocaran en un lugar donde le diera el sol.

Polifemo

Uno de los cíclopes, hijo de Poseidón y de Toosa, salvajes de tamaño descomunal y un solo ojo que habitaban en la isla de Sicilia. Durante su viaje de regreso, Odiseo y sus compañeros se toparon con el siniestro Polifemo, que los encerró en el interior de su gruta y los fue devorando de dos en dos hasta que consiguieron emborracharlo y dejarlo ciego clavándole el tronco de un inmenso pino en su único ojo. También se decía que Polifemo se enamoró de la delicada ninfa Galatea y que por ello mató a su enamorado, el pastor Acis.

Príamo y Tisbe

En tiempos de Semíramis, no había en Babilonia ni joven más apuesto que Príamo ni doncella más hermosa que Tisbe. Sus familias vivían en casas contiguas y la amistad que tenían de niños fue volviéndose amor cuando se fueron aproximando a la pubertad.

Deseaban casarse pero sus familias se oponían a ese matrimonio. En el muro que separaba las dos casas había una grieta que los amantes pronto descubrieron y, aunque sólo la voz atravesaba tan estrecha vía, los tiernos mensajes que se escribían pasaban de un lado a otro a través de la hendidura, burlando así la vigilancia de sus familiares.

Un día, después de lamentar su triste suerte, acordaron que a la noche siguiente huirían sin ser vistos para escapar de casa. Se citaron en un edificio, fuera de los límites de la ciudad, llamado la tumba de Nino.

El que llegara primero debería esperar al otro al pie de una morera de frutos blancos, junto a una fuente que allí había. Cuando llegó la noche, Tisbe, sin que su familia se percatara, se escabulló cautelosamente, cubrió su cabeza con un velo, llegó hasta el monumento reseñado y se sentó bajo el árbol.

Mientras estaba allí, sola, distinguió, a la pálida luz de la luna, la silueta de una leona que se dirigía hacia la fuente para calmar su sed. Tisbe buscó refugio seguro en el hueco de una roca pero, en su huida, se le cayó el velo que le cubría.

La leona, después de beber, volvía hacia el bosque cuando el velo caído en la hierba llamó su atención y lo sacudió y desgarró con su boca ensangrentada por el reciente atracón que se había dado.

Príamo llegó entonces al lugar de la cita y, al ver las huellas de león en la arena, creyó que su amada había muerto en las garras de la fiera y, recogiendo el velo, lo cubrió de besos y lágrimas.

«También mi sangre manchará esta tela», dijo, y sacando su espada se la clavó en el corazón. La sangre que brotó de la herida tiñó de rojo las blancas moras del árbol, penetró en la tierra y alcanzó las raíces de forma que su color ascendió por el tronco hasta teñir los frutos.

En ese momento, Tisbe, temblando aún de miedo, pero sin querer defraudar a su amado, se acercó con precaución y buscó ansiosamente al joven para contarle el peligro del que había escapado.

Cuando llegó al lugar, vio que el color de las moras era distinto y creyó que se había equivocado de árbol. Entonces descubrió, retorciéndose en el suelo, el cuerpo de su amado que agonizaba y gritó, se golpeó el pecho y se abrazó a él derramando lágrimas sobre su herida y besando sus fríos labios.

Llamó por su nombre a Príamo y cuando la escuchó, éste abrió los ojos aunque luego los volvió a cerrar. Ella vio su propio velo manchado de sangre y comprendió lo que había pasado, exclamando:

«Has muerto por tu mano y por causa mía. Yo también puedo ser valiente, ya que mi amor es tan fuerte como el tuyo. Te seguiré y la muerte no evitará que me reúna contigo. Vosotros, desdichados padres nuestros, no neguéis nuestra unánime voluntad. Puesto que el amor y la muerte nos han unido, permitid que reposemos en una sola tumba. Que tus frutos, árbol, conserven siempre la marca de nuestra sangre y sirvan para recordarnos».

Entonces, a su vez, hundió la espada en su pecho. Tanto sus familiares como los dioses respetaron su deseo, por lo que los cuerpos de ambos amantes fueron sepultados juntos y, desde entonces, los frutos de la morera son de color púrpura como lo fueron aquel día.

Prometeo

Hijo del titán Jápeto y la oceánide Clímene (Asia en otras versiones), era hermano de Atlas, Epimeteo y Menecio, a los que superaba en astucia y engaños.

No tenía miedo alguno a los dioses, y ridiculizó a su primo Zeus. Es el benefactor de la humanidad por excelencia, puesto que robó el fuego sagrado del Olimpo para dárselo a los hombres.

Como castigo, Prometeo fue encadenado a unas rocas situadas en el Cáucaso y allí, todos los días un águila le devoraba el hígado, que se regeneraba para sufrir el mismo tormento al día siguiente. Treinta años después, Heracles, camino del jardín de las Hespérides, mató de un flechazo al águila y liberó a Prometeo.

Como recompensa, el titán le aconsejó que engañase a Atlas para que fuese él quien recogiese las manzanas de oro. El castigo de Zeus para los hombres fue crear a la primera mujer, Pandora. Con Celeno, Prometeo fue padre de Deucalión, quien sobrevivió con Pirra al diluvio que arrasó la Tierra, por lo que toda la humanidad debe considerarse heredera suya.

Psique

Era tan bella que los mortales habían dejado de adorar a Afrodita, por lo que la diosa envió a su hijo Eros para matarla. Pero, cuando éste la vio, se enamoró instantáneamente de ella y le pidió al dios del viento que la escondiera en un palacio lejano.

La noche llegó y, cuando Psique (alma) iba a dormir, sintió que alguien estaba con ella. Luego percibió un cuerpo masculino y una voz le dijo que no podía volverse a mirarle porque desaparecería, tras lo que la sedujo y la hizo suya, sin saber la princesa que yacía con un dios. Más tarde, Zeus hizo a Psique inmortal dándole ambrosía, y Eros se casó con ella. El romance prohibido entre un dios y la hija de un mortal, ha inspirado a muchos artistas.

Quimera

Animal fantástico, hija de Tifón y Equidna (la víbora), era una mezcla monstruosa de especies, con cabeza de león, busto de cabra y cola de serpiente.

Lo más aterrador de esta criatura es que expulsaba fuego por la boca, por lo que resultaba casi invencible y sumamente peligrosa. Fue criada por Amisodares, rey de Caria, y su lugar de residencia era Pátara.

Como diezmaba los rebaños de Licia, el rey Yóbates le pidió a Belerofonte que la matase. El héroe acudió montando su caballo alado Pegaso y consiguió evitar con plomo derretido que se reprodujese la cabeza de Quimera cuando se la cortó, acabando con la bestia.

Quirón

Quirón, el centauro, mitad hombre y mitad caballo, nació fruto de un castigo de Zeus al lapita Ixión por haber asesinado a su futuro suegro Deyonero, e intentar seducir a Hera, esposa de Zeus, aprovechándose de que la diosa tenía motivos sobrados para vengar las múltiples infidelidades de su esposo.

Zeus adivinó las intenciones de Ixión tras un banquete en el Olimpo, de modo que fabricó con nubes una mujer igual que Hera para que la viera Ixión (mujer que se conocería más tarde como Nefele), el cual la sedujo, engañado.

De la unión entre Nefele e Ixión nació un niño centauro, el cual, ya de adulto y tras copular con yeguas magnesias, engendró toda una raza de hombres-caballo, llamados centauros, de los que el más conocido resultó ser uno de sus reyes, llamado Quirón. Por el intento de seducción de Hera, Zeus ordenó a Hermes que azotara a Ixión, le atara a una rueda ardiente y, de esa manera, fuera colocado en el cielo hasta su sincero arrepentimiento.

Quirón y su entorno más próximo participan de numerosas leyendas de hombres y dioses, de las que se relacionarán aquí las más conocidas: Eolo, hijo mayor de Heleno y antepasado de todos los griegos, sedujo a la ninfa Ftia, hija del centauro Quirón, profetisa a la que otros llaman Tetis, que era compañera de caza de Artemisa.

Para evitar que se conociera su embarazo, y no disgustar a su padre, pidió ayuda a su antiguo amante Poseidón, quien la transformó en una yegua para que pudiera esconderse, conocida como Evipe, y así pariera un potrillo, Melanipe, sin despertar sospechas.

Posteriormente Poseidón transformaría al potrillo en una niña a la que llamaron Arne y de la que Eolo se haría cargo dándosela, para que la criara, a Desmontes.

Quirón tenía fama de sabio, médico y profeta. Su árbol sagrado, el tilo, tiene una corteza que se empleaba para realizar unas delgadas tablillas donde escribir o también para hacer adivinaciones, y de la flor del tilo se obtiene una infusión reconstituyente de donde derivaría la relación de Quirón con la medicina.

Fue Quirón quien aconsejó a Apolo el rapto de la ninfa Cirene, princesa lapita de quien tuvo a Aristeo, iniciador de las dinastías de reyes de Libia. También intervino para salvar la vida del joven Peleo a manos de un grupo de centauros salvajes, explicándole cómo recuperar la espada mágica que había sido de su padre, el rey Eaco, con la que pudo vencer a sus atacantes.

El centauro Quirón murió a causa de un desgraciado accidente, al clavarse en su pezuña izquierda una flecha envenenada de su amigo y discípulo Aquiles. Como no podía morir, pues Zeus le había inmortalizado, sufría tanto que solicitó de Zeus la muerte o sustituir a su amigo Prometeo en el castigo celeste y el dios de dioses le permitió morir.

En casi todos los relatos míticos, los centauros aparecen como aliados de los invasores eolios y enemigos de la otra tribu importante de nativos, los lapitas. En Magnesia, la ninfa Cenide, hija del rey lapita Corono, le pidió a Poseidón que la transformara en hombre como premio por haber mantenido relaciones con él. Poseidón accedió, cambió su sexo y la ninfa empezó a llamarse Ceneo.

A Zeus no le gustaron las consecuencias que podría tener aquella anécdota y persuadió a los centauros para que la matasen y, al morir, su cuerpo se convirtió de nuevo en el de una mujer.

Rhoecus y la ninfa constante

Un día, un hombre llamado Rhoecus vio un roble que se estaba cayendo y ordenó a sus sirvientes que lo apuntalaran para que se sostuviera en pie. La ninfa del árbol, que había estado a punto de morir junto con su contenedor, le expresó su gratitud por haberle salvado la vida y le pidió que eligiera la recompensa que deseara. Rhoecus fue atrevido y le pidió su amor, y la ninfa concedió su deseo. Ella le exigió a cambio que fuera constante y concertaron que una abeja sería su mensajera, que le haría saber cuándo requería su compañía.

Un día, la abeja se acercó a Rhoecus cuando estaba jugando a las damas y él bruscamente la espantó sin darse cuenta, lo que enfadó tanto a la ninfa que le privó de la vista.

Rodope

Rey de los mirmidones, que eran súbditos de Aquiles y cuyos ejércitos formaban su guardia personal, acompañándole en todas sus innumerables intervenciones militares, como fue el caso más conocido de la guerra de Troya.

Rodope era hijo de Zeus y de Eurimedusa, y padre de Áctor y de Antifo, hijos que tuvo con su esposa Pisidice.

Como origen de las mirmidones, relata Hesiodo que, después de una peste que había asolado Egina, las hormigas, que eran muy numerosas, se convirtieron en hombres gracias a los ruegos y sacrificios que ofreció Eaco a Zeus.

Rómulo y Remo

Después de la guerra de Troya, Eneas, príncipe troyano hijo de Anquises y de Afrodita, se lanzó a la mar huyendo de su ciudad en busca de un nuevo territorio donde poder vivir, hasta que la fortuna le condujo, después de innumerables peripecias, por tierras mediterráneas, hasta la península Itálica. Allí, Eneas funda Lavinium mientras que su hijo Ascanio funda la ciudad de Alba Longa.

Posteriormente aparecerá la figura del rey Numitor, del que se tiene mayor información y que da origen a la «fábula de Rómulo y Remo», que relata Tito Livio en su libro sobre la historia de Roma titulado *Ab urbe condita* (Desde la fundación de la ciudad).

Correspondía el gobierno de la ciudad a Numitor, el hijo primogénito del rey Proca, pero su hermano pequeño, Amulio, no sólo no lo aceptó, sino que se sublevó, le hizo prisionero y se apropió del reino, matando a todos los hijos varones de Numitor, aunque no a su hija, Rea Silvia.

Amulio temió que, si ésta llegaba a tener descendencia, sus hijos le pudieran disputar el trono, y por esta razón procuró que no los tuviera. Así que decidió dedicarla a mantener vivo el fuego del hogar en el templo de las vestales, porque las sacerdotisas de Vesta, la diosa protectora del hogar, no se podían casar ni tener hijos durante 30 años, so pena de un severo castigo.

Aun así, Rea Silvia quedó embarazada. Para que no fuera tan grave el evidente sacrilegio, penado con la muerte, se difundió el rumor de que había sido el dios Marte el causante de su estado, de forma que la descendencia de Rea Silvia tendría además origen divino.

Cuando Amulio se enteró del acontecimiento, la hizo apresar y encadenar, y a los gemelos que parió los quiso ahogar en las aguas del río Tíber. Por suerte para los recién nacidos, el río estaba crecido y, al bajar las aguas, los gemelos quedaron en la orilla. Lloraban de hambre cuando una loba recién parida, que bajaba a beber al río, les oyó y, acercándose a ellos, les dio de mamar.

Mamando de la loba los encontró el jefe de los pastores del rey, llamado Fáustulo, quien se los llevó y entregó a su esposa Larentia para que los criara como si fueran sus hijos.

También hay quien dice que Larentia era una prostituta a la que los pastores llamaban «la Loba».

Los gemelos crecieron fortaleciendo su cuerpo y su mente con los trabajos y juegos de los pastores. Con el paso de los años, Rómulo y Remo descubrieron sus orígenes y decidieron acabar con el hombre que les había condenado, el impostor rey Amulio, asesinando a su tío y devolviendo el poder a su abuelo Numitor que, en agradecimiento, les asignó la propiedad de las tierras que les vieron crecer, en el monte Palatino. Corría el año 753 a. C.

Rómulo escogió una de las siete colinas y, con un arado tirado por un caballo y un buey blancos, hizo un surco que delimitaba la extensión de la ciudad, (llamado *Pomerium*), y consultó a los dioses para saber cuál de los dos hermanos debía ser el regidor de esa tierra, mediante la fórmula mágica de contar las aves que sobrevolaban en ese momento el cielo.

Rómulo llegó a contar 12, mientras que su hermano Remo tan solo contó seis; así pues, el primer regente debería ser Rómulo, pero su hermano gemelo Remo, se mofó de lo que estaba llevando a cabo saltando de un lado al otro sobre la línea de murallas que su hermano había trazado.

Rómulo, al ver que su hermano estaba cometiendo sacrilegio en tan solemne celebración, le dio muerte, convirtiéndose, de paso, en el único regente de la ciudad a la que de inmediato puso su nombre, Roma. Después de darle muerte, se dice que pronunció una frase que pasaría a la historia:

«Así haré, de ahora en adelante, con cualquiera que salte mis murallas».

Esta es, al menos, una de las versiones de la discusión que acabó para siempre con la disputa de los ambiciosos hermanos.

A continuación, Rómulo empezó a levantar los muros que iban a rodear el Septimontium, o sea, las siete colinas de Roma. El lugar elegido para fundar la ciudad de Roma era el mejor. En un cruce de caminos, a orillas del río Tíber, por donde se comunicaba con el interior, y en el centro de la península italiana, paso obligado para los que viajaban de norte a sur.

Además, al emplazarse en las colinas, estaba defendida de los posibles ataques de otros pueblos. Las siete colinas de Roma eran y son las siguientes: Capitolio, Aventino, Quirinal, Viminal, Celio, Palatino y Esquilino. La más alta de todas es la del Quirinal, que se alza 69 metros sobre la llanura.

El rapto de las sabinas

Rómulo había fundado una ciudad pero no tenía habitantes. Para llenarla de gente fue convertida en tierra de asilo, es decir, un lugar donde los prófugos de la justicia estaban a salvo. De esa forma, se reunió en Roma una multitud de gentes de toda clase y condición, muchos de ellos delincuentes, pero todos de sexo masculino.

En tales circunstancias, la ciudad no duraría más de lo que durasen sus habitantes, por lo que decidieron enviar embajadores a los pueblos vecinos para establecer contactos matrimoniales, dándoles a entender que sería bueno para ellos emparentar con los romanos, mediante el siguiente mensaje:

«Todas las ciudades nacen de cero, pero se hacen importantes las que cuentan con el apoyo de los dioses y con el valor de sus habitantes. Ya se sabe que los dioses han estado presentes en el origen de Roma. A sus habitantes no ha de faltarles el valor. Por tanto sería un honor para los que quisieran mezclar su sangre con la romana».

Ante esta embajada tan soberbia, los pueblos vecinos no quisieron saber nada de matrimonios, e incluso insultaban y expulsaban a los embajadores, despreciándolos.

Entonces, los romanos decidieron celebrar unos juegos en honor de Neptuno, que llamaron «Ludi Consuales» (juegos consuales), a los que invitaron a todos los pueblos de los alrededores, dándoles a entender que iba a ser un espectáculo nunca visto. De Cenina, Costumeria y Antemnes vinieron muchos. Pero de la

Sabinia prácticamente se presentaron todos, con sus mujeres e hijos. Los visitantes quedaron boquiabiertos al ver cuánto había prosperado la ciudad en tan poco tiempo.

Cuando todos estaban absortos contemplando el brillante espectáculo de los juegos, los jóvenes romanos se apoderaron cada uno de la mujer sabina que tenían más cerca, reservando las más agraciadas para los altos cargos de la ciudad. Impotentes ante la traición, los sabinos se volvieron a su ciudad tristes y cabizbajos, mascullando sus proyectos de venganza.

Los romanos convencieron a las mujeres de que aquello era lo mejor que les podía haber sucedido, tanto porque la soberbia de sus padres al no querer emparentar con ellos había propiciado este rapto, como porque las habían raptado con vistas al matrimonio, de manera que iban a recibir un trato del todo correcto y que habrían de compartir con ellos todos sus bienes y, sobre todo, los hijos.

Además, porque no tenían elección, así es que lo que debían hacer era soportar de buena gana lo que había comenzado por la fuerza. Se portaron con ellas admirablemente, con un tacto exquisito, pero al mismo tiempo se mostraron apasionados y ardientes, de forma que el corazón de las mujeres fue cambiando poco a poco.

También a los leñadores de las montañas les pareció bien el procedimiento y decidieron desde entonces raptar a las muchachas a las que cada uno echara el ojo.

Los sabinos y los otros pueblos se prepararon para vengar el ultraje que les habían hecho al no respetar las leyes de la hospitalidad y prepararon un ejército que sitió Roma, con el que colaboraba una traidora llamada Tarpeya, pero fueron derrotados por la intervención de Júpiter.

A Tarpeya la mataron los sabinos emparedándola con sus escudos. Se cuenta que, cuando los sabinos le preguntaron por el precio de su traición, les pidió lo que tenían en el brazo izquierdo. Ella se refería a unos brazaletes de oro que solían llevar los sabinos en dicho brazo. Pero no se dio cuenta de que en el mismo brazo llevaban los escudos, y al tirárselos encima, la mataron.

Salmoneis

Hijo de Eolo y de Enarenes, y hermano por lo tanto de Sísifo y Atamás, entre otros. Era tan sumamente orgulloso y soberbio, que construyó una carretera solada de bronce, por la que solía galopar a menudo montado sobre un carro que tenía las ruedas de hierro y arrastraba cadenas, todo para imitar el fragor del trueno. Al mismo tiempo solía lanzar a ambos lados de su trayecto antorchas encendidas como si fueran rayos, ya que en su enajenación se creía igual a Zeus. Harto de aquellas desafiantes ceremonias, Zeus terminó abrasándole con sus rayos enviándole al Tártaros.

Sátiros y silenos

Los sátiros eran demonios exclusivos de las montañas griegas que tenían la parte inferior del cuerpo en forma de cabra y pezuña bífida.

Similares a los faunos de la mitología romana, presentaban también orejas puntiagudas, un par de pequeños cuernos y aparecían a menudo desnudos o apenas cubiertos de pieles de animales. Otras características físicas habituales en su iconografía suelen ser sus largos cabellos, la nariz chata y un evidente y permanente priapismo.

Eran ardientes y lascivos genios de los bosques, montañas y praderas, por donde perseguían y acosaban a ninfas y ménades para saciar con ellas sus apetitos sexuales. Precisamente, una de sus representaciones artísticas más reconocidas, debida al talento de Pedro Pablo Rubens, fue titulada *Sátiros atacando a las ninfas,* obra que se conserva en el Museo del Prado de Madrid.

El prototipo de sátiros fue Marsias, el flautista que se atrevió a retar a Apolo y sucumbió, castigado, por ello. Los sátiros formaban parte integrante del llamado «cortejo dionisíaco», acompañando al ejército conquistador de Dionisos en las batallas y en el disfrute de los placeres de comidas, bebidas y amores que solían presentarse asociados a toda conquista.

Aunque muchos piensan que se trataba de sátiros que habían alcanzado la edad madura, los silenos eran de origen asiático y se trataba de los genios machos de fuentes y ríos. La parte inferior de su cuerpo tenía forma de caballo y su pezuña era entera como la de éstos. Su prototipo sería quien les dio el nombre, Sileno, padre adoptivo de Dionisos.

Con el paso de los siglos se modificó su representación, y el sileno tipo pasó a representarse como un hombre gordo y jovial con cara ancha, orejas de cerdo, cabeza calva, vientre panzudo y montado sobre un burro. El arte romano solía hacerle llevar sobre la espalda, como un atributo especial, un odre que contenía sin duda vino.

Sileno era tristemente célebre por sus excesos con el alcohol, pues su dependencia del vino no conocía límites. Por ello solía estar borracho y siempre tenía que ser sostenido por otros sátiros o llevado a lomos de un burro. Sin embargo, los de su raza no podían seguir bebiendo indefinidamente como habrían querido, pues eran mortales.

Se decía que, cuando estaba ebrio, Sileno poseía una sabiduría especial y el don de la profecía. El rey frigio Midas capturó al anciano echando licor en una fuente de la que Sileno solía beber. Cuando cayó dormido, los sirvientes del rey le llevaron ante su señor, con quien compartiría al despertar su filosofía pesimista: lo mejor para un hombre es no nacer y, caso de nacer, debería morir lo antes posible.

En Roma, los silvanos fueron lo que los silenos en Grecia, divinidades campestres menores. La personalidad de Faunus, acabó por disolverse en una multitud de ellos, y la del dios Silvanus ya había empezado a tomar un aspecto múltiple y acabó por identificarse con Pan.

Las sirenas

Eran hijas de Calíope y del río Aqueloo, y habrían sido compañeras de Perséfone antes de ser raptada por Hades.

Se cuenta que nacieron con la cabeza y el rostro de mujer, el cuerpo de ave, y dotadas de una maravillosa y seductora voz. Tan bellas que se atrevieron a competir con las Musas, y en la pelea, éstas las derrotaron y les arrancaron las plumas.

Llenas de vergüenza por la derrota, se retiraron a las costas de Sicilia, donde cambiaron sus alas inservibles por una larga cola de pez. Para Homero eran tres: Lidia que tocaba la flauta, Parténope, la lira, y Leucosia, que recitaba versos.

Sus cantos ejercían una atracción tan poderosa, que los marineros dejaban de atender a sus tareas en los barcos, y éstos se estrellaban contra las rocas. Odiseo se libró de su tentación al hacerse atar al palo mayor de su nave, y Jasón gracias a la música de Orfeo.

Siringa

Ninfa de la Arcadia que desdeñaba a cuantos faunos, sátiros y silenos la perseguían, y que se dedicaba a cazar con un arco de cuerno.

Cuentan que hasta el dios Pan, que se la encontró un día bajando del monte Liceo, la vio y al punto se enamoró de ella lanzándose en su persecución.

Siringa, en su huida, llegó al arroyo Ladón y suplicó a sus hermanas las ninfas que la socorrieran, por lo que ellas la convirtieron en un manojo de cañas.

Cuando Pan llegó al lugar sólo pudo abrazar un puñado de tallos huecos, cuyo sonido le gustó tanto que decidió construir con ellos un nuevo instrumento, una flauta a la que puso por nombre el de la ninfa, Siringa.

En las cercanías de Éfeso estaba la gruta en la que Pan había dejado la primera flauta de nueve tubos. Cuando alguna muchacha tenía que demostrar que era virgen, la encerraban en aquella gruta, y si en verdad lo era, la siringa dejaba oír sus melodías, tras lo cual la puerta se abría sola y la joven volvía coronada de ramas de pino. Si no sonaba, se escuchaban plañidos funerarios y, al abrirse la puerta, la joven había desaparecido.

Sísifo

Rey de Corinto, hijo de Eolo, rey de Tesalia. Sísifo observó cómo el dios Zeus se llevaba a la hermosa ninfa Egina y le contó a su padre lo que había visto. Enfurecido con Sísifo, Zeus le envió a Tanatos, pero el astuto rey encerró a la muerte en un calabozo y durante ese tiempo nadie murió en la Tierra.

Ares liberó a Tánato y se llevaron a Sísifo a los infiernos, pero volvió a engañarles con una estratagema y escapó de nuevo.

Ya viejo y cansado, entregó su alma a Caronte y entró en el Tártaro, donde su vengativa condena fue empujar eternamente cuesta arriba una pesada piedra hasta alcanzar la cima de una montaña desde la que siempre caía rodando y, por tanto, su esfuerzo debía recomenzar eternamente y sin sentido.

Las supersticiones en Roma

Lo primero que llama la atención al acercarse a la religión romana es su marcado carácter ritual. Estaba llena de ritos, entendidos como actos externos y formales que hay que realizar una y otra vez, e incluso, suspender si se ha hecho mal, porque deben estar perfectamente llevados a cabo y con toda corrección, independientemente de la finalidad para la que se realicen.

Los romanos, antes de comenzar cualquier empresa, la «inauguraban», es decir, preguntaban a los dioses sus augurios respecto a lo que se proponían.

Para conocer la voluntad de los dioses se necesitaba la intermediación de unas personas preparadas llamadas augures o arúspices, los cuales interpretaban las señales enviadas por los dioses puesto que, a menudo, los dioses no respondían directamente, sino mediante un sueño, una visión o un acontecimiento determinado. Los dioses podían responder manifestando su voluntad favorable o contraria a dicha empresa.

Poco a poco se le fueron imponiendo al pueblo estos ritos y manifestaciones de los dioses de manera que, un pueblo ignorante como era el romano, aunque no muy dado a cosas fantasmales, ya que tener los pies en el suelo y no perder contacto con la realidad era una de sus principales características, acabó absteniéndose de realizar ciertos actos, o intentando congraciarse con la divinidad mediante aquellas actividades y ritos.

Llegó un momento en que cualquier suceso, por natural y ordinario que fuera, era interpretado como expresión de la voluntad divina en un sentido determinado.

Todo se convertía en presagio; pero su signo, favorable o no, podía ser cambiado si se contaba con la suficiente sangre fría o el suficiente cinismo como para aprovechar la credulidad de los más ignorantes.

Ilustramos lo dicho con una leyenda anecdótica: en Frusino había nacido un niño que vino al mundo con el tamaño de uno de cuatro años. Los arúspices a los que se hizo venir de Etruria, afirmaron que era un prodigio torpe y desgraciado:

«Hay que expulsarlo del campo romano y, lejos de todo contacto con la tierra, sumergirlo en alta mar».

Obedeciendo a los arúspices, encerraron al niño vivo en un arcón y lo arrastraron hasta precipitarlo en alta mar. Los pontífices decretaron entonces que tres grupos de nueve jóvenes doncellas recorrieran la ciudad entonando un poema.

Mientras aprendían en el templo de Júpiter Stator el poema, compuesto por Livio, en el Aventino, sobre el templo de la Reina Juno cayó un rayo. Los arúspices aseguraron entonces que este prodigio concernía a las matronas, y que había que aplacar a la diosa con una ofrenda.

Por medio de un edicto fueron convocadas en el Capitolio las matronas que tenían su domicilio en Roma y en un radio de diez millas alrededor de la ciudad.

Ellas mismas eligieron 25 representantes como encargadas de recaudar las aportaciones que cada una entregaba según su dote. Con estas aportaciones, se fundió una vasija de oro macizo que fue llevada al Aventino, y allí las matronas hicieron un sacrificio con toda corrección y devoción, con gran contento entre los augures.

Tarpeia

Semidiosa romana sin correspondencia en la mitología griega, era hija de
Tarpeius, a quien Rómulo había confiado la guardia del recinto del Capitolio
consagrado a los dioses supremos.

Tras el rapto de las mujeres sabinas, Titius Tatius y los sabinos atacaron Roma,
contando para ello con la ayuda de la traidora Tarpeya, que estaba enamorada
de Titius, que le había prometido casarse con ella. Una noche, Tarpeya les
entregó la ciudadela.

Los sabinos escalaron las alturas del Capitolio pero, cuando estaban a punto de
sorprender a los romanos, el dios Júpiter hizo brotar del suelo un torrente de
agua hirviendo que se abrió entre ellos y les puso en fuga.

Esta fue la razón por la que se decidió, desde entonces, dejar siempre abierta la
puerta de su templo en época de guerra.

En cuanto a Tarpeya, como se llamó más adelante a la roca desde la que se
precipitaba a los criminales, Tatius hizo que sus hordas la aplastasen bajo el peso
de sus escudos en vez de casarse con ella.

Télefo

Hijo de Heracles y de Augea, que era a su vez hija del rey Aleo.

Se casó con Argíope, hija del rey de Misia llamado Teutras. Participó en la guerra
de Troya. Los griegos, en su camino hacia Troya, desembarcaron en Misia por
error según ciertos autores, pues creían que el país adonde habían llegado era
Frigia.

Otros autores afirman que los griegos, antes de atacar Troya, querían
resquebrajar el poder de los misios, posibles aliados de los troyanos.

Sea como fuere, Télefo se enfrentó a los invasores griegos y diezmó sus filas.
Cuando Aquiles se presentó, Télefo emprendió la fuga presa del miedo. Pero
Dionisos le hizo caer en una viña, donde fue herido en el muslo por Aquiles.

Poco después, los griegos embarcaron de nuevo. Como, según el oráculo, la
herida de Télefo sólo podría ser curada por aquel que se la había infligido, Télefo
se fue al campo de los griegos, quienes a su vez también habían consultado el
oráculo, que les respondió que nunca podrían vencer a los troyanos sin la ayuda
de un descendiente de Heracles.

Aquiles curó la herida de Télefo con el orín del dardo con que lo había herido y Télefo agradecido se unió a los griegos y les enseñó el camino que conducía a Troya.

Telégono

Hijo de Ulises y de Circe, aunque no faltan versiones para las que lo sería de Ulises y Calipso, quizá porque su existencia no consta en los poemas de Homero.

Educado por Circe en la isla de Eea, cuando creció se enteró de quién era su padre y decidió ir a Ítaca, donde robó unos rebaños que pertenecían al rey.

Ulises salió de su morada para defender sus bienes, entablándose una cruel lucha entre ambos. Telégono le lanzó un dardo que le había dado su madre y Ulises murió a consecuencia de la herida que éste le causó.

Telégono, al enterarse de quién había sido su víctima, lloró amargamente y, acompañado de Penélope, llevó el cadáver a la isla de Circe, donde más tarde se casaría con Penélope, la viuda de su propio padre.

Circe envió a ambos a la isla de los Bienaventurados. Se ha dicho que de esta unión nació Ítalo, héroe epónimo de Italia.

Teseo

Es para los atenienses el héroe por excelencia, comparable a Heracles. Hijo del rey Egeo, cuando llegó a la adolescencia marchó hacia la ciudad de Atenas, donde se ofreció como miembro de la ofrenda al rey Minos: siete muchachos y siete doncellas debían ser entregadas cada nueve años para ser sacrificados al minotauro.

La hija del rey Minos, Ariadna, se enamoró de Teseo y le indicó que atara un hilo a la puerta y lo desenrollara conforme iba avanzando por el laberinto, para poder encontrar el camino de vuelta. Teseo siguió sus instrucciones y llegando a la habitación del monstruo, le dio muerte.

Al regresar a Atenas, Teseo olvidó colocar una vela blanca en señal de victoria, por lo que su padre Egeo se tiró al mar y en su memoria este mar lleva su nombre.

Aventurero, viajó al país de las amazonas donde tuvo un hijo con su reina, participó en la expedición de los argonautas y tomó parte en la caza del jabalí de

Calidonia, salvando la vida de su amigo Piriteo. Raptó a la todavía niña Helena y descendió al Hades con Piriteo, siendo liberado por su primo Hércules.

En sus últimos años se casó con Fedra, la hermana de Ariadna y, tras la muerte de su hijo Hipólito, abandonó su patria, encontrando la muerte en la corte de su amigo Licomedes.

Los primeros años de Teseo

Teseo se crió en Trecén al lado de su madre y su abuelo, y allí se convirtió en un niño fuerte y hermoso.

Se dice que, cuando tenía siete años, Hércules visitó su palacio donde, para sentarse a comer, dejó a un lado la piel del león que utilizaba. Los niños de la corte huyeron espantados creyendo que se trataba de un león de verdad, pero Teseo, que también lo creía, cogió un hacha y atacó aquella piel mostrando, desde temprana edad, la valentía de que haría gala más adelante.

A punto de cumplir los catorce años, le llevaron a Delfos para que ofrendara su cabello a Apolo, como era tradición. Pero no permitió, sin embargo, que le cortasen todo el pelo, como se hacía siempre en aquel rito, sino sólo los rizos de su frente, y con este corte de pelo inventó un peinado que acabaría siendo muy utilizado y que tomó el nombre de «teseis» en su honor.

Cuando Teseo cumplió los dieciséis años, su madre Etra consideró que ya tenía fuerzas suficientes, le descubrió sus orígenes, que había mantenido en secreto, y le condujo luego hasta la roca bajo la que su padre, Egeo, había escondido sus sandalias y su espada confiando en reconocer por ellas a su hijo, si éste había sido tan fuerte como para alzar la pesada roca con sus manos. Sin dificultad alguna Teseo la removió, recogió las sandalias, las calzó, se armó con la espada de su padre e inició los preparativos para su viaje a Atenas.

En vano se esforzaron Etra y su abuelo el rey Piteo, tratando de disuadirle de su proyecto de viajar por tierra, ya que los caminos estaban llenos de monstruos y malhechores.

Pero Teseo, que envidiaba la gloria de Hércules y estaba sediento de hazañas heroicas, hizo oídos de mercader y emprendió viaje rumbo a Atenas por tierra firme.

En Epidauro, Teseo encontró a su primer enemigo, Perifetes, que solía atacar y asesinar a los caminantes con una maza de bronce. Teseo se la arrancó de las manos y le dio muerte de un mazazo. Llegando a Quejiries, el héroe encontró a su segundo enemigo, al que llamaban Sinis y apodaban «pitiocabtis» (el que dobla los pinos), hijo de Poseidón, que mataba a los forasteros amarrando cada una de sus piernas a la parte más alta de dos pinos gemelos, separados varios metros, manteniéndolos flexionados y atados con una sola cuerda; cuando le parecía, después de despreciar y reírse del desgraciado, cortaba la cuerda de un tajo y los pinos, al tomar la vertical, descuartizaban a la víctima. Teseo, en castigo, le dio muerte de la misma manera.

El héroe siguió su camino y, en tierras de Corinto, entabló un feroz combate con la terrible cerda de la vieja Fea, a la que llamaban también Cromio. Llegando a Megara, pasó por uno de los puntos más peligrosos de su recorrido bajo la sierra de Gerania, donde había un estrecho y complicado sendero que tenía a un lado las escarpadas laderas de la montaña y, al otro, un profundo acantilado que terminaba en el mar en cuyas playas vivía una feroz tortuga marina que devoraba a los humanos.

Sobre las rocas que dominaban el estrecho pasadizo, campaba Escirón, un bandido que obligaba a los transeúntes a que se lavaran los pies como condición para dejarlos pasar. Cuando se agachaban para cumplir su mandato, les daba un fuerte puntapié y los enviaba de cabeza al mar, donde les devoraba la temible tortuga. Pero debía estar escrito por los dioses que Escirón muriera del mismo modo, porque Teseo lo arrojó a las fauces de la tortuga.

A continuación, el héroe descendió hasta el mar, donde dio muerte a la horrible tortuga y se hizo un escudo con su caparazón. En tierras de Eleusis, Teseo se enfrentó al gigante Cerción, hábil luchador que provocaba a los caminantes a enfrentarse con él. El valiente hijo de Etra venció a Cerción golpeándolo con fuerza contra el suelo hasta hacerlo pedazos.

Otra de sus hazañas terminó con el castigo y muerte de Procrustes, que lo esperaba en un recodo del camino. Este extraño asaltante robaba y mataba a los viajeros a los que obligaba a acostarse en su lecho. Si las piernas del desdichado sobrepasaban el límite de la cama, le cortaba el sobrante y si, por el contrario, no llegaban al borde, los estiraba en el potro hasta que dieran el largo de la cama. Teseo le mató con su propio método, aunque se ignora si era alto o bajo para su lecho.

Fue creciendo la fama de Teseo en la medida que se alargaba el viaje y se sucedían las agresiones y las respuestas del héroe, fama que precedió su llegada a Atenas. No hacía mucho que su padre Egeo, rey de Atenas, se había casado con la maga Medea, la cual conocía de antemano quién era Teseo y que se dirigía hacia Atenas, por lo que se encargó de infundir cierto temor por el joven y apuesto muchacho, convertido ya en héroe legendario por sus proezas, en su esposo el rey.

Medea insistió en que se ofreciera al joven forastero una bebida de bienvenida envenenada. Cuando Teseo, utilizando su espada, intentó cortar un trozo de la carne dispuesta para el sacrificio, Egeo descubrió que era su espada y luego reconoció las sandalias que llevaba, por lo que le impidió beber de la copa mortal. La vació y derramó su contenido al suelo y, tras abrazar a su hijo, expulsó a Medea de sus tierras.

Se ignora si la captura del temible toro de Creta, que había traído Hércules, fue anterior al reconocimiento de Teseo por su padre o posterior. El toro arrasaba los campos de Maratón hasta que Teseo lo sometió y lo encadenó para ofrecerlo en sacrificio a Apolo.

Tiresias

Hijo de Everes y de la ninfa Cariclo. Es el adivino por antonomasia de los tebanos. Existen diferentes versiones sobre la forma en que adquirió sus dotes proféticas.

La historia más extendida, relata que en cierta ocasión Tiresias paseaba por el monte Cileno, cuando descubrió a dos serpientes copulando. Las separó o mató a la hembra, tras lo cual se transformó en mujer. Años más tarde, en el mismo lugar, encontró otras dos serpientes copulando y obró de la misma manera, recuperando su sexo masculino. Zeus y Hera le consultaron quién experimentaba mayor placer en el sexo y como Tiresias, dando la razón a Zeus, contestó que la mujer, Hera le dejó ciego y Zeus, para compensarle, le concedió el don de la profecía.

Triptólemo

Sacerdote de Deméter, la diosa de los cereales, y fundador de los misterios de Eleusis celebrados en honor de la divinidad.

Hijo del rey Celeo de Eleusis, Triptólemo heredó el ganado de su padre. Un día vio cómo Hades, dios de los infiernos, raptaba y se llevaba en un carro a la hija de Deméter, Perséfone.

Cuando la hija volvió con su madre, la diosa, en agradecimiento por haberle dicho quién había raptado a su hija, le regaló a Triptólemo el arado de madera y el trigo destinado a la siembra, además de encomendarle que instruyera a los mortales sobre el arte de la agricultura.

Ella también le enseñó los ritos que se convirtieron en los más famosos de todos los festivales religiosos griegos.

Vertumno

Dios exclusivo de la mitología romana, para la que no solamente presidía los cambios de estaciones, sino que era asociado como el dios de los árboles frutales. Ovidio relata sus amores con Pomona, diosa que presidía el cultivo de la fruta.

Vertumno tenía el don de cambiar de forma a voluntad, y se valió de ello para hacerse amar de Pomona. La pareja envejecía para rejuvenecer luego, periódicamente, de forma que en esta sucesión encadenada no es difícil interpretar la sucesión de las estaciones.

Ovidio lo subraya al decir que Vertumno tomaba sucesivamente la figura de un labrador (primavera), un segador (verano), un viñador (otoño) y un anciano (invierno). Tuvo un templo en Roma en el mercado de frutas y legumbres.

Las vestales

Para tan delicado y conflictivo menester como era el mantenimiento perpetuo del fuego sagrado, la diosa Hestia, o Vesta, se ayudaba de una corte de damas jóvenes, de gran protagonismo en las leyendas, porque la necesidad de que el fuego ardiera continuamente se hacía extensiva a toda la sociedad.

En caso de que se apagara, las dificultades para reavivarlo de nuevo eran de tal magnitud, que sólo los sacerdotes estaban preparados para conseguirlo, acudiendo a la acción de los rayos del sol o frotando con un taladro trozos de madera seca.

De ahí que se concediera una gran importancia a la selección de las sacerdotisas que entrarían a formar parte del séquito de la diosa, que entre los antiguos, recibían el nombre de vestales.

De su aprendizaje y de valorar sus aptitudes se encargaban el gran pontífice y los «flámines». Estos últimos eran sacerdotes que no pertenecían a secta, colegio o agrupación de ningún tipo. Otro de sus cometidos consistía en soplar la llama del fuego del altar para que nunca se apagara. Para vigilar ininterrumpidamente el fuego sagrado y conservar siempre viva su llama, y al igual que la diosa a quien se habían consagrado, las vestales deberían permanecer vírgenes y puras, por lo que se les exigía cumplir las más estrictas normas al respecto.

Desde que resultaban elegidas como vestales —hecho que tenía lugar desde su más temprana edad, entre los seis y los diez años, según los casos—, y para lo que deberían de reunir unas cualidades personales como la ausencia total de taras físicas y tener el cuerpo perfectamente sano, tanto ellas como en sus ascendientes más directos, las muchachas se imponían, como norma de vida, el más estricto celibato.

Una vez que habían sido elegidas, las vestales recibían una educación especial basada en el permanente sacrificio propio. Nunca debían olvidar que todos sus actos deberían aparecer recubiertos de la más absoluta pureza que imaginarse pueda. En caso de que las normas que estaban obligadas a cumplir a rajatabla estas aprendices fueran infringidas, les sobrevendrían, sin excusa alguna, los más crueles castigos.

Cuentan los autores clásicos que, en ocasiones, algunas vestales sorprendidas en errores de su sagrada función fueron enterradas vivas entre las paredes de una fosa subterránea excavada para tal fin. Quizá por ello apenas se dieron casos de violación de sus inflexibles normas.

Tan radicales obligaciones llevaban aparejados ciertos derechos en forma de determinados privilegios que, de otro modo, nunca hubieran podido alcanzar, como la posibilidad de condonar la pena capital a cualquier reo, con sólo haberlo encontrado en su camino. También podían acudir como testigos a cuantos juicios se celebrasen sin la obligación de prestar juramento para declarar.

Su prestigio social era muy superior al de cualquier otro ciudadano y sobre ellas no era posible ejercer la autoridad paterna. Asimismo, tenían la potestad de prescindir de todo intermediario o tutor para disponer libremente de sus bienes por lo que, si así lo deseaban, podían erigirse en las únicas administradoras de su patrimonio.

Tras haber permanecido cerca de 30 años al servicio de la diosa, velando por el fuego sagrado, las vestales se retiraban y ya no pesaba sobre ellas la obligación del celibato. Si así lo deseaban, entonces podían contraer matrimonio. Otros cometidos suyos eran dirigir el culto de la diosa y amasar y cocer el pan salado, que simbolizaba el alimento integral y puro, que se ofrecía en el templo.

Los dioses del Viento

Personificación de los vientos o direcciones de la Rosa Náutica. En la mitología griega se les concede personalidad propia, e incluso se llegó a rendir culto a algunos de ellos, sobre todo por parte de agricultores y navegantes.

En total son ocho los dioses del Viento, pero los más conocidos son los que se identifican con los cuatro puntos cardinales. Siempre se les representa como hombres alados, jóvenes, adultos o ancianos, según sus efectos sobre las regiones que atraviesan.

En Atenas, se encuentra la llamada «Torre de los Vientos», donde se pueden contemplar relieves representando a estos dioses.

La morada de los vientos estaba, para Homero y Virgilio, en las islas Eolianas, entre Italia y Sicilia, y su rey era Eolo, que era quien los retenía en profundas cavernas. Estos temibles prisioneros braman y murmuran entre sí tras las puertas de su calabozo. Si su rey no los retuviera, escaparían con violencia y en su fuga destructora lo arrasarían y barrerían todo a su paso. Pero el omnipotente Júpiter tiene prevista tal desgracia. Y los vientos no sólo están encerrados en cavernas, sino que encima de ellas hay una masa enorme de rocas y montañas. Eolo reina sobre sus terribles súbditos desde la cúspide de estas montañas. Sin embargo, está subordinado al gran Júpiter y no puede desencadenar los vientos, ni encerrarlos, sino por orden suya.

En *La Odisea*, Eolo comete la imprudencia de encerrar algunos vientos en botas de cuero y entregárselos a Ulises; cuando los compañeros del héroe abrieron las botas, se desencadenó una enorme tempestad y los navíos se hundieron.

En *La Eneida*, para complacer a Juno, Eolo entreabre de un golpe de lanza el flanco de la montaña en que descansa su trono y los vientos escapan y revuelven el mar. Pero Neptuno, que ascendía a castigar a los vientos, los devuelve a su rey en términos de desprecio y les encarga que ellos mismos recuerden a Eolo su insubordinación. Para conciliarse con los vientos, las terribles potencias del aire, se les dirigían plegarias y se les ofrecían sacrificios. En Atenas, el templo antes mencionado es octogonal y en cada una de sus esquinas está esculpida la figura de uno de los vientos.

Los vientos eran ocho: Solano, Euro, Auster, África, Céfiro, Eolo, Septentrión y Aquilión. En la cúspide piramidal de este templo había un tritón de bronce, a modo de veleta, cuya varilla indicaba cuál de los ocho vientos era el que soplaba.

Los romanos reconocían cuatro vientos principales: Euro, Bóreas, Noto o Auster y Céfiro, y, tras ellos, otros muchos como Euronoto, Vulturno, Subsolano, Cerias, África, Libonoto…

Los poetas antiguos representan a los vientos como entes gigantescos, turbulentos, inquietos y veleidosos. Los cuatro vientos principales tienen una fábula distinta y su carácter particular.

Euro es el hijo favorito de la Aurora, viene de Oriente y vuela con los caballos de su madre. Horacio lo pinta como dios impetuoso y otros como un dios desgraciado y en desorden o le prestan una fisonomía de mayor calma y dulzura, y lo representan como un joven alado, que por donde pasa siembra flores con ambas manos. El Sol sale detrás de él y tiene el tinte bronceado de los asiáticos.

Bóreas, el viento del Norte, reside en Eutracia y los poetas le atribuyen alguna vez el reinado del aire. Raptó a la bella Cloris y la transportó al Cáucaso, donde fueron padres de Hiparco. Pero él se enamoró de Oritia, hija de Erecteo, el rey de Atenas y, al no obtenerla de su padre, se cubrió de un espeso torbellino de polvo y convertido en caballo, la hizo suya e hicieron nacer 12 borricos pequeños que corrían a tal velocidad sobre los campos de trigo, que no se mecían las espigas, y podían brotar sobre las olas sin mojarse las patas.

Tenía un templo en Atenas, a orillas del Iliso, y cada año se celebraban fiestas en su honor, llamadas borcasmas. Aquilón, viento frío y molesto, es confundido con Bóreas alguna vez y se le representa como un anciano con los cabellos blancos y alborotados.

Noto, o Auster, es el viento caliente y tormentoso que sopla del mediodía. Ovidio lo pinta muy alto, viejo, con cabellos blancos, aspecto sombrío y un pañuelo anudado alrededor de su cabeza, mientras el agua gotea de sus vestidos.

Juvenal lo representa en la mencionada caverna de Eolo con los rasgos de un hombre alado, robusto y completamente desnudo. Marcha sobre las nubes, sopla con los carrillos inflamados, para subrayar su violencia, y lleva una regadera en la mano para anunciar que casi siempre trae lluvia.

Céfiro era el viento de Occidente, al que los poetas griegos y latinos celebraban porque aportaba frescor a los climas cálidos que habitaban. Es una de las más risueñas alegorías porque su soplo, dulce y poderoso a la vez, da vida a la Naturaleza. Le suelen representar como un joven de fisonomía dulce y serena con alas de mariposa y una corona de flores.

Zetos

Semidiós hijo de Zeus y Antíope hermano gemelo de Anfión, ambos hermanos fueron abandonados por su madre y recogidos por unos pastores, junto a cuya familia crecieron.

A su madurez, reconocieron a su madre, destronaron a Lico y mataron a su mujer Dirce atándola a los cuernos de un toro, como había tratado ella de hacer con su madre Antíope, arrojando sus cenizas a la fuente que lleva su nombre.

Anfión y Zetos decidieron amurallar la ciudad que más tarde se llamaría Tebas, en honor al nombre de la mujer de Zetos. Al son de la mágica lira de Anfión, se asegura que las rocas se desplazaban solas y se iban apilando hasta formar los muros.

Capítulo 2

DIOSES CELTAS Y NÓRDICOS

Dioses celtas

Ailill

Esposo de la famosa reina de Connaught, Maeve, no tiene ninguna autoridad efectiva porque la detenta su esposa. Era de un carácter tan débil, que llegó incluso a ser reprendido por sus propios soldados en combate.

Continuamente engañado por su mujer, acepta el papel que le corresponde, ya que son las diosas las que conceden el cargo de rey aceptando el matrimonio con un mortal y ofreciendo una copa de licor. La soberanía pertenece a la reina, que encarna a la comunidad entera.

Amaethon

Pertenece a la mitología irlandesa. Era hijo de Danna y de Bilé, por lo que formaba parte del grupo de dioses llamados tuatha dé Dannan (hijos de la diosa Danna).

Dios civilizador que presidía y protegía la agricultura, su propio nombre significa bracero o labriego. Hermano de Govanon, Lugh, Gwyddyon y la diosa Arianrhod.

Amangon

Rey de un país maravilloso lleno de misteriosas vírgenes, todas hadas, que dirigían y protegían hasta su destino a los caminantes errantes y les ofrecían una bebida divina.

Estas hadas desaparecieron cuando el rey abusó de una de ellas y su reino se volvió estéril y yermo.

Angus

Dios irlandés del amor, de sobrenombre «Mac Oc» (joven hijo). Hijo de Dagda e hijo adoptivo de Manannan. Posee un manto de invisibilidad con el que envuelve a quienes quiere proteger. Era el Eros o Cupido del panteón celta.

Sus besos se transformaban en pájaros, tantos como modulaciones tenían los cantos amorosos que entonaba. Su música atraía y arrastraba tras él a cuantos la escuchaban.

Arianrhod

La dama de la luna o la «rueda de plata». Hija de Dôn y hermana de Amaethon y Gwyddyon, con quien mantiene relaciones incestuosas de las que nacieron dos hijos: Dylan Eil Tôn y Lleu Llaw Gyffes. Abandonó al primero y no reconoció al segundo, al que maldijo, si bien Gwyddyon consiguió contrarrestar esta maldición.

Representa a la mujer que rechaza la maternidad.

Artús/Arturo

Es el personaje más importante de la tradición celta. Históricamente era un modesto caudillo guerrero, un jefe de jinetes que alquilaban sus servicios a los reyes insulares hacia el año 500 de nuestra era, en la lucha desesperada que estos bretones sostenían contra los invasores sajones.

Sus éxitos fueron tales, que la leyenda se adueñó del personaje, exagerando notablemente su papel y su poder, y confiriéndole una dimensión mitológica. Así es como Artús, cuyo nombre (en realidad, sobrenombre) significa «que tiene el aspecto de un oso», adquirió todas las características de una divinidad de la tradición celta.

Otros mitos, de origen celta, vinieron a añadirse al esquema primitivo, y Arturo se convirtió en el símbolo de un mundo celta ideal que funciona en torno de un eje constituido por el rey.

Pero este rey sólo tiene poder en la medida en que está presente, aunque sea sin actuar. Artús y Merlín forman la famosa pareja rey-druida sin la que ninguna sociedad celta puede existir.

En todas las novelas de la Mesa Redonda, Arturo se distingue por cierta pasividad. Son sus caballeros quienes actúan en su nombre, y en el de la reina Ginebra, que es quien detenta la soberanía.

Símbolo del poder perdido de los celtas, Arturo no ha muerto: está hibernando en un mundo extraño, la isla de Avalón, paraíso celta, y volverá un día para rehacer la unidad del mundo celta.

Avalón

Isla de los manzanos donde éstos dan frutos todo el año y donde la reina Morgana junto con nueve hermanas y nueve hadas, viven y pueden convertirse en aves (ella misma puede convertirse en cuervo o en corneja). El recurso de las islas perdidas u olvidadas conectaría con el de las «galisenas» de la isla de Sein, profetisas y magas, y con la isla de las Mujeres, Emain Ablach.

Badbh

Diosa de la batalla que evoca violencia. Uno de sus nombres es «corneja de la batalla». Es sola y triple diosa.

Su poder en el campo de batalla es psicológico y confunde a los hombres, profetiza la perdición y la muerte y, aunque ayuda a Cu-chulainn, se posa sobre su hombro, como cuervo, cuando muere.

Balar

Pertenecía a la raza de dioses gigantescos llamados los fomoré. Poseía un ojo en la frente y otro en la parte posterior del cráneo, que era maligno y que habitualmente mantenía cerrado.

Cuando lo abría, su mirada era mortal para aquel en quien la fijara. Esa mirada era el rayo. Mató al rey de los tuatha dé Dannan, Nuadu.

Lugh, queriendo vengar a Nuadu, se aproximó a Balar (cuyo ojo maligno se había vuelto a cerrar tras matar a Nuadu). Al darse cuenta de que Lugh se le acercaba, intentó volverlo a abrir.

Pero su atacante fue más rápido y le lanzó una piedra con su onda, que le dio en el ojo maligno atravesándole el cráneo. Balar cayó muerto de inmediato.

Balar era abuelo materno de Lugh, a pesar de lo cual murió a sus manos, y tenía una sola hija: Ethné, a la que encerró en una torre inexpugnable.

Bardo

Poeta celta. Éstos solían ser altos dignatarios que se ocupaban de alabar o reprobar los hechos o los relatos que se sucedían en la corte del rey.

En Irlanda, en la alta Edad Media, el bardo ocupa la misma actividad que el file, que era el adivino y curandero sucesor directo del druida. En Bretaña, sin embargo, pasó a convertirse en un simple cantor ambulante.

Belenus

Dios solar venerado en Aquilea y sur de las Galias. En Irlanda se celebra, el primero de mayo, la fiesta solar de Beltaine o «fuegos de Bel».

Stonehengye, templo solar erigido en época megalítica, es un ejemplo; los celtas se limitaron a reconocer la presencia de un dios solar y hacerle un panteón.

Belisana

La resplandeciente, la que parece una llama. Según los romanos era la señora del fuego y de sus mágicos influjos. En su honor, como en el caso de Brighid, se mantenía siempre encendida una llama.

Beli/Bilé

Pasa por ser, junto a la misteriosa Danna, el antepasado de los bretones.

Pertenecía a la mitología irlandesa. Con Danna fue padre de cinco hijos: Govannon, Lugh, Amaethon, Gwyddyon y la diosa Arianrhod.

Blodeuwedd

Su nombre significa «nacida de las flores».

Gwyddyon, auxiliado por su tío Math, creó una mujer con flores y plantas para entregarla como esposa a Lleu Llaw Gyffes, que no podía poseer a ninguna mujer de la raza de los hombres.

Sin embargo, el nuevo ser femenino no aceptó al esposo elegido y se enamoró de Gronw Pebyr, un joven cazador, al que convenció para que matara a su marido. Gwyddyon, con su magia, le devolvió la vida y se vengó de la mujer convirtiéndola en mochuelo.

Bran Vendigeit/Bran Mac Llyr

Héroe de la segunda rama del Mabinobi galés, Bran «el bendito», hijo de Llyr y hermano de Manannan, era uno de los dioses fomoré. Primitivamente era un dios marino de las olas y tempestades. Era un gigante, tan grande, que ningún palacio ni navío podía contenerle y que, para ir a combatir a Irlanda, atravesó el mar a pie.

Si se acostaba en un estuario podía servir de puente a todo un ejército y, con su caldero de vida, resucitaba a los guerreros muertos en la batalla. Era un arpista y músico consumado y el protector de músicos, cantores y bardos.

Ofreció a su hermana Branwen como esposa al rey de Irlanda, Matholwch, pero, como éste la maltrataba, organizó una expedición para vengarla, que acabó en desastre, aunque otras versiones sitúen su derrota en la batalla contra los tuatha dé Dannan. El caldero se rompió, y el mismo Bran resultó malherido en una pierna.

Al verse morir, solicitó a sus compañeros que le cortaran la cabeza, pero su cabeza continuó hablando durante los 87 años que pasaron hasta que fue enterrada bajo la Colina Blanca, en Londres, desde donde protegería la isla de todos los invasores mientras no volviera a ver la luz. El nombre de Bran significa «cuervo».

Brighid

Gran diosa irlandesa del fuego y la poesía, de la metalurgia y de la terapia. Se la considera hija de Dagda y hermana de Angus; pertenece a la saga de los tuatha dé Dannan.

Su nombre significa «la poderosa» o «la encumbrada».

Su fiesta se celebraba el 1 de febrero, fecha en que los celtas festejaban Imbolc, el comienzo de la primavera, motivo por el cual también se la asociaba con la fertilidad tanto de los campos, como de los animales y los seres humanos.

Muchos aseguran que es la misma Danna, asimilada al cristianismo posteriormente como santa Brígida.

Aparece en la tradición irlandesa con distintos nombres, que simbolizan las funciones sociales que se le atribuyen. Esquemáticamente ella es triple, pertenece a las tres clases de la sociedad indoeuropea:

– Diosa de la inspiración y de la poesía. Clase sacerdotal.

– Protectora de los reyes y los guerreros. Clase guerrera.

– Diosa de las técnicas. Clase de los artesanos, pastores y labradores.

Cairbred Cincait

Rey de Irlanda que accedió al trono tras exterminar a todos los nobles del reino. Sólo tres mujeres embarazadas se salvaron y más tarde dieron a luz a tres famosos guerreros: Fearadhach Finnfechtnach, de quien proviene la rama genealógica de Conn, el de las cien batallas; Tibraide Tireach, de quien provienen los guerreros del reino escocés de Dal-Araidh; y Corb Olum, de quien provienen los reyes de Munster.

Baine, hija del rey de Alba, fue la madre del primero; Aine, hija del rey de Sajonia, la del segundo; y Cruife, hija del rey de Bretaña, lo fue del tercero.

Caladbolg

Espada mágica de los thuata dé Dannan que poseía el rey Nuadu. A quien se apoderaba de ella indebidamente le quemaba la mano, ya que su nombre significaba «poderosa descarga de un rayo».

Calatin

Guerrero irlandés al servicio de la reina Maeve, que resultó muerto junto a sus 27 hijos por Cu-chulainn.

Sus seis hijas póstumas, convertidas en auténticas brujas, se vengaron de este héroe del Ulster tendiéndole unas trampas mágicas que le conducirán a la muerte.

Cerridwen

Diosa del cereal, protectora de poetas y artesanos y regente de la función intelectual. Su culto garantizaba buenas cosechas.

La etimología de su nombre indica su color blanco, «wen», y «cerdd», que en irlandés y galés significa «beneficio».

En Cataluña puede verse una derivación de su nombre en la «sardana», su danza típica, así como en la toponimia del valle de la Cerdaña.

Es la diosa de la cebada y también era conocida como Albina, la protectora de Gran Bretaña. Para los irlandeses era, ante todo, diosa de fecundidad y madre de dioses.

Cerunnos

Dios con cuernos de ciervo, es sin duda el dios de la abundancia y de los animales salvajes, terrestres y acuáticos. Su naturaleza es esencialmente terrenal.

Se le representa como un anciano, tiene las orejas y los cuernos de un ciervo y lleva una «torque», especie de collar galo. Está a menudo acompañado por una serpiente con cabeza de carnero.

A veces aparece sentado, rodeado de un gran ciervo, dos toros, dos leones y dos lobos, mientras cerca un niño cabalga un delfín. Se le ha representado también con un cesto de vituallas, pasteles y monedas.

Es el padre de Tutatis, Essus y Taranis, y el dios fundamental de la noche y de la muerte. Sus cuernos simbolizan el creciente lunar. Cernunnos manifiesta la fuerza, el poder y la permanencia, simbolizada por las hojas perennes de los árboles.

Cessair

Mujer primordial que ocupó Irlanda antes del diluvio. Era hija de Bith y nieta de Noé. No es una diosa, sino un personaje legendario previo a la familia de Partolón.

La leyenda de Cessair no parece pertenecer a la mitología céltica, sino que lo más probable es que resultara una recreación de la Irlanda católica inspirada por las leyendas de Partolón y de Tuan Mac Cairril por lo que existe en ella un claro fondo céltico.

Dice esta leyenda que un grupo de tres hombres y 50 mujeres capitaneados por la rubia Cessair, al no poder subir al Arca, rechazó a Dios y, para escapar del diluvio, construyeron su propio barco, con el que lograron cruzar el mar Caspio y el Tirreno y llegaron hasta España, desde donde alcanzaron Irlanda, donde pensaban que las aguas del diluvio no llegarían nunca.

La travesía duró siete años y tres meses. Una vez asentados, los tres hombres, Finntan, Bith y Ladhra, se repartieron las mujeres, pero fueron muriendo por los «excesos de sexo» a que se vieron sometidos.

Cessair, tras la muerte de su padre, murió de tristeza y por ello nunca supo que el diluvio también anegó Irlanda y que todas las mujeres que quedaban perecieron ahogadas. Así finalizó la primera invasión de Irlanda.

Conann

Dios perteneciente a los fomorés (dioses de la muerte y de la noche). Era hijo de Febar y uno de los reyes que les dirigieron en sus luchas contra los hijos de Nemed.

Tenía su castillo en la isla de Tor-inis, la torre de vidrio o fortaleza de los muertos, situada en la punta oeste de Irlanda, desde donde dominaba toda la isla y exigía un tributo anual: los dos tercios de los niños nacidos y los dos tercios de la leche y el trigo que se producían en el año.

El impuesto se pagaba en la noche del primero de noviembre en un lugar llamado Mag Cetne (que significa llanura donde acaba todo lo viviente, y los dioses de la muerte ejercen su poder). Los excesos de Conann fomentaron una revuelta y 60.000 descendientes de Nemed, conducidos por Erglann, Semul y Fergus Lethderg, atacaron a los fomorés.

En la batalla, los descendientes de Nemed consiguieron tomar la torre de Conann y matar a su opresor, aunque después Morc, amigo de Conann y también jefe de los fomorés, les derrotó a su vez de manera que de los 60.000 sólo sobrevivieron treinta.

Según el *Libro de las Invasiones,* los pocos supervivientes de la batalla se refugiaron primero en Irlanda y después abandonaron la isla y se instalaron más al este.

Formaban tres familias, una de las cuales, la de los britan, pobló más tarde Gran Bretaña y dio su nombre a los bretones. Las otras dos familias volvieron a Irlanda: la primera con el nombre de Fir Bolg y la segunda con el de tuatha dé Dannan.

Una creencia más antigua decía, sin embargo, que la raza de Nemed desapareció sin dejar descendencia.

Conlach

Hijo de Cu-chulainn, fue enviado por su madre Áoife para retar en duelo a su padre, que la había abandonado embarazada en Escocia.

Entablaron combate y el padre mató al hijo, aunque cuando Cu-chulainn supo a quién había dado muerte, enloqueció de dolor y, blandiendo su espada, se dirigió al mar y se enfrentó con las olas, en las que imaginaba terribles enemigos.

Creidné

Pertenecía a la estirpe de los tuatha dé Dannan, donde cohabitaban dos dioses herreros, de los cuales Creidné era el artesano del bronce, el que fabricaba las empuñaduras y el relieve central de las espadas, que concluía el otro herrero: Goibhniu.

También se encargaba de los remaches que fijaban las puntas de lanzas a sus astas y del borde de los escudos.

Se llamaba también así una mujer guerrera que se unió a los Fianna y combatía por tierra y por mar. Se escapó de su casa tras una relación incestuosa con su padre, de quien tuvo tres hijos.

Cu-chulainn

Se trata del personaje más famoso de la epopeya irlandesa. Algunas versiones de su leyenda pretenden que es hijo del propio dios Lugh, aunque oficialmente era hijo de Dechteré, hermana del rey Conchobar y de Sualtaim.

De verdadero nombre Setanta, debe su apodo de Cu-chulainn (perro de Culann) al hecho de haber dado muerte al perro de los ulates, Culann, comprometiéndose a reemplazarlo como protector.

Fue educado por su tía Findchoem, pero otros cuatro personajes participan en su educación: Sencha (el pacífico), que arbitra los conflictos; Blai (el hospitalario), que apoya a los irlandeses y defiende su honor; Fergus (el valiente), que le protege contra todos los males; y Amargein (el viejo poeta), reconocido por su elocuencia y su sabiduría.

Su furia guerrera era tal, que podía contorsionarse hasta deformar completamente su cuerpo, lo que acentuaba su aspecto sobrehumano y ciclópeo. De su cabeza emana la «Luz de Héroe», signo de los semidioses y los personajes inspirados por la divinidad.

Cu-chulainn es un «héroe de luz», un héroe civilizador, personificación de la sociedad a la que pertenece, pero a la que él confiere un carácter de naturaleza divina.

Representa, también, una especie de culto solar masculino (no existe un dios solar entre los celtas). Conchobar Mac Nessa, rey del Ulster, estaba íntimamente ligado a la guerra y sus guerreros, capitaneados por Cu-chulainn, quienes eran conocidos como los Caballeros de la Rama Roja.

Sus aventuras amorosas son muy abundantes: intenta seducir a Emeth, la hija de Forgall, a Uathach (la terrible), hija de la guerrera Scathach, y a Aifa (la bella), adversaria de Uathach en el combate. Finalmete es vencido por la reina Maeve.

Caído en una trampa, se le obliga a comer carne de perro, lo cual le está particularmente prohibido. Esta transgresión arrastra muchas otras, y finalmente muere a manos de Lugaid, hijo de una de sus víctimas. Se cuenta que el héroe del Ulster se ató a sí mismo a un árbol para permanecer erguido ante la muerte.

Curoi Mac Daire

Rey de Munster, que se enfrenta a Cu-chulainn, de quien era amigo y compañero de armas, y que le mató con la complicidad de su propia mujer, Blathnait, con quien le era infiel. Advertido por Blathnait de que Curoi está durmiendo, Cu-chulainn entró cobardemente en su fortaleza, le cortó la cabeza y se marchó con su mujer.

Dagdé/Dagda

Uno de los dioses más importantes de la Irlanda pagana, padre de Angus, Dianceht y de Brighid. Es dios-druida y dios de los druidas, señor de los elementos y del conocimiento, jurista y temible guerrero.

Durante la segunda batalla de Mag Tured, llevó a los tuatha dé Dannan a la victoria frente a los fomorés. Tenía un arpa mágica que los fomorés robaron tras haber perdido esta batalla.

Entonces, Lugh, Dagdé y Ogmé penetraron en la guarida de los fomorés para recuperarla. Dagdé gritó a su arpa «¡ven!», y el arpa descolgándose de la pared, se precipitó hacia las manos de su dueño matando a nueve personas a su paso. Dagdé interpretó con ella una melodía por culpa de la cual las mujeres de los fomorés empezaron a llorar y a gritar.

Luego tocó una segunda melodía que hizo que los jóvenes y las mujeres empezaran a reír alocadamente, y finalmente ejecutó una tercera que los dejó a todos dormidos, mujeres, niños y guerreros.

Aprovechando este sueño, los tres visitantes salieron de la guarida de los fomorés sin sufrir ningún daño.

Se le denomina Dagda porque es el «dios bueno», Eochid o Lathir («padre de todos» o «padre poderoso»), y también Ruadh Rofhessa («rojo de la gran ciencia»).

Se distingue por su extremada glotonería y su desbordante sexualidad. Posee un caldero cuyo contenido es inagotable, prototipo del Graal (el Santo Grial), y un arpa mágica que puede tocar, por sí sola, aires de lamento, de sueño, de muerte o de risa.

Posee también, una maza: si golpea a alguien con uno de sus extremos, lo mata; si lo hace con el otro, lo resucita. Es, pues, el dios de la vida y de la muerte, absolutamente ambiguo y poseedor de fuerzas temibles que pueden ser buenas o malas.

En los relatos épicos más recientes, así como en las novelas artúricas, el personaje de Dagda aparece a menudo con la forma de un «Hombre de los Bosques», un patán que lleva una maza y que es señor de los animales salvajes.

Dios-padre tribal, proveedor de la abundancia, su imagen llama la atención porque era representado con una figura ridícula y un tanto grotesca, bastante gordo y con un túnica indecentemente corta, y a quien le gustaba comer mucho y abundante. En realidad no es más que un simbolismo de la fertilidad.

Sobre él se cuenta que tuvo relaciones con diferentes diosas, incluida Boann, diosa del río Boyne, o la temible diosa Morrigan, furia de las batallas.

Danna

También conocida como Amma, Amu, Ana o Dôm, se trata de la diosa-madre de los antiguos celtas. En Irlanda, es la madre de los tuatha dé Dannan. En todas las culturas precélticas indoeuropeas, el papel de las diosas-madre fue básico.

Las primeras-diosas madre simbolizaron la fuerza de la tierra para cubrir las necesidades de los seres humanos; concedían fertilidad, acompañaban a los hombres en su soledad o les sanaban cuando estaban enfermos.

Eran sus atributos el hacha, que representa la autoridad, el cayado de pastor, como guía, y la serpiente, como fuerza fecundadora.

En sus cercanías hay animales con cuernos como ciervos, vacas, toros, bueyes o carneros, porque los celtas obtenían buena parte de su alimento de la caza.

Los tuatha dé Dannan recibieron a esta diosa-madre Danna, la dama de los dólmenes, como herencia de otras culturas más antiguas. Los relatos populares la consideran como reina de las hadas y de los enanos o korrigans, a cuyo cuidado estaban confiadas enormes riquezas subterráneas. La consideraban, en resumen, la regidora del inframundo.

Dian/Dianceht

Dios de la medicina en la tradición irlandesa, hijo de Dagdé, curaba con la magia. Participó en la batalla «Mag Tured» y creó una «fuente de salud» en la que la mezcla de numerosas hierbas, que le permitió devolver la vida a los guerreros de los tuatha dé Dannan heridos o muertos.

Se le apodaba el dios «del rápido poder». Era el médico divino, dios de la salud y de las curaciones. Es el que estaba en posesión de secretos curativos, a menos que «el enfermo se le haya cortado la cabeza o tenga afectado el cerebro o la médula espinal», aunque la hechizada Morgana, en Avalón, curaba por medio de artes mágicas toda clase de heridas, incluso las mortales.

La facultad de curar de Dianceht fue heredada por su hijo Miach, a quien dio muerte por envidia. Poseía conocimiento de buen número de plantas curativas y practicaba la medicina natural con algo de magia.

A sus conocimientos habría que añadir algunos ritos sangrientos porque los celtas consideraban que la cremación o desmembramiento de seres humanos era un paso previo a la obtención de la sabiduría sobre los secretos de la vida y la muerte.

Los druidas

Eran los sacerdotes y magos, maestros y jueces. Desde los comienzos de la historia celta fueron una clase educada, respetuosa de su sabiduría y conocedores de sus propios poderes como intermediarios entre las tribus y los dioses.

La palabra druida deriva de un término que significa «el conocimiento del cedro» o bien «profundos conocimientos».

A su cargo estaban ciertas funciones religiosas, como la recogida de muérdago (símbolo del antiguo culto de las plantas) y los sacrificios humanos.

Su filosofía es mal conocida porque no dejaron nada escrito, transmitiendo sus enseñanzas oralmente. Según ellos, los hombres descendían del dios de la muerte, el alma era inmortal y el mundo acabaría mediante la acción del fuego y el agua.

Los druidas formaban un clase privilegiada y estaban exentos de impuestos y servicio militar, lo que atraía a gran número de jóvenes que buscaban la iniciación en la orden.

Había tres categorías entre los druidas: los bardos, que inmortalizaban la historia y las tradiciones de la tribu; los auguristas, quienes hacían los sacrificios y adivinaban el futuro; y los druidas propiamente dichos, expertos en leyes y filosofía, que conservaban la antigua sabiduría celta.

Los bardos adquirían su conocimiento por tradición oral y componían versos para sus patrones u otros aristócratas. Las escuelas bárdicas florecieron en Irlanda, a finales del siglo VII.

Las actividades judiciales de los druidas eran de vital importancia en la sociedad celta. Cada uno tenía jurisdicción propia en la que solventaban las disputas individuales, juzgaban los homicidios y decidían en los pleitos sobre límites territoriales y herencias. Sus decisiones eran indiscutibles.

Los druidas eran los filósofos de la sociedad, que estudiaban los movimientos de los planetas y las estrellas, el tamaño del universo y de la tierra, los poderes y las habilidades de los dioses.

Otro aspecto importante era su conocimiento sobre la vida después de la muerte, ya que pensaban que el alma no perecía, sino que, tras la muerte, pasaba de un cuerpo a otro. Esto influyó en la gran valentía de los celtas a la hora del combate.

Durante el curso de las migraciones marinas conocidas como las invasiones, los druidas desempeñaban un papel transcendental y entre ellos Caicher fue considerado el más importante... puesto que se dice que él predijo que Erinn (antiguo nombre para Irlanda) era su último destino.

En su llegada a tierras irlandesas, los principales druidas de los milesianos (hijos de Milé) eran Uar, Eithear y Amergin. Este último era uno de los hermanos milesianos apellidados Glungel. Era el poeta y juez de la expedición, y el *Libro de las Invasiones* se refiere a Amergin como al primer druida de los gaélicos en Irlanda.

Epona

Diosa gala o galo-romana de los caballos. Se trata de la imagen de una antigua diosa-yegua cuyo nombre proviene del galo («epo» = caballo, que corresponde al «equus» latino). Su culto se difundió por todo el Imperio Romano. Es el mismo personaje que la irlandesa Macha y la galesa Rhiannona.

Se cree que era una diosa que no sólo protegía a los caballos, sino también a los ejércitos, pues un buen número de sus representaciones aparece allá donde hubo zonas ocupadas por los soldados de caballería, de ahí que se la considere su patrona. Su fiesta se celebraba el 25 de diciembre.

Se la representa sobre un caballo o un asno; o bien ante varios caballos, o incluso medio tendida, desnuda, sobre un equino. Porta un cuerno de abundancia y a veces aparece junto a ella un perro. Por ello se la consideraba protectora de quienes van al más allá, por estar perro y caballo relacionados con el reino de los difuntos.

Essus

Era un dios misterioso e inquietante, que fue representado empuñando un hacha, bajo las ramas de un árbol del que pendía un cuerpo humano, cabeza abajo.

Se le creía también protector de los navegantes en ríos. Fue asociado con los dioses Taranis y Teutatés, formando con ellos una tríada ambivalente, pues su significado oscilaba entre dioses del trueno y de la guerra o como «padres del pueblo», entre crueles o benévolos.

Essus podría ser incluso un sencillo dios leñador que exigía su tributo, pues los celtas entendían a los árboles como entidades espirituales con vida propia, aunque, en general, era considerado como un dios ávido de sangre que inspiraba terror en los combates y llenaba de violencia las batallas.

A él eran inmolados los enemigos cuando caían en combate y a él se sacrificaban los prisioneros de guerra. Los sacrificios que le eran más gratos eran los que consistían en ahorcar a las víctimas colgándolas de un árbol.

Etain/Etaine

Diosa que fue primero esposa de Mider el violento, y luego de Oengus tras raptarla. La segunda esposa de Mider, Fuamnach, estaba violentamente celosa porque Mider seguía amando a Etain y aprovechó la ausencia de su nuevo marido para enviar una racha de viento que arrastró a Etain hasta que la hizo caer, convertida en mariposa, por la chimenea de una casa donde se encontraban reunidos los grandes señores del Ulster y fue a parar a una copa cuyo contenido fue bebido la mujer de Etair.

La mujer de Etair dio a luz a los nueve meses, de nuevo, a Etain, la cual comenzó así una nueva vida y se convirtió en reina de Irlanda al casarse con el rey Eochaid Airem, cuyo reino tenía por capital a Tara.

Pero Mider seguía enamorado de ella, y aunque renacida, la conoció al instante. Desafió a su marido el rey a jugar una partida de ajedrez, ofreciendo que si perdía, daría al rey 50 caballos, y si era el rey el que perdía le daría aquello que Mider pidiera.

Ganó Mider y lo que pidió fue a la reina, su esposa, aunque, antes de entregársela, el rey tenía derecho a una revancha que se celebraría un año después.

Durante este tiempo Etain recibió múltiples visitas del enamorado dios, pero se mantuvo fiel a su esposo hasta que Mider volvió para jugar la segunda partida de ajedrez. Antes de jugarla, Eochaid preguntó cuál sería la apuesta y Mider le aseguró que lo único que quería era poner sus manos en el talle de Etain y darle un beso. Como le fue concedido lo que pedía, Mider puso un brazo alrededor del talle de su pretendida y huyó con ella volando por la chimenea.

El rey y sus guerreros salieron de la casa y sólo vieron a dos cisnes unidos por el cuello mediante un yugo de oro y no los pudieron alcanzar. Más tarde un druida le ayudó a rescatar a su esposa provocando que, en venganza, Mider causara la trágica muerte de su nieto Conairé.

Excalibur

Nombre de la espada de Arturo en los textos franceses e ingleses.

Fergus Mac Roig

Uno de los principales guerreros mitológicos del Ulster. Fergus, que poseía una espada mágica y larga con los colores del arco iris, fue el primer amante de la reina Maeve, y cónyuge de la diosa de la naturaleza Flidais. Al parecer tenía un irrefrenable apetito sexual y necesitaba, como mínimo y para satisfacerse, a siete mujeres cada día.

Era alto como un gigante y en una sola comida se cuenta que podía consumir siete ciervos, siete cerdos, siete vacas y siete tinajas de licor. Era padre nutricio de Cu-chulainn y formaba parte de la corte de Conchobar.

Finn Mac Cumail

Guerrero y mago, es el hijo de Cumail y el padre de Ossian, venga a su padre muerto en combate y reconstituye la tropa de los fianna. «Blanco, hermoso, rubio y de buena raza», tal es el significado del nombre Finn. Poeta y mago, conoce los 12 libros de poesía y posee el don de la iluminación cuando se mordisquea el pulgar.

Los fianna eran señores que componían una tropa de elite «compuesta por hermosos jóvenes»: fuerza prodigiosa, inteligencia, astucia, fidelidad, desprecio del dinero, indiferencia ante la muerte, respeto a la mujer y al enemigo vencido, tales son sus cualidades.

Deben dar lo que se les pide, aunque sea un bien precioso. Entre sus principales competencias estaba cazar, recaudar los impuestos y mantener el orden.

Son los nómadas de la saga celta, aunque la plaza fuerte de Finn Mac Cumail sea Almu, en el sur de Irlanda, pero les gustan las regiones incultas y salvajes. Finn caza el ciervo y el lobo, pesca el salmón y vive de sus capturas.

Finntan

Personaje legendario de la mitología irlandesa, hijo de Bocha, hijo a su vez de Lamech, sería el único de la invasión de Cessair superviviente al diluvio en Irlanda y el que, a través de sus poemas, diera a conocer aquella historia de todos sus pobladores.

Fomoireos/Fomorés/Formorians

Seres horribles y execrables, genios maléficos locales que ocupaban Irlanda y oprimían a sus habitantes hasta que fueron derrotados por los tuatha dé Dannan, dirigidos por el dios Lugh, en la segunda batalla de Mag Tured.

Pueblo extraño y muy misterioso cuya presencia es constante en la tradición mitológica irlandesa, donde suelen representar las fuerzas oscuras que confunden y enfrentan a los seres humanos. Están representados como gigantes que viven escondidos en las diferentes islas que rodean Irlanda.

Geis

Así se llamaban los conjuros o temibles encantamientos utilizados tanto por los druidas como por los poetas y algunas magas.

Conllevaban una prohibición y un deber. Había quienes no podían comer carne de un determinado animal o no ir a un lugar concreto. Por otro lado, la obligación podría ser una orden a alguien con la amenaza de, de no cumplirlo, matarlo o deshonrarlo.

Héroes y reyes estaban sometidos a numerosos encantamientos. Por ejemplo, Cu-chulainn muere porque sus enemigos le inducen a transgredir una de sus «geasa», lo que desencadenará la transgresión de todas las demás.

Ginebra

Esposa del rey Arturo, célebre, sobre todo, por sus amores con Lancelot du Lac, que produjeron la ruptura entre Lanzarote y Arturo, lo que debilitaría a su grupo de caballeros hasta el punto de hacerles desaparecer.

Parece ser que Ginebra ya había dispuesto de muchos amantes antes del episodio mencionado, entre los que se citan las relaciones mantenidas con Gauvain, sobrino de Arturo, con Edern, con Kai, Meleagant y hasta con Mordret, hijo-sobrino de Arturo.

Aunque otros textos mencionan tres Ginebras distintas, con las que Arturo se habría casado sucesivamente.

Goibhniu/Govanon

Es uno de los dioses herreros de los tuatha dé Dannan, hijo de Bilé y de Danna. Es el señor de los artesanos, forja las armas de los guerreros y preside un extraño festín de inmortalidad, en el que los dioses se regeneran comiéndose los «cochinos mágicos» de Manannan.

El nombre de Goibhniu deriva del nombre «herrero» en celta y es uno de los tres dioses artesanos. Él era el herrero; Luchtiné el carpintero y Creidné el artesano del bronce.

Los tres crearon las armas mágicas de Lugh, de gran utilidad en su lucha contra los fomarés, demonios locales que se enfrentaban a todos los invasores de Irlanda. Goibhniu era el más poderoso de la tríada, pues sus armas siempre eran certeras.

Además, como anfitrión en el festín del Otro Mundo, fabricaba una cerveza tan extraordinaria que concedía, tras beberla, la inmortalidad.

También era el encargado de conservar la mantequilla en buen estado, y se le consideraba una especie de dios de la cocina.

Gwyddyon

Uno de los héroes más famosos de la tradición galesa. Es hijo de Danna y padre de Lleu Llaw Gyffes. Aprende la magia junto a su tío Math.

Con su hermano Gilvaethwy comete una falta contra Math, y éste transforma temporalmente a sus sobrinos en animales de los dos sexos.

Más tarde, con ayuda de Math, Gwyddyon crea a Blodeuwedd con flores y plantas a fin de dar a ésta como esposa a Lleu Llaw Gyffes. Después del asesinato y la resurrección de Lleu, Gwyddyon transformó a Blodeuwedd en mochuelo.

El nombre de Gwyddyon puede significar «sabio». Representa el poder mágico heredado de los antiguos druidas. Dios dispensador de beneficios y propagador de las artes, su equivalente continental era el dios Ogmios.

Ler/Llyr

Padre de un linaje de dioses, entre ellos Bran Mac Llyr y Manannan ab Llyr, en la tradición irlandesa, a quienes tuvo con Iwerydd.

Es una divinidad vinculada al mar, pero no es un dios del mar. En Irlanda fue más tarde Mac Lir y después se convirtió en el rey Lear de Shakespeare.

Su nombre designaba probablemente al Océano, y su sobrenombre llediaith («el de la media lengua») daba a entender que no se comprendía bien lo que decía.

Luchtiné

Era el carpintero de los tuatha dé Dannan, y junto a los herreros Creidné y Goibhniu, formaba la tríada que fabricaba y reemplazaba las armas rotas de los tuatha dé Dannan.

En plena lucha en cuanto un guerrero perdía o rompía su arma, ellos le fabricaban una nueva a la velocidad del rayo, trabajando en cadena, cada uno en su especialidad.

Los fomorés quisieron descubrir el secreto de tan insólita rapidez y enviaron a Ruadan, pariente de los tuatha dé Dannan, que intentó matar a Goibhniu con una lanza que el equipo fabricaba en ese momento, aunque fue él quien murió.

Lugh

Es el dios más importante de la mitología irlandesa. Era el dios de la luz y su fiesta de verano se conoce por Lughasad. Guerrero, sabio, mago y músico, maestro de todas las técnicas, es el jefe de los tuatha dé Dannan.

No es el dios supremo, sino el «dios sin función» porque tiene todas las funciones. Lugh pertenece a los fomorés por su padre Delbaeth, pero a los tuatha dé Dannan por su madre.

En la segunda batalla de Mag Tured, cuando el antiguo rey Bress recluta una inmensa armada e invade Irlanda, aparece un joven y brillante guerrero llamado Lugh que pretende poseer todas las capacidades y lo demuestra: con el arpa toca los tres aires de la música irlandesa (el aire que hace llorar, el aire que duerme y el aire que da alegría); vuelve a poner en su sitio la piedra de Fal, que sólo podían desplazar 80 bueyes, y le gana un torneo de ajedrez al rey Nuadu.

Éste le proclama sabio entre los sabios, le da el trono durante 13 días y le encarga organizar el combate contra los fomoirés.

Lugh organiza tan bien sus fuerzas que los fomoirés son vencidos y Bress hecho prisionero. Se le perdona la vida con la condición de que desvele los secretos agrícolas de la prosperidad. Lugh participa poco en el combate, aunque pronuncia la maldición suprema que genera la victoria. Además, de una pedrada con su honda revienta el ojo trasero de Balar, matándole en el acto.

Es el héroe de varios relatos de aventuras fantásticas. El nombre de «Lugh» proviene de una palabra indoeuropea que significa «blanco», «luminoso», pero también «cuervo». El cuervo parece estar vinculado a él. Posee un aspecto solar, pero no es un dios del sol, pues esta función era femenina entre los celtas.

Era una divinidad bienhechora e irradiaba tal claridad de su rostro, que ningún mortal podía mirarle a la cara. Era el amo absoluto de las artes, tanto de las de la paz como de las de la guerra.

Poseía una lanza mágica, que por sí misma y sin necesidad de ser arrojada o guiada, iba a herir a los enemigos de su dueño.

Macha

Hada que se casa con el campesino Crunnchu y le aporta abundancia y riqueza. Se cuenta que como consecuencia de una apuesta imprudente de Crunnchu, ella se vio obligada, aun estando embarazada, a correr más rápido que los caballos del rey del Ulster, carrera de la que salió airosa y tras la que dio a luz a unos gemelos, no sin antes lanzar una maldición a los habitantes del Ulster:

«Cuando estén en peligro, se verán en la incapacidad de defenderse porque sufrirán los dolores del parto.»

Sólo se escapó de esta maldición el héroe Cu-chulainn.

Maeve

También llamada Mebd, «la embriagadora», es la reina de Connaught, diosa de la soberanía y una de las diosas de la guerra, la sexualidad y el territorio.

Diosa que coleccionaba amantes y guerreros, su promiscuidad representa la fertilidad de Irlanda y la asociación de su nombre con las bebidas embriagadoras o afrodisíacas, especialmente con la hidromiel, significa la relación existente entre la diosa de la soberanía y un gobernante mortal, pues esta unión se santificaba con el ofrecimiento de la diosa, al futuro rey, de una copa de licor.

Murió al recibir, en mitad de la frente, el golpe de un trozo de queso duro mientras se bañaba en un arroyo al que acudía a diario, lanzado con una honda por su sobrino Furbaidhe.

Manannan Mac Llyr

Personaje mitológico irlandés. Es hijo de Llyr y forma parte de los tuatha dé Dannan. Posee cerdos maravillosos que nutren y regeneran a los dioses durante el festín de la inmortalidad.

Era el dios del mar y las olas eran sus caballos. Era mago y ayudó a los tuatha dé Dannan regalándoles un barco que obedecía a los pensamientos de sus marineros, un caballo que cabalgaba tanto por tierra como sobre el mar y una espada, Fragarach («la respondedora»), que podía penetrar en cualquier armadura.

Estaba casado con la diosa Fand. En la leyenda gala era un excelente agricultor y un hábil zapatero, además de haber construido con huesos humanos la fortaleza de Annoeth.

Para los irlandeses era un mago poderoso, tenía un casco flameante, una coraza invulnerable, la espada que mataba al primer golpe y una capa que le hacía invisible. Su barca, sin vela ni remos, iba sin torcerse y con rapidez allí donde quería su dueño.

Fue según la leyenda rey de la isla de Man, donde se decía que tenía tres piernas, como ilustra la heráldica.

Maponos

Deriva de la voz celta «magos o mapos» y quiere decir «hijo». Es el dios protector de los jóvenes guerreros. Las referencias a este dios pueden verse en la saga céltica insular de Kulhwch y Olven, y en los mabinogion.

Merlín

Uno de los personajes más conocidos de la leyenda artúrica, que al parecer tuvo una existencia real, 70 años después del Arturo histórico. Fue un reyezuelo de los bretones del norte, en la Baja Escocia, el cual, habiendo perdido el juicio a consecuencia de una batalla, se refugió en un bosque y se puso a profetizar.

La leyenda se apoderó del personaje, y diversos elementos mitológicos vinieron a cristalizar sobre el mismo. Se encuentra en él el mito del loco inspirado por la divinidad, el mito del «hombre salvaje», señor de los animales y equilibrador de la naturaleza, el mito del niño que acaba de nacer y que habla revelando el porvenir, y el mito del mago.

En su leyenda elaborada, Merlín es hijo de un diablo íncubo, lo que explica sus poderes. Se opone al rey usurpador Vortigern, sirve y aconseja a Aurelio Ambrosio (Emrys Gwledig), se convierte en consejero permanente y mago titular de Uther Pendragon, hace que éste engendre a Arturo, obliga a reconocer a Arturo como rey de los bretones, le aconseja y ayuda en sus empresas, y establece la Mesa Redonda.

El nombre de Merlín proviene de la palabra francesa «merle» (mirlo). Entre los personajes que influyeron sobre la imagen definitiva de Merlín se puede reconocer al galés Gwyddyon.

Mider

Divinidad del otro mundo de la tradición irlandesa. Su nombre significa «el violento», era el esposo de la bella Etain y pertenecía a los fomorés. Era un dios de los infiernos que aparece en ciertas leyendas tardías como un arquero

maravillosamente hábil. Crió a Oengus (hijo de Dagdé), que se fugó con su
esposa.

Los hijos de Milé

Los tuatha dé Dannan fueron los amos de Irlanda hasta que llegaron los hijos de
Milé, llamados también goidels o scots.

Milé era hijo de Bilé (dios de la muerte), del que creían descender todos los
celtas.

Su leyenda está relacionada con la Torre de Hércules, que se encuentra en A
Coruña, lugar donde vivía su familia, formada por escitas exiliados de Egipto,
cuando desde lo alto de la torre que había construido su abuelo Bregón, dicen
que divisó las tierras de Irlanda, y decidió viajar a ellas.

Fue bien acogido por los tres reyes tuatha dé Dannan que entonces gobernaban
la isla, pero después le mataron. Para vengarle, la estirpe de Milé invadió Irlanda,
donde se enfrentaron con los tuatha dé Dannan.

La primera invasión fracasó, pero hubo una segunda donde los hijos de Milé
triunfaron en la batalla y quedaron como dueños absolutos de Irlanda.

Morrigu/Mórrigan

Divinidad femenina de la tradición irlandesa. Forma parte de los tuatha dé
Dannan. Aparece a menudo en forma de corneja. Excita a los guerreros a
combatir, pero se la presenta también como una especie de diosa del amor.

Su nombre significa «gran reina» o «reina fantasma». En una ocasión se
presentó ante Cu-chulainn para seducirle como una hermosa joven.

Tras ser desdeñada y para vengarse, Mórrigan le ataca transformándose: de
anguila a lobo y de lobo a vaquilla roja. Cu-chulainn vence, pero queda
agotado. Mórrigan se le aparece de nuevo como una anciana ordeñando una
vaca cuya leche le ofrece. En agradecimiento, él la bendice y entonces ella cura
sus heridas.

Además de su imagen como muerte en la guerra, también evoca una poderosa
imagen sexual, cuyo episodio más conocido es su apareamiento con el dios tribal
Dagda, a horcajadas sobre un río. Este apareamiento simboliza su función como
deidad de la soberanía, identificada con la tierra de Irlanda.

Nuadu Airgetlam

Brazo de plata, pertenece a los tuatha dé Dannan. En el transcurso de la primera batalla de Mag Tured, perdió un brazo y ya no podía reinar.

Durante el tiempo que estuvo inhabilitado fue reemplazado por otro rey, Bress («el hermoso»), pero, como era mitad fomoré, su reinado no fue bueno para el pueblo a causa de su tacañería y su avaricia.

Tras la derrota de los fomorés por los tuatha, Bress fue perdonado pero sólo si les aconsejaba en cuestiones agrícolas, pues eran éstos buenos guerreros y artesanos, pero del campo apenas sabían nada.

El dios-médico Dianceht le fabricó una mano de plata (airgetlam) y así pudo asumir de nuevo la función regia y conducir a los tuatha dé Dannan en la segunda batalla de Mag Tured. Nuadu recuperó el trono hasta que el joven Lugh se hizo cargo de él.

Oengus/Angus

Pertenecía a los tuatha dé Dannan. Hijo de Dagdé y de Boann, su padre Dagdé confió su educación al dios Mider de Bregleith, famoso en las leyendas irlandesas por su amor por Etain (esposa de Eochaid Airem, rey supremo de Irlanda), a la que Oengus raptó siendo su madrastra.

Una leyenda cuenta que una noche Oengus vio en sueños a una hermosísima joven cerca de su cama, que al poco desapareció. Quedó tan enamorado de aquella visión, que no podía ni comer y enfermó.

Su madre mandó buscar a la aparecida joven por toda Irlanda, y se la buscó en vano durante un año. Posteriormente su padre, el dios Dagdé, envió en busca de la muchacha a Bodb, rey de los dioses de Munster.

Otro año después Bodb encontró a la muchacha. Pusieron a Oengus en un carro, porque estaba tan débil que no podía andar, y le llevaron al palacio encantado de Bodb, quien le llevó a un lugar junto al mar donde había 150 muchachas, amarradas dos a dos con una cadena de oro.

En medio había una mucho más alta que las demás y aunque Oengus la reconoció, su extrema debilidad le impidió acercarse a ella.

La muchacha resultó ser Caer, hija del dios Ethal, la cual pasaba un año con forma humana y otro transformada en pájaro.

Tras enfrentarse con su padre, que no quería dársela en matrimonio, Oengus se dirigió al lago donde vivía Caer transformada en cisne, y cuando expresó su deseo de bañarse en el lago, se convirtió a su vez en un cisne que se emparejó con Caer y desde ese momento fue siempre su esposo.

Ogmé/Ogmios

Es un dios anciano y arrugado vestido con una piel de león; lleva maza, arco y carcaj. Arrastra multitud de hombres atados por las orejas con una cadenilla de oro cuya extremidad se sujeta en su lengua. Ogmios es la elocuencia segura de su poder, el dios que, por magia, atrae a sus fieles.

Es también símbolo del poder de la palabra ritual que une el mundo de los hombres y el mundo de los dioses. En su nombre se profieren las bendiciones a favor de los amigos y las maldiciones contra los enemigos.

En Irlanda le llaman «Ogma». Es el inventor del «ogam», conjunto de signos mágicos cuya fuerza es tan grande que puede paralizar al adversario. Como guerrero, participó eficazmente en la batalla Mag Tured. Su equivalente en las islas era el galés Gwyddyon.

Ollathai

Antiguo dios celta cuyo nombre en irlandés significa «padre de todos». De origen indoeuropeo, su compañera era la diosa-madre, posiblemente la madre-tierra, y de ella nacían los hombres, animales y plantas. También era la guardiana de los muertos.

Partolón

Era el jefe de la primera raza que desembarcó en Irlanda el día de la fiesta de Beltené. Según la tradición ancestral, Partolón sería hijo de este dios.

En la *Historia de los bretones* de Nennius, escrita en el siglo X, se puede leer: «Llegaron a Irlanda los scots, que venían de España».

El primero fue, pues, Partolón, que llevaba consigo 1.000 compañeros, hombres y mujeres. Su número creció hasta llegar a 4.000 y entonces les atacó una epidemia y murieron todos en el término de una semana. Perdieron la vida juntos en la llanura de Sen Mag, ya que habían tomado la decisión de reunirse allí para que los supervivientes pudieran enterrar a los que iban muriendo.

Se cuenta que sobrevivió uno, Tuan Mac Cairril, que fue quien relató la mítica historia de esta colonización de Irlanda.

Las leyendas anteriores a la conversión irlandesa al cristianismo explican estas muertes masivas por una maldición de los dioses a la estirpe de Partolón por haber dado muerte éste a su padre y a su madre.

Tras la cristianización, la leyenda de los orígenes de Partolón tomó raíces del catolicismo, emparentándole con la estirpe de Jafet, hijo de Noé, con los constructores de la Torre de Babel y con los faraones egipcios. Partolón y su familia habrían llegado a Irlanda, según estas versiones, en el año 2.640 a. C.

Los scots (palabra originaria de Egipto y de la que derivan los escoceses) entraron en guerra con los fomorés, enfrentándose a ellos en la batalla de Mag Itha.

Posteriormente, Partolón tuvo de su esposa tres hijos: Fer, Fergnia y Rudraige; y dos hijas: Iain y Ain. Fer se casó con Ain y Fergnia con Iain, ya que no era entonces extraña o inhabitual la endogamia familiar, porque el matrimonio era habitualmente la rúbrica necesaria de una transacción comercial conveniente para dos familias.

En el caso de los hijos e hijas de Partolón, hubo peleas con armas entre hermanos.

Pwyll

Es el príncipe de Dyfed. Se encontraba en la caza del ciervo cuando atrapó a uno aterrado e inmovilizado por los perros de Arawn, rey de Annwvyn; por consiguiente, el ciervo pertenecía por derecho al rey.

Así pues, se reprocha a Pwyll (el sabio) su descortesía al quedarse con el animal, y éste, con el fin de redimirse, propone sus servicios para librarles de Hafgan, el enemigo permanente de Arawn. Mató a Hafgan de un solo golpe (condición indispensable para matarlo).

Durante un paseo, vio una hermosa mujer montando un caballo blanco, se acerca y Pwyl reconoció que era Rhiannon, la hija de Heveidd Hen, que había rechazado al pretendiente previsto porque prefería su amor por Pwyll.

Éste se casó con ella y tuvieron un hijo que desapareció, Pryderi, si bien fue recuperado milagrosamente gracias a unos potrillos. Aliado y auxiliar de los hijos de Llyr en su lucha contra los tuatha dé Dannan.

Rhiannon

Heroína galesa, su nombre quiere decir la gran reina. Aparece como una amazona. Ella misma escoge a Pwyll como esposo.

Como su hijo Pryderi le fuese arrebatado en el momento de nacer, fue acusada de haber hecho desaparecer al niño y condenada a llevar sobre su espalda a todos los visitantes que visiten a la fortaleza de su esposo. Es, pues, la imagen de una antigua diosa-yegua.

Rudraige

Era uno de los tres hijos de Partolón. Cuando murió al cavar su fosa, manó una fuente tan abundante que de ella surgió un lago, al que se llamó Loch Rudraige.

Sucellus

Dios galo de quien apenas se conoce el origen, su nombre quiere decir «el que pega bien». Su compañera era Silvana o Nantosuelta.

Se le representaba con un martillo o maza, y envuelto en el sagum, típica capa celta. El martillo puede ser un elemento que aleja los males, o un símbolo de poder.

Pero también es un elemento que procura la fertilidad, el despertar a la vida tras la muerte (y por eso se le relacionaría con animales como el lobo, que tiene características infernales), y con contextos curativos.

Sucellus sería para otros autores, no un dios distinto, sino una faceta o apelativo del Dios Pater.

Taranis

Su nombre deriva de la raíz «taran», «el trueno». Es un dios galo que formaba parte de la trilogía principal del panteón celta, formada por Taranis, Essus y Teutatés, dioses de la muerte y la noche que pertenecían a los fomorés.

La etimología de su nombre significa rayo en galés, córnico y bretón. Era pues el dios del rayo y de las tormentas, y los romanos lo asimilaron a Júpiter. Las víctimas que se le sacrificaban morían por ahogamiento en un gran caldero. A veces se le identifica vestido a la usanza romana.

Tethra

Caudillo irlandés de los fomorés, fue vencido en la batalla de Mag Tured y se convirtió en rey de los muertos.

Según las creencias célticas, los muertos van a habitar más allá del océano, al sudoeste, allí donde el sol se oculta durante la mayor parte del año. Una región maravillosa cuyas ventajas sobrepasaban con mucho las de este mundo.

Los hombres procederían de este país maravilloso al que en irlandés se llamó Tire Beo o «tierras de los vivos», Tir N-aill o «la otra tierra», Mag Mar o «gran llanura» y también Mag Meld, «la llanura agradable».

Teutatés

El nombre de Teutatés podría significar «el dios de la tribu». Hay historiadores que lo asimilan al dios Marte o incluso a Mercurio.

Se le identifica con el Dagda Eochaid Ollathair, «el padre de todos», y era invocado para que se abandonase la violencia y protegerse de todo mal. Su nombre deriva de teutha, «pueblo». Parece que fue el principal dios común a todos los galos, una especie de dios nacional de la Galia.

Con Essus y Taranis completa la trilogía de divinidades esenciales, en la que sería Teutatés el antecesor de los hombres y su legislador, guardián, árbitro y defensor de sus tribus. Se creía que tenía el poder de proteger al galo amenazado de muerte, para lo que éste enviaba al otro mundo a un cautivo como reemplazante de sí mismo, para poder así seguir viviendo.

Las víctimas que se le ofrecían en sacrificio eran quemadas. Estas inmolaciones se practicaban sobre todo en la guerra. Los cautivos eran ejecutados y esa matanza constituía un acto religioso, en el cual se quemaba a todo hombre y animal que hubiera caído prisionero como botín de guerra.

Trisquel

Triple figura espiral que forma un signo parecido a la esvástica aunque redondeado.

Pese a que se asegura que su origen es asiático, fue un signo muy utilizado por los celtas, sobre todo en Irlanda, debido a su forma de representar a los dioses, muchas veces en tríadas, con tres nombres o tres aspectos. Es un símbolo solar que indica los tres elementos fundamentales: aire, tierra y agua, o los tres componentes del ser: cuerpo, alma y espíritu, o las tres dimensiones: alto, largo y ancho.

Tuan Mac Cairril

Pertenece a la mitología irlandesa pese a ser un mortal, sobrino de Partolón. Su leyenda, de raíces cristianas, contribuye a explicar cómo llegó a conocerse la historia mítica de Irlanda, ya que se supone que a él se debe su relato.

Se dice que vivió alrededor de 420 años; de ellos 100 cuando fue por primera vez hombre, 80 de ciervo, 20 como jabalí, otros 100 como buitre o águila, 20 más como pez, y alrededor de otros cien como hombre de nuevo.

Esta segunda vida como hombre de Tuan duró lo que una vida normal, aunque algunos la alargan varios siglos.

Tuan Mac Cairril era hijo de Carell, hijo de Muredach Munderc, pero hubo un tiempo que a Tuan le llamaban hijo de Starn, hijo de Sera. Starn era hermano de Partolón.

Fue el único de la raza que sobrevivió a la peste y vivió durante 22 años como único habitante de Irlanda, hasta que llegó la raza de Nemed.

Escondiéndose de los nuevos pobladores alcanzó una extrema vejez, hasta que una noche se durmió y cuando despertó se había convertido en un ciervo.

Sintiéndose joven de nuevo, se proclamó jefe de todos los rebaños de ciervos de Irlanda. Cuando notaba llegar otra vez la decrepitud, volvía al Ulster y vagaba por los alrededores de su antigua casa, porque todas las metamorfosis que vivió se producían siempre en aquel lugar, precedidas por varios días de ayuno.

La creencia de que el alma puede sobrevivir a la muerte y tomar sin más otro cuerpo en este mundo, es uno de los principios básicos que estructuran la mitología celta.

Después se transformaría sucesivamente en jabalí, buitre y salmón, que fue pescado y sirvió de alimento a la mujer del pescador, por lo que de su vientre nació como niño de nuevo.

Gracias a estas metamorfosis, fue testigo de la llegada de los sucesivos pobladores de Irlanda, por lo que habría podido escribir su historia.

Los tuatha dé Dannan

Cuando los gaélicos llegaron a Irlanda se encontraron con tres diosas: Banbha, Fotla y Eriu, que son los tres nombres de Irlanda.

Cada una exigió a los invasores la promesa de que, si se hacían con el poder de la isla, le darían su nombre.

El vidente Amairgin aseguró a Eriu que Irlanda llevaría su nombre y, a cambio, Eiru profetizó que su tierra pertenecería a los gaélicos para siempre.

El origen de esta raza de habitantes míticos de Irlanda se encuentra en la que consideraban su madre, la diosa Danu. Ellos llegaron a la isla portando cuatro poderosos talismanes: la Piedra de Fal, que gritaba cuando la tocaba el rey legítimo; la Lanza de Lugh, que aseguraba la victoria; la Espada de Nuadu, de la que nadie podía escapar ileso y el Caldero de Dagda, del que nadie se apartaba insatisfecho.

Poseían extraordinarios conocimientos de magia y de la ciencia de los druidas y así muchos de sus dioses se asociaban a determinados actos de la vida cotidiana.

Aun teniendo en cuenta el gran número de dioses que conforman el panteón celta y la imposibilidad de citarlos a todos, hemos mencionado aquí los principales: Dagda, Goibhniu, Dianceht, Manannan, Nuadu Airgetlam o Lugh el resplandeciente.

La tradición pagana, consideraba a los tuatha dé Dannan como dioses venidos del cielo.

Llegaron a Irlanda, lucharon con los fir bolg, los fir domnann y los galioin, así como con sus dioses los fomorés, y se convirtieron durante un tiempo en los únicos señores de Irlanda.

Después llegó la raza de Milé, los goidels (moderna raza irlandesa), les atacaron y después de vencerles tomaron posesión del país. Los tuatha dé Dannan vencidos, se refugiaron en las cavernas de las profundidades de las montañas.

Cuando para distraerse recorren sus antiguos dominios, lo hacen bajo la protección de un encantamiento que los hace invisibles a los mortales.

No obstante, a veces manifiestan su poder, prestando algún servicio a los hombres o gastándoles malas pasadas. Los pájaros de los tuatha dé Dannan muestran un hermoso plumaje, van por parejas y sus cabezas están unidas por un yugo o una cadena de plata.

Leyendas celtas

El robo de ganado

La leyenda interpreta la terrible guerra que se originó entre el Ulster y Connaught por la obtención de un toro magnífico. Cuando la reina Maeve se enteró de que su esposo Ailill poseía un toro (Findbennach) maravilloso, quiso tener uno igual.

Supo entonces que existía un gran toro pardo en el Ulster, y decidió invadir a sus vecinos y tomar el toro por la fuerza, provocando una larga guerra entre ambas provincias. El rey del Ulster, Conchobar, mandó contra la reina a sus guerreros capitaneados por Cu-chulainn.

Ferdiad, héroe de Connaught, se enfrentó en un terrible duelo con su hermano de leche Cu-chulainn quien, lleno de dolor, le dio muerte en un duelo mitológico. Finalmente Cu-chulainn, portador de armas invencibles, lograría la victoria para el Ulster y la derrota de los ejércitos de Maeve, que tuvieron que retirarse.

La fuente de Barenton

Se trata de la historia y localización de una fuente que al parecer se encontraba en el bosque de Brocelianda.

Entre sus propiedades se afirmaba que sus aguas curaban la locura y que se podía atraer la lluvia, echando un poco de agua sobre la roca superior. Esta fuente aparece en la leyenda de Arturo y en otros relatos, habiendo quien la identifica como el lugar de encuentro entre Merlín y Viviana, hada conocida como la dama de la fuente.

Su nombre deriva de bel (abreviatura de belenos, «brillante») y un nemeton (el «calvero sagrado»), proyección ideal del cielo en la tierra. La fuente de Barenton es uno de los lugares más relevantes dentro de la mitología celta.

La leyenda de la calavera

Un granjero tenía un hijo único que murió y el padre no quiso ir al entierro porque habían discutido. Pasado un tiempo, el granjero, en otro entierro, encontró una calavera, la cogió y le comentó en voz alta:

«Debiste ser una persona apuesta en tu juventud, me gustaría saber algo más de ti».

Y la calavera le respondió:

«Mañana iré a pasar la noche junto a ti, si tú vienes a pasar otra noche conmigo».

El granjero estuvo de acuerdo y citó a un sacerdote para el día siguiente.

Estaban en su casa cuando apareció la calavera, se subió a la mesa, se comió toda la cena que había y desapareció. A la noche, el granjero acudió al cementerio, y al descender tres peldaños junto a la iglesia, se encontró en medio de un campo de batalla, lleno de hombres que luchaban entre sí con palas y hoces. Al ver al granjero le preguntaron por si buscaba al cráneo, y al asentir éste, le dijeron:

«Se acaba de ir al campo de al lado». Y en el otro campo vio a hombres y mujeres que luchaban entre sí.

«¿Está buscando un cráneo?, le preguntaron; pues se acaba de ir al campo de al lado.»

En el campo de al lado había una casa donde vivían una dama y una criada. La dama caminaba por la habitación, y cada vez que se acercaba al fuego a calentarse, la criada la apartaba de él.

También le preguntaron si buscaba un cráneo, y le dijeron que estaba en la habitación de al lado.

Allí sí encontró a la calavera que le preguntó si quería cenar, para lo que le condujo a la cocina donde había tres mujeres y le pidió a una de ellas que le sirviera cena, y ésta cogió pan moreno y una jarra de agua y se lo sirvió al hombre, el cual desistió de comerlo. El cráneo le pidió a la segunda mujer que sirviera la cena y aún sirvió una peor, por lo que éste de nuevo desistió de cenar.

Por fin la calavera le pidió a la tercera mujer que sirviera al granjero y ésta le ofreció una maravillosa cena con variadas viandas y magníficos vinos.

Después de cenar el granjero le preguntó al cráneo qué significaba lo que había visto y escuchó esta respuesta: Los hombres que viste en el primer campo solían luchar entre sí cuando estaban vivos y ahora tienen que luchar entre sí por siempre jamás.

Los hombres y las mujeres que viste luego eran parejas casadas que peleaban entre sí y ahora seguirán peleándose siempre. La señora que viste en la casa no dejaba en vida que la criada se acercase al fuego cuando estaba mojada y con frío y quería calentarse, y ahora la criada le hace lo mismo a ella hasta el Juicio Final.

En cuanto a las tres mujeres de la cocina –añadió– eran mis tres esposas. Cuando le pedía a la primera que me preparara la cena sólo me daba pan negro y agua. Con mi segunda esposa aún era peor. Pero la tercera a mis ruegos me servía el banquete que tú has cenado.

La calavera miro lúgubremente al granjero y añadió: En cuanto a ti, te he traído a este lugar por no querer ir al funeral de tu hijo por un enfado, y sin embargo fuiste al entierro de un vecino.

Así que ahora te sugiero que, si te quieres salvar, vayas hasta donde está enterrado tu hijo y le pidas perdón, quizá lo obtengas, y recuerda que desde que saliste de tu casa han transcurrido 700 años.

Como si despertara de un sueño, el granjero se encontró caminando hacia el cementerio, por lugares que apenas reconocía, hasta que pudo localizar la tumba de su hijo. Allí se arrodilló y arrepentido le pidió perdón hasta que salió una mano de la tumba, tomó la suya, y juntos subieron al cielo...

Cu-chulainn y Emeth

Los señores de los clanes del Ulster sugerían a Cu-chulainn que buscara una esposa, pero ninguna de las jóvenes lograba despertar su corazón. Un día fue invitado a un banquete en la casa real, y ahí conoció a la hermosa Emeth, hija de Forgall, señor de Lugach, y su espíritu se inflamó de amor por ella, a tal punto que decidió pedirla en matrimonio en el acto.

Al día siguiente se dirigió al castillo de Forgall, acompañado por su amigo Laeg. La bella Emeth se hallaba en las almenas de la fortaleza, bordando con las doncellas hijas de los nobles, cuando vio acercarse un carro por el camino de Math. La madre de Emeth comentó:

«Uno de los hombres que se acercan parece ser el hombre más atractivo de todo Erín, pero su expresión es melancólica y triste»...

Cuando el carro se detuvo en el patio del castillo, Emeth se acercó a saludar a Cu-chulainn, pero en cuanto éste le reveló que la razón de su presencia allí era el amor que sentía por ella, la doncella le respondió:

«No puedo desposarme antes que mi hermana mayor, Fiall, esas son las reglas de la familia». Cu-chulainn, enojado, le dijo:

«No es a ella a quien amo, sino a vos, y volveré triunfador para reclamarte».

Mientras decía esto, sus ojos descendieron de los de ella hasta su escote, el cual dejaba entrever la curva suave del pecho de Emeth, y añadió:

«¡Mía será esa llanura, la dulce y mágica llanura que conduce al valle de la doble esclavitud!»; a lo que la dama respondió: «Nadie llega a esta llanura sin antes haber cumplido con sus deberes, y los tuyos aún estás por comenzarlos...».

Cu-chulainn montó en su carruaje y se fue. Pero las palabras de Emeth había calado hondo en su mente y desde el día siguiente comenzó a prepararse para la guerra, las hazañas heroicas y la aventura. Entre sus hechos famosos figuraron la derrota de Scatagh, la diosa guerrera, y el aniquilamiento de los malévolos hijos de Nechtan, los mismos que habían asesinado a incontables hombres del Ulster.

Cu-chulainn obtuvo fama, gloria y un gran botín de sus hazañas, y una vez concluidas, se dirigió a buscar a Emeth, como estaba implícitamente acordado entre ellos. Una vez en el castillo de Forgall, solicitó formalmente la mano de su amada, y dejó la dote correspondiente a la hermana mayor, como era la costumbre.

Así fue conquistada Emeth, tal como ella lo había pedido, tras lo cual Cu-chulainn la llevó a Emain Macha y la hizo su esposa, para no separarse de ella jamás hasta su muerte.

Un poema druida

En el segundo y definitivo desembarco de los hijos de Milé, el druida Amergin puso su pie derecho en la tierra de Irlanda el día primero de mayo y cantó este poema en honor de la ciencia que le da más poder que los dioses de donde vino:

Yo soy el viento que sopla sobre las aguas;
Yo soy la ola del océano;
Yo soy el murmullo de las olas;
Yo soy el buey de los siete combates;
Yo soy el buitre en la montaña;
Yo soy una lágrima del sol;
Yo soy la más hermosa de las plantas;
Yo soy un valiente jabalí salvaje;
Yo soy un salmón en el agua;
Yo soy un lago de la llanura;
Yo soy la palabra certera;
Yo soy la lanza que hiere en la batalla;

Yo soy el dios que crea en la cabeza del hombre el fuego del pensamiento.

¿Quién es el que ilumina la asamblea en la montaña, sino yo?
¿Quién conoce las edades de la luna, sino yo?
¿Quién muestra el lugar donde el sol va a descansar, sino yo?
¿Quién llama al ganado de la casa de Tethra?
¿A quién sonríe el ganado de Tethra?
¿Por qué es el dios que forma encantamientos
—el encantamiento de la batalla y el viento del cambio—?

Leabhar Gabhala

Pasados tres días y tres noches, los hijos de Milé empezaron su primera batalla
contra los tuatha dé Dannan en un lugar llamado Sliab Mis, hoy día Slieve Mish,
en el condado de Cork.

El lago prestado

Un joven jefe cortejaba a la hija de otro jefe, cuyo fuerte se hallaba situado en el
linde de Loch Ennel en Westmeath. La damisela era bastante altanera y
melindrosa, y le dijo que no aceptaría la condición de dueña de casa mientras no
pudiera ver desde su ventana un lago tan hermoso como el que se veía desde la
casa de su padre.

El valle era adecuado, pero las laderas de las colinas estaban cubiertas de casitas
y el arroyuelo que serpenteaba allá en el fondo tardaría quizá muchísimos años
en llenar el valle, una vez terminada la represa, para cuya construcción se
necesitaría una docena de años. El galán sería viejo ya en esa época.

Su madre adoptiva, una hechicera (esto ocurría en los tiempos de los dannans),
al verle tan preocupado, se dirigió a la cabaña de una hermana Firbolg en el
mágico arte, que vivía en la la margen occidental del Shannon. Su cabaña estaba
ubicada en una colina, asomada sobre un agradable lago.

Después de un sencillo refrigerio, la visitante reveló el motivo de su viaje y le
suplicó a su sabia amiga que le prestara su lago hasta el día de la luna siguiente,
añadiendo engañosamente entre dientes «después de la semana de eternidad».

Al final se lo prestó y la hechicera se llevó el lago debajo de su capa hasta el valle
de Leinster.

La gente que vivía en las laderas de las colinas despertó esa noche al oír el
estruendo de 10.000 cascadas. Todos huyeron hacia las tierras altas y fueron

resguardados en los edificios del fuerte, y al alborear de la mañana siguiente, sus asombrados ojos contemplaron la plácida sábana de agua que cubría sus antiguas moradas.

Así fue conquistada la altanera novia. La descarriada mujer del Connacht esperó hasta el día de la segunda luna, irritadísima ante el fangoso lecho que exhibía el fondo de su lago, y voló hasta la casa de su embaucadora colega, cabalgando sobre su escoba, donde fue recibida con fingida alegría.

—No hay tiempo para cumplidos, comadre –le dijo–. Ha pasado el día de la luna siguiente y hasta el de la luna subsiguiente, y en vez de mi agradable lago sólo veo rocas, barro y pescado en proceso de putrefacción. Devuélveme mi lago, te digo.

—¡Ay, querida hermana! –le respondieron–, la ira te ha quitado la memoria. Te prometí devolverte tu hermoso pedazo de agua el día de la luna siguiente a la semana de eternidad, no antes; reclámala cuando venza el plazo.

La ira de la bruja traicionada no tuvo límites, pero no pudo hacer nada debido a la traicionera reserva de la astuta hechicera.

Así llegó, por amor, el Loch Owel a las gratas llanuras de Meath.

Fergus y el caballo de río

Fergus adoraba explorar los lagos y los ríos de Irlanda y cierta vez, en el lago Rury, dio con el Muirdris, un monstruo horrendo, un caballo de río, del que a penas pudo escapar.

A causa del terror, la cara de Fergus quedó torcida, y teniendo en cuenta que los gobernantes no podían tener ningún defecto, los nobles escondieron todos los espejos del palacio para que Fergus no se diera cuenta.

Un día, Fergus golpeó a una esclava y ella indignada le gritó:

«¡Sería mejor que os vengarais del caballo de río que os dejó la cara torcida, antes que cometer actos atroces contra una simple mujer!».

Fergus hizo traer un espejo, se miró y se calzó los zapatos mágicos, tomó su espada y fue al lago Rury.

Durante un día y una noche permaneció escondido bajo las olas, hasta surgir de las aguas con la cabeza de Muirdris en sus manos. ¡Había desaparecido el defecto! Sonrió, llevó su trofeo a la orilla, y exclamó: «¡He sobrevivido!». Y murió. Así fue la muerte de Fergus.

La doncella mágica

Existe otra versión de la leyenda de Oengus, ya comentada, que está mucho más entrelazada con las mitologías celtas, según la cual Angus Og, hijo de Dagdé y Boanna, del palacio de New Grange, cayó profundamente enamorado de una doncella a la que había visto en sueños. Angus y Bov viajaron hasta el lago Boca de Dragón, donde encontraron a 500 doncellas paseando por parejas, unidas entre sí por una cadena de oro.

Entre todas las doncellas, Angus reconoció a la de sus sueños, que era Caer, la hija de Ethal Anubal, el príncipe de los daanos de Connacht.

Angus se lamentó por no ser lo suficientemente fuerte como para arrancarla de sus compañeras, pero siguiendo el consejo de Bov el Rojo, fue a pedir la ayuda de los reyes mortales de Connacht, Ailell y Maeve.

Los reyes mandaron un mensaje al príncipe Ethal, pidiéndole la mano de Caer para Angus, pero él se negó a entregarla. Ante el rechazo de Ethal, las fuerzas del rey Ailell sitiaron su castillo y volvieron a reclamar la mano de Caer, ante lo que el príncipe explicó que la joven vivía alternativamente bajo la forma de doncella un año y de cisne al año siguiente:

«El próximo primero de noviembre la podréis ver con otros 150 cisnes en la Boca de Dragón».

Angus fue allí en el momento indicado, se acercó a la orilla y llamó a la blanca y alada Caer, le explicó quién era y de pronto se transformó en cisne él también.

La doncella correspondió su amor y juntos volvieron al palacio de Angus, emitiendo una música tan divina que todos lo que la oyeron cayeron en un sueño plácido durante tres días y tres noches.

La hija del rey de la Tierra de la Juventud

Mientras Finn y su hijo Oisin, junto a varios compañeros, cazaban una mañana brumosa de verano a orillas del lago Lena, vieron acercarse a una doncella hermosísima, montada en un corcel blanco, que vestía como una reina: corona de oro y manto de seda marrón con estrellas de oro rojo hasta el suelo. Su caballo llevaba adornos de oro y un penacho sobre la cabeza. La doncella y se acercó a Finn y le dijo:

—Desde lejos he venido y te he encontrado, Finn, hijo de Cumhal.

—¿Cuál es tu tierra, doncella, qué es lo que deseáis de mí?

—Mi nombre es Niam, la del pelo dorado. Soy hija del rey de la Tierra de la Juventud, y lo que me ha traído hasta aquí es el amor por vuestro hijo Oisin.

Ella se volvió hacia el joven guerrero y le habló con una voz a la que nadie podía negarse.

—¿Vendrás conmigo, Oisin, a la tierra de mi padre?

—Allí iré y hasta el fin del mundo.

Entonces la doncella habló sobre su tierra natal y, mientras lo hacía, una quietud de ensueño inundó todas las cosas. Ningún caballo se movió, los perros dejaron de ladrar, no hubo ráfaga de viento que meciera las hojas de los árboles del bosque.

Los hombres estaban tan maravillados que, de todo lo que ella contó, sólo pudieron recordar:

Es una tierra deliciosa por encima de todos los sueños,
Más bella que cualquier cosa jamás vista por unos ojos.
Allí todo el año hay frutos en los árboles,
Y durante todo el año las plantas florecen.

Allí los árboles miel salvaje gotean;
El vino y la hidromiel nunca se terminan.
Ningún habitante conoce el dolor ni la enfermedad,
Y la muerte o el decaimiento nunca están cerca de él.

La fiesta nunca empalaga ni la caza cansa,
Ni tampoco para de sonar la música de los salones;
El oro y las joyas de la Tierra de la Juventud
Brillan con esplendor jamás conocido por hombre alguno.

Tendrás caballos de buena cuna,
Tendrás perros que corren más que el viento;
Un centenar de guerreros os seguirán en las batallas,
Un centenar de doncellas os cantarán para que durmáis.

Una corona de soberano llevaréis en la frente,
Y a vuestro lado un arma mágica siempre estará,
Y seréis el señor de toda la Tierra de la Juventud,
Y señor de Niam la del pelo dorado.

Al terminar la canción, los fians vieron a Oisin montar en el corcel mágico, sostener a la doncella en sus brazos, y desaparecer como un rayo de luz hacia las profundidades del bosque.

La hija adoptiva del vaquero

La mujer de Cormac, rey del Ulster, sólo pudo tener una hija y esto amargó profundamente al rey, quien en su deseo de un heredero, rechazó a su esposa y ordenó que se deshicieran de su hija, tirándola a un pozo.

Los esclavos encargados miraron a los ojos a la niña y no pudieron con la orden, así que decidieron dejarla al cuidado de un buen hombre, un vaquero que vivía en el reino de Tara.

El hombre la crió con cariño y la enseñó hasta que se convirtió en una hábil doncella, diestra en las artes del bordado.

El vaquero observó que la joven Messbuachalla comenzaba a revelar una belleza increíble, y tuvo miedo de que fuera descubierta.

Finalmente decidió esconderla, y le construyó una casa de mimbre con una única abertura en el techo, para su protección.

A pesar de los esfuerzos del vaquero, alguien del reino de Tara tuvo curiosidad y trepó por las paredes para verla.

Así fue como llegó a oídos del rey de Eteskel la existencia de esta doncella quien, pensó, debería ser «la mujer de raza desconocida que le daría un heredero» tal y como lo había profetizado un druida.

El rey mandó buscar a la joven al día siguiente, pero esa noche Messbuachalla fue visitada por un gran pájaro que entró por el techo y se convirtió en hombre.

La doncella le dio su amor al dios. Él le advirtió que sería tomada por un rey y, antes de marcharse, también le dijo que había sido fecundada y que el hijo de ambos debía llamarse Conary, quien tendría prohibido cazar pájaros. El niño nació y creció en palacio, convirtiéndose en rey.

El lago de la llanura

En una llanura completamente lisa destacaba la imponente mole de un castillo, bajo el que había una caverna, junto a la boca de la cual fluía un hermoso manantial.

Se contaba que, en ocasiones, durante las noches de luna llena, salían de la caverna a bañarse en el manantial tres hermosas mujeres. El dueño del castillo se ocultó junto a la entrada de la caverna y vio salir a bañarse a las tres beldades.

Esperó con impaciencia a que volvieran y dejó que dos de ellas pasaran junto a su escondite, de camino hacia el interior de la cueva. Al pasar la tercera, que era la más joven y bonita, la aferró y la llevó al aire libre.

Las otras huyeron al interior de la caverna y la ninfa apresada rogó por su libertad. Pero él era gallardo y amable y al mismo tiempo resuelto; de modo que la cautiva consintió finalmente en reinar como dueña de su corazón y de sus dominios. Vivieron felices durante muchos años y tuvieron dos hijos.

Ella le había impuesto a su marido la condición de que no invitara a persona alguna al castillo y él, durante muchos años, así lo hizo. Como tenía en sus caballerizas un hermoso caballo, quiso concurrir a las carreras de Kood y le pidió a su esposa que se lo permitiera.

Ella consintió, pero le advirtió que no debía traer a amigo o conocido alguno con quien se encontrara allí. El señor del fuerte regresó solo por la noche, alegrándose de un premio obtenido por su caballo e indujo a su esposa, que era una dama Sídhe, a que le permitiera repetir la excursión al día siguiente. La segunda noche el señor del fuerte cumplió también su palabra.

Pero al tercer día, algunos amigos irreflexivos le hicieron beber, se enteraron de su secreto y consiguieron que les invitara a acompañarlo a su castillo, para ser presentados a su esposa.

La hermosa Sídhe había estado esperando su regreso y cuando lo vio cruzar la planicie, rodeado por una desordenada multitud, montó en cólera. El estrépito del aturdido grupo cesó cuando contemplaron a una mujer de sobrehumana belleza que atravesaba las puertas del castillo, llevando un niño en cada mano.

Angustiado, su marido echó a correr y llegó justo a tiempo de ver cómo su esposa y sus hijos desaparecían en el manantial encantado.

Al instante, el agua comenzó a brotar impetuosamente del manantial, en tan grandes cantidades, que anegó la planicie. Y siguió surgiendo hasta el nivel que ocupa hoy, constituyendo una severa advertencia contra los amigos poco aconsejables y la violación de los compromisos solemnes.

El origen de un nombre

En el viejo reino de Kerry vivían Donogha y Vauria, marido y mujer. De haber constituido una pareja feliz, sus nombres y desacuerdos no habrían llegado hasta nuestros tiempos.

Donogha era perezoso y Vauria de temperamento fogoso, así que el alimento y la leña eran a menudo escasos y las palabras de reproche, frecuentes.

Cierto día de verano, estaba Donogha junto al fuego, fumando su pipa, cuando Vauria le regañó porque en la casa no quedaba leña ni turba para calentar la cena, así que el marido tuvo que marcharse al bosque en busca de combustible.

Después de haber demorado doble tiempo del que habría empleado otro para juntar su haz de ramas, las amarró con gran esfuerzo y se sentó sobre él para quejarse de su mala suerte, pobre y con una mujer gruñona.

Entonces se le apareció san Brandán y le dijo que le otorgaría dos deseos, aconsejándole que lo pensara bien antes de expresarlos.

El holgazán dio las gracias y cargando el haz de leña sobre sus espaldas, se encaminó hacia su casa. Para un vago como él, aquel peso era casi insoportable y, olvidando lo que acababa de suceder, gimió:

—¡Oh! ¡Si este endemoniado haz de leña me transportara a mí en vez de transportarlo yo a él! Instantáneamente, se vio montando a caballo sobre el haz, que usaba los extremos de sus ramas como pies, y al poco rato llegó a la puerta de su casa y le contó a su esposa su buena suerte.

—¡Oh, maldito bobalicón! –dijo ella–. ¿Es así como dilapidas tu buena suerte?

—Es una suerte que el santo no se te haya aparecido a ti –dijo el holgazán.

Pero Vauria siguió insultándole por su estupidez hasta que Donogha perdió la paciencia y exclamó:

—¡Ojalá nos separara toda la extensión de Irlanda!

Apenas lo hubo dicho, ella y su cabaña se encontraron en un lugar que se llamó Teagh na Vauria (la casa de María), en el extremo mismo de Kerry, y él en el sitio llamado desde entonces Donaghadee (o sea, Teagh an Donogha, la casa de Donogha).

La otra muerte de Balar

Un cuento irlandés relata una espléndida versión de la muerte del gigantesco «fomoré» llamado Balar, al que un druida predijo que sería muerto por su nieto.

Balar sólo tenía una hija, Ethné, a la cual encerró en una torre inexpugnable construida en la cima de una roca inaccesible en la isla de Tory. Para evitar definitivamente cualquier riesgo, le dio por compañeras a 12 mujeres, cuya misión era impedir que Ethné supiera que existían hombres en el mundo.

Ethné creció prisionera, y sus compañeras jamás le hablaron de la existencia de los hombres.

Desde su torre veía pasar navíos y observó que eran conducidos por seres que no tenían el mismo aspecto que las mujeres que la rodeaban. Aunque pidió que le explicaran el misterio, sus compañeras se negaron a hacerlo.

Frente a la isla, en la costa irlandesa, vivían tres hermanos llamados Gavida, Mac Samhtainn y Mac Kineely. El primero era herrero, y el tercero tenía una vaca, cuya leche era tan abundante que despertaba la envidia de todos.

Balar quiso robarla y se presentó en la forja en el momento en que vigilaba la vaca sólo uno de los tres hermanos, que cometió la imprudencia de dejar la vaca en las manos de Balar y éste rápidamente se la llevó a su isla.

Para vengarse, Mac Kineely, ayudado por un druida y un hada, se presentó en la torre donde estaba Ethné, disfrazado de mujer. Pidió asilo en la torre, y una vez concedido, el hada durmió a las 12 compañeras de Ethné.

Cuando se despertaron vieron que la mujer y el hada habían desaparecido, pero Ethné había quedado embarazada y de ella nacieron tres niños. Balar los envolvió en una sábana, que sujetó con un alfiler, y ordenó que los arrojasen a un abismo marino.

Cuando los transportaban, el alfiler se desprendió de la sábana y uno de los niños cayó al agua, de donde le recogió el hada. Los otros dos murieron pero el que vivió fue confiado al herrero para que lo educase. Balar vengó la afrenta cortando la cabeza a Mac Kineely. Su hermano, el herrero Gavida, y un joven aprendiz tuvieron que trabajar para Balar.

Un día que el gigante presumía de su venganza en la fragua, el joven herrero tomó una barra al rojo vivo y atacó a Balar por la espalda clavándosela en su ojo maligno y matándole al instante. Ese joven herrero era Lugh, el hijo de Mac Kineely.

Tristán e Isolda

Leyenda acerca del amor invencible: Tristán e Isolda están unidos por un amor indestructible, aunque culpable e ilegítimo.

Tristán es hijo del rey de Leonois y Blancaflor, hermana del rey Marco. Es educado por Gorvenal, que le enseña a manejar la lanza y la espada, a socorrer a los débiles y a detestar la felonía. Se hace poco a poco maestro en tocar el arpa y en el arte de la montería. Isolda es hija del rey de Irlanda.

Cornualles, donde reina el rey Marco, tío de Tristán, está comprometida por un tratado con Irlanda. En virtud de ese tratado, Cornualles debe entregar a 300 jóvenes y a 300 jóvenes a Irlanda.

El rey de Irlanda acepta, sin embargo, que esta obligación no sea cumplida si un campeón vence en combate singular al gigante Morholt, su cuñado. Tristán acepta el desafío y vence a Morholt.

Marco decide casarse con Isolda, la de los bucles de oro, y envía a Tristán a buscarla al país de Irlanda. El contrato es concluido rápidamente y la reina deja marchar a su hija, pero la maga confía a la sirviente Brangien, que acompaña a la chica, un filtro de amor que debe dar a beber a los esposos la noche de bodas; Brangien esconde en el barco la copa que contiene el filtro.

Durante el viaje de vuelta, Tristán e Isolda sienten el deseo de beber. Descubren la copa y ambos beben su contenido. Isolda bebió a grandes tragos y lo tendió a Tristán, que lo vació. La desgracia está hecha: un amor indisoluble los une.

El pescador y la foca

Un pescador que caminaba entre las rocas de la orilla observó, en un tramo de hierba próximo al mar, a dos hermosas mujeres desnudas que se perseguían y se acosaban como fieras.

A sus pies, encontró dos pieles de foca y tomó una de ellas para examinarla. Las mujeres, al advertirlo, corrieron hacia él gritando para recuperar sus pieles. Años después, tras haber tenido con ella dos hijos, una noche el pescador despertó al oír conversaciones en la cocina de su casa. Acercándose a la puerta, oyó que su esposa hablaba en voz baja con alguien que permanecía al otro lado de la ventana.

Se estaban despidiendo y el pescador apenas tuvo tiempo de volver a la cama cuando su esposa regresó sigilosamente al aposento.

Al anochecer del día siguiente, cuando volvía hacia su casa caminando por la playa, advirtió a dos focas, una hembra y un gran macho, tendidas sobre las rocas jugueteando a escasos metros de la orilla.

Al acercarse a ellas, el macho se dirigió a él hablándole en el dialecto usado en aquellas islas, y le dijo:

—Tú me despojaste de la que iba a ser mi compañera, y hasta anoche no había podido encontrar su piel, cuya pérdida la obligó a ser tu esposa. Fuiste bueno con ella a tu manera y, además, mi corazón está rebosante de alegría, por lo que no te deseo ningún mal, pero contempla a tu esposa por última vez.

La foca hembra miró al pescador con sus ojos profundos, pero cuando el marido se precipitó hacia la roca para recuperar su perdido tesoro, la foca y su compañero se sumergieron en el agua y el hombre tuvo que volver solo a sus hijos sin madre, a su desolado hogar.

La capa de santa Brígida

Es preciso recordar que santa Brígida, la santa irlandesa por antonomasia, es considerada comúnmente como la homónima o la heredera de la diosa elemental celta llamada Dannan.

Cuenta esta leyenda que el rey de Leinster no era demasiado generoso, y que a santa Brígida no le resultaba fácil que contribuyera de manera suficiente a sus muchas necesidades caritativas. Cierto día, una vez que el rey se mostró más tacaño que de costumbre, ella le dijo, simulando un tono de broma:

—Concédeme al menos, oh rey generoso, para mis caridades, toda la tierra que pueda cubrir con mi capa. A lo que él, considerando escasa la demanda, consintió.

Estaban en el punto más alto del Curragh y ella indicó a cuatro de sus hermanas que extendieran su capa sobre la hierba. Ellas, obedientemente, tomaron la prenda, pero en vez de tenderla sobre la hierba, echaron a correr velozmente, extendiéndose la capa a su voluntad en todas direcciones.

Otras piadosas damas que allí había, aferraron partes de la capa para que conservara una forma más o menos circular y siguieron estirándola hasta que la anchura fue de un kilómetro y medio, por lo menos.

—¡Oh, Brígida! –dijo el rey, asustado–. ¿Qué estás haciendo?

—Con mi capa estamos cubriendo todos tus dominios, para castigar tu mucha mezquindad para con los pobres.

—No debes hacer eso. Dile a tus vírgenes que vuelvan, te daré una parcela decorosa de terreno y seré más generoso en el futuro.

La santa se dejó convencer fácilmente.

Obtuvo varios acres y, cuando el rey se volvía a mostrar tacaño, a ella le bastaba con recordar las virtudes elásticas de su capa para hacerle entrar en razón.

Frío invierno (poema irlandés del siglo XI)

Frío, frío, desapacible es esta noche el extenso Moylurg;
la nieve es tan alta como una montaña; el ciervo no puede obtener su comida.

¡Frío eterno! La tormenta se extendió por todos lados;
cada surco empinado es un río y cada vado una laguna repleta.

Cada lago es un mar inmenso y cada laguna es un lago lleno;
los caballos no pueden cruzar el vado de Ross, nadie más puede meter dos pies ahí.

Los peces de Irlanda vagabundean, no hay ribera en la que la ola no salpique, no queda un pueblo en la tierra ni se oye una campana, no hay reclamos de grullas.

Los lobos del bosque de Cuan no tienen reposo ni duermen en las madrigueras; los pequeños abadejos no encuentran abrigo en sus nidos de las laderas de Lon.

¡Ay de las avecillas acompañadas por el viento afilado y el frío hielo!

El mirlo negro no halla el bancal que le gustaría, un refugio junto a los bosques de Cuan.

Nuestro caldero está ajustado en su gancho; no descansa el mirlo de Letir Cró; la nieve se apiñó en ese lado del bosque, es difícil subir hasta Benn Bó.

El águila del pardo Glen Rye se aflige por el viento cruel; grandes son su miseria y sufrimiento, el hielo entrará en su pico.

Es imprescindible que pongas atención. Es tonto que tú te levantes del acolchado y de la cama de plumas; hay mucho hielo en todos los vados; esto es lo que digo: «¡Frío!».

Cu-chulainn y el auriga

En Tamhlachtae Órláimh, un poco al norte de Disert Lóchaid, Cu-chulainn se topó con el auriga de Órlámh, hijo de Ailill y Medhbh, que estaba en un bosque cortando madera.

«Los ulates se comportan vergonzosamente, si son ellos los que están ahí», dijo Cu-chulainn, «mientras el ejército está tras sus talones».

Fue para detener al auriga, pues creía que era un ulate, y vio al hombre que cortaba madera para hacer la lanza de un carro.

«¿Qué estás haciendo aquí?», le preguntó.

«Estoy cortando la lanza para un carro —contestó el auriga—, destrozamos nuestros carros persiguiendo a ese gamo salvaje de Cu-chulainn. Ayúdame, pero elige si vas a recoger los postes o los vas a cepillar».

«Voy a cepillarlos, sin duda», dijo Cu-chulainn.

Luego cepilló los troncos de acebo con los dedos, mientras el otro le miraba, hasta que los dejó limpios de corteza y de nudos.

«No es exactamente así como te dije que hicieras el trabajo», dijo el auriga, que estaba aterrorizado.

«¿Quién eres?», le preguntó Cu-chulainn.

«Soy el auriga de Órlámh, hijo de Ailill y de Medhbh. ¿Y tú?»

«Cu-chulainn es mi nombre», contestó él.

«¡Ay de mí, entonces!», se lamentó el auriga, imaginando su muerte.

«No tengas miedo»; le dijo Cu-chulainn, «¿en qué lugar se encuentra tu señor?».

«Está en aquel montículo», le contestó el auriga.

«Ven conmigo, entonces», dijo Cu-chulainn, «pues nunca mato a los aurigas.»

Cu-chulainn fue hasta donde estaba Órlámh, lo mató, le cortó la cabeza y la blandió frente al enemigo.

Luego puso la cabeza sobre la espalda del auriga y le dijo: «Llévala contigo y vuelve así a tu campamento».

La leyenda de Artús

Arturo o Artús es, sin duda alguna, el más conocido de los héroes celtas, porque las hazañas de sus seguidores, los caballeros de la Mesa Redonda, impresionaron a toda la Europa occidental.

Aunque algunas de las primeras historias que hablan de Arturo se encuentran en poemas galeses, no hay duda de que el rey guerrero forma parte de las tradiciones heroicas de Irlanda y Gales.

Arturo aparece en numerosas leyendas irlandesas, una de las cuales describe cómo consiguió robar los sabuesos del líder feniano Finn MacCool, en el curso de uno de sus más atrevidos ataques.

Sin embargo, como guerrero, cazador de jabalíes mágicos, exterminador de gigantes, brujas y monstruos y hasta como líder de caballeros andantes cuyas aventuras les llevaron a experimentar maravillas y misterios incontables, Arturo tiene mucho en común con Finn MacCool.

Según algunos historiadores, el admirado héroe habría sido un líder histórico que levantó al pueblo británico contra los invasores anglosajones tras la partida de las legiones romanas, e incluso aseguran que, en el año 537, Arturo y su acérrimo enemigo Modred cayeron muertos en la batalla de Camluan.

Arturo era hijo del rey británico Uther Pendragon y de Igraine, esposa del duque Gorlois de Cornualles, concebido por tanto fuera del matrimonio y criado por el mago Merlín. El mismo Merlín había construido para Pendragon un baluarte mágico donde se ubicaba la famosa Mesa Redonda con espacio para 150 caballeros.

Tras la muerte de Uther, los caballeros de la Mesa Redonda no sabían cómo reconocer quién sería su próximo rey y le pidieron a Merlín que les indicara quién debía serlo. El mago les dijo que el sucesor sería el que pudiera extraer la espada mágica clavada en una piedra que había aparecido misteriosamente en Londres. Numerosos caballeros intentaron arrancarla, pero ninguno consiguió ni tan siquiera moverla.

Años más tarde, Arturo asistía a su primer torneo en Londres como escudero, por orden de Merlín. Encontrándose sin espada, el caballero a quien servía envió a Arturo a conseguir una, y Arturo extrajo la que estaba clavada en la piedra y se la entregó al atónito caballero. Incluso entonces hubo caballeros que no aceptaron a Arturo pero, con la ayuda de Merlín, pudo vencer a sus oponentes y pacificar Inglaterra.

En una ocasión, cuando el nuevo rey vagaba sin rumbo por la orilla de un lago, vio con asombro primero una mano y luego un brazo que surgía de las aguas empuñando otra espada mágica: Excalibur. La Dama del Lago le entregó la famosa espada asegurándole que sería su más firme apoyo.

Arturo se convirtió en un excelente rey. Venció a los anglosajones, ayudó al rey Leodegraunce de Escocia en sus guerras contra los irlandeses, e incluso llevó sus campañas hasta las puertas de Roma. Como recompensa, el rey escocés le concedió la mano de su hija Ginebra.

Al principio Merlín se opuso a este enlace, ya que conocía el amor que sentía Ginebra por sir Lancelot, uno de los más apuestos caballeros de la Mesa Redonda. Sin embargo, acabó por dar todas sus bendiciones a esa unión, aunque la reina y Lancelot se hicieron pronto amantes y, cuando Arturo lo descubrió, Lancelot tuvo que huir a Bretaña.

Arturo persiguió a sir Lancelot y lo sitió en su fortaleza bretona. Sin embargo, pronto levantaría el asedio al saber que su sobrino, sir Modred, había sitiado Camelot en su ausencia e incluso había obligado a Ginebra a casarse con él tras hacerla creer que su rey y esposo había muerto en campaña.

De vuelta a Inglaterra, Arturo reunió a sus caballeros pare combatir a los rebeldes pero, antes de la batalla, se encontraron ambos al frente de sus respectivos ejércitos para intentar la paz, ordenando a sus hombres iniciar el ataque si veían desenvainar una sola espada. Un caballero descuidado usó la suya para matar una serpiente y entonces se desencadenó una cruel y larga batalla, cuyo resultado fue la desaparición, en ambos ejércitos, de lo mejor de la caballería británica.

Solamente dos caballeros de Arturo sobrevivieron y el rey, aunque victorioso, tuvo que ser transportado por ellos porque se encontraba malherido.

Sabiendo que llegaba su fin, arrojó la espada a un lago, donde fue rápidamente recogida por una mano que emergió de sus profundidades y, tras embarcarse en una nave mágica, desapareció. Sus últimas palabras fueron para decir que se iba a la isla de Avalón a curar sus heridas para regresar un día y guiar nuevamente a su pueblo. En su tumba, situada en Glastonbury, hay una inscripción que dice:

«Aquí yace Arturo, el que Rey fue y el que Rey será».

Las cuatro estaciones

Una vez Athairne fue de viaje en otoño a la casa de su hijo adoptivo Amhairghen y pasó la noche ahí; estaba por irse al día siguiente, pero Amhairghen le dijo para detenerlo:

«El otoño es una buena estación para quedarse;
entonces hay trabajo para todos antes de los días muy cortos.

Cervatillos moteados junto a las ciervas, los rojos grupos de helechos los ocultan;
los venados corren desde las lomas al llamado del guía.

Dulces bellotas en los anchos bosques, tallos cargados de grano en los trigales
sobre el espacio de la tierra parda.

Hay arbustos espinosos y zarzales en el medio de la corte en ruinas;
el suelo áspero está cubierto de fruta madura.

Avellanas a punto caen de inmensos árboles viejos a las acequias».

De nuevo se preparó para irse en invierno, pero entonces Amhairghen dijo:

«En la estación oscura del profundo invierno
una tormenta de olas se levanta a lo largo y a lo ancho del mundo.

Tristes están las aves en cada plana pradera, menos los cuervos que se alimentan de sangre carmesí,
por el clamor del áspero invierno; recio, negro, oscuro, ahumado.

Los perros se entretienen partiendo huesos;
la cacerola de hierro es puesta en el fuego luego del día negrísimo».

Otra vez se preparó para irse en primavera, pero entonces Amhairghen dijo:

«Cruda y fría es la helada primavera, el frío se alzará en el viento;
los patos del acuoso estanque han lanzado un grito,
apasionadamente triste es la grulla de áspero graznido

que los lobos escuchan en la espesura en el primer despuntar de la mañana;
muchas de las aves despiertas de la pradera
son las criaturas salvajes de las que se escapaban en el bosque, en el pasto verde».
Y cuando se preparó para irse en el verano, Amhairghen le dejó partir, diciendo:

«Una buena estación es el verano para largos viajes;
tranquilo es el alto y hermoso bosque
en el que el silbido del viento no molestará;
verde es el plumaje del bosque protector;
los remolinos giran en la corriente;
buena es la tibieza del césped».

Leyenda de transmisión oral, siglo XI en Irlanda

Amergin, el druida

El origen de los druidas en Irlanda se remonta según los antiguos anales
irlandeses, a los primeros colonos del país, que pertenecieron a la tribu de Jafet.

Una de las colonias más importantes que habían llegado a Irlanda era la de los
milesianos, o hijos de Milé, que provenían, como se ha dicho, de España, de
donde llegaron 200 años después de la conquista de tuatha dé Dannan, que
ocurrió aproximadamente en el año 1530 a. C.

Durante el curso de todas las migraciones, los druidas desempeñaban un papel
muy importante y entre ellos Caicher fue el mejor considerado, puesto que
predijo que Erinn (el antiguo nombre de Irlanda) sería su destino final.

En su llegada a Irlanda, los principales druidas de los milesianos eran Uar, Eithear
y Amergin. Amergin era uno de los hermanos apellidados Glungel y había sido
nombrado poeta y juez de la expedición.

El *Libro de las Invasiones,* se refiere a Amergin como al primer druida de los
gaélicos en Irlanda aunque no el único.

La primera colonia de milesianos desembarcó en Kerry y pronto marchó hacia la
Colina de Tara, que ocupaba el tuatha Dé Dannan, quien exigía desde allí la
supremacía del país.

Antes de combatir, los reyes plantearon poner la decisión en manos de Amergin,
y éste opinó que él y sus amigos deberían regresar a sus naves y trasladarse a
una distancia de nueve olas lejos de la tierra. Si fueran capaces de volver a tierra
otra vez a pesar de Dé Dannan, ellos conquistarían el país.

En cuanto se trasladaron a la distancia fijada, los druidas de Dé Dannan provocaron una tempestad y la flota se dispersó. La mitad se dirigió hacia el Sur y luego al Noreste de nuevo, mientras que la otra estaba en peligro en mitad de la tormenta, así que Amergin se irguió y pronunció una entonación druídica tan poderosa que la tormenta cesó y los milesianos pudieron desembarcar de nuevo.

Era un jueves primero de mayo y el decimoséptimo día de la luna. Fue entonces cuando Amergin puso su pie derecho en la tierra de Irlanda y cantó otro poema en honor de la ciencia y la magia que le dan más poder que los dioses de donde vino, poema de gran belleza que ya se ha reflejado en estas páginas.

Finn MacCumail y la cierva

Un día en que Finn y sus compañeros regresaban con sus perros de una cacería en el monte Allen, una cierva se cruzó por su camino y todos comenzaron a correr tras ella. Pronto los perseguidores fueron quedando atrás, excepto Finn y sus dos perros, Bran y Skolawn.

Estos perros tenían un origen muy peculiar ya que eran hijos de Tyren, tía de Finn, que había sido transformada en perra por un encantamiento. Eran los mejores canes de toda Irlanda y Finn les admiraba y amaba mucho.

Cuando la cacería se dirigía hacia un valle, la cierva se detuvo, se recostó, y Finn vio que sus perros jugaban con ella lamiéndole la cara. Finn ordenó entonces que nadie le hiciera daño y ella los siguió confiada durante todo el camino de regreso. Esa misma noche, él despertó y encontró junto a su cama la mujer más hermosa que jamás había visto en toda su vida, y ella le dijo:

«Soy Saba, Finn, yo era la cierva que perseguiste en la cacería de hoy. Por no haber querido dar mi amor al druida de la tierra de las hadas, me convirtió en lo que has visto, y he estado así durante tres años. Pero uno de sus esclavos, apiadándose de mí, me reveló que si podía llegar hasta vuestra morada, Finn, volvería a mi forma original. Temía ser destrozada por vuestros perros o herida por los cazadores, y por eso sólo me dejé alcanzar por vos, y por Bran y Skolawn, quienes tienen la naturaleza del hombre y que sabía no me harían daño».

Finn prometió protegerla y pronto la hizo su esposa. Tan profundo fue el amor que se tuvieron, que durante meses no se preocupó de luchar ni guerrear, sino de pasar cada día más tiempo con su bella esposa.

Un día llegó la noticia de que barcos de guerra del Norte habían anclado en la bahía de Dublín, así que él mandó llamar a todos sus hombres, y le dijo a su esposa:

«Los hombres de Erín nos dan tributo y hospitalidad para que los defendamos de los invasores, y sería una vergüenza aceptar los pagos sin dar de nuestra parte lo que se nos pide».

Durante siete días estuvo ausente Finn, hasta que los escandinavos se alejaron derrotados de las costas de Erín. Al octavo día, regresó entre los suyos, pero percibió gran preocupación en los ojos de los hombres y mujeres con los que se cruzaba. Además, Saba no estaba en la muralla esperando su regreso.

A su demanda, le contaron lo que había sucedido, puesto que ocurrió que, un día, estaba Saba esperando ansiosa su regreso, y apareció Finn con sus dos perros, y hasta en el aire se escucharon las notas de la llamada de caza de los de la Fianna.

Saba corrió hacia la verja a recibir a su amado, pero era un falso, un impostor que blandió una varita de avellano y la convirtió de nuevo en un ciervo.

Sus propios perros comenzaron a perseguirla haciéndola huir y, aunque los hombres tomaron las armas que pudieron y salieron a perseguir al hechicero, no lograron encontrar a ninguno de los dos.

Durante siete años buscó a Saba por cañadas, bosques y cuevas de toda Irlanda, con la única compañía de sus fieles mastines hasta que, perdida toda esperanza, renunció.

Un día, mientras cazaba en Ben Bulban, oyó que los perros gruñían con furia, por lo que él y sus hombres corrieron hacia el lugar de donde provenían los gruñidos, y encontraron a los canes rodeando a un niño de largos cabellos rubios, que estaba desnudo al pie de un árbol, mientras los fieles Bran y Skolawn los mantenían a distancia. Enseguida apartaron a los perros y se llevaron con ellos al muchacho que, cuando aprendió a hablar, les contó su historia.

Contó que no había conocido ni padre ni madre alguna y que siempre había vivido en un valle cercado por acantilados altísimos y bajo los cuidados de una amorosa cierva.

Durante el verano se alimentaba de frutos silvestres y durante el invierno se mantenía con las provisiones que guardaba en su cueva.

De tanto en cuanto, aparecía por el lugar un hombre de aspecto oscuro que hablaba con la cierva, a veces con ternura y otras con amenazas, pero el animal siempre le rechazaba, hasta que, un día, el hombre estuvo largo rato hablando con la cierva, hasta que la tocó con una varita de avellano y la obligó a seguirlo sin mirar atrás.

El niño les dijo que intentó ir tras ellos pero no pudo mover ni un ápice su cuerpo. Entonces, llorando de rabia y desolación, cayó al suelo y perdió el sentido.

Cuando volvió en sí estaba en la ladera de la montaña de Ben Bulban y durante días buscó aquel valle verde sin encontrarlo, hasta que los perros le hallaron.

Finn se dio cuenta en el momento de que era su propio hijo y le llamó Oisin, pequeño ciervo, que más tarde fue reconocido como guerrero y gran compositor de canciones y fábulas.

La venganza de Maeldun

Maeldun, o Mael Duin, fue uno de los grandes viajeros irlandeses.

La última leyenda que habla de su periplo es una mezcla de ideas precristianas y cristianas, en contraste con el mítico viaje de su antecesor Bran.

Su padre era un jefe de las tribus de las islas Aran que atacó Irlanda, saqueó una iglesia y violó a una monja y que, poco después, fue asesinado por invasores llegados de ultramar, probablemente vikingos.

Como resultado de aquella violación, la monja dio a luz a Maeldun, que fue adoptado por su hermana, que era la esposa del jefe local.

Sólo cuando otros niños insultaron a Maeldun diciéndole que era un mal nacido, su madre adoptiva le reveló su origen y le llevó a conocer a su verdadera madre.

Él partió con tres de sus hermanastros en busca de su padre, sólo para descubrir que había sido asesinado.

Deseando vengar su muerte, Maeldun pidió a un druida que le informara de los días más favorables para construir, botar y hacerse a la mar en una barca de cuero hecha con tres pieles.

Después, acompañado de sus tres hermanastros y con una tripulación de 17 guerreros, partió hacia un largo y misterioso viaje de venganza.

La primera isla que encontraron estaba habitada por asesinos, pero no eran los de su padre.

La segunda estaba habitada por hormigas gigantes, tan grandes como caballos, que casi devoran la barca y a su tripulación. Por suerte para ellos, los enormes pájaros que encontraron en la siguiente no supusieron amenaza alguna, incluso sirvieron de alimento a los viajeros.

Las dos islas posteriores resultaron mucho más peligrosas, de forma que Maeldun y sus hombres sintieron un gran alivio cuando llegaron a otra donde se encontraba la Casa del Salmón.

Allí hallaron una mansión deshabitada, repleta de comida, bebidas y cómodas camas. Hasta recibían salmón fresco regularmente por medio de un ingenioso mecanismo que arrojaba peces desde el agua hasta la casa.

Gozaron también de lujos similares en la siguiente isla, llena de huertos rebosantes de deliciosas manzanas.

Sin embargo, se enfrentaron de nuevo al peligro en nuevas islas pobladas por criaturas repugnantes, caballos salvajes y feroces puercos. La tierra de una de ellas quemaba como un volcán.

Entre los extraños seres que encontraron durante el viaje, había cerdos tan gigantescos y terneros tan enormes que no podían ser asados de una pieza; ovejas que cambiaban el color de su lana a voluntad; un sombrío molinero que molía todo cuanto se deseaba en el mundo; toda una población de plañideras; una isla dividida en cuatro reinos separados por verjas de oro, plata, latón y cristal; un castillo que tenía un puente de cristal donde vivía una bella doncella que rechazó el cortejo de Maeldun; ruidosas aves; un solitario peregrino que vivía en un islote que aumentaba cada año gracias a la divina providencia; una fuente mágica de la que manaba leche, cerveza y vino; herreros gigantes; un mar de cristal; un mar de nubes donde repentinamente aparecían castillos, bosques, animales y hasta un temible monstruo; una isla subterránea parecida a la de la profecía; un asombroso arco acuático; una columna gigante de plata y una red, de la cual los viajeros cortaron un pedazo como recuerdo; un islote inaccesible; la oferta de la eterna juventud en una isla en la que vivía una reina y sus hijas; frutas venenosas; risa contagiosa; torbellinos de fuego; y conocieron a un ermitaño que vivía del salmón que le daba cada mañana una nutria y de media hogaza de pan que le dejaban los ángeles.

Finalmente, Maeldun sí se topó con los asesinos de su padre, quienes, al rogarle compasión, obtuvieron de él la paz.

Así finalizó un periplo del que se dijo que abarcaba «toda la sabiduría de Irlanda» y demostraba que el camino es importante por cuanto se encuentra en él y no por el lugar al que conduce.

Introducción a la mitología nórdica

En el ancho norte de Europa se desarrolló una mitología grandiosa cargada de tintes oscuros y tenebrosos, que ha llegado hasta nuestros días mediante la tradición oral salvo las eddas, textos mitológicos, religiosos, heróicos y poéticos que datarían del siglo XIII.

Comienza cuando los vientos helados del Norte se estrellan contra los calientes del Sur dando la vida al gigante Ymer y a la vaca Audhumla, encargada de nutrir a la Humanidad.

La vaca dará a luz al primer dios, Buh (o Borr), de cuyo ayuntamiento con la hija de Ymer nacerán Odín, Vili y Ve, quienes dieron muerte a su padre y crearon el cielo y la tierra.

Llevaron el cuerpo de Ymer al centro de Ginngagap, y allí lo despedazaron totalmente para formar el universo: de su carne se hizo la tierra, de la sangre el mar y los lagos, de sus huesos las montañas, de sus muelas las rocas, de su cerebro las nubes, y de su cráneo la esfera celeste. Debajo pusieron a cuatro enanos para sostenerla: Nordi, Sudri, Austri y Vestri, que son los cuatro puntos cardinales.

De las chispas que salían del Musspell formaron las estrellas, ordenando sus órbitas.

La Tierra quedó rodeada del Mar exterior. En sus costas viven los gigantes. En su interior, protegida por una muralla que son las cejas de Ymer, levantaron Midgard, la Tierra Media, hogar de los hombres.

Un fresno gigantesco atraviesa la Tierra. Sus ramas sostienen el cielo y sus raíces se hunden hasta el reino de los gigantes.

Innumerables dioses poblaban el mundo hasta que apareció el primer hombre, Ask, nacido de un fresno, y la primera mujer, Embla, hija de un olmo.

A estos primeros humanos, Vili les dotó del intelecto, mientras que Ve les otorgó los sentidos.

Bosques, aguas, ríos y montañas se poblaron de hadas, ninfas, enanos, elfos, gnomos, trolls o gigantes, dando lugar a una intrincada familia de dioses, que aparecen divididos en dos familias o categorías principales:

Los ases (habitantes de Asgard) y los vanes (que viven en Vanaheim).

Los pueblos germánicos no tenían templos sino que adoraban a sus dioses y sacrificaban en su honor bajo las ramas de un árbol. En octubre, celebraban grandes fiestas tras la siembra, y en enero otras dedicadas a los frutos futuros, mientras que en abril recordaban a sus muertos.

La muerte vulgar era despreciable porque solamente los que recibían una herida mortal eran recogidos por las walkirias y conducidos a la morada celestial donde comenzaban una existencia maravillosa, en un lugar exclusivo para los hombres valientes y limpios.

En este paraíso se peleaba por el placer de pelear, sin miedo a morir ni a sufrir. Era la bravura en estado puro.

Sólo los que morían de enfermedad o de vejez alcanzaban el reino subterráneo de las sombras, donde la eternidad era gris y anodina.

La mitología nórdica describe en el Ragnarok un final para el mundo conocido.

Un día, Loki, al frente de todas las fuerzas del mal, asaltará el palacio de los dioses.

El lobo Fenris devorará a Odín, y Thor sucumbirá entre los anillos de una gigantesca serpiente, y en esta lucha despiadada perecerá el mundo entero.

Las aguas cubrirán la tierra, las estrellas caerán del cielo y las montañas arderán.

Felizmente, los dioses volverán a nacer más hermosos y fuertes que nunca para ocupar sus sitios en el Walhalla.

Entonces aparecerá aquel cuyo nombre nadie se atreve a pronunciar, el creador de todos los dioses, cuya sustancia y esencia son distintas de toda cosa conocida, y comenzará una nueva existencia que aún está por escribir.

Dioses nórdicos

Balder

Es hijo de Odín y Frigga, y hermano de Thor. Se le considera el más bello, bueno y sabio de los 12 ases.

Su cabello es rubio, su rostro resplandeciente, y habla tan juiciosamente que nadie puede rechazar su opinión.

Vive en el celeste Breidablik, un palacio con el techo de oro que pendía de columnas de plata maciza, donde no tenía cabida la suciedad, y en el que vivía con su esposa Nanna, diosa de la vegetación. Se decía de este palacio que nada falso podía cruzar su puerta.

Por su aspecto, se interpretaba que su rubia melena suelta era la imagen de los cálidos rayos del sol de verano, que calentaban la tierra y el ánimo de las razas nórdicas.

Su destreza con las runas y su increíble conocimiento de las hierbas curativas hacían que se convirtiera en un dios de gran importancia durante las épocas de enfermedades en Midgard, la Tierra Media, donde vivían los humanos.

Dios de la verdad, Balder tenía un hermano gemelo, Hodur el ciego, quien era su opuesto en todo.

Es el dios más amado de toda la mitología nórdica, personificación para el pueblo de la fecundidad, la luz, la sabiduría, la elocuencia y la moderación, la justicia, la piedad, la paz, la belleza, el bien y la inocencia.

Brage

Dios de la sabiduría y la elocuencia, de la música y la poesía, cuya esposa Idún es la guardiana de las manzanas que comerán los dioses a su muerte.

Es otro de los 12 ases, hijo de Odín, venerado por su sabiduría, su discreción y su habilidad con las palabras.

Fue Brage quien relató durante una fiesta el peligro que corrieron los dioses al perder las manzanas de la juventud. Se le representaba como un anciano de larga barba blanca, siempre con un arpa en la mano, y se decía que tenía runas tatuadas en su lengua.

Eir

Diosa de la Medicina y la Salud, sirviente de Frigga.

Foresti

Hijo de Balder y Nanna. Dios de la Justicia. Su palabra es Ley entre dioses y hombres. Preside la asamblea (Thing) de los dioses.

Es el encargado de resolver disputas y si no se cumple su palabra, dará muerte a quien la desobedezca.

Frey

El dios favorito de los elfos, dios de la lluvia, del sol naciente y de la fertilidad. Es uno de los vanes. Señor de la vegetación. Hijo de Njörd y Skadi, hermano de Freyja, su casa en Asgard era Alfheim.

Poseía la espada de la Victoria (que sabía moverse y luchar sola por los aires), pero la abandonó en la conquista de la virgen gigante llamada Gerda. Los enanos le regalaron un jabalí de oro llamado Gullinbursti que tiraba de su carro tan deprisa como un caballo al galope, y cuyo resplandor iluminaba la noche.

También tenía un barco llamado Skidbladnir, que podía albergar a todos los guerreros de Asgard al que siempre acompañaban vientos suaves y favorables que, a pesar de ser una embarcación enorme, se podía plegar en un espacio tan pequeño como el de una servilleta, y un caballo que superaba todos los obstáculos.

Dios del brillo del Sol, de los duendes, procuraba la paz y el bienestar a los hombres y era el único entre los dioses que tenía derecho a sentarse en el trono de Odín. De Frey se sospechaba la unión incestuosa con su hermana Freyja.

Freyja

Es la mayor de las asinias, junto con la noble Frigga, quien habitaba una espléndida mansión llamada Fensalir. Hija de Njörd y Skadi, se casó con Odr y tuvieron una hija llamada Hnoss, tan bella que da nombre a los tesoros, y otra llamada Gersimi.

Odr marchaba a largos viajes y Freyja le lloraba con lágrimas de oro. Se la llamó de distintas formas cuando buscó a Odr entre los hombres: Mardoll y Horu,

Gefu, Syr, Vanadis. Posee el collar mágico llamado Brising. Hermana gemela de Frey, es la diosa del sexo, de la fertilidad, la guerra y la muerte.

Frigga

La reina de los dioses, esposa de Odín e hija de Fjorgyn, diosa patrona de los matrimonios, del amor conyugal y maternal. En las bodas nórdicas se brindaba en su nombre.

Se la representa bella, alta y majestuosa, y se decía que los matrimonios virtuosos eran invitados, tras la muerte, por Frigga a compartir con ella su palacio de Fensalir para que no tuvieran que separarse en la eternidad.

Posee un disfraz de halcón y su vestuario es elegante y suntuoso, con muchas joyas de adorno, ya que es una enamorada de los vestidos. Es madre de Balder y su gemelo Hodur. Frigga tiene el don de saberlo todo, tanto el pasado como el futuro, pero siempre permanece callada, sufriendo por culpa de su propio don.

Heimdall

Dios de la luz, hijo de Odín y de nueve doncellas gigantes que le nutrieron con sangre de jabalí. Guardián de los cielos, duerme menos que un pájaro y el sonido de su cuerno puede oírse en cualquier lugar del cielo o de la tierra.

Su oído era tan extraordinario que se decía de él que escuchaba crecer la hierba, razón por la cual se le designó guardián del Asgard y del puente del arco iris que conducía a la residencia de los dioses.

Su nombre parece significar «el que lanza claros rayos»; los escandinavos decían que era grande y hermoso, con dientes de oro puro, armado con una gran espada centelleante, y un majestuoso caballo.

Con su trompeta llamada Giallarhorn anunciará el comienzo del Ragnarok, combate entre dioses y gigantes, en cuyas luchas morirá a manos del dios maligno Loki. Una tradición nórdica dice que descendió a la tierra y engendró en tres mujeres los tres linajes (castas): príncipes, súbditos y siervos.

Hermod

Hijo de Odín y Frigga. Tras la muerte de Balder, fue el encargado de cabalgar hasta Niflheim para tratar de convencer a Hela de que le dejara volver con los dioses. Es el encargado de dar la bienvenida a los guerreros muertos en combate que llegan a Walhalla. Su nombre significa «el rápido».

Hodur

Era un dios ciego cuyo nombre inspiraba terror a los antiguos escandinavos. Fue famoso por su fuerza; mató involuntariamente a su hermano gemelo, el muy amado dios Baldur, debido a una artimaña creada por su tío Loki.

Tras matar a su hermano, corrió hacia los bosques a esconderse de la venganza de los demás dioses, llevando consigo un escudo mágico y una espada, hasta que el joven dios Vale, hijo de Odín, consiguió dar con su paradero y con su arco y flecha hizo tres disparos a Hodur: una flecha no le dio, la segunda, rebotó en el escudo mágico, y la tercera flecha penetró en el corazón de Hodur causándole la muerte.

Tras el Ragnarok resucitará y sobrevivirá a todos los demás dioses, como dios del nuevo mundo regenerado.

Idun

Diosa de la eterna juventud, esposa de Brage e hija del enano Ivald, guardaba una caja dorada en la que se conservaban las manzanas que rejuvenecían a los dioses cuando éstos envejecían.

Jörd

Diosa de la Tierra, hija de Nat, esposa de Odín y madre de Thor. Su madre, Nat, es la Noche, la morena hija del gigante Narve.

De cabello oscuro como el de toda su raza, y ojos suaves y benevolentes, trae descanso al trabajador y refresco al cansado, así como descanso y sueños a todos; al guerrero le da fuerza para que pueda obtener su victoria y le encanta llevarse las preocupaciones y los cuidados. Nat es la benefactora madre de los dioses.

Loki

Enemistador de ases y mentiroso, desdicha de hombres y dioses, despreciado por todos. Es hijo del gigante Farbauti. Su madre es Laufey y sus hermanos son Byleist y Helblindi.

Loki es hermoso y bello, pero de mala naturaleza, caprichoso y muy astuto. Su mujer se llamaba Sigyn, encargada de aliviar su dolor diariamente evitando que el veneno de la serpiente cayera sobre los ojos de su marido cuando fue torturado como instigador del asesinato de Balder, y su hijo Nari.

Primero fue esposo de Glut, y fruto de esta unión son Eisa y Einmyria.

Loki Laufeyjarson era en la mitología nórdica el dios del engaño y también se le consideraba el dios del fuego.

Fue el padre de numerosas criaturas humanas y monstruos, como los tres hijos que tuvo con la gigante Angrboda: Jörmungandr, la serpiente marina de Midgard que perseguirá a los hombres, Fenris, el lobo gigante predestinado a terminar con Odín en el Ragnarok, y Hela, la diosa del reino de los muertos llamada «el infierno oscuro», cuya sala está en el noveno mundo debajo del árbol sagrado.

También fue el padre de Sleipnir, la montura de ocho patas de Odín.

Njörd

El tercero de los ases, que vive en Noatún. Rige los vientos y calma el mar y el fuego. Concede toda suerte de riquezas al ser invocado.

Dios sobre todo del mar de verano y de los puertos, era el que calmaba las tempestades de Aegir y las oleadas de Gymer, el gigante de la tormenta del amargo Este.

También se le consideraba una especie de patrono para los navegantes y viajeros. Creció en Vanaheim, pero fue tomado por los dioses como rehén y los vanes se llevaron a cambio a Haenir para reconciliarse.

Su mujer Skadi, diosa del invierno, los deportes invernales y la caza, era hija del gigante Thjazi, y prefería vivir en las montañas de Thrymheim. Njörd, sin embargo, vivía junto al mar. Acordaron dormir nueve días en cada sitio, pero a uno no le gustaba el aullido del lobo ni a otra el chillido de las gaviotas, así que se separaron y Skadi vivió en las montañas, donde esquiaba y cazaba bajo el nombre de Ondurdis. Frey y Freyja sus hijos.

Odín

El dios más noble y antiguo de los 12 ases y todos le sirven. Frigga, una de sus esposas, era la conocedora del destino de los hombres aunque no fuera vidente.

Odín es llamado Allfödr (padre de todos), Valfödr (padre de los caídos en la lucha, a quienes aguarda el Valhalla), Hangagud (dios de los ahorcados) y muchos otros nombres.

Hijo de Bor y Bestla, es el padre de Balder, Tyr, Bragi, Thor, Heimdallr, Vidar, Hodur, Vali y Hermod. Sus tres esposas fueron Frigga, Rind y Fjorgyn.

Se le describe como un anciano de barba blanca, tuerto, con dos cuervos sobre sus hombros (Hugin y Munin, el pensamiento y la memoria) a los que envía a vigilar el mundo cada mañana para que le informen de cuanto ocurre.

Lleva una poderosa lanza consigo llamada Gungnir.

Logró deshacer los planes del dios Loki de llevar a cabo el Ragnarok, por lo que consiguió la gracia y el respeto de los dioses de su panteón. Adquirir esta sabiduría le costó uno de sus ojos.

Se le considera autor de las runas, signos alfabéticos y a la vez símbolos que permitían a los mortales predecir el futuro. Para obtener las runas se colgó cabeza abajo, sujeto por un pie, del fresno del mundo.

Sus atribuyos son la citada lanza; el anillo Draupnir, anillo mágico de oro, que fabricó y le regaló el herrero elfo Sindre, símbolo de productividad y fertilidad que cada nueve noches generaba ocho anillos de oro de igual tamaño, lo que daba lugar a una cadena sin fin; el barco Skidbladnir y el caballo Sleipnir, que tenía ocho patas y era el corcel más rápido de todo el Universo, en sus dientes había runas secretas grabadas, y con el que Odín siempre salía a cazar por la Vía Láctea, donde los vientos eran fuertes y las estrellas quemaban de resplandor. Tiene también dos lobos, Geri y Freki.

Específicamente, era el dios de la victoria, de los muertos en batalla, de los héroes y de los reyes.

Sif

Diosa de las cosechas, esposa de Thor. Era muy bella, y es que su belleza y poder se encontraban en el rico y poderoso crecimiento de su brillante cabello.

Una noche, mientras dormía, el envidioso Loki le cortó todo el cabello y se lo llevó, entonces Thor se llenó de ira, al igual que Odín y el resto de los dioses, porque en los rizos de Sif se encontraba la abundancia y la prosperidad, así que capturaron a Loki y éste prometió restituir todo el cabello de la cosecha de Sif y añadir un regalo de paz para todos los dioses.

Thor

El de la barba y pelo rojos es el más fuerte de hombres y dioses, hijo de Odín y Jörd y hermano de Balder y Hodur.

Se le llama Okuthor (Thor del carro) por el carro que posee, que es tirado por dos chivos, Tanngnjóst y Tanngrisnir (Diente Crujidor y Diente Pulverizador).

Estos monstruos son tan grandes que arrasan la tierra a su paso, y pueden ser asados y comidos por Thor y luego vueltos a la vida en caso de necesidad.

Su martillo Mjolnir es viejo conocido de los gigantes, con él producía los truenos al golpearlo con un yunque, o lo lanzaba y volvía a sus manos, aunque con sus guantes de hierro jamás se le escapaba el mango si no lo deseaba. Además, un cinturón mágico dobla su fuerza. Su reino se llama Trudvangar y su palacio es Bilskirnir (relampagueante).

Es el dios patrón de la gente simple y trabajadora, en particular de los guerreros. También es llamado Tiwur y Donner, según la zona. Es el dios del trueno y de la guerra. Casado con Sif, tuvo un hijo llamado Magni con la giganta Jarnaxa.

Tyr

Era el dios del cielo en la mitología nórdica y sacrificó una de sus manos por el bien de los dioses.

En Asgard, la tierra de los dioses, había un lobo endemoniado, hijo de Loki, llamado Fenris, tan grande y feroz que solamente Tyr se atrevía a acercarse. Los dioses decidieron amarrar al lobo, usando una cadena irrompible hecha por los enanos, una cinta mágica llamada Gleipnir, de materiales tales como las barbas de una mujer y las raíces de una montaña.

Pero Fenris presintió el engaño de los dioses y rechazó permanecer amarrado con esta cinta a menos que uno de ellos pusiera su mano en la boca del lobo, en señal de buena fe.

Tyr, conocido por su gran valor, accedió, y los otros dioses amarraron al lobo. Fenris sintió que lo habían engañado y mordió la mano del dios. Fenris seguirá encadenado hasta el día de Ragnarok.

Durante Ragnarok, Tyr está destinado a matar y ser muerto por Garm, el perro guardián de Helheim. Odín tomó el lugar de Tyr como dios del cielo alrededor de los siglos VIII y IX.

Ullr

Dios que preside el combate cuerpo a cuerpo. También, dios de la caza, de la arquería y del frío propio de la estación invernal, del esquí y de la muerte, hijo de Thor y Sif.

Su nombre significa «el glorioso». Se le suele asociar con la aureola boreal. Esposo de Skadi y amante de Hella.

Vale

Dios de los arqueros, de insuperable puntería, era hijo de Odín y la doncella Rhind, y apenas se le menciona antes de la lucha que habrá de preceder al crepúsculo de los dioses.

No fue una divinidad popular sino una creación de los escaldos.

Dios de Mayo, de recién nacido tenía la cara de un niño y el cuerpo de un guerrero y sería quien había sido concebido para vengar la muerte de su hermano Balder, dando muerte a Hodur con una de sus tres flechas.

Por ello se le conoce como el dios de la venganza justa.

Las valquirias

Son las mujeres más conocidas de la mitología nórdica, vírgenes guerreras enviadas por Odín a rescatar a los caídos en batalla para conducirlos al Valhalla, donde preparan las mesas y les escancian la hidromiel: Gugr, Rota, Norn, Skuld y otras cinco desempeñan esta función, siendo la más conocida Brunhilda, que por desobedecer a Odín perdió la inmortalidad y acabó casándose con Sigfried, el hombre sin miedo.

Llamadas también doncellas de Urd, vestían de blanco y no portaban armaduras.

Eran jóvenes vírgenes audaces que cabalgando por el aire en veloces corceles, decidían, al mando de Odín, el resultado de las batallas: al final de éstas elegían entre los caídos a los héroes que después conducían al Walhalla en Asgard.

En su mayor parte tenían origen celestial, pero frecuentemente muchachas de estirpe nobilísima eran acogidas en vida entre las valquirias, y daban alguna vez su amor a los héroes.

Entre las más importantes destacan también Hlin, quien llevaba a Freyja las oraciones de los hombres y mujeres; Gna, la rápida mensajera que va y vuelve a la Tierra, contemplando y recordando; Lofn, guardián de los amantes, en cuyo nombre se hacen los juramentos; Vjofr, la pacificadora, que une a los amantes y esposos que han peleado; Syn, la sabia guardiana de la puerta; y Gefjon, guardiana de las doncellas vírgenes que nunca se casarán.

Valhalla

Es el paraíso de la mitología nórdica al cual los héroes van cuando mueren en el transcurso de una batalla.

Se sitúa en el palacio de Odín, en Asgard, donde los héroes fallecidos son bienvenidos por Bragi y al que han llegado conducidos por las valquirias.

Tiene 540 puertas, muros hechos de lanzas, un tejado hecho de escudos y bancos cubiertos de armaduras. Se dice que en él hay lugar suficiente para todos los elegidos.

En este paraíso, todos los días, los guerreros muertos que asistirán a Odín en el Ragnarok, el conflicto final de los dioses con los gigantes, se preparan para la batalla guerreando entre ellos en las llanuras de Asgard, sin muerte ni dolor.

Por la noche, retornan a Valhalla para disfrutar de banquetes en los que dan buena cuenta de cuantos jabalíes desean regados con hidromiel.

En Valhalla hay también un gallo llamado Gullinkambi que los despierta cada mañana y está destinado a advertir la llegada del Ragnarok.

Vidar

Calzado con botas metálicas, fuerte e implacable, era hijo de la gigante Grid y el viejo Odín era conocido como el dios silencioso y era el guardián permanente de los bosques.

Ymer

Al encontrarse hielo y fuego, la nieve empezó a derretirse y, moldeada por el frío, pero despertando a la vida por el calor, surgió una extraña criatura, el gigante más grande que jamás haya existido, llamado Ymer.

El gigante Ymer tuvo hijos consigo mismo. Mientras dormía, empezó a sudar y, de pronto, surgieron de su axila izquierda una criatura masculina y otra femenina.

Y no queriendo ser menos las piernas que los brazos, los pies copularon entre sí y dieron a luz un hijo con seis cabezas.

Ese fue el origen de los «gigantes de escarcha», a veces llamados trolls, pero más conocidos como yotes.

El mismísimo Odín, que más tarde se convertiría en el dios supremo, era vástago de Bestla, hija de un yote, y de Bor, hijo de Bure, a su vez hijo de la vaca Audhumla. Los yotes fueron aumentando en número hasta que Odín y sus hermanos Vili y Ve se rebelaron contra Ymer y su estirpe.

Con el cuerpo muerto de Ymer se construyeron las montañas, la tierra, los mares y los ríos.

Leyendas nórdicas

Los nueve mundos

En el primer canto de la más antigua de las eddas, se puede leer:

«Prestad atención,
todos vosotros de razas divinas,
¡mayores y pequeños, hijos de Heimdall!

Voy a narrar las maravillosas hazañas de Valfodr,
los más antiguos relatos de los hombres,
los primeros que yo recuerde.

En la aurora del Tiempo
viva Ymer;
no había ni arena ni mar,
ni olas refrescantes,
la tierra no existía, ni el cielo sublime,
sólo existía el Ginungagap,
pero no había hierba».

En este mismo edda se menciona más adelante la existencia de los nueve mundos, o nueve partes del mundo, todas ellas sostenidas por las ramas del fresno Ygdrasil, que constituye el conjunto del mundo.

Estas nueve divisiones, de arriba abajo, eran las siguientes:

1. MUSPELHEIM (MUNDO DEL FUEGO)
El más elevado de los nueve mundos, y el reino de Surt y los gigantes del fuego. Se creía que Gimle (el cielo) estaba situado en sus regiones más altas.

2. ASAHEIM (MUNDO DE LOS DIOSES)
Era el mundo situado más arriba de Midgard y formaba una bóveda por encima de la tierra.

El acceso a este mundo se realizaba a través del arco iris, un puente tendido de un lado al otro del universo. Asgard era un recinto amurallado en el cual vivían todos los dioses y en el que cada dios tenía una gran mansión (excepto Odín que tenía tres):

• La primera mansión de Odín era Valaskialf, en la que estaba la sala del trono.
• La segunda era Gladsheim, en la que estaba la sala del Consejo de los dioses.

- La tercera y más hermosa era el Walhala, en la que Odín recibía a todos los guerreros muertos heroicamente y donde compartía con ellos banquetes y juegos de guerra.

3. LJOSALFAHEIM (MUNDO DE LOS ELFOS DE LA LUZ).

4. VANAHEIM (MUNDO DE LOS VANES).

5. MANNAHEIM (MUNDO DE LOS HOMBRES), o MIDGARD
La Tierra media, donde vivían los hombres.

6. JOTUNHEIM (MUNDO DE LOS GIGANTES)
Al norte, en las regiones llamadas propiamente JOTUNHEIM, habitaban los gigantes de la escarcha, y en las de ÚTGARD, los gigantes de las montañas. Estaba separado por el río Iving de la Tierra media.

7. SVARTHALFEIM (MUNDO DE LOS ELFOS DE LAS TINIEBLAS).

8. HELHEIM (MUNDO DE LOS MUERTOS)
Era como los infiernos. Sumido en una perpetua oscuridad, gobernado por la diosa Hel, sus habitantes eran los muertos de muerte natural o de vejez, a los cobardes en la batalla. Guardaba su entrada el gigantesco perro Garm.

9. NIFLHEIM (MUNDO DE LA NIEBLA)
El que está debajo del todo, reino del frío y de las tinieblas, y en medio del cual se encuentra la fuente Hvergelmmer, donde habita el dragón Nidhug.

Ragnarok

El Ragnarok, más que el fin del mundo, describe el destino de los dioses. Es una de las leyendas centrales de la mitología nórdica, y a ella se suelen referir a menudo las historias entremezcladas de los dioses.

Según esta leyenda, vendrá un tiempo helado llamado Fimbulvetr, con inmensas nevadas y vientos, que el sol no será capaz de calentar.

Tres inviernos seguirán sin ningún verano por medio, pero antes vendrán otros tres, en los que el mundo se sumirá en grandes batallas, y los hermanos se matarán entre sí por avaricia, y no respetarán al padre y al hijo, ni en las matanzas ni en el sexo.

El lobo que persigue al sol lo alcanzará y se lo tragará, y lo mismo sucederá con el que sigue a la luna. Las estrellas se precipitarán desde el cielo. Temblará la tierra y las montañas se derrumbarán, y todas las cadenas se romperán y quebrarán.

Entonces se soltará el lobo Fenris de la cinta mágica que fabricaron los enanos y las aguas inundarán la Tierra, pues la serpiente de Midgard se revolverá con furor de gigante. Se soltará el barco Nafglari, hecho con las uñas de los muertos (por eso se les cortan las uñas a los muertos, para retrasar el Ragnarok), pilotado por el gigante Hrym.

Fenris abrirá su boca hasta tocar cielo y tierra, y saldrá fuego por ella. La serpiente escupirá veneno y se encrespará por los aires haciendo compañía al lobo.

Se rasgará el cielo y vendrán cabalgando los hijos de Muspell, presididos por Surtur y su brillante espada. A la llanura de Vigrid también llegarán Loki y Hrym y todos los gigantes de la escarcha, y a Loki le seguirán todas las criaturas del Averno.

Al oírlo todo, Heimdall se despertará y soplará el cuerno Gjallarhorn para alertar a todos los dioses que se reunirán en asamblea. Odín cabalgará hasta el puente de Mímir y le pedirá consejo. Entonces temblará Yggdrasil, el fresno del mundo, y no habrá nadie sin miedo.

Los ases y los einherjard, los guerreros del Valhalla, vestirán sus armas y cabalgarán hasta el llano. En cabeza Odín, con su yelmo y su coraza de oro, y su lanza Gungnir, y le atacará el lobo Fenris, y Thor no le podrá ayudar, pues tendrá que enfrentarse a la serpiente de Midgard, Jormungand. Frey luchará contra Surtur, mas morirá por no tener la espada que le dio a Skirnir.

Entonces soltarán al perro Garm, el más horrible de los monstruos, luchará contra Tyr y se matarán los dos. Thor dará el golpe de muerte a la serpiente de Midgard, tras lo que retrocederá nueve pasos y morirá a causa del veneno de la misma.

El lobo se tragará a Odín, y así morirá el padre de todos, pero Vidar pisará la mandíbula de Fenris con su zapato de hierro hecho de las suelas que los hombres desechan y se la romperá al tirar de la mandíbula superior.

Loki luchará con Heimdall y los dos morirán, tras lo que Surtur arrojará fuego sobre la tierra y quemará todos los mundos.

Pero no todos morirán. Los que estén en el cielo Gimlé se salvarán y beberán, y también los que estén en el palacio Brimir en Okolnir, pero otros estarán en lugares horribles, palacios hechos de serpientes que escupen ríos de veneno que los asesinos y los que rompen juramentos tendrán que vadear. Y aún peor será en Hvergelmir.

Pero la tierra volverá a surgir de los mares y será verde y bella y crecerán los campos sin sembrarlos. Vivirán Vidar y Vali, a quienes el fuego de Surtur no dañará, y habitarán en Idavellir, donde estuvo Asgard. Y allí irán Magni y Modi, los hijos de Thor, y les esperará el Mjolnir. Y del infierno vendrán Balder y Hödr, y hablarán de las viejas runas, y encontrarán en la hierba los escaques de oro que pertenecieron a los ases.

En un bosque llamado Hoddmímir se habrán escondido del fuego dos hombres llamados Lif y Leifthrasir, y comerán rocío y serán los padres de una descendencia que habitará todos los mundos. Y el Sol tendrá una hija no menos bella que ella misma. Y nadie puede hablar más allá de la marcha de los tiempos. La profecía termina con el dragón Nidhögg hundiéndose en los infiernos:

«Llegará volando el oscuro dragón,
la sierpe brillante, desde Nídafjöll;
llevará en sus plumas los muertos de Nighögg.
Allí se hundirá».

Las manzanas de Idun

Idun es la diosa de la eterna juventud. Conserva para los dioses las manzanas doradas que restauran la juventud a quien las prueba.

Cuando los dioses sienten la proximidad de la vejez, que su fuerza disminuye y su vista pierde agudeza, sólo deben comer estas manzanas para ser jóvenes de nuevo. El nombre de Idun proviene de una palabra que significa actividad constante y renovación.

En una ocasión los dioses Odín, Hoener y Loki, estaban de viaje. A lo largo de su camino se quedaron sin víveres, hasta que llegaron a un valle donde pastaba un rebaño de bueyes. Mataron a uno e hicieron lo posible por cocinar su carne en una olla, pero a pesar de la intensidad del fuego, la carne estaba siempre cruda. Un águila enorme, posada en la rama de un roble, les dijo:

«Si me dais una parte de la carne, pronto estará hervida».

Los dioses aceptaron, y en poco tiempo la carne estuvo lista. El águila descendió del árbol y tomó una pierna y el lomo del buey. Loki se enfureció al ver que el águila tomaba las mejores raciones, y lanzó contra ella una estaca que se clavó en su espalda.

Pero el águila era el gigante Thiasse quien había tomado esa forma y levantó a Loki por los aires, arrastrándolo por las montañas y los peñascos, hasta que Loki rogó por su vida y Thiasse le dijo que únicamente lo liberaría si juraba entregarle a Idun y sus manzadas doradas. Loki aceptó, y regresó con sus compañeros maltrecho, pero no les relató nada de lo ocurrido.

Al regresar a Asgard, Loki fue a ver a Idun y la engañó asegurando que había encontrado un bosque donde crecían manzanas mejores que las suyas, y la invitó a verlas. Idun tomó la caja dorada en la que guardaba sus manzanas, y se fue con él al bosque, donde Thiasse, que esperaba oculto en los árboles, se arrojó sobre ella, disfrazado con su plumaje de águila, y la tomó entre sus garras, llevándosela hasta Jotunheim, la tierra de los gigantes.

Sin las manzanas de Idun, los dioses pronto empezaron a envejecer, y juntos interrogaron a Loki, descubrieron el rapto de la diosa, y le amenazaron con la tortura y la muerte si no encontraba la manera de traer de vuelta a Idun. Loki juró que traería a Idun, si la diosa Freyja aceptaba prestarle su plumaje de halcón.

Tomando la forma del halcón, Loki voló hasta Jotunheim, y aprovechó que Thiasse había salido a pescar para acceder de inmediato a la casa del gigante, donde encontró a Idun con sus manzanas.

Utilizando sus artes convirtió a la diosa en una nuez, la tomó entre sus garras y levantó el vuelo para regresar a Asgard.

Cuando Thiasse regresó, descubrió la desaparición de Idun y vio a lo lejos cómo se escapaba Loki. De inmediato tomó la forma de águila y se elevó en su persecusión. Pero los dioses esperaban en Asgard y habían colocado sobre los muros varias gavillas de virutas.

En cuanto Loki pasó entre ellas, les prendieron fuego, y como Thiasse volaba tan de prisa no pudo detenerse a tiempo; entonces, su plumaje se incendió y así cayó a los pies de los dioses, quienes le dieron muerte.

La muerte de Balder

Tuvo Balder el bueno unos sueños horribles sobre su muerte, lo cual comunicó a los ases, que reunidos en asamblea decidieron protegerle de todo mal.

Frigga, su madre, tomó juramento a todas las cosas para que respetaran a Balder: al agua, al fuego, al hierro y todos los metales, a las piedras y la tierra, a los árboles, a las enfermedades, a las aves, a los animales, a los venenos y a las serpientes.

Hasta tal punto las cosas le protegían, que los ases se divertían poniendo a Balder en el Thing (el lugar de reunión) y arrojándole toda clase de objetos, piedras y flechas, o le golpeaban con la espada, porque, hicieran lo que hicieran, no le dañaban.

Loki, hijo de Laufey, se disgustó al ver esto y fue a casa de Frigga en Fensalir, disfrazado de mujer, para preguntarle si sabía qué estaban haciendo los ases en el Thing:

—Ni armas ni maderas dañarán a Balder, les he tomado juramento a todas.

—¿A todas?, preguntó Loki.

—Al Oeste del Valhalla crece una rama mágica a la que llaman muérdago. Me pareció demasiado joven para pedirle juramento, le reveló Frigga inocentemente. Loki cogió el muérdago y lo desenterró.

Fue al Thing donde se encontraba Hodur, el hermano de Balder, apartado del círculo por ser ciego. Loki le animó a hacerle los honores a Balder tirándole también algo y le dio la rama de muérdago indicándole dónde estaba Balder, que cayó muerto al ser golpeado por la rama.

Quien más sufrió en silencio el dolor de la pérdida de Balder fue su padre, Odín, que sabía lo que esta pérdida costaría a los ases, y su madre Frigga, que preguntó quién sería el que, ganándose todo su amor y su favor, viajaría al infierno e intentaría encontrar a Balder y rogarle a Hela, la diosa de los muertos, que lo devolviese a Asgard. Hermod el vigoroso, hijo de Odín, se ofreció voluntario, montó el veloz Sleipnir, el caballo de ocho patas de su padre, y partió.

Los ases tomaron el cadáver de Balder y lo llevaron junto a su barco Hringhorni, que iban a utilizar como pira, pero el barco no se movía del puerto. Entonces mandaron que viniera una giganta de nombre Hyrrokin, que llegó cabalgando un lobo y usando como brida una víbora. Saltó de su montura que tuvo que ser sujetada por tres berserker (guerreros/oso poseídos de una furia incontrolable). La giganta echó la nave al agua del primer empujón.

Thor empuñó su martillo e intentó matarla, pero los dioses pidieron tregua para ella.Llevaron el cadáver al barco junto con el de su mujer, Nanna, que se quebró de dolor y murió. Thor consagró el fuego con Mjölnir, y ante sus pies salió corriendo un gnomo llamado Litr y Thor, de una patada, lo arrojó al fuego y murió.

Al funeral acudió Odín, con Frigga y las valquirias y con sus cuervos, Frey con su carro tirado por el jabalí Gullinbursti, Heimdall montando a su caballo Gulltopp y

Freyja conducida por sus gatos. Odín puso en la pira su anillo de oro, Draupnir, del que cada nueve noches goteaban ocho anillos de gran peso, y también el caballo de Balder, que fue llevado a la pira con sus arreos.

Hermod cabalgó nueve noches por oscuros valles hasta que llegó al río Gjall y cruzó el puente Gjallarbun, cubierto de oro. Modgud, la doncella que vigilaba el puente, le preguntó por qué cabalgaba hacia el infierno, si el puente no resonaba bajo él, revelando que no estaba muerto. Le indicó que Balder, a quien buscaba, había cruzado el puente y «hacia abajo y hacia el norte va el camino del infierno».

Hermod cabalgó hasta las puertas del infierno, allí desmontó, cinchó al caballo, montó y picó espuelas, y el caballo saltó tan alto por encima de las puertas, que no volvió a bajar. Hermod llegó al palacio y allí vio sentado en el escaño más alto a su hermano Balder.

Pasó la noche con él y por la mañana rogó a Hela que le dejara cabalgar a Balder de vuelta, contándole el luto que había levantado. Hela dijo que le demostrara que Balder era tan querido como decía.

Si todas las cosas del cielo, vivas y muertas, le lloraban, Hela soltaría a Balder, pero si una sola se negaba, quedaría para siempre. Balder se despidió de Hermod y le devolvió a Odín el anillo Draupnir, y Nanna envió a Frigga linos y el anillo Fulla.

Los ases enviaron mensajes a todas las cosas para que lloraran a Balder, a los hombres y los animales, a las piedras y los metales, los árboles y las plantas; pero, de vuelta, los mensajeros encontraron en una cueva a una giganta (de nuevo Loki disfrazado) que se negó a llorarlo: Thökk llorará lágrimas secas por la pira de Balder; ni vivo ni muerto me sirvió el hijo del hombre, que guarde Hela lo suyo, exclamó.

Balder nunca volvió y por eso se dice de Loki que es quien más daño ha causado jamás a los ases.

El martillo de Thor

Un día, al despertar, Thor vio que le faltaba su martillo mágico Mjolnir.

Consternado, acudió a Loki, y éste le respondió que posiblemente se lo habría robado algún gigante, así que se fue volando con el traje mágico de halcón que le prestó Freyja, a la tierra de los gigantes, donde en efecto estaba su martillo.

Se lo había llevado Thrym, el rey de los gigantes, y no estaba dispuesto a entregarlo hasta obtener a Freyja para desposarla. Loki, astuto y suspicaz como siempre, ideó un plan, que consistía en disfrazar a Thor con la ropa y el collar de Freyja, además de cubrirse la cara con un velo.

Una vez en la tierra de los gigantes, Thrym ofreció un banquete en honor de su prometida, y al ir a sellar el matrimonio con el martillo, Thor se desprendió de su disfraz y lo tomó en sus manos, Thrym suplicó piedad, pero ya era tarde, el salón se inundó de truenos y relámpagos, y con su martillo Thor dio muerte a todos los gigantes.

El anillo de los nibelungos

Anónimo cantar de gesta o poema épico compuesto por 39 cantos y basado en antiguas leyendas nórdicas y germanas, en el que se inspiraron tanto Richard Wagner para sus cuatro óperas que agrupó bajo este mismo título, como, posiblemente, el célebre Tolkien para su *Señor de los Anillos.*

La leyenda dice así:

El nibelungo Mime vivía en una caverna del bosque, donde regentaba una fragua. Él fue quien se responsabilizó de criar a Sigfrido (o Sigurd, según las leyendas más antiguas), que era el hijo de Sigmund, aunque éste lo ignoraba.

Sigmund era a su vez miembro de una familia especialmente protegida por el dios Odín. (Sigi, el fundador de la dinastía, era hijo del propio Odín. Su hijo fue Renir, cuya esposa quedó embarazada al comer una manzana enviada por el dios y dio a luz a Sigmund, padre de Sigfrido.)

Sigmund fue el único que consiguió extraer la espada de Odín, quien la había clavado en un tronco, y, con ella, venció en todos los combates hasta que Odín se presentó ante él con su lanza, contra la que se partió la espada de Sigmund.

Herido Sigmund en la pelea, encargó a su esposa (y quizá también hermana) Siglinda (Hjordis según la tradición), que recogiera los pedazos de su espada Nothung (o Balmunga) para poder soldarlos algún día.

Los nibelungos custodiaban un anillo que otorgaba a su poseedor el dominio del mundo. Desde el principio, en las regiones subterráneas, vivían los nibelungos, que eran seres de escasa estatura, de los que fue rey tirano Alberico, quien poseía tesoros de oro y un anillo que otorgaba a quien lo llevara el dominio del mundo. El tesoro estaba maldito y hacía desgraciado a su poseedor.

Sobre la corteza terrestre habitaban los gigantes. De sus jefes Fasolt y Fafner: el primero murió a causa del oro maldito, mientras que el segundo se convirtió en dragón y guarda el tesoro que forjaron los nibelungos.

Junto al cielo habitan los dioses, de los que Wotan (Odín) es el dios soberano que rige al mundo con su lanza.

El enano nibelungo Mime pretendía quedarse con el anillo y el tesoro que fue de Alberico y que ahora custodia el dragón Fafner, pero esa empresa era imposible para él, así que cuida de Sigfrido y trata de forjar la espada Nothung para que con ella Sigfrido mate a Fafner y recupere el tesoro.

Sigfrido es hosco y trata mal a Mime porque sabe que éste no es honesto, aunque ignora por qué. Pero se ha visto reflejado en el río y sabe que no puede ser hijo de Mime. Para no ser objeto de su cólera, Mime le confiesa que nació de Siglinda, quien murió en el parto, pero no le dice quién fue su padre, aunque sí le muestra los pedazos de la espada.

Wotan, disfrazado, se presenta en la fragua para interrogar al gnomo y al final el dios acaba por decirle que quien no conozca el miedo forjará la espada invencible. Sigfrido regresa y él mismo forja la espada.

Mime prepara entonces un veneno, pues quiere matar al héroe una vez haya obtenido el tesoro para así quedárselo. Van ambos a la guarida del dragón Fafner, donde también acecha Alberico, antiguo dueño del tesoro. Wotan asimismo coincide con todos ellos.

Mime muestra el dragón a Sigfrido y Wotan lo despierta. Sigfrido, bajo un árbol, medita sobre cómo serían sus padres. Despierto Fafner, Sigfrido va hacia él y clava su espada en el corazón del dragón, que aún tiene tiempo para relatarle que fue un gigante y muere víctima de una maldición.

Advierte a Sigfrido que lleve cuidado, que también planea sobre él la maldición.

Según una de las leyendas, el héroe «se baña en la sangre del dragón», moja todo excepto una pequeña parte de la espalda, donde cae una hoja, para que la sangre de éste le confiera la inmortalidad.

Otra leyenda cuenta que al extraer la espada del cuerpo de Fafner, la sangre del antiguo gigante le moja la mano; se la lleva a la boca y comprende el lenguaje de los pájaros.

Un ave le revela que el yelmo y el anillo son las mejores piezas del tesoro. Pero Mime y Alberico entran en la cueva. El pájaro advierte a Sigfrido de las intenciones de Mime y cuando le ofrece la bebida envenenada, le mata con un golpe de su espada. Lo mismo hace con Alberico después de mostrarle éste el tesoro, y reclamarlo para sí, e intentar matarle en un descuido.

Sigfrido toma entonces el tesoro de oro, el casco que le hace invisible y el anillo que da el poder sobre el mundo y le permite cambiar de forma. (Según el Cantar, es la capa mágica lo que le hace invisible.)

Sigfrido había oído hablar de la hermosa Krimilde, de la Corte de Worms (Borgoña o Burgundia), una mujer tan hermosa como altiva que no deseaba pretendientes. Viaja a conocerla y se enamora de ella y la solicita en matrimonio al rey Gunther, de quien Krimilde es hermana, pero éste, a cambio, le exige que conquiste para él a la valquiria Brunilde, mujer guerrera y reina de Islandia, quien somete a sus pretendientes a las peores pruebas de fuerza y valentía.

Sigfrido acepta y ayuda a Gunther con su casco (o su capa) y su valor. Pero antes sufre un enfrentamiento con Hagen Tronge, tío de Krimilde, bravo guerrero, tuerto al perder un ojo en batalla, de aspecto fiero y gran estatura y voluntad.

Para evitar que este enfrentamiento llegue a mayores, intervendría Krimilde con su presencia y dando a beber vino en dorada copa a Sigfrido, quien ante su belleza olvidó el menosprecio de Hagen.

Partieron, pues, hacia Islandia y allí encontraron durmiendo a la valquiria, que había sido castigada por Wotan, su padre, por haber ayudado a Sigmund, padre de Sigfrido, oponiendo su lanza a la del dios.

Después de despertar con un beso a la valquiria, ésta reconoció a Sigfrido y se burló de Gunther. Pasó Sigfrido por él las tres pruebas a las que le sometió Brunhilde, las del salto, el escudo y la piedra, haciéndose invisible con el anillo y levantando con su brazo el del rey.

Como estaba previsto, se celebraron las bodas de las dos parejas, Sigfrido y Krimilde y Gunther y Brunhilde, en Worms, feliz la primera y sombría la segunda, pues la valquiria no ama al rey e incluso le mantendrá atado durante toda la noche de bodas.

Más adelante y por consejo de Hagen, Sigfrido se transforma en Gunther y somete a la fuerza a Brunhilde, dejando que aparezca luego el propio marido para consumar la unión.

Al salir de la estancia, se lleva consigo el cinturón de Brunhilde que luego regalará a Krimilde. La valquiria la verá posteriormente llevando su ceñidor y Brunhilde comprende que, capaz el héroe de cualquier portento, le ha engañado para conseguir que se hiciera efectiva su boda con Gunther y entonces, sintiéndose terriblemente humillada, clama por la muerte de Sigfrido.

El astuto, celoso y malvado Hagen Tronge se ofrece para conocer cuál es su punto vulnerable. Fingiendo que desea protegerle, engaña a Krimilde para que borde una cruz en el punto fatal y, al día siguiente, yendo de cacería, le atraviesa con su lanza acabando con sus días. Así murió Sigfrido, víctima de los celos y la venganza.

Brok

Junto con su hermano Sindri, eran una pareja de enanos herreros. El perverso dios Loki, para provocarles, apostó con ambos su propia cabeza, a que no serían capaces de fabricar objetos tan maravillosos como los que fabricaba la familia de Ivaldir (era otra familia de enanos herreros).

Brok y su hermano Sindri fabricaron el anillo Daupnir, que tenía la virtud de aumentar constantemente la riqueza de aquel que lo llevara. También fabricaron un jabalí de oro, que dieron al dios Freyr, y el martillo de Thor.

Los ases, tomados como árbitros, juzgaron que esta arma era lo mejor que había fabricado enano alguno, y que por tanto la cabeza de Loki les pertenecía. Loki, que, como siempre, se salía con la suya, afirmó que había empeñado su cabeza pero que debían tener mucho cuidado con no cortarle ni una sola pizca de su cuello, el cual no había apostado.

Indecisos los enanos no se atrevieron a cortarle la cabeza a Loki y se conformaron con coserle los labios para evitar que pudiera decir nuevas maldades.

Enseguida Loki se descosió los labios, curó las heridas que le habían causado con las leznas y consiguió así conservar la cabeza en su sitio y seguir haciendo maldades, que era lo que más le gustaba.

Gefjón

Llamada la donadora, era una diosa de la fecundidad, que era honrada en toda la región, especialmente en la isla de Seeland. Para explicar esta predilección se contaba la siguiente leyenda:

Reinaba hace mucho tiempo, en lo que hoy es Suecia, un rey llamado Gylfi. A su presencia llegó un día una mujer, que se ofreció para yacer con él y, gracias a sus artes mágicas, le proporcionó tanto placer, que el rey le concedió en propiedad toda la tierra que fuera capaz de rodear, durante un día y una noche, con un arado al que estuvieran uncidos cuatro bueyes.

Esta mujer, que era la diosa Gefjón y que había aprendido la magia con los vanes, unció al arado cuatro bueyes, hijos suyos, que había tenido con un gigante.

Tirado por estos bueyes, la reja del arado se hundió tan profundamente en la tierra que la levantó en todo su espesor, y la tierra así arrastrada fue acumulada en un estrecho próximo rellenándolo y formando la isla de Seeland.

El lugar de donde habría sido arrancada la tierra es el que hoy se conoce como lago Maelar.

Hel/Hela

Era hija de Loki y de la gigantesca Angurboda. Se crió en el país de los gigantes junto al lobo de Fenrir y a la serpiente Midgard.

Sabiendo lo funesta que iba a ser a lo largo de su historia, los dioses la precipitaron al infierno al que llamaban Hifflheim.

Ella era la personificación del infierno y la diosa del mismo. Este infierno era, para los germanos, simplemente el mundo bajo tierra donde iban los hombres después de su muerte, pero no era un lugar de castigo.

La mitad de su cara era humana, la otra mitad era negra porque estaba vacía, y su cabeza caía desplomada hacia delante.

Sus poderes, que había recibido de Odín, se extendían a varios mundos. Tenía a su cargo principalmente las almas de los mortales que morían de vejez o de enfermedad, las de los niños y las de las mujeres.

En su mundo subterráneo, a veces, permitía vivir a monstruos, entre otros al dragón Nidhogg, que roía día y noche las raíces del fresno Iggdrasil, en cuyas ramas se suponía se sustentaba el mundo.

También acogía en su palacio subterráneo a los héroes humanos y a los dioses cuando morían, que allí eran servidos en los banquetes que se celebraban continuamente en su honor, por las sirvientas de Hel.

Capítulo 3

Dioses y mitos de Oriente

Dioses de Egipto y Oriente Próximo

Aban

Dios persa del agua y nombre del décimo día del mes según el calendario de la religión de Zoroastro y también el nombre del octavo mes.

Arimán (Ahriman)

En la antigua religión persa (o iraní) y en los vedas de Zoroastro, Arimán es el dios de la oscuridad, la personificación y el creador de la maldad, portador de la muerte y de la enfermedad y destructor de los dioses benéficos.

También es conocido como Angra Mainyu, y su nombre significa «espíritu diabólico».

Se le reconoce como la personificación del mal, en perpetuo enfrentamiento con Ormuz, que personifica el bien, aunque ambos descenderían de la estirpe de Zurvan Akarana.

Es el causante de las peores heladas del invierno, la torridez del verano, de cualquier tipo de enfermedad u otros males y creador del dragón Azi Dahaka, que trajo la ruina a la Tierra. Su símbolo es la serpiente.

Ahura-Mazda

Personifica la sabiduría y la bondad. Inicialmente se le conocía como Varuna, el cielo; luego se le llamó Mazda, sabiduría o iluminación, y por fusión de ambos nombres se formó el de Ormuz, a partir de la Edad Media.

Para Zoroastro, todo lo que es bueno se desprende de él y se apoya en sus emanaciones. Dios creador de todas las cosas, de la vida y de la luz, incluso creador de quien sería su eterno contrario Arimán.

Amón

Dios egipcio principal de la ciudad de Tebas. De piel negra o azul (como el lapislázuli); carnero antropomorfo adornado con una tiara en forma de mortero, del que salen dos altas plumas de halcón fraccionadas horizontalmente en siete divisiones, lo que denota que pudo ser un dios del cielo.

En la base de su tocado puede llevar un disco solar. Ocasionalmente lo encontramos bajo apariencia momiforme, como ocurre con otros dioses creadores.

En su origen pudo ser un dios de los vientos y protector de los navegantes. Su nombre significa «el oculto».

Acabo fusionándose con el dios Sol, recibiendo entonces el nombre de Amón-Ra.

Es una de las divinidades más importantes del panteón egipcio, a partir del Reino Nuevo, y representa conceptos abstractos, como el aire que se encuentra en todos los lugares y en todos los momentos.

Los humanos no podían verle, tan sólo sentirle, pero era capaz de atender generosamente las peticiones y súplicas que el pueblo le hacía llegar a través de sus ruegos. Venerado en el desierto, llevaba como uno de sus títulos el de «señor de los oasis».

Amset

Dios de apariencia humana, masculina y momiforme. Dentro del grupo de los «cuatro hijos de Horus» suele presentarse con forma de pájaro o serpiente de la que salen cuatro cabezas a lo largo de su cuerpo.

Los miembros de este grupo protegen a Osiris y por extensión cuidan también de los difuntos y de sus vísceras.

Además son los representantes de los cuatro vientos y de los cuatro puntos cardinales, siendo Amset el que controla el Sur. Aparece junto a sus hermanos frente a Osiris sentado sobre una flor de loto abierta. Es el protector y guardián del hígado.

Anath

Diosa de la guerra y protectora del rey, al que proporciona victorias militares, domina los animales salvajes, cuida del carro de guerra y los caballos en las batallas, instruye al soberano en el manejo de las armas y, en esta función, se la relaciona con el dios Seth.

Representada como una mujer que lleva sobre la cabeza la corona del Alto Egipto, está flanqueada por dos plumas de avestruz. En las manos sujeta un escudo, una lanza y/o un hacha y una maza de guerra.

Poseedora de aspectos celestes, es «la señora del cielo» y, como tal, en la época persa formó tríada con Yahvé y una enigmática divinidad denominada Asimbetel.

A propósito de Yahvé, cabría señalar que la mención más antigua de este dios fuera de la Biblia procede del templo de Amenhoteb III, en Soleb.

Anahita

Diosa persa de la fecundidad, venerada por los guerreros. Su culto fue importante con Artajerjes II, bajo cuyo reinado se construyeron multitud de templos y estatuas en su honor.

En el Avesta, libro sagrado para el mazdaísmo, es llamada Ardvi Sura Anahita (húmeda, fuerte, incontaminable).

Ankh

Especie de cruz egipcia cuya parte superior es sustituida por una elipsis o «ansa», muy utilizada en la iconografía religiosa de esta cultura y en sus jeroglíficos.

Si se relaciona con los dioses representa su inmortalidad, y representa su condición de eternos.

Si se relaciona con los hombres, en cambio, refleja la búsqueda de la immanencia, lo trascendental de la vida cuando pretende ser eterna, en contraposición con la muerte.

Anu

Dios sumerio del cielo, padre de Enki, dios de las aguas, la fertilidad y la sabiduría, y de Enli, y cuyo principal templo se hallaba en Uruk.

An, en sumerio, significaba cielo. Era rey de los dioses, el cabeza de familia. Dios del paraíso y de la tierra. Dios del firmamento estrellado, el espíritu monarca de la esfera superior. Su símbolo era una estrella.

La religión sumeria (desarrollada en Mesopotamia, entre los ríos Tigris y Éufrates), con elementos como la expulsión del paraíso de los primeros humanos, el diluvio universal, la mujer creada de la costilla del hombre…, está en la base de la religión cristiana.

Anubis

Dios guardián de las necrópolis y que presidía las momificaciones. Se le representaba como un chacal negro o como un hombre con cabeza de chacal o de perro, que lleva en las manos una hoja de palmera.

Guiaba el alma de los difuntos en el más allá. Protector del cuerpo de Osiris cuando fue embalsamado y sobre el que se practicó la primera momificación de que se tiene noticia escrita.

Luego sería integrado en la religión de Osiris, siendo entonces hijo de Neftis y entre sus atributos destaca un collar de color rojo.

Presente en los textos de las pirámides, fue uno de los primeros dioses del Más Allá.

En el día del juicio final de la mitología egipcia, Anubis y Horus serán los encargados de conducir al difunto para que su corazón sea pesado en la balanza y Anubis vigilará concretamente el fiel de este instrumento para que no pueda ser trucado.

Apausha

Demonio persa que castigaba a los hombres con la sequía y la aridez. Montaba un caballo negro sin pelo. Cada cierto tiempo era derrotado por el dios Tistrya. También es llamado Apa-urta.

Apis

Buey sagrado, heraldo de Path. Se le representa como un toro negro con patas y vientre blanco, disco solar sobre la cabeza y ureo o como un hombre con cabeza de toro, disco sobre creciente lunar y dos altas plumas.

En las manos lleva el pilar dyed de Osiris, dios con el que se le fusiona tras su muerte.

Símbolo de la fecundidad del suelo y del poder germinador, según la leyenda fue engendrado gracias a un rayo de luz solar que fertilizó a una vaca, mamífero que personificaba a Isis.

Apis vivía en un palacio en Menfis y disponía de un harén de vacas sagradas, que a su vez simbolizaban las siete Hathor. La elección de una nueva encarnación terrestre del dios era muy rigurosa e importante para el pensamiento egipcio. El animal tenía que poseer 29 marcas específicas como garantía de que el toro era la verdadera encarnación del dios.

Apofis

Serpiente muy grande, de 16 metros de longitud o más, que representa las fuerzas maléficas y las tinieblas que habitan el Más Allá.

Es una divinidad negativa y su función consiste en interrumpir el recorrido del barco solar de Ra para que no pueda alcanzar el nuevo día, y para ello empleaba varios sistemas: atacar a la barca directamente o culebrear provocando bancos de arena para que el navío encallara.

Apofis era una serpiente indestructible y poderosa a la que había que contener, pero que nunca debía ser aniquilada sino sometida, ya que de otro modo el ciclo solar no podría llevarse a cabo diariamente y el mundo perecería.

Para los antiguos egipcios era necesario que el concepto del mal existiese para que el bien fuera posible. Como carecía de ojos y oídos, esta enorme serpiente sólo podía gritar.

Ashera

Entre los semíticos, diosa que curiosamente simboliza el falo masculino y, como diosa de dioses, cuna de toda la sabiduría y protectora de los cielos bajo el influjo de la luna.

Astarté

En los jeroglíficos egipcios se la representaba como una mujer a caballo que sostenía en sus manos un escudo y una lanza; a veces lleva una corona blanca con dos plumas y, ocasionalmente, cuernos de toro.

Bajo su aspecto animal, la encontramos en forma de león o de esfinge.

Primero fue diosa del amor y de la fecundidad, aunque más tarde se convirtió en una divinidad eminentemente guerrera, encargada de la protección del rey en las batallas, de los caballos y de los carros de guerra, y se la conoce como «soberana de caballos y carros».

Asociada con Seth y adversaria de Horus, también fue considerada unida a la medicina por su facultad de repeler las enfermedades.

Fue, junto al enano Bes, la gran protectora del gineceo.

Atón

Atón significa «el disco solar» y en principio era la fuerza vital que animaba todo cuanto había en la tierra. Más tarde se consideró una manifestación de Ra.

Se le representaba como un sol del que penden rayos a modo de brazos que terminan en manos que sujetan símbolos.

En los cinco primeros años del reinado de Amenhotep IV (Ajenatón), el dios Atón aparecía como un ser humano con cabeza de halcón; después sólo como un disco solar cuando fue proclamado divinidad suprema y Ajenatón decidió que fuera el único que recibiera culto, dando origen a su religión revolucionaria, particular y casi monoteísta.

Hasta fundó una nueva capital, Ajetatón, que significa «horizonte de Atón».

Muerto este faraón, a mediados de la dinastía XVIII, el culto a Amón fue restablecido.

Atum

Su nombre significa «estar completo». Los textos le mencionan como «el que ha llegado a existir por sí mismo» o el «padre de todos los dioses».

Dejando patente su función de semidios que estaba diluido en las aguas del Nun y de repente se manifestó como el primer trozo de materia sólida que emergió del océano primordial.

Cuando se le representa como humano, es un arquero que sobre la cabeza lleva la doble corona; bajo su apariencia animal podemos encontrarlo en forma de león, de toro, babuino, ofidio o mangosta que lucha contra las serpientes, anguila, lagartija, gato o serpiente con cabeza de león.

Cuando representa al sol del mundo subterráneo tiene forma de hombre con cabeza de carnero, pero también adopta una de sus formas más curiosas: la de dos serpientes con caracteres distintos y antagónicos.

Ave Fénix

Pájaro fabuloso de hermosos colores y gran tamaño, único en su especie y venerado en Egipto como representación del alma humana.

Como ésta, el Ave Fénix era inmortal y se reproducía muriendo, ardiendo en su nido, para que de sus cenizas brotara un pájaro nuevo.

Avesta

Libro sagrado de los mazdeístas, escrito originariamente por el profeta Zoroastro sobre pieles de buey, que fue quemado por orden de Alejandro Magno y reconstruido en lo posible, recogiendo la tradición oral, con el nombre de «Zendavesta».

La obra consta de dos partes, de las que la primera se presenta dividida en tres tratados: Vendidad, Vispered y Yasna, sacerdotal el primero, de formas litúrgicas el segundo y el tercero, cuyo nombre significa «sacrificio», constituido por el Yasna propiamente dicho y los cinco ghatas o cánticos en los que el propio Ahura Mazda adoctrina a Zoroastro, autor de la obra.

Azi Dahaka

Demonio rabioso de la mitología iraní, que roba los ganados y siembra la maldad entre los humanos.

Es un monstruo con una forma parecida a la de una serpiente con tres cabezas y seis ojos que fue capturado por el dios guerrero Thraetaona y colocado en lo alto de la montaña Dermawend.

En un resurgir final del monstruo, escapará de su prisión, pero al final de los tiempos morirá en un río de fuego.

Baal

Dios guerrero identificado, en muchos aspectos, con el dios egipcio Seth. También se le considera un dios del cielo y las tormentas.

Se le representa como un hombre barbudo vestido con la característica túnica siria y un faldellín, que lleva en la cabeza una tiara alta y en la frente dos pequeños cuernos con un disco solar en medio.

Su contrapartida femenina se llama Baalat, aunque más parece una especulación teológica posterior para plasmar la realidad masculina y femenina, es decir, la dualidad del pensamiento de los antiguos egipcios.

Bastet

Esta diosa se presentaba como una mujer con cabeza de gato, como un gato, o con cabeza de leona cuando estaba colérica. Personificaba los rayos calientes del Sol y ejercía sus mismos poderes benéficos.

Su nombre significa «la de los Bas», apelativo de un recipiente de piedra que se usaba para contener aceites funerarios y de uso cosmético.

Encarnaba los aspectos pacíficos de diosas peligrosas como Sacmis, que expresaba las cualidades maléficas del Sol. Es el prototipo de dulzura maternal, pero puede transformarse en asesina para defender a sus hijos.

Guardiana del hogar, simboliza la fecundidad amorosa y, desde el Reino Antiguo, será la madre del rey, al cual ayuda y protege para alcanzar el cielo.

También personifica el ojo de la luna, como ojo de Atum, y protegía los nacimientos y a las embarazadas de las enfermedades y los malos espíritus.

Bes

Genio enano con barba y melena, deforme y grotesco, que aparece siempre desnudo o con una piel de león, y sacando la lengua. A veces lleva un cinturón formado por serpientes y sobre la cabeza, una corona de altas plumas. En las manos sujeta instrumentos musicales, un cuchillo o el símbolo de protección.

Se le asociaba con los niños y las embarazadas. A éstas las asistía en el parto y las protegía de los espíritus malignos con sus cuchillos.

Deidad tutelar del matrimonio, se encuentra en multitud de amuletos mágicos y en los lugares donde las mujeres y los niños necesitaban su cuidado, para salvaguardarles contra el mal de ojo.

Bes alejaba los genios malignos que podían atacar durante el sueño y por eso se le solía representar en las cabeceras de las camas. También daba paz a los difuntos que eran enterrados con reposacabezas en los que se había grabado o pintado la figura del dios, y además protegía contra las picaduras venenosas de los reptiles.

Cmun

Dios egipcio muy antiguo representado con cabeza de carnero. Era el dios de la primera catarata, el «dios de las fuentes» del Nilo o dios de las aguas que circulaban por el mundo inferior.

Así, cuando el Sol navegaba en la oscuridad de la noche, se unía a Cmun.

Cmun tenía como función crear a los seres vivos, dioses y hombres, en su torno de alfarero. Se creía que este dios había modelado el huevo primordial de donde salió la luz solar al inicio de los tiempos.

Daena

Diosa persa que presentaba las almas a la muerte (al cuarto día del fallecimiento) y las conducía hasta el cielo o al infierno. Daena tenía un perro que olfateaba el alma y le decía si ésta era buena o mala.

Dedún

Dios originario de Nubia, en el nacimiento del Nilo, asimilado a Horus. Fue el protector del Sur y en los textos religiosos se le asocia al rey, el cual, adoptando la fuerza y el poder de este dios, repele los peligros del Más Allá.

También se le relaciona con el aroma exquisito que los monarcas desprenden y símbolo de su divinidad, pues este dios está vinculado al incienso purificador al ser el encargado de quemarlo para que los genios malignos no puedan penetrar en el lugar donde se produzcan los nacimientos.

Duamutef

Dios de aspecto humano momificado y con cabeza de chacal, también se le representa como una serpiente de la que salen cuatro cabezas a lo largo de su cuerpo.

Es uno de los «Cuatro hijos de Horus», que protegen las vísceras de los difuntos. Hijo de Haroeris e Isis, su nombre significa «el que alaba a su madre», destacando su función protectora.

Los «Cuatro Hijos de Horus» representan los cuatro vientos y los puntos cardinales, siendo Duamutef quien se ocupa del Este y el guardián del estómago. Aparece junto a sus hermanos sobre una flor de loto abierta, enfrente de Osiris.

Enki

Señor sumerio de las aguas, con cuerpo de pez y cabeza humana, dios acuático de la sabiduría y el conocimiento representados por la magia en el mundo antiguo, hijo de Anu y creador de los seres que pueblan el mundo.

Protector de marinos y navegantes y guardián de las leyes divinas.

Enlil

Hermano de Enki, reinaba sobre la atmósfera, el aire, las tormentas y el viento. Era también el dios de la fuerza y de la violencia. Su templo principal estaba en Nippur, la ciudad sagrada, sólo habitada por sacerdotes.

De su unión con la diosa Ninlil tuvo a su hija Sin. También fue el padre de Ningirsu. Fue el dios más importante del panteón sumerio.

Escarabajo (Kephri)

Animal sagrado de la mitología egipcia, omnipresente en su iconografía. Los antiguos egipcios creían que nacía espontáneamente del estiércol y que solamente había machos, por lo que le consideraron símbolo masculino y emblema de Ra.

Esfinge

Escultura con cabeza de hombre y cuerpo de león, de gran altura y realizada en la roca, que se encuentra junto a las pirámides de Kifri, Kafra y Menkaura (Keops, Kefrén y Micerinos), al lado de la actual ciudad de El Cairo.

El animal mitológico tenía también alas.

Geb

Hijo de Shu y de Tefnut, a la que violaría por celos, esposo de Nut y padre de Osiris, Isis, Seth y Neftis. Es representado con apariencia humana y el pene erecto, a veces con una oca sobre su cabeza. Tumbado en el suelo y a medio incorporar, con su falo en erección, intenta siempre perforar a su esposa Nut (la bóveda celeste).

Se le consideraba artífice directo de los minerales, las plantas y los movimientos sísmicos, producidos por los balanceos pélvicos con los que intenta alcanzar a su inaccesible esposa.

Hapi

Dios con apariencia humana momificada y cabeza de babuino, es uno de los «Cuatro hijos de Horus». De las vísceras de los difuntos, Hapi es el protector y guardián de los pulmones, y de los puntos cardinales, es quien se ocupa del Norte.

Hapy

Representado como hombre barbudo y barrigón, que tenía la piel de color verde o azul, y era como una figura de agua. Poseía algunas características femeninas, como los pechos caídos, en representación de un hermafrodita en quien coexisten ambos sexos. En la cabeza llevaba un tocado con las plantas heráldicas del Alto y Bajo Egipto.

A veces en lugar de cabeza humana, tenía dos cabezas de oca. Era la idealización de la fecundidad y de la fertilidad.

Aunque Hapy carece de centros específicos de culto, fue objeto de especial veneración por los egipcios y se le representaba en los templos de otros dioses.

Personifica al Nilo, a la inundación periódica que sufría Egipto cada año y a la fertilidad que éste aportaba. Los antiguos egipcios creían que las aguas de Hapy nacían en una caverna situada en la isla de Bigeh, en la zona de la primera catarata del Nilo.

Hathor

Es, junto con Isis, la diosa más venerada del panteón egipcio, una diosa celeste. Es madre, esposa y compañera al mismo tiempo. Se la representa como mujer o como vaca, o como una mujer con cabeza de vaca y el disco solar entre los cuernos.

Su nombre significa «la mansión de Horus», asimilada como madre de los dioses y en referencia al cielo como entidad creadora. Se convirtió en una deidad muy importante, íntimamente ligada a Ra a partir de la dinastía IV, y comenzó a tener un papel primordial en los templos solares de la dinastía siguiente.

Muy unida a la mujer en tanto que divinización del aspecto femenino, su culto lo llevaban a cabo las sacerdotisas, muchas de las cuales oficiaban también en el culto a Neit.

Está relacionada con el amor, la alegría, la música, la danza, el sexo, la fertilidad y la embriaguez; en las fiestas en su honor se propiciaban los placeres sensuales y corría el alcohol.

Horas

De nombre egipcio Unut, las horas, 12 mujeres con una estrella de cinco puntas sobre la cabeza, también fueron representadas como divinidades que habitaban el mundo subterráneo.

Se las consideraba hijas de Ra y tenían poder para arbitrar el destino, imponer el concepto tiempo sobre el caos, establecer lo que debía de ocurrir en cada momento y determinar la noción de «tiempo horario».

Horus

Hijo de Osiris e Isis, es uno de los dioses más antiguos e importantes del panteón egipcio.

Se le representa como un halcón o un hombre con cabeza de halcón, o un niño con un dedo de la mano en la boca.

Como dios del cielo, Horus es el halcón cuyos ojos son la luna y el sol. Tuvo una niñez difícil; su madre debió esconderle de Seth que ansiaba el trono de su padre.

Después de vencer y matar a Seth, y a las fuerzas del desorden, toma posesión del trono de los vivos.

Desde el Reino Antiguo, Horus está encarnado en el rey, es decir, el soberano es la manifestación de Horus en la tierra, pero al morir se convertirá en un Osiris y, además, pasará a formar parte del dios creador Ra.

Tradicionalmente, Horus representa el Norte del país y su tío Seth, el Sur; del mismo modo que también personifica la franja fértil del valle del Nilo, mientras Seth encarna el desierto.

Imhotep

Sumo Sacerdote de Heliópolis y arquitecto, entre muchos otros títulos, bajo el reinado de Netjerijet.

Se le atribuye la construcción de la pirámide escalonada, primer edificio de Egipto en altura erigido en piedra. Los escribas, antes de comenzar su trabajo, le sacrificaban una gota de su sangre o de agua en libación, reconociéndole como su patrono.

También fue venerado por los médicos a causa de su conocimiento y dominio de las artes curativas.

Realmente, Imhotep actuaba como mediador entre los hombres y los dioses, pero su deificación no se produjo hasta el período saíta. Se le representa como un hombre sentado, con atuendo de sacerdote, la cabeza afeitada y que en sus manos sujeta o desenrolla un papiro.

Inanna-Ishtar

Diosa sumeria adorada como adalid en la guerra y protectora en el amor. Tenía su principal templo en Zabalam y era la protectora de Uruk, donde compartía templo con su padre Anu.

Se la asociaba con la estrella de la mañana, el planeta Venus. Era también la diosa de la naturaleza y de la fecundidad, prolongación de la tradición de «diosas madres» prehistóricas. Fue la protagonista de mitos tan arquetípicos como el del «descenso a los infiernos».

En algunas tradiciones es hija de Anu y Ki (la tierra), y en otras de Sim y Ningal (la luna). Casada con Dumuzi, semidiós héroe de Uruk.

Isis

Diosa que personifica el trono. Era llamada «madre de los dioses». Fue, sin duda, la más popular y una de las diosas egipcias más importantes; tanto es así que hasta fue venerada en el mundo romano. En el ciclo de Osiris, Isis tiene el papel de esposa del dios y es madre de Horus. Modelo para esposas y madres.

Ella fue quien reconstruyó con inusuales procedimientos el cadáver de su esposo Osiris, y procreó con él a Horus. Protegió a su hijo Horus con uñas y dientes de las agresiones de su tío Seth.

Era el símbolo de la semilla, crecimiento y seguridad de la vida y personifica la magia, la fidelidad conyugal y a la gran madre, mostrando una imagen más humana que la de otras diosas. Cuando Osiris se solarizó, Isis pasó a ser madre y esposa del Sol.

Como madre de las estrellas simbolizó el cielo de la noche. Por ello fue asimilada a la diosa Hathor, representándose con forma humana y con el disco solar entre los cuernos sobre su cabeza.

La representación más habitual de Isis era como una mujer con un trono, que es su nombre, en la cabeza.

Jeh

En la mitología persa, Jeh, llamada «la puta», fue la responsable de la muerte del primer humano Gayomart, al instigar a Arimán para que lo envenenara.

Jonsu

Jonsu es un dios cuyas raíces se hunden en el inicio de la historia egipcia como la representación de la placenta real, símbolo lunar.

En algunos textos de las pirámides Jonsu aparece como un dios sanguinario que ayuda al faraón en la caza, alimenta a ciertas divinidades y protege contra los genios malignos.

Más tarde se fusionará con el dios Iah, del que toma su nuevo aspecto y sus funciones claramente lunares. Depende del lugar de adoración cambia su representación gráfica. El aspecto momiforme lo tomaba del dios Ptah.

Del dios Horus asumía a veces la cabeza de halcón, y el flagelo y el cayado, como símbolos propios del faraón. La coleta de la juventud hacía clara referencia a uno de sus aspectos como un Jonsu niño. En sus manos llevaba un cetro formado por el pilar Dyed, símbolo de Osiris, pero también en sus manos, o sobre su pecho, puede llevar un collar menat. Sobre la cabeza llevaba un disco lunar y otro de luna creciente.

Ka

Más que un dios, es un concepto de los primitivos egipcios, uno de los elementos anímicos que formaban la parte espiritual del hombre, junto al aj, el ba, el nombre, la sombra y el cuerpo físico.

Tradicionalmente, ha sido mal traducido como espíritu, pero el ka es una fuerza que da vida al individuo y que está asociado al cuerpo temporalmente.

El ka protege al hombre mientras vive y permanece como protector tras la muerte, siempre que se cumplan unos ritos específicos. En algunos contextos toma el sentido de poder intelectual y espiritual.

Se ha interpretado como la fuerza vital del individuo. Tenían ka los alimentos, los dioses (ellos tenían 14), algunos objetos inanimados y, sobre todo, las estatuas que representaban al fallecido. El ka acompañaba al individuo tanto en su vida terrenal como en la de ultratumba, atado para siempre al ente físico.

Ki

Diosa sumeria de la tierra, madre de Enlil, participó con Enlil y con Enki en la creación del mundo y de los hombres. Algunos la consideran parte de la primera tríada como un dios mayor.

Maat

Representada como una mujer, de pie o sentada, con una gran pluma de avestruz en la cabeza, o como una mujer que sujeta unas largas alas con los brazos a partir del reinado de Ajenatón.

Considerada hija de Ra, dios del sol, Maat aparecía detrás de su padre, en la barca que le llevaba cada noche al mundo subterráneo.

Representa el equilibrio, la armonía del universo tal y como fue creado al principio. Este equilibrio implica la lealtad, la verdad y la justicia y por estas connotaciones fue patrona de los jueces, quienes llevaban a menudo su efigie colgada al cuello.

En esta función era asistida por Thot para mantener el orden. Vigilaba los tribunales y también poseía templos propios. Intervenía en el juicio funerario: en el que se colocaba Maat en el platillo derecho de la balanza y el corazón del difunto en el izquierdo.

Si el fiel de la balanza se mantenía en equilibrio, el muerto quedaba exculpado, pues su corazón correspondía a Maat, es decir, su comportamiento se armonizaba con la justicia universal. De lo contrario era engullido por un monstruo temible llamado «la devoradora de Poniente».

Marduk

Dios babilonio de las tormentas, patrono de Babilonia, cuyo culto creció en importancia durante el reinado de la dinastía de los Hammurabi, que lo elevaron a la categoría de creador del universo.

Hijo de Enki, quien abdicó de su poder amigablemente en su favor, y padre de Nabu, dios de la sabiduría.

Mashayane

En los mitos persas, la madre de la raza humana, nacida, como si fuera una planta, de Gayomart, y que, junto a su marido Mashye, abandonaron las enseñanzas de Ahura Mazda, dejándose llevar por Arimán, por lo que fueron desterrados para la eternidad al infierno.

Mitra

Divinidad persa de la luz y la cordura, entendida ésta como la verdad que gobierna el mundo, que fue adoptada por los romanos cuando Juliano el Apóstata quiso crear una religión alternativa al catolicismo que se denominó mitraísmo.

Responsable de la protección frente a los ataques, se asocia con el fuego y el sol, protege a los fieles y castiga a los infieles. Mitra mató al toro sagrado y al caer su sangre en la tierra surgieron todas las plantas y animales.

Se le representa tocado con un gorro frigio y sacrificando a un toro con un cuchillo largo, y en este ritual muchos autores han querido ver el origen de muchos ritos mediterráneos antiguos y el antecedente ancestral de las corridas de toros. Se le representa en un carro tirado por caballos blancos. Mitra es el poseedor de la verdad y tiene una maza para luchar contra el mal.

Montu

Dios-halcón. Era un dios solar y antiguo, de origen tebano. Se representaba como un hombre con cabeza de halcón que llevaba plumas y el disco solar en la cabeza. Fue el dios de la guerra y de las batallas, asociado a la vitalidad conquistadora del rey hasta que Amón usurpó su lugar y tomó el puesto del dios dinástico. Desde entonces figuró bajo la hegemonía de Amón y nunca más volvió a estar a la cabeza de la enéada de Karnak.

Mut

Diosa madre primordial, en algunos textos se la consideró con doble sexo y con capacidad para procrear sin intervención masculina. Con la apariencia de mujer con cabeza de leona, vestida con un traje ajustado, azul o rojo, y ostentando un falo en erección, aparece en el templo de Jonsu en Karnak.

A partir del reinado de Hatshepsut se incorpora al panteón egipcio con mucha fuerza, formando una tríada con Amón y Jonsu.

Nefertum

Nacido de una flor de loto, dios con apariencia humana, que porta sobre la cabeza una flor de loto azul, en ocasiones acompañada de dos plumas, y que suele llevar dos collares menat. Relacionado con el aroma de su flor, se le asoció con los ungüentos sagrados y los perfumes.

Era el responsable de guardar las fronteras del Este y protector de la segunda hora del día.

Neftis

Hija de Gueb y Nut, esposa de Seth, su nombre significa «señora de la casa». Ayudó a Isis a localizar el cadáver de Osiris y a recomponerlo para que renaciera. Era la amante de Osiris y de esta relación de nació Anubis. Sobre la cabeza llevaba el signo de la casa-tumba que expresa su nombre, y se le atribuían poderes mágicos.

Se creía que habitaba en las tierras hostiles, como los desiertos, donde guiaba a los viajeros. Se le asoció al culto funerario y formó parte del culto al dios Min. En las momificaciones, se decía que las vendas que envolvían el cuerpo de los difuntos eran los mechones de su cabello.

Protegía también al Sol naciente de la malvada serpiente Apofis. Por su unión con el estéril dios Seth, le adornó el epíteto de «mujer que no tiene vagina».

Neit

Se dice que Neit fue en el origen una diosa vaca que, progresivamente, se fue transformando en humana. Es una deidad de difícil comprensión, originaria de la ciudad de Sais, aunque su principal centro de culto se encuentra en Esna.

Posee múltiples funciones que confirman su papel principal y poderoso, por lo que era llamada «la terrorífica». Como diosa creadora asexuada, representa las aguas primordiales de donde surge la colina primigenia, el mundo.

Es la madre del dios solar y de todo lo que se extiende en la faz de la tierra o en los cielos. Para la creación no necesita ningún elemento masculino. Diosa guerrera y de la caza, sus atributos eran el arco, las flechas y el escudo, en su función más antigua.

Protegía a Osiris, a Ra y al faraón con su arco y sus flechas que adormecen a los malos espíritus. Neit vigila y cuida los vasos canopos junto a Isis, Selkis y Neftis, asociada al dios Duamutef.

Nejbet

En el texto de las pirámides se la denomina «corona blanca». Diosa buitre que se convertía en animal simbólico del Alto Egipto.

Era una diosa solar, poderosa y temible que se situaba sobre la cabeza de Ra y del faraón para servirles de defensa, escupiendo fuego y aniquilando a todo el que considerara dañino. De este modo, aparece representada sobre la frente de ambos en forma de buitre, acompañado de una cobra, la diosa Uadyet.

Nut

Uno de los títulos de Nut era «la grande que da el nacimiento a los dioses», debido a que el dios Atum habría creado el mundo a partir de sus fluidos internos. De esta forma surgirían los primeros dioses: Shu, el aire, y Rfenis, la humedad, que procrearon a Gueb, la tierra, y Nut, el cielo.

Nut también aparece en el panteón egipcio como la diosa creadora del universo y reguladora de los movimientos de los astros. Representa el universo físico, la bóveda celeste y, como tal, figura con los astros navegando en el interior de su cuerpo.

Se tragaba cada noche a Ra y éste recorría su cuerpo; por la mañana aparecía el Sol completamente renacido en forma de escarabajo o niño, después de que la diosa le hubiera dado a luz.

Algunos autores la relacionan con la antropomorfización de la Vía Láctea. Se la representa como bóveda celeste en forma de una mujer inclinada sobre la Tierra apoyándose en los horizontes oriental y occidental con los pies y las manos.

Osiris

Dios muerto y dios de los muertos. De la unión de Gueb, la tierra, y Nut, el cielo, nacieron al tiempo cuatro dioses: Osiris, Isis, Seth y Neftis.

Se dice que Osiris e Isis ya se amaban en el vientre de su madre. Osiris tenía derecho a heredar el reinado de su padre sobre la tierra. Pero Seth, celoso, le asesinó, descuartizando su cuerpo en 14 pedazos que esparció a lo largo del Nilo (ver leyenda).

Se le representa con forma de momia, los brazos saliendo del sudario con una cetro y un látigo, corona blanca con plumas y cuernos retorcidos (corona atef).

Tiene la piel pintada de verde o negro como símbolo de su renacimiento. Fue un dios de la vegetación, que moría en la estación más seca y renacía tras la retirada de las aguas de la crecida. Su mito refleja un fenómeno natural, el nacimiento, desarrollo y muerte de las plantas.

Como soberano del submundo, presidía el juicio de cada fallecido (psicostasia), transcendental para el devenir del difunto por el Más Allá. En este juicio era donde se determinaba si el difunto no había causado ningún mal en la tierra y se consideraba si era merecedor de alcanzar la vida inmortal.

Junto a su esposa Isis, Osiris fue la personificación del principio histórico y del orden político; fue el legitimador por excelencia del reino de Egipto y representó todos los aspectos beneficiosos del amor familiar. La suya fue la imagen del valle fértil del Nilo y de las buenas crecidas, del renacer que sigue al desorden.

Ptah

Dios creador, también como Osiris originario de Menfis. Se decía que él creó todos los seres con el corazón y la lengua. Se le denominaba también «señor de la verdad» y era fuente de valores morales.

Patrono de los artesanos (sobre todo orfebres y escultores), ya que se le consideró el inventor de las técnicas y las prácticas manuales. Esta función de divino artífice pudo ser causa de que fuera considerado creador del mundo y de los seres vivos. El buey Apis era su portavoz.

Se representaba en forma humana, con una barba recta y cubierto por una envoltura semejante a la de las momias de la que sólo sobresalían las manos que sostenían como cetro un pilar dyed (vegetación y fertilidad).

Ra

Representado como un hombre con cabeza de halcón o de carnero, tocado con un disco solar y un ureo. Dios solar de Egipto. Ra es uno de los nombres del Sol.

Durante el Reino Antiguo fue el dios más poderoso y contó con un clero muy influyente, siendo el dios solar más transcendental del panteón, «padre de todos los dioses». Él se fusionó y se superpuso a Atum y a Horajty, y en el Reino Nuevo a Amón y Osiris, todos ellos distintos aspectos de Ra, es decir, del Sol en el cenit, con el que pronto se confunden unos y otros dioses.

Tiene la carne de oro, los huesos de plata y el pelo de lapislázuli y sobre la cabeza, el ureo le protege escupiendo fuego contra sus enemigos. Durante el día ilumina la tierra en forma de halcón.

Se cuenta que la diosa Isis, con su magia, logró enfermar seriamente al dios Ra para así, mediante promesas de curación, robarle su nombre secreto y obtener su poder y su fuerza.

Renenutet

La diosa serpiente. Presenta el aspecto de mujer con cabeza de cobra que lleva una corona formada por dos plumas con un disco solar y dos cuernos de vaca o carnero. En la frente lleva un ureo. En Egipto las serpientes son divinidades protectoras o maléficas. Pero Renenutet tiene carácter benéfico.

Su nombre podría significar «la nodriza» y estuvo muy unida a las mujeres. Es protectora del niño real y también diosa de la suerte. Está vinculada a la fertilidad y a las cosechas.

A ella se le dedicaba la primera gota de agua, vino o cerveza y el primer pan. En su papel funerario, era la encargada de dar lactancia a las almas de los difuntos para que pudieran subsistir en el Más Allá.

Es, además, diosa del destino, que controla la humanidad y el sino de cada individuo y determina su prosperidad.

Sacmis

Era representada como una mujer con cabeza de leona. Era hija del dios Ra; llevaba el disco solar y el ureo sobre la cabeza, y era considerada una manifestación del ojo de Ra.

Simboliza la energía destructora del sol, las llamas con que aniquilaba a los enemigos; era una temible diosa de la guerra.

Causaba espanto en este mundo y en el Más Allá, donde Seth y la serpiente Apofis sucumbían ante ella. Su nombre egipcio era Sejmet, que significa «la poderosa».

Esta diosa atacó despiadadamente a los humanos, pero Ra quiso impedir que los aniquilara. Sacmis fue engañada ofreciéndole 7.000 vasijas de cerveza coloreada con tinte rojo. La diosa, creyendo que era sangre, se las bebió y se embriagó, con lo que la raza humana logró sobrevivir.

Selkis

Uno de los peligros del desierto eran los escorpiones. Contra la picadura de estos animales, los egipcios tenían la protección de Selkis, y de su hijo Nehebkau, representada la diosa como mujer con un escorpión en la cabeza o con cuerpo de escorpión.

Bajo la función de diosa de la fertilidad, fue una de las deidades que guardaban las fuentes del Nilo, y bajo su aspecto benévolo era la encargada de controlar a la serpiente Apofis, que diariamente pretendía atacar a la barca de Ra. Protectora de uno de los vasos canopos y del sarcófago del faraón, juntamente con Isis, Neftis y Neit, «las cuatro plañideras».

Seshat

Diosa arcaica asociada a los arquitectos y constructores, aconsejaba al monarca en la fundación de los templos y era la encargada de calcular, orientar y medir los terrenos sagrados para que se llevara a cabo la construcción, revisar los planos y vigilar las estrellas para emitir sus cálculos. En su cabeza aparece una estrella de siete puntas y lleva en las manos una caña de palmera.

Como contable del tiempo, escribe los años de reinado del faraón en las hojas del árbol de persea, llevando el epíteto de «señora de la escritura».

Seth

Dios que personificó la tierra desértica, la sequía. Simboliza las fuerzas destructoras, su voz era el trueno y fue patrono de las tormentas, de la guerra y de la violencia, aunque igualmente de la producción de los oasis. Como no fue totalmente vencido, amenazaba periódicamente el orden cósmico. Asesino de Osiris, cuyo hijo Horus se enfrentó con él para vengarle, perdiendo Horus un ojo y Seth sus testículos.

Era representado como un extraño galgo con orejas largas cortadas, el hocico hacia arriba y un rabo bífido largo. Hijo de Guet y Nut, sus aspectos negativos eran imprescindibles porque, para los egipcios, el concepto del bien no puede existir sin la presencia del mal y los elementos beneficiosos carecerían de sentido sin su opuesto.

Shu

Deidad cósmica presente en los textos de las pirámides, que personifica el aliento del difunto, el aire. Sus huesos pueden adivinarse en el cielo en forma de nubes que ayudan al rey en su ascensión a las alturas.

Suele aparecer como un hombre que lleva sobre la cabeza una pluma de avestruz y sujeta a la diosa del cielo Nut con sus brazos levantados. Sustentador de la bóveda celeste, tiene un carácter muy hostil, aunque sólo deben temerle aquellos que no hubieran sido justos en la tierra.

Sin

Dios sumerio de la luna, representado como hombre mitrado. Hijo de Enlil y Ninlil, nació en el mundo subterráneo y fue obligado a permanecer durante su infancia en el mundo de los muertos. Deidad tutelar de Ur.

Es el dios de la noche, representado a veces como un toro, rige los cambios de día a noche y las fases de la luna. Se casó con Ningal (diosa de la luna) y tuvieron dos hijos, Inanna y Utu, el dios del sol.

Sobek

Dios-cocodrilo. Es mencionado en el texto de las pirámides como hijo de Neit, y se encuentra presente en muchos mitos relacionados con la muerte de Osiris. Se le creía emergido de las aguas del caos en la creación del mundo y personificaba la acción fecundadora y beneficiosa del agua, pero a la vez, también fue su potencia destructora. Era «señor de las aguas», temible por su voracidad.

Eliminaba los enemigos que habitaban en los medios acuáticos. Es representado como un cocodrilo o como hombre con cabeza de cocodrilo.

Spent Mainyu

En la antigua religión persa, Spent Mainyu («totalmente espiritual») es el dios de la vida y la personificación de la bondad y de la luz. Es hermano gemelo de Angra Mainyu (Arimán), el dios de la oscuridad, con quien pelea en una eterna batalla.

En una versión temprana de esta religión, ambos son hijos de Ahura Mazda, aunque más tarde no habrá distinción entre él y Ormuz. Su nombre no volverá a usarse desde entonces.

Tefnut

Esposa de Shu, aparece como una mujer con cabeza de leona y un disco solar sobre ésta.

Su nombre significa «la que ha sido escupida», porque personifica el aire húmedo y fue creada gracias a la saliva de su padre Atum. En algunas ocasiones aparece junto a Ra y su esposo Shu, formando una tríada de sentido creador.

Tistrya

Una de las principales divinidades astrales iraníes junto a Tiri. Fue identificado con la estrella Sirius. Su principal mito es una batalla contra una estrella demoníaca llamada Apausha («no-prosperidad»), en la que se produce gran cantidad de lluvia.

En un ritual anual, Tistrya y Apausha, asumiendo las formas de un caballo de cría y un caballo de horrible descripción, combaten a lo largo de las orillas del mar Varu-Karta. Inicialmente, Apausha sale victorioso, pero cuando Tistrya es adorado, le vence. Entonces Tistrya provoca que del mar cósmico surja un hervor, y después otra estrella.

Tistrya también estaba íntimamente relacionado con la agricultura y, en el zoroastrismo, fue identificado con el propio dios Tiri. También fue llamado Tishtrya.

Thisya

Dios de las lluvias. Sus adversarios son la sequía y la mala cosecha. Es el dios persa de la fuente creadora de las cosas.

Toth

El dios de la escritura, de las bibliotecas, de la lengua y el señor de las palabras divinas. Representaba las matemáticas, la astronomía y las ciencias en general.

Era por ello símbolo de sabiduría y señor de los discursos convincentes, de la astucia y de la magia. Dios vinculado con la luna, es el que vigila el proceso lunar, el contable del tiempo y el protector de aquélla.

Tenía dos formas de representación animal: el babuino y el ibis. Es poco frecuente la representacion de Toth con cuerpo humano y cabeza de babuino, pero por el contrario son numerosas con cuerpo humano y cabeza de ibis, casi siempre con materiales para la escritura.

Toth era abogado y dios de las leyes; estuvo muy ligado a la diosa Maat como representante de la verdad y la justicia. Toth se servía de la astucia y la magia en los casos difíciles.

Ocupaba una posición importante en el tribunal divino. A él se le atribuía la invención de las lenguas y de la palabra.

Tueris

Diosa cuyo nombre significa «la grande», estaba muy vinculada al nacimiento. Se representaba como hipopótamo hembra, con cola de cocodrilo, patas de león y muy grandes pechos caídos.

Es diosa protectora de las embarazadas y los partos, por lo que asistía al nacimiento de Ra cada mañana y su figura aparece en las camas y en los vasos para poner leche.

Su aspecto es feroz, el cual se justifica porque gracias a él espantaba a los genios malignos que podían dañar a los niños o a las mujeres, especialmente durante el sueño.

Uadyet

Representada como cobra con el ureo en la cabeza, era el símbolo la corona roja del Norte de Egipto.

En el mito solar, se identificó con el ojo izquierdo de Ra y se unió al círculo de diosas que simbolizaban el mismo órgano. Acompañada de Nejbet, se muestra sobre la frente del dios solar y del faraón, actuando como su defensora y escupiendo fuego a los enemigos de ambos. Recibía el apelativo de «dama del cielo» y encarnaba el calor del sol.

Utchat

Símbolo egipcio llamado «el ojo de Ra» y, a veces, «el ojo de Horus», en forma de triángulo con un círculo en su parte superior, realizado frecuentemente en lapislázuli.

Utu

Dios sumerio del sol y de la justicia y de los oráculos, hijo de Sim y Ningal. Llamado Shamash por los acadios. Dios solar que surge por el Este en su carro de oro y que recorre el firmamento hasta que se va por Occidente a recogerse en su morada Ebabbarra al finalizar cada día.

Protegía a todos los seres de la oscuridad y de las potencias del mal que acechan en ella. Dios bueno y justo, era considerado patrón de la «magia blanca», de las leyes y de la justicia.

Vayu

Dios persa del viento, representado como un dios guerrero para proteger las cosas creadas por Ahura Mazda, que reina entre la luz y la oscuridad.

Verethragna

También llamado Bahran, es el espíritu de la victoria y dios herrero. Puede ser un toro de cuernos dorados, un fuerte viento, un camello, un jabalí, un pájaro (¿cuervo?), un ciervo luchador, un hombre con espada de hoja dorada.
Con Mitra, el dios de la verdad, Verethraghna comparte características judiciales.

En los textos persas, Verethraghna aparece como un representante de Mitra y Rashnu, el dios de la justicia, y como significado de venganza para Mitra en su capacidad de dios de la guerra.

Verethraghna fue una deidad especialmente popular entre los sasánidas iraníes; el himno número 14 del Avesta está dedicado a él, y los días 20 de cada mes llevan su nombre.

Zoroastro

Reformista de la religión de la antigua Persia, donde su movimiento, el mazdeísmo (siglo VII a. C.) invalidó los dioses antiguos prevaleciendo el culto al único Dios, Ahura Mazda (Ormuz), y sus atributos, en contra del malvado Angra Mainyu (Arimán) y su séquito demoníaco.

Llamado también Zaratustra, la influencia de su religión prevalece hasta nuestros días contenida en el Avesta, su libro sagrado.

Su religión se basa en la idea maniqueísta del enfrentamiento entre el bien y el mal, Ormuz y Arimán, como motor del mundo del que Zoroastro será profeta y fundador de la estirpe salvadora.

Protegido por el príncipe persa Victapsa, murió atravesado por una lanza en una batalla contra los hiaonas.

Zurvan Akarana

Dios primordial en la religión persa, dios de lo infinito y del espacio, Zurvan es el padre del dios del bien Ahura Mazda y del dios malvado Angra Mainyu.

Tuvo que hacer sacrificios durante 1.000 años para hacer que nacieran ambos, porque él era hermafrodita.

Con hijos que representan las dos posiciones contrapuestas, a Zurvan se le relaciona con la neutralidad, como si para él no hubiera distinción entre el bien y el mal. Zurvan también es el dios del destino, de la luz y de la oscuridad.

En el «zurvanismo», la religión oficial de los sasánidas del siglo III al VII, Zurvan era el dios supremo y señor de los cuatro elementos.

También se le llamaba Zervan, cuyo nombre proviene de la palabra «zrvan» que significa «tiempo».

Mitos de Egipto y Oriente Próximo

Hititas

Los hititas fueron, en origen, un conglomerado de tribus guerreras con una herencia cultural común que se instalaron en la Anatolia (Turquía) entre los años 3000 y 1200 a. C., y que crearon un poderoso imperio con capital en Hattusas.

Sus principales monarcas fueron Anittas y el gran conquistador Labarna, quien introdujo el carro de combate entre las máquinas de guerra. Fundadores de Aleppo, en Siria, los hititas invadieron Mesopotamia, saqueando la ciudad de Babilonia.

La religión hitita llegó a ser conocida como la religión de los 1.000 dioses. Contaba con numerosas divinidades propias como Elkunirsa o Aserdus, y otras importadas de diferentes culturas (muy especialmente, de la cultura hurrita).

Entre los hititas, el rey era tratado como un escogido de los dioses y se encargaba de los más importantes rituales religiosos. Si algo iba mal en el país, se le podía culpar a él por haber cometido cualquier error durante uno de esos rituales.

Todo cuanto se conoce de su religión procede del hallazgo de algunas tablillas escritas en caracteres cuneiformes y los relieves, estatuas e inscripciones descubiertos en el templo de Yazilikaya.

Los fenicios

La religión fenicia fue en su origen una religión típicamente cananea con elementos tomados de los egipcios y más tarde de los griegos, que se expandió esencialmente a través del mar.

En todas partes donde fundaron colonias, se daba culto a los mismos dioses: el panteón fenicio se organizaba en torno a una triada, a la cabeza de la que se encontraba la máxima deidad masculina, llamado El, dios supremo, creador de los creadores y padre de todos los dioses.

Era la deidad universal y gobernaba pasivo sobre toda la serie de dioses o divinidades menores.

Le acompañaban la diosa madre, llamada Asherat-del-Mar, que era su consorte, y el hijo de ambos, Baal (señor), que representaba la juventud, el dinamismo, la fuerza y la violencia.

Baal moría cada año para simbolizar los ciclos de la naturaleza y renacía luego con una nueva cosecha. El mito se desarrolla explicando cómo Baal, esposo de Baalat, y padre de Aliyan, murió a manos de Mot, desapareciendo bajo tierra.

Pero Anat, esposa y hermana de Aliyan, rescató su cuerpo y lo llevó hasta las alturas de Safón, enterrándolo allí. Luego busca a Mot y le da muerte; por último resucita Aliyat y se sienta en el trono de Mot, lo que significa el renacer de la primavera.

El sacrificio era una importante característica de la religión fenicia, mediante ceremonias para aplacar y fortalecer al dios. No honrar regularmente a un dios minaba su valía, poder y deseo de beneficiar a la gente. Es importante reseñar que los fenicios practicaban el sacrificio de vidas humanas.

Saladino y Melquíades

Leyenda que se reseña en el *Decamerón,* obra de Giovanni Bocaccio. Saladino, sultán de Babilonia, necesitaba dinero para sus campañas de guerra y pensó en un judío llamado Melquíades, que prestaba con usura en Alejandría.

Sabiendo que era muy avaro, urdió una estratagema para convencerle y le mandó llamar, preguntándole cuál de las tres religiones, la sarracena, la judía o la cristiana, le parecía la mejor.

El judío comprendió que Saladino quería atraparle en lo que dijese para buscarle alguna dificultad, y también pensó que, si loaba alguna de las tres religiones más que las otras, Saladino advertiría su intención, por lo que respondió:

«Señor, buena es la pregunta que me habéis hecho, y para deciros lo que siento, me convendrá contaros un cuento.

Recuerdo haber oído hablar de un hombre poderoso y rico que tenía un anillo valioso y bellísimo. Para honrarlo en todo su valor y belleza y transmitirlo perpetuamente a sus descendientes, ordenó que aquel de sus hijos a quien después de muerto él, se le ajustara el anillo al dedo, fuese tenido por su heredero y reverenciado y honrado por todos.

El que heredó el anillo tomó igual medida con sus propios descendientes y así el anillo pasó de mano en mano durante muchas generaciones, hasta llegar a las de uno que tenía tres hijos virtuosos y obedientes a los que amaba por igual. El buen hombre no sabía a quién elegir para legárselo y, habiéndolo prometido a todos, quiso satisfacer a los tres. Secretamente, encargó a un artífice que hiciera dos anillos tan semejantes al primero que ni él mismo pudiera distinguir el verdadero. Al borde de la muerte, y en secreto, les dio uno a cada uno de sus hijos.

Tras la muerte del padre, todos quisieron adquirir la herencia y el honor para lo que exhibieron sus respectivos anillos. Y eran tan parecidos entre sí que no se podía conocer cuál sería el verdadero, por lo que la cuestión de quién era el heredero de su padre quedó en suspenso, y aún en suspenso está.

Y por eso os digo, señor, respecto a la cuestión que me preguntabais sobre las tres leyes dadas a los tres pueblos por Dios, su padre, que mi respuesta es que cada uno tiene su herencia y su verdadera ley, cuyos mandamientos se cree obligado a cumplir, pero que, como en el caso de los anillos, aún sigue en suspenso la cuestión».

Saladino comprendió lo bien que había escapado aquel hombre de la trampa que le había tendido, y decidió exponerle abiertamente su necesidad, ante lo que el judío ofreció libremente servirle en lo que necesitara. Saladino, más adelante, se lo devolvió íntegramente, además de colmarle de regalos y tenerle siempre como amigo.

Los cuatro períodos de Zoroastro

Zoroastro esbozó la Historia del Mundo en cuatro períodos de 3000 años cada uno: en el primero, Ormuz y Ariman se enfrentan y comienzan a luchar. En el segundo, Ormuz crea el cielo, la tierra, los animales…, mientras Ariman construye el reino subterráneo de los monstruos y las tinieblas. En el tercero, al alcanzar la mitad de la Historia, aparece Zoroastro, que enseña la doctrina de la Verdad. En el cuarto, las luchas se recrudecen con la aparición del dragón Dahaka y del segundo salvador llamado Keresaspa y más tarde Saoszan, los cuales, con Zaratustra, serán los definitivos salvadores de la Humanidad.

Entonces Ariman será vencido definitivamente y los muertos resucitarán para un gran juicio. Durante tres días serán sumergidos en un océano de metal fundido.

Los buenos encontrarán suave y agradable el baño, los perversos sufrirán lo indecible, pero al terminar este período de expiación, todos entrarán en la inmortalidad.

Gilgamesh

Mito sumerio que se remonta al año 3.000 a. C. elaborado en torno a la figura de un personaje, el rey Gilgamesh de Uruk, convertido en leyenda acerca de la condición humana, y que se conoce a través de una serie de tablillas halladas en Nippur y otras ciudades de la Baja Mesopotamia.

Se trata de una historia en la que al héroe le suceden diferentes episodios, algunos de ellos muy tardíos: Gilgamesh y Agga de Kish, Gilgamesh y el país de la Vida, la muerte de Huwawa (guardián del bosque de los cedros), y la muerte de su amigo Enkidu y el descenso a los infiernos.

Incluso se incluye un episodio acerca del encuentro de Gilgamesh con el superviviente del diluvio universal, Ziusudra, constructor de una embarcación en la que se refugiarán las diferentes especies animales, aunque al parecer se trata de un añadido posterior.

En esta epopeya, Gilgamesh pasa de la búsqueda de la inmortalidad, la gloria y la fama, a comprender que la vida debe vivirse en plenitud cada día, según le enseña la tabernera Siduri, y a comprometerse luego con la felicidad y el bienestar de su pueblo. Razón por la que construye la sólida y protectora muralla de Uruk, renueva los templos y se esfuerza para que su reino sea más fértil, próspero y pacífico.

Conquistas que a la postre le llenarán tanto de orgullo que ni siquiera lamentará haber perdido la planta de la eterna juventud, que había rescatado del fondo del mar, por el ataque de una serpiente.

El primer Shaman

Hubo un joven persa que al enfermarse terriblemente cayó en un sueño profundo. Un día oyó un aleteo y vio que un cuervo negro lo miraba fijamente.

El cuervo lo recogió y voló por una grieta que había en el cielo hasta el sitio donde el sol y la luna brillaban. Los habitantes de este mundo superior tenían cuerpos humanos con cabeza de cuervos.

El joven fue colocado en un nido donde fue colmado de cuidados, aunque iba haciéndose más y más pequeño hasta que quedó del tamaño de un dedal.

Después de varios años, el joven fue enviado de regreso a la tierra y él perdió toda memoria de su vida anterior.

Volvió a nacer, tuvo nuevos padres, y lo nombraron Aadja. Cuando tenía cinco años, de repente recordó todo lo que había sucedido: cómo él había nacido y vivido en la tierra, cómo había vuelto a nacer entre la gente cuervo y cómo ahora tenía otra vida.

Conforme crecía, Aadja iba descubriendo que tenía grandes poderes curativos. Cuando alguien en la aldea se enfermaba, se ponía en trance y buscaba en el paciente la causa de la enfermedad.

Si había necesidad de usar un medicamento, convocaba a su guía espiritual, el cuervo, para que le mostrara donde crecía la hierba apropiada. Si determinaba que la persona había sido despojada de su alma, él volaba como un cuervo al mundo superior y la traía consigo.

El roc de Simbad

Los rocs eran pájaros míticos parecidos a enormes águilas, con un plumaje marrón y dorado. Algunos rocs pueden ser enteramente rojos o negros, pero son considerados como portadores de malos presagios.

Se distinguen por la enorme fuerza con la que elevan a sus presas, incluso del tamaño de un elefante, por los cielos. Sus plumas pueden utilizarse para la elaboración de alfombras voladoras. Tienen un apetito voraz y pueden ser domesticados por los gigantes, pero no por los enanos.

Si los gigantes son benévolos, no dejarán que sus rocs ataquen a los habitantes de las ciudades, ni a sus animales domésticos o ganado.

El roc debe su fama en Occidente al compendio de relatos titulado *Las mil y una noches,* uno de los cuales cuenta las aventuras del marino Simbad. En un viaje de comercio, después de quedarse dormido en la isla donde mora el ave roc, Simbad despierta y se encuentra abandonado por sus compañeros.

Descubre el imponente huevo del ave roc y se oculta junto a él, de tal modo que cuando vuelve el ave a su nido es capaz de atarse con el turbante a una de sus patas, lo que le permite escapar de la isla al día siguiente, cuando el roc alza el vuelo en busca de alguna presa.

Isis y los siete escorpiones

Manejaba los sortilegios y los encantamientos, era temible y temida sobre todo por la composición de su guardia personal, siete escorpiones cuyos nombres terroríficos son: Befent, Maatet, Mestet, Mestetef, Petet, Tefen y Thetet, expertos en ocultarse y que le ayudaban a proteger a Horus.

Cuando Horus venció a Seth, Isis intercedió por la vida de su hermano; Horus se puso furioso contra ella y le cortó la cabeza; entonces Toth, por medio de sus palabras mágicas, transformó su cabeza en la de una vaca y se la colocó sobre los hombros.

Cuenta una leyenda que, al quedar embarazada, Isis huyó de Seth hasta el delta del Nilo, acompañada por sus siete escorpiones. Una noche pidió cobijo a una rica dama de nombre Uosret, pero ésta se lo negó, por lo que los escorpiones atacaron al hijo de Uosret.

Apenada por el niño moribundo, Isis lo curó y luego se trasladó a Jemmis, donde dio a luz a Horus.

Un día tuvo que dejar solo a Horus, su bebé, para ir a buscar comida, y al regresar se lo encontró muerto porque le había picado un escorpión, pero Isis no pudo salvarlo porque había agotado su magia salvando al hijo de Uosret. Desesperada, Isis detuvo a Ra que estaba atravesando el cielo y en el mundo se produce la oscuridad total.

Entonces Ra, envió a Toth para curar a Horus porque, hasta que éste no sanara, no volvería la luz al mundo.

Horus

Tras ser fecundada por el revivido Osiris, Isis tuvo a su hijo Horus, al que ocultó en los pantanos de la ira de su tío Seth, quien la raptó para obligarla a casarse con él, aunque pudo escapar con la ayuda de otros dioses.

A su regreso a los pantanos, encuentra gravemente enfermo por la picadura de un escorpión a su hijo Horus. Sólo la asistencia de su padre Toth logra salvar al niño, que comienza a ser educado en secreto para que pueda vengar a su padre y recuperar su legítimo derecho a la corona de Egipto.

En el momento oportuno, Horus reclamó ante el Consejo de los Dioses el trono de Egipto. Seth mandó retirarse al resto de los dioses para que deliberaran su decisión, mientras, en tono conciliador, invitaba a Horus a su casa para hacer las paces.

Pero éste no se deja engañar, tras recibir y repeler una agresión repleta de connotaciones sexuales y denuncias a su tío hasta que, ofendido y burlado, Seth huye con ánimo de revancha, mientras Horus es aclamado como el nuevo soberano de Egipto.

Desde entonces Seth comienza una guerra contra el reino de devastadoras consecuencias y de la que existieron numerosos relatos como los que se pueden observar todavía sobre los muros del templo de Edfú, principal ciudad de culto a Horus y donde guardaba su «disco alado», con el que libró duros combates aéreos contra su odiado tío Seth.

En ayuda de Horus apareció su bisabuelo Ra, con un gran ejército de guerreros, que se unieron a las huestes de los «Shemsu-Hor», o seguidores de Horus.

La primera batalla fue en territorio nubio, cerca de Asuán, y resultó un éxito para el ejército de Horus, quien, decidido a lanzar la ofensiva final, estableció una importante fundición de armas metálicas hechas con «hierro divino», y entrenó a un ejército de «mesniu» (coraceros, hombres de metal), los primeros humanos que participaron en las guerras de los dioses.

Todo Egipto quedó bañado en un mar de sangre: dioses y humanos luchando codo con codo en una auténtica masacre que quedó grabada en el recuerdo de los antiguos egipcios.

Seth cayó por fin prisionero, y fue llevado ante Ra, quien ordenó su entrega a Horus e Isis, para que procediesen como creyeran conveniente. Horus inició una orgía de sangre entre los prisioneros dejando el ajusticiamiento de Seth para el final.

Pero, ante su sorpresa, Isis sintió lástima por su hermano Seth y le dejó escapar. La furia de Horus se volvió contra su madre, a la que decapitó personalmente, aunque de inmediato Toth le puso sobre los hombros la cabeza de una vaca.

Tras muchas batallas, en las que Seth perdió los testículos, el Consejo de los Dioses decidió que Seth se retirase a sus dominios fuera de Egipto perdonándole la vida.

A cambio, él aceptaba el derecho de Horus a tener la corona de Egipto como el único y legítimo heredero. La batalla había durado 80 años.

El declinar de un dios

Como sucede en todos los mitos, las criaturas terrestres creadas por la sola voluntad de Ra, dios supremo, se alzaron contra su señor. Se produjeron sucesivas luchas a muerte entre los enemigos de la tierra y las comitivas celestiales, luchas tan feroces que desgastaron la fuerza de Ra hasta hacerle perder sus energías y babear.

Con la baba que caía de su boca, Isis hizo barro, y con él modeló la serpiente que puso en el camino del dios y acabó envenenándole.

Hecho esto, Isis le chantajeó prometiéndole el antídoto a cambio de que la divinidad le revelara su nombre secreto. Ra se resistió mientras pudo aguantar el dolor, tratando en vano de eludir la respuesta, pues sabía que el nombre de la cosa y el poder inmediato sobre ella son lo mismo.

Pero acabó dándose por vencido y tuvo que decir al oído de Isis ese nombre que a partir de entonces ella también conocería, comunicándole en ese acto su fuerza total.

Una vez vencido por Isis, el debilitado Ra sería también blanco de ataques de los seres humanos, y su venganza, a través de Sejmet, la mujer-leona diosa de la guerra, fue tan terrible que casi termina con la humanidad, aunque acabó apiadándose de sus hijos y envió una lluvia de cerveza teñida de rojo que cubrió el planeta.

Sejmet, creyendo que era sangre, se la bebió y acabó tan borracha que olvidó ejecutar la sentencia de muerte que Ra había decretado para los humanos.

Después de este acto de compasión, Ra dejó para siempre todo lo relacionado con los asuntos de la gobernación, dejando en manos de Gueb el poder sobre la Tierra, aunque siempre estará para ayudarle con sus consejos.

Isis y Osiris

Osiris reinaba en la tierra, como heredero de Gueb, pero su hermano Seth, que reinaba en el desierto, le envidiaba. Por este motivo, en compañía de 72 cómplices, logró engañarlo y asesinarlo, desmembrando el cuerpo y lanzando los despojos al Nilo.

Isis, al enterarse de la desgracia, se sintió tan apenada que, ayudada por Neftis y Toth, recorrió todo el país, buscando los pedazos de su amado esposo.

Allí donde encontraban un fragmento levantaban un templo donde se veneraba la reliquia.

La búsqueda concluyó con éxito, pero lamentablemente Isis había hallado todos los trozos excepto el falo, que había sido devorado por un pez. Asistida por Anubis, Isis restauró el cuerpo de su marido practicando la Ceremonia de Apertura de Ojos y Boca y la momificación.

Después se convirtió en un milano y aleteó ante él, reviviéndole, tras lo que se posó sobre él y misteriosamente fecundada por su esposo quedó embarazada de Horus, al que daría a luz en la mítica isla de Jemis en el Delta. Así, Horus se convierte en el hijo póstumo de Osiris, hijo al que Isis cuidó y defendió del asesino de su padre, Seth. Por ello, fue diosa tutelar de la infancia.

La diosa se hizo acompañar de siete escorpiones que le servían de defensa y la ayudaban a proteger al joven Horus. Y, por ello, era a menudo invocada en el tratamiento de picaduras venenosas de serpientes o escorpiones.

Aquella «Apertura de Ojos y Boca» y la momificación, fueron actos que se repetirían en adelante sobre los cuerpos de los difuntos para asimilarlos a Osiris y posibilitar su vida eterna.

Otras narraciones nos presentarán a Isis con un carácter mucho más pendenciero y cruel, como el mito que narra cuando intentó robar el nombre secreto de Ra, recogido en el papiro mágico de Turín.

El mundo de los muertos

El destino de cada egipcio al morir no era seguro.

La vida de ultratumba estaba llena de peligros, que por lo general tendría que superar recurriendo a medios mágicos.

El punto de arranque de todo era la tumba. El difunto podía continuar existiendo en la tumba y sus alrededores o podía viajar a través del Más Allá.

En ambos casos, su objetivo era identificarse con los dioses, en particular con Osiris, o incorporarse con algún espíritu transfigurado en el ciclo solar como un miembro más de la «barca de millones», una barca tan inmensa que nunca se podía ver entera.

Entre la muerte y la incorporación al mundo divino se celebraba un juicio de méritos ante los dioses (psicostasia), representado muy a menudo en las pinturas de las tumbas, en los papiros, ataúdes y mortajas.

En las escenas de este juicio suele aparecer un monstruo femenino, llamado «devorador de los muertos», cuya función era engullir a quienes fracasaban en la prueba.

Las escenas que se grababan en las paredes de las tumbas formaban parte del conjunto de medidas que los familiares del muerto tomaban para hacerle llevadera la vida después de la muerte, previstas en el *Libro de los muertos* junto a una serie de normas para la manutención del cuerpo incorrupto. Esta creencia originó la compleja técnica egipcia de embalsamar los cadáveres:

las momias y la construcción de grandes tumbas en las que pudieran seguir viviendo por toda la eternidad.

Los enterramientos contenían una gran variedad de bienes materiales, ingentes cantidades de alimentos, estatuas que podían ser habituadas por el «alma» del difunto y la propia momia cuidadosamente amortajada, protegida por numerosos amuletos y objetos valiosos y colocada en un ataúd o un nido de ataúdes, que mágicamente era conducida a la vida eterna mediante el rito de la «Apertura de la Boca».

Dioses del lejano Oriente

Aditi

Diosa-madre del imaginario hindú, llamada «la benéfica», las mujeres durante su embarazo se ponían el amuleto que Aditi llevaba cuando deseaba un hijo. Por eso es la protectora de los partos a pesar de no estar unida a varón, incluso su nombre significa «la libre».

Es una diosa primordial que representa la amplitud, la extensión, la libertad. La diosa que permite el florecimiento y libera de todo lo que atenaza, la que hace desaparecer los rastros de pecado, de impureza o de enfermedad.

Se representa como una mujer joven que retuerce sus cabellos con ambas manos. De sus cabellos emerge el río, fuente de toda la riqueza.

Adityas

Originalmente son serpientes hijas de Aditi que perdieron su piel y se hicieron inmortales. Se convirtieron en dioses, «devas», incluso en dioses soberanos. Entre ellos está Varuna.

Agni

Dios hindú del fuego, es una de las deidades más prominentes de los vedas, al que se representa como un hombre de piel roja y pelo negro, con tres piernas y siete brazos, y ojos, cejas y cabellos oscuros.

Monta en un carnero; viste un cordón brahmánico y una guirnalda de frutas. Salen llamas de su boca y siete rayos de gloria emanan de su cuerpo.

Aizen Myo-o

Dios que en el culto budista Shingon de Japón, es considerado una personificación del amor divino que destruye las pasiones malignas.

Se le suele representar de color rojo oscuro, con una cabeza y seis brazos que sostienen diversas armas, y una corona en la que hay esculpida una cabeza de león. En los barrios gays de Japón se le considera el patrón del amor, como también lo es de las prostitutas, los cantantes y los músicos.

Amaterasu

Diosa sol en la mitología japonesa, su nombre literalmente significa «la deidad que ilumina el cielo». Nació de las manchas que Izanagi lavó en el río al salir del infierno. Resplandeciente en su apostura, dignificada con su atuendo, de carácter magnánimo y benigno, brillaba gloriosamente en el cielo, cuyo gobierno tenía encargado.

El principal santuario de Amaterasu es Ise-Jingue, situado en la isla de Honshu, templo que se destruye cada 20 años, para volverlo a construir conservando su forma original.

Amida

Para sus fieles, en Japón, el más grande de los dioses y el soberano del paraíso, protector de las almas humanas, padre y dios de cuantos son admitidos a disfrutar las delicias del paraíso.

Es considerado el salvador de la humanidad, pues por su intercesión obtienen las almas la remisión de sus faltas para ser dignas de la beatitud celestial. Tras muchos miles de años ejercitándose en la penitencia y la predicación, cansado de su existencia, se dio muerte y fue aceptado entre los dioses.

Sus seguidores aseguran que es el ser supremo, de sustancia indivisible, incorpórea, inmutable, distinta de todos los elementos, que existe con la naturaleza, que es fuente y fundamento de todo bien, sin principio ni fin, infinito, inmenso y creador del universo.

Es representado en un altar, montado en un caballo con siete cabezas, al lado de una inscripción jeroglífica de 7.000 años y con cabeza de perro, teniendo en sus manos un anillo o círculo de oro que está mordiendo y vestido con ropajes guarnecidos de perlas y piedras preciosas.

Anú

Dios principal babilonio de los cielos y la tierra. Primera figura de la tríada: Anú, Bel y Ea. El centro más importante de su culto era la ciudad de Uruk (Erech). Su esposa era Anatu.

Preponderante sobre los espíritus buenos y malos, se le consideraba el padre común, y con su esposa Anatu, compartían la regencia de todo el universo. Su ejército estaba formado por las estrellas, a las que llamaban «los soldados de

Anu», y no abandonaba jamás las regiones celestes. Su atributo es la tiara con cuernos, y sus insignias reales, el cetro, la diadema y el bastón de mando.

Anyang

En china se conocía con este nombre el lugar de origen de los puntos cardinales, donde se reúnen los vientos.

Es también el nombre de una ciudad del norte de la provincia central china de Henan, sede de la dinastía Shang, así como una de las denominaciones de Seúl.

Arjuna

Íntimo amigo de Krhisna, que era su filósofo particular y guía espiritual. Arjuna, uno de los pandavas, acompañó al dios en su guerra contra Kansa, y Krhisna le ayudó a vencer sus dudas sobre si era justo o no matar a sus parientes cercanos en el campo de batalla.

Asat

El Rig Veda, primero de los Vedas, obras escritas en sánscrito acerca de los rituales religiosos elaboradas por los arios, describe el Universo como un todo compuesto de dos partes: Sat y Asat.

Sat es el mundo existente, la parte destinada a las divinidades y a la humanidad, mientras que Asat es el mundo no existente, el territorio del demonio. En Sat están la luz, el calor y el agua, mientras que en Asat reina la oscuridad, porque los demonios viven en la noche.

Augusto de Jade

Divinidad suprema en China, patrón benéfico de los destinos de los hombres, Yuhuang Dadi siempre está dispuesto a ayudar a los oprimidos, premiar a los justos y castigar a los malvados.

Habita en el cielo, en el sector más elevado, y es señor y legislador universal. Se le llama también Yu-ti, pero su apelativo más utilizado es Lao-tien-ye, que quiere decir «padre cielo». Como dios del presente lleva por nombre Yu-huang-chang-ti y su esposa es Wang. Al final de los siglos le sucederá el Venerable Celeste de la Aurora de Jade.

Bimbogami

Dios japonés de la pobreza. Es un dios temido del que conviene distanciarse para evitar el hambre y las calamidades.

Brahma

El dios creador en el hinduismo, miembro de la Tri-murti («tres formas»), la Trinidad conformada por Brahma (dios creador), Vishnu (dios preservador) y Shiva (dios destructor).

Según el mito antiguo, los tres surgieron del huevo cósmico puesto por el dios Ammavaru. Esposo de Sarasvati, la diosa del conocimiento, o de Savitri o de Gaiatri, aunque por ser el Creador, todos sus hijos sean mana-putras o hijos de la mente y no de su cuerpo.

Brahma interfiere muy poco en los asuntos de otros dioses, y aún menos en los de los mortales. Vive en Brahmapura, una ciudad ubicada en la cima del mitológico monte Meru, que está situado en el centro del universo.

Es considerado padre de Dharma (el dios de la religión) y de Atri y se le suele representar con cuatro cabezas y cuatro brazos, y la piel de coloración rojiza. Cada boca recita uno de los cuatro Vedas.

En las manos sostiene un recipiente de agua usado para crear la vida, un japa-mâlâ (rosario de cuentas) para llevar el registro del tiempo astral, el texto de los Vedas, y una flor de loto. Va montado sobre un cisne, Hamsa, y es agente de Brahma, el ser absoluto del hinduismo. En India sólo hay dos templos dedicados a su culto.

Buda

Vivió en el norte de la India, en el siglo vi a. C. Se llamaba Sidarta y su nombre de familia era Gotama. Su padre fue Sudodana, gobernante del reino de los sakyas (el actual Nepal), y su madre la reina Maya.

Según la costumbre de la época, contrajo matrimonio a los 16 años con la princesa Yasodara, con quien tuvo un hijo.

Por sus tendencias religiosas, Sidarta fue aislado en palacio y rodeado de todos los lujos posibles para evitar que conociera los problemas y sufrimientos de la humanidad.

Sin embargo diversas «casualidades» permitieron que Sidarta contemplase directamente la pobreza, la enfermedad, la extrema vejez y la muerte.

Profundamente afectado, decidió hallar la causa y la solución a estos males, por lo que abandonó su futuro reino, su mujer y su hijo, para ir por los caminos en busca de un antídoto.

Durante seis años practicó un ascetismo radical, como le aconsejaron los distintos maestros que fue encontrando. Tan débil y esquelético llegó a estar, que apenas podía sostenerse en pie.

Una aldeana se apiadó del esquelético y maloliente asceta y le ofreció unas gotas de leche. Sidarta, que ya había reflexionado sobre las consecuencias inútiles de tan extrema privación, aceptó esas pocas gotas y con energía renovada se sentó a meditar al pie de una higuera (desde entonces conocido como el árbol Bodhi, o de la «Sabiduría»), a orillas del río Neranjara, en Buda Gaya (en el actual Bihar).

Tenía ya 35 años y, tras muchos días y noches, y superando toda clase de tentaciones y depresiones, alcanzó la iluminación y con ella la transformación. Se había sentado a meditar Sidarta; al levantarse era el Buda, que proviene de la raíz «bud», que significa «despierto» o «iluminado». No debe usarse como nombre propio, puesto que es un título y un reconocimiento.

Posteriormente, según la leyenda, los dioses del cielo le pidieron que no se guardara esa experiencia, sino que la compartiera con los demás hombres.

Así fue como en el Parque de las Gacelas, en Isipatana (la actual Sarnath), el Buda se citó nuevamente con los cinco ascetas que habían compartido con él su búsqueda, que se negaron a escucharle, convencidos de que aceptar aquellas gotas de leche había sido una claudicación.

Pero, tras escuchar el primer sermón, empezó a girar la rueda de la ley, y aparecieron las cuatro nobles verdades que caracterizan al budismo. Así nació la Sangha, la comunidad budista.

Durante 45 años, Buda predicó a toda clase de personas, sin hacer ninguna distinción de clase, de cultura, de sexos ni de castas (con lo que se enfrentó directamente con el hinduismo, la religión dominante).

También admitió mujeres en el nuevo culto; siendo la primera gran religión que creó la categoría de monjas; algo que en su época causó verdadero horror porque las mujeres no podían entender ni aspirar al conocimiento religioso. También las campanas, y su uso dentro del culto, son de origen budista.

La personalidad del Buda, Sidarta Gotama, era avasalladora. Murió en Kusinara a los 80 años, rodeado de multitud de discípulos.

Según los budistas, sus últimas palabra fueron:

«Todas las cosas son perecederas. Esforzaos por vuestra salvación».

Ch'ang-O

Diosa china cuyo nombre significa «liebre de la luna», por el lugar en el que se escondió tras beberse indebidamente el elixir de la inmortalidad. Es una de las figuras más populares de las creencias folclóricas chinas, una Luna femenina bajo sus aspectos más benignos.

Su fiesta se celebra tras el equinoccio de otoño y es una de las tres grandes celebraciones anuales, dedicada exclusivamente a mujeres y niños.

En la mitología, Ch'ang-o era la esposa del arquero How-Yi, al que se le concedió el elixir de la inmortalidad por haber salvado a la humanidad al abatir a nueve de los diez soles que salieron juntos amenazando con quemar el mundo. Al enterarse How-Yi de que su esposa se había bebido el elixir, la persiguió hasta la Luna, donde todavía permanece.

Generalmente, aparece representada como una mujer muy bella y joven con un suntuoso vestido y con un disco lunar en la mano derecha. En otras representaciones está al lado de un sapo cuyo perfil se proyecta sobre la cara de la Luna.

Chang

Antiguo príncipe chino adorado entre los dioses con el nombre de «rey sabio». Su ídolo, de una altura de 30 pies, era completamente dorado, estaba revestido con las ropas del rey y sobre su cabeza resplandecía una magnífica corona de piedras preciosas.

Chang-huo-lao

Venerable y bondadoso sabio que forma parte de grupo de los ocho pa-hsien (inmortales). Posee un asno velocísimo que tiene la facultad de desplegarse y replegarse como una hoja de papel cuando su amo no tiene necesidad de sus servicios.

Che-niu

Diosa china hija del Augusto de Jade. Patrona de los tejedores, habita en soledad en la constelación de la Lira, tejiendo bellísimas telas para su augusto padre. Para consolar su soledad, el Augusto la entregó como esposa al pastor celeste de la constelación del Águila aunque, para que no descuidase los trabajos del telar, puso entre ella y su esposo la Vía Láctea, permitiendo a los cónyuges encontrarse una sola vez al año, en el séptimo día del séptimo mes.

Como ese mes en China cae en el período monzónico de las lluvias, los chinos dicen que las gotas que caen del cielo son lágrimas de felicidad que la diosa Che-niu derrama por la alegría de encontrar a su esposo tras un año de separación.

Cheu-sing

Dios chino de la juventud, encargado de custodiar la vida de los humanos, tenía el poder de señalar el día de la muerte de las personas, pero esta fecha podía cambiarla a voluntad si se le ofrecían sacrificios y se participaba con fe en los rituales que se celebraban en su honor.

Mostrarle adoración y fidelidad era el camino para alargar los años de vida del creyente.

Chu

Elemento que aglutina y define los principales contenidos de la teoría del conocimiento atribuida a Confucio y que eran bondad, conveniencia, justicia, sabiduría y generosidad.

Confucio

Filósofo, teórico social y fundador de un sistema ético –más que religioso– que ha llegado hasta nuestros días, Kung-tse vivió en la China feudal hace 2.500 años, entre el año 551 y 479 a. C. Sus orígenes eran muy humildes, pero desde joven mostró predisposición por los libros y, con el tiempo, desempeñó un alto cargo como funcionario del estado de Lu.

Por la amplitud y por la profundidad de su sabiduría, le denominaban Kung el sabio (Kung-Fu-Tsu, que los misioneros escribieron como Confucio), pero eso no impidió que una intriga política le obligara a exiliarse y peregrinar durante 13 años de una corte a otra, intentando persuadir a cada uno de los monarcas para que adoptaran sus iniciativas acerca de la justicia y la convivencia en armonía entre los hombres.

Escondió su decepción en la enseñanza, reuniendo a su alrededor a numerosos discípulos con los que compiló y sistematizó cinco grandes textos tradicionales: el Yi-King o libro de las Mutaciones, el Chu-King o canon de la Historia, el Chi-King o libro de las Canciones, el Li-Ki o libro de los Ritos y los Chun-Ching o anales de primavera y otoño.

Distante de la mística y de las creencias religiosas, el confucionismo se propone como una filosofía práctica, un sistema de pensamiento orientado hacia la vida y destinado al perfeccionamiento de uno mismo.

El objetivo no es ninguna supuesta salvación, sino la sabiduría y el conocimiento del ser que nos es más cercano, el yo.

Dyaus

El cielo, uno de los más antiguos dioses arios, que promueve la virtud y prodiga favores a sus adoradores.

Creador y preservador de todas las criaturas, es benévolo y generoso con todos. Se dice que fue creado por Indra, y se le describe inclinándose ante él y permaneciendo siempre bajo su control.

Espada

En el taoísmo ceremonial, la espada es un elemento indispensable en los exorcismos y los ritos de subyugación de las entidades demoníacas. No en vano, la tradición antigua del taoísmo Huang-Lao, afirma que Huang Di, el legendario Emperador Amarillo, patrón de las artes esotéricas, blandía una espada de bronce.

Relacionada con el Fuego en la dinámica de los Cinco Elementos, la espada siempre ha sido reverenciada por los taoístas como poseedora de un espíritu mágico que requiere una gran maestría de la energía interna para su manejo correcto.

En la alquimia interna clásica, la espada representa el Shen (psique) y es utilizada como transmisor y recolector de energía, lo que la convierte en una herramienta especialmente poderosa.

Fu-Hi

Si bien Niu Kua fue llamada la madre del Cielo aunque no fuera la creadora de todo el universo sino de la humanidad, pronto se la asoció con Fu-Hi, el «emperador celeste», que reinó entre los hombres desde que éstos se extendieron sobre la Tierra.

Niu Kua y Fu-Hi forman la pareja primigenia de la mitología china. Fu-Hi tuvo como sucesor a Sheng Nung, el «emperador terrestre», y éste al renombrado Huang Ti, el «emperador amarillo». Los tres emperadores vivieron en el tercer milenio.

Fuji

Diosa de las rocas y del monte que lleva su nombre, situado en la isla de Hondo, cerca de Tokio. Alcanza los 3.770 metros de altitud y su cima está cubierta de nieve durante casi todo el año. Antiguo volcán, hoy apagado, que tuvo terribles erupciones, es una montaña sagrada para los japoneses, que realizan frecuentes peregrinaciones hasta su cumbre para adorar desde allí al Sol.

Gaki

Fantasmas hambrientos de la mitología japonesa, que sufren continuamente necesidad por lo que cualquier alimento que encuentren desaparecerá entre las llamas.

Son seres infelices y demacrados, con el vientre hinchado y la boca muy ancha, que simbolizan el hambre y la sed nunca saciada.

Ganesha

Hijo de Shiva y Parvati. Dios de la sabiduría y de las letras. Su montura o vahana es un ratón. Normalmente es representado con aspecto bonachón, cuatro brazos, gran barriga y cabeza de elefante.

Es el jefe de los ejércitos de su padre, los ganas, seres sobrenaturales.

Sus dos esposas son Buddhi y Manas. Es uno de los dioses más populares de la India, a pesar de ser tardío, e incluso existe una secta, los ganapatyas, para quienes Ganesha es el eje y motor del universo. No aparece en ninguno de los dos grandes libros.

Garudá

Pájaro mítico considerado un semidiós en el hinduismo y en el budismo, y también conocido entre los japoneses (karurá), indonesios y tahilandeses, en cuyos escudos nacionales aparece.

Para los malayos es una forma del ave Fénix. Generalmente se le representa como un águila gigante y antropomórfica, cuerpo humano dorado, rostro blanco, pico de águila y grandes alas rojas. Es muy antiguo, enorme y puede tapar la luz del Sol.

Era el jefe de las aves y enemigo de las serpientes, hijo de Kashiapa Muni y Vinatâ. Según el Mahabharata, al nacer Garudá los dioses se asustaron de su brillo y lo llamaron fuego y sol.

Se comía a las serpientes hasta que un príncipe budista le hizo vegetariano, tras lo que resucitó a todas las víboras que se había comido en el pasado.

Guanyin

Diosa de la misericordia, originalmente, en el budismo hindú, era la Bodhisattva Avalokitesvara, quien atiende y ve los ruegos y sufrimientos de los humanos. En la imaginería china viene representada en forma o figura de mujer, en línea paralela a la imagen de la virgen María en el culto cristiano.

Hachimanjín

Dios de los Ocho Estandartes y señor de la Guerra. Estando en el vientre de su madre, ordenó a ésta que conquistase Corea. Siguiendo sus consejos, ella marchó a la guerra y él permaneció tres años en su vientre, hasta que volvió victoriosa.

Hanuman

Dios mono venerado por los hindúes, que creen que es una de las diez encarnaciones (avatares) de Vishnú. Es el fiel compañero de Rama, a quien ayuda contra las fuerzas del mal que encabeza el malvado Ravana.

Posee un poder y una fuerza casi ilimitados. Siendo niño, fue aceptado por Suria, el dios Sol, como discípulo y éste le enseñó los sutras. El extraordinario poder de concentración de Hanuman hizo que pudiera memorizar los sutras en tan sólo 60 horas.

Se distingue por su gran fuerza física, estabilidad mental y carácter virtuoso. También se le considera un erudito que domina las seis escuelas de gramática, los cuatro Vedas y los seis Shastras. Pero el dios mono no presume de lo mucho que sabe, ni de ser capaz de coordinar el pensamiento, la palabra y la acción.

Es el paradigma de la humildad, nacida de su sinceridad y sabiduría, por lo que es venerado por todo India. Como relata el Ramayana, demostró su devoción por Rama, buscando por todo el mundo a Sita, su esposa, que había sido secuestrada. Una devoción tan intensa que logró saltar el océano para encontrarla.

Es considerado protector de los enamorados y símbolo de la lealtad, valor, fidelidad, abnegación y amistad. Coordinar el pensamiento, la palabra y la acción.

Hidesato

Famoso guerrero japonés a quien llamaban Towara Toda, o «señor Saco de Arroz». Su verdadero nombre era Fujiwara Hidesato, y existe una leyenda sobre su cambio de nombre (ver leyenda).

Hiruko

Para los shintoístas japoneses, los primeros dioses terrestres fueron Izanagui y su hermana Izanami, creadores de la primera tierra firme Onorogo, una isla donde concibieron a Hiruko, el dios del fuego, matando en el parto a su madre.

De Hiruko nacieron entre 1.000 y 1.500 dioses que en un proceso de purificación y condensación, dieron lugar al nacimiento de Amaterasu, Susanoo (dios del mar) y Tsukiyami (dios de la luna).

Susanoo se exilio en Izumo, y después abdicaría en Ninigi, nieto de Amaterasu, quien gobernó O Yashima, «las ocho islas grandes».

Ho-Hsien-Ku

Llamada la «muchacha inmortal», nació en China en el año 770 a. C., durante el reinado del emperador Wu, y se afirma que aún continúa viva.

Cuando tenía 14 años, el inmortal Lu Ting Pin le enseñó los secretos de la alquimia interior y adquirió la inmortalidad, según la leyenda, al tomar el elixir de un precioso néctar. Tras tomar esta poción mágica, fue capaz de viajar en espíritu hasta el hogar de los grandes dioses de la Inmortalidad, descubriendo los jardines del espacio sin límite, su nuevo hogar.

Al alimentarse únicamente del dulce néctar, ha podido conservar su energía vital durante siglos. En su juventud decía la fortuna a los humanos y flotaba de montaña en montaña para recolectar hierbas curativas y alimentos para su madre y los pobres.

Ho-Hsien-Ku adquirió tal fama, que el mismo emperador quiso conocerla, pero ella ignoró el mandato real y ascendió a los cielos, desapareciendo de la Tierra.

Algunos años más tarde fue vista flotando en un arco iris sobre el templo de Ma Ku. En nuestros días, Ho-Hsien-Ku sigue apareciéndose a los virtuosos, inocentes y oprimidos.

Hou-Tu

El dios Huang-Ti tiene a Hou-Tu como su auxiliar, diosa de tierra, matrona de la fertilidad; posee en la mano una regla y cuerda en un marcador con tinta, y gobierna cuatro estaciones y las ocho direcciones (cuatro puntos cardinales y cuatro intermedios).

How-Yi

Arquero habilísimo, esposo de la diosa lunar Ch'ang-O. Es el protagonista de una antiquísima leyenda china que versa sobre la existencia de diez astros solares que aparecían en el cielo chino alternativamente.

Un día aparecieron todos juntos causando incendios devastadores y daños a los hombres y a los animales, pero How-Yi hizo caer a nueve de ellos con sus flechas. El orden cósmico se restableció y el joven arquero recibió de los dioses como premio el elixir de la inmortalidad.

La bebida divina le fue sustraída posteriormente por su mujer, que huyó escondiéndose para siempre en la luna.

Hsien

Los hsien o inmortales son una categoría de personajes legendarios que lo son gracias a las prácticas mágicas del taoísmo que les preservan de la muerte, a veces conservando el aspecto humano que tenían. Viven en el paraíso K'un Lun, especie de Olimpo gobernado por Si Wang Mu, la diosa madre de Occidente, y por su esposo Tung Wang Kung, dios de Oriente. En este paraíso abundan los bellos jardines, lagos de perlas, ríos poblados por los peces de la inmortalidad, y se respira felicidad a raudales.

Huang-Ti

Los chinos frecuentemente se describen a sí mismos como descendientes de Huang-Ti el «emperador amarillo», personaje mitad ficticio, mitad real, al que se atribuye la fundación de la nación china hacia el 4.000 a. C.

Se dice que Huang-Ti vivió en un maravilloso palacio en las montañas Kunlun en el oeste, con un guardián en la puerta que tenía la cara de un hombre, el cuerpo de un tigre y nueve colas, y donde tenía de mascota un pájaro que le ayudaba a cuidar su ropa y efectos personales.

Se le atribuye la invención de la carreta, del bote y de un carro que apuntaba al sur mediante un mecanismo guía predecesor de la brújula. Otras fuentes le atribuyen la creación de la humanidad o la invención de la escritura o el compás, el descubrimiento de las leyes de la astronomía y el diseño del primer calendario.

La mujer de Huang-Ti, Lei Zu, enseñó al pueblo la recogida del gusano de seda y a construir talleres para la fabricación de telas de seda.

Iki-Ryo

En Japón, espíritu maligno de una persona viva que caza a otras personas sin que el propietario sea consciente de ello. Se le atribuye también la provocación de los celos y la envidia.

Inari

Uno de los dioses «kami» más importantes del shintoísmo, Inari tiene santuario propio.

Se le rinde culto como dios del arroz, deidad que garantiza una abundante cosecha, pero también como protector de la prosperidad en general, sobre todo por parte de los comerciantes. El emisario de Inari es el zorro, y dos imágenes de este animal flanquean la efigie de Inari en todos sus santuarios. En la antigüedad también se consideraba a Inari protector de los fabricantes de espadas.

Indra

Dios principal de la cultura védica en la India, considerado el dios de la atmósfera y el firmamento, en cuyas manos se hayan el trueno y el relámpago y por cuya voluntad caen las refrescantes lluvias que hacen a la tierra fértil.

También es el rey de todos los semidioses y sirviente de Krishna (el avatar más importante de Vishnu). Su arma es el relámpago vajra, su montura (vahana) es el elefante Airavata, tiene la piel amarillenta y su cuerpo está cubierto de ojos con párpados, que le permiten ver todo lo que sucede en el mundo.

Es el dios regente de la pupila del ojo derecho (de la del izquierdo lo es su esposa Indrani).

Izanagui

Su nombre significa «el macho que invita» y su pareja era Izanami, la «hembra que invita». Dioses japoneses enviados al mundo por orden de las deidades celestiales, descendiendo por el arco iris. Abortaron de su primer hijo, que fue arrojado al agua como una medusa, debido a una falta de la diosa durante la ceremonia de la boda. Pero más tarde tuvieron el mar, las cascadas, el viento, los árboles, las montañas, los campos...

Después del nacimiento de todos estos elementos, incluyendo las islas del archipiélago japonés, el nacimiento del fuego fue fatal para la diosa Izanami, que se consumió en el parto.

Su muerte fue semejante a la de cualquier ser humano, a causa de unas fiebres, y tras ella descendió al «Yomot-su-kuni» («tierra de la oscuridad»).

Issun Boshi

Historia legendaria de la mitología japonesa acerca del niño que medía una pulgada.

Tras años de casados, un matrimonio sin descendencia suplicó a los dioses que le dieran un hijo, aunque fuera tan pequeño como la punta de un dedo. Los dioses les tomaron la palabra, y así nació Issun Boshi.

A los 15 años, Issun Boshi se fue a Kioto, llevando consigo un cuenco de arroz, unos palillos y una aguja metida en una vaina de bambú. Viajó por el río, utilizando el cuenco como barca y un palillo como pértiga.

Al llegar a la ciudad, Issun Boshi encontró empleo al servicio de una familia noble, trabajando de firme para ganarse el afecto de sus señores.

Cierto día, Issun Boshi acompañó al templo a la hija de la familia, pero en el camino les atacaron dos gigantescos oni.

Issun Boshi atrajo la atención de los asaltantes para que la joven pudiera escapar y, cuando uno de los oni lo tragó de un bocado, Issun Boshi sacó la aguja de su vaina y comenzó a clavársela al oni en el estómago.

Luego, sin dejar de asestarle alfilerazos, trepó hacia el gaznate del gigante. Al llegar a su boca, el oni lo escupió a toda prisa, y aunque el otro arremetió contra él, el diminuto valiente le saltó al ojo blandiendo su pincho.

Los demonios se dieron a la fuga, y a uno de ellos se le cayó una maza. Issun Boshi y la joven vieron en seguida que se trataba de un instrumento mágico y golpearon el suelo con ella expresando a la vez un deseo.

Inmediatamente el pequeño Issun Boshi creció hasta un tamaño normal y apareció vestido con la armadura de los samuráis, cuyas virtudes había demostrado poseer.

Agradecido, el amo le dio de buen grado la mano de su hija y desde entonces Issun Boshi se comportó como un fiel marido e hizo venir a su lado a sus ancianos padres para que compartieran su buena fortuna.

Jen-Shen

En chino significa «imagen sagrada del hombre», y de ahí derivaría el nombre del ginseng, por la semejanza de la forma de sus raíces con la figura humana.

Jigoku

Infierno japonés compuesto por ocho regiones de fuego y ocho de hielo donde reina Enma-ho, quien juzga las almas de los pecadores varones, asignándoles tras el juicio a una de las 16 regiones de castigo según sus ofensas.

La hermana de Enma-ho juzga a las pecadoras por el mismo procedimiento.

Como parte de este proceso, el pecador ve reflejados sus faltas en un enorme espejo, aunque las almas pueden salvarse mediante la intercesión de los bosatsu o bodhisatvas.

Jikininki

En el budismo japonés, los jikininki «fantasmas comedores de hombres».

Se trata de los espíritus de los humanos avariciosos, egoístas o impíos malditos, que tras su muerte, son condenados a buscar y comer cadáveres humanos. Llevan a cabo tales actos por la noche, buscando muertos recientes y las ofrendas de comida dejadas para ellos.

Algunas veces, también saquean los cuerpos que comen para encontrar objetos de valor, que usan para sobornar a policías con el fin de que los dejen en paz.

Parecen cadáveres en descomposición, con garras afiladas y ojos brillantes. Son una visión terrible y el que ve uno queda congelado por el pánico.

Bastantes historias les conceden la habilidad de disfrazarse mágicamente como si estuvieran vivos y llevar una vida normal durante el día.

Jimmutenno

En Japón se le nombra como hijo de Amaterasu y supuestamente el primer monarca humano y enlace con la estirpe de los dioses.

Kama

Los centauros gandharva se ocupaban de la escolta del deva Kama, dios del amor y esposo de Rati, diosa de la pasión amorosa.

En la mitología brahmánica, Kama fue muerto por Shiva porque había intentado distraerle en sus meditaciones, siguiendo las maliciosas instrucciones de la diosa Parvati, esposa de Shiva; pero fue devuelto a la vida por el mismo Shiva, al escuchar la plegaria de su enamorada viuda, Rati.

Tras su misericordiosa resurrección, Kama pasó a llamarse Ananga.

Kali

Diosa hindú, fue una de las encarnaciones de Parvati, esposa de Shiva. Diosa de la potencia fecundadora y también de la destrucción, se la suele describir con un aspecto terrible y un collar de calaveras al cuello.

Kami

Las prehistóricas formas religiosas del pueblo japonés continuaron activas en la religión nacional del «shinto», o shintoísmo, cuya raíz significa «el camino de los dioses», y que los japoneses oponen al butsudo «camino del Buda».

El animismo generalizado, no sangriento, del shinto cree en la activa existencia de múltiples fuerzas invisibles, dioses locales, genios protectores, espíritus de las cosechas, del hogar, de los antepasados y de los parientes fallecidos, fuerzas de la fertilidad, de la generación de la vida, poderes que mueven tanto al cosmos como los objetos más humildes.

Estas fuerzas no individualizadas ni personalizadas son los kami, representaciones de todo lo sagrado. El universo fue creado por tres kami, nacidos sin progenitores, que se multiplicaron y cuyos herederos se hallan presentes en todas las actividades de la vida diaria del japonés. El número de los kami es infinito, y se pueden subdividir en celestes y terrestres. Todo lo que tiene carácter extraño, eminente, peligroso o mágico es kami.

Kannushi

En Japón, sacerdotes shintoístas cuyo papel es servir y adorar a los kami para que estos dioses protejan y guíen a los hombres, al pueblo y al emperador de Japón. No actúan como guías espirituales ni como directores o consejeros de conciencia, ni predican, sino que solamente celebran los servicios divinos.

El principal sentido del apelativo kannushi es el de medium a través del cual se expresa el kami, y que en la actualidad es un término de cortesía.

Kappas

Antiguamente conocidos como kawataros, son seres de piel verdosa y oscura que viven en los ríos, pantanos o estanques, especies de anfibio-humanoides de físico similar a las ranas (ventosas en las extremidades), patos (tienen pico) y tortugas, por su caparazón.

Poseen una cavidad en la cabeza, parecida a un plato, repleta de agua y que les provee de poderes sobrenaturales.

El kappa es un ser peligroso y agresivo, que hace caer a quienes navegan en el río, para ahogarles, devorar su carne e intestinos, y extraerles la «shiriko-dama». La única forma de vencer a un kappa es hacerle perder el agua que lleva en el hueco de su cabeza, ya que así pierde todos sus poderes y muere. Al kappa le gusta mucho el sake, los pepinos y el sumo. Los niños japoneses les adoran, porque les consideran protectores de la naturaleza y son muy populares.

Karma

Creencia central del budismo, el hinduismo y el jainismo, que en el idioma pali se dice kamma y en birmano kan.

Aunque cada uno de los citados credos expresan diferencias en el significado mismo de la palabra karma, tienen una base común de interpretación. Generalmente el karma se interpreta como una ley cósmica de retribución, o de causa y efecto.

Toda persona será en la posterior vida la consecuencia de lo que haya sembrado en esta. Es el conjunto de energías potenciales que residen en las profundidades de la vida y que se manifiestan en el futuro.

Karttikeya

En el hinduismo, Karttikeya es una deidad nacida de un rayo mágico creado por Shiva. Es el dios de la masculinidad, de la guerra y el líder de los ejércitos de los dioses.

Cabalga un pavo real y utiliza lanza y flechas en combate. En la bandera de su ejército aparece un gallo. La fiesta de Thaipusam, celebrada por los tamiles en todo el mundo, conmemora el día en que Parvati dio una lanza a su hijo Karttikeya, para que venciera al demonio Soorapadam.

Ki-lin

Animales míticos dotados de alma y razón que aparecen tanto en la mitología china como en la japonesa. A menudo se les representa como perros o como ciervos, unicornios o dragones. No molestan a los seres humanos y tienen el don de la adivinación.

Krisnha

Es, según el hinduismo, el octavo avatar o reencarnación de Vishnu y una de las deidades más veneradas de la India. Era el séptimo hijo de Vasudeva y Devaki.

Su tío Kansa, hermano de su madre, asesinó a todos sus hermanos porque le habían augurado que moriría a manos de un sobrino. Para evitar su muerte, sus padres le escondieron en la región de Mathura, donde pasó su niñez y adolescencia en medio de pastores y pastoras, de las que una llamada Radha tuvo amores con él.

Al llegar a la mayoría de edad, se alzó al mando de un ejército y acabó con Kansa. El lugar de Krishna en hinduismo es complejo. Se le conoce por muchos nombres, en una multiplicidad de historias, entre diversas culturas y en diversas tradiciones.

Kuan-Ti

En China, más que dios de la guerra es el dios que evita la guerra. Se le representa como un hombre de más de dos metros y medio de estatura, con una larga barba, la tez rubicunda, ojos de color rojo escarlata y que lleva una capa verde. Al lado de su caballo, están su hijo Kuan-Hing y un escudero.

Kuni-toko-tachi

Según dicen los antiguos relatos japoneses del Shinto, al principio había el caos, como un mar de aceite. De aquel primer caos surgió algo parecido al vástago de un junco, que resultó ser una deidad llamada Kuni-toko-tachi. Tras él se generaron otras dos deidades llamadas, respectivamente, Taka-mi-musubi y Kami-mi-masubi. Los tres se consideran la tríada original de la generación de dioses, hombres y cosas.

Laksmi

Esposa de Vishnú, era la diosa de la fortuna. Como su esposo, al gran dios, no puede ser parte de su propia creación, ya que no se puede ser a la vez creador y criatura, necesita que su consorte esté siempre con él en el mundo, sin ser tocada por nadie más. Por eso Laksmi tiene que acompañar a Vishnú en todas sus encarnaciones, ya sea entre dioses como diosa o entre humanos como mujer.

Lao-tsé

Filósofo chino del siglo IV a. C., considerado el fundador del taoísmo. Según la leyenda, nació en la provincia de Henan y fue bibliotecario de la corte. Se supone que dejó escrito el Tao Te-King (acerca del camino y su poder), el gran tratado filosófico chino, cuando abandonó China para irse a vivir a Occidente.

Se trata de la obra literaria china más traducida y tuvo una enorme influencia en el pensamiento y la cultura orientales. Este libro, que cuenta con tan sólo 10.000 caracteres, es en cierta medida una antología que recoge antiguas enseñanzas, aunque la densidad de su estilo sugiere un único autor. La mayor parte del libro son rimas que pueden ser leídas como un largo poema filosófico.

Enseña que la vida se aprovecha mejor abandonando la elaboración de conceptos en favor de la percepción espontánea hasta amoldarse a la naturaleza, auténtica meta del hombre. Mitos posteriores integraron a Lao-tsé en la religión china, convirtiéndole en una deidad principal de la religión taoísta e incluso algunas leyendas sostienen que tras salir de China, se convirtió en Buda.

Lei-kong

En China, dios de las manifestaciones atmosféricas, fundamentalmente de los truenos, que tiene la misión de apuñalar a los culpables de los crímenes que escapan al castigo de las leyes humanas. Los perseguidos le imploran, así como todos los que no son capaces de defenderse solos.

Se le representa como un viejo decrépito de color azul, con alas, zarpas de búho y el rostro brutal con mentón caprino y orejas puntiagudas y llenas de pelos. Cuelgan de su cintura algunos tambores que golpea para producir el ruido del trueno. Colaboran con él su mujer Tien-Mu, diosa de los Rayos, y otras divinidades de la atmósfera.

Los tres cielos

Según la teoría taoísta, existen tres clases de cielos: El Ya C'ing (cielo de jade), donde se encuentran los santos (seng), encabezados por Yuan Sih T'ein Tsun (el eterno) o Yu Huang en su lugar. El Sang C'ing (cielo superior), morada de Tao Kiun, líder de los zen o perfectos y el T'ai C'ing (cielo supremo), con el filósofo Lao-tzé al frente de los hsien o inmortales. A los tres grandes dioses de los cielos se les denomina «los tres puros».

Lung

Dios dragón del folclore chino. A diferencia de la feroz y perversa criatura de la mitología del Oriente próximo y de la Europa medieval, el Lung es en esencia una divinidad benevolente tenida en alta consideración. Trae la lluvia y es el señor de las aguas, de las nubes, ríos, pantanos, lagos y mares.

Estos dioses del agua pueden volverse tan pequeños como un gusano de seda, pero son capaces de alcanzar tal tamaño que pueden sumir en la sombra el mundo entero. Son representados con cuernos de venado, cabeza de camello, ojos de demonio, cuello de serpiente, escamas de pez, garras de águila, patas de tigre, orejas de toro y largos bigotes de gato.

El dragón estaba tan estrechamente asociado al emperador chino, que un Lung de cinco garras fue símbolo imperial. Era creencia generalizada que «una perla de sabiduría» reposaba en la boca de cada Lung. Tanto, que a los sabios se les llamaba «hombres dragones».

Lu-tung-pin

Genio chino que trae buena suerte. Es uno de los ocho pa-hsien que, según la leyenda, fue durante su vida un joven estudiante que había predicho para sí mismo un futuro desastroso, por lo que imploró a los dioses que lo acogiesen en el cielo. Se le representa vestido de letrado y con una espada voladora en la mano.

Mahabharata

Es el poema épico más largo de la literatura mundial, pues tiene 100.000 versos. La mitad aproximadamente es una colección de cuentos y cantos didácticos de los cuales el más famoso es el Bhagavad Gita (canto del exaltado), que se inserta al principio del libro VI de la epopeya, junto con la famosa batalla de 18 días.

La epopeya es una historia de la guerra de los príncipes de la familia Bharata, gobernantes del reino Kuru enfrentados a sus primos, los pandavas (pandu). Los cinco pandavas, todos casados con la misma mujer Drapati, pierden su reino en una partida de dados y tienen que ir al exilio durante 13 años. Cuando regresan, declaran la guerra a sus primos hasta que, al final, se firma un tratado de paz y los dos pueblos conviven en paz.

Marduk

El «gran Señor» en Mesopotamia, hijo mayor de Ea, esposo de Sarpanit, quien regía el crecimiento de los vegetales y el poder fecundante de las aguas. Era el dios supremo de los babilonios, que tenía como animal sagrado al fabuloso dragón Sirrusch, vencedor de la diosa Tiamat, y que se hizo con 50 atributos, por lo que pasó a descollar entre todos los demás dioses. Su figura aparece blandiendo una cimitarra y domeñando un dragón.

Maruts

Los maruts son 180 dioses o 27 o 49, según las versiones, que en los Vedas son llamados hijos de Rudra y en otros libros de Kasyapa y Diti. Son los compañeros de Indra, al que a veces adoran, reconociendo su superioridad, pero otras veces parece que hacen valer su poder y recuerdan a Indra la ayuda que le han prestado.

Matsya

Uno de los primeros avatares del gran Vishnú, descrito en la Satapatha Brahmana. Se dice que Vishnú, manifestándose en la forma del pez Matsya, ordenó a Satyavrata, el futuro Manu Vaivasvata, construir el arca en la que deberían encerrarse los gérmenes del mundo futuro, y que, bajo esa misma forma, condujo luego el arca sobre las aguas durante el cataclismo. Autor del «Matsya-Purana».

Mazu

Diosa del mar, patrona de los pescadores que cruzan el peligroso estrecho de Taiwan. Es un figura entrañable en el panorama religioso popular de la isla, hasta el punto de ser calificada, junto con la diosa budista Guanyin, las dos figuras religiosas femeninas más singulares, como «la patrona titular de la isla de Taiwan» El culto de esta diosa se originó en el continente, en la provincia de Fujian.

Momotaro

Cuenta un leyenda japonesa que una pareja que no tenía hijos encontró un melocotón flotando en un arroyo de las montañas y, al abrirlo, descubrieron en su interior a un diminuto niño. Lo llamaron Momotaro, que significa «niño melocotón», y lo criaron como si fuera hijo suyo. En una isla próxima habitaban algunos oni que se presentaban de vez en cuando en su pueblo para aterrorizar a la población y robarles sus bienes. Pese a tener tan solo 15 años, Momotaro decidió corresponder a la generosidad de sus padres adoptivos y vecinos. Le pidió a su madre tres pasteles de arroz y se encaminó hacia la costa.

En el camino se encontró con un perro, un faisán y un mono, que accedieron a acompañarle a cambio de un pastel de arroz. Los cuatro tomaron una embarcación para llegar a la isla de los oni, donde éstos retenían a numerosas jóvenes cautivas después de haberlas secuestrado y violado.

Con ayuda de sus compañeros, Momotaro atacó la fortaleza de los oni y les dio muerte. Llenaron después la embarcación con todos los tesoros recuperados y liberaron a las prisioneras, tras lo que Momotaro regresó triunfal a su hogar y pudo asegurar de esta forma una vejez desahogada y feliz a sus queridos y respetados padres.

Mihoa

En China se cuenta cómo otro personaje legendario, llamado Mihoa, fabricó al hombre amasando tierra amarilla. De este primer nacimiento todavía se conservan algunas representaciones en las antiguas pagodas chinas.

Curiosamente, al igual que Adán y Eva, la primera pareja que vivió en la Tierra, estaba vestida con un cinturón de hojas.

Nagas

En la mitología hindú son espíritus míticos acuáticos y semidivinos que de vez en cuando se dejan ver por la tierra representados de tres formas distintas: con cuerpo de serpiente y torso o cabeza humanos, o con cuerpo humano, pero rodeados por una gran cantidad de víboras que surgen de la cadera o de los hombros o con la parte inferior de serpiente, de la que surgen varias cabezas, como en el caso de las hidras.

Suelen representarse en pareja, entrelazando sus colas, y se les relaciona con la seducción y la sexualidad.

Por lo general, guardaban tesoros ocultos y solían vivir en ríos, mares o lagos. Su hermosura las hace poderosas sin recurrir a la violencia. Son extremadamente sabias y pacientes.

Pueden pasar horas en una misma posición, a medio camino entre el letargo y la vigilia, lo que les hace muy difíciles de sorprender. Habitaban en climas cálidos, y no se alejaban de sus guaridas, agujeros profundos o ruinas oscuras.

Nekomata

Criatura mitológica japonesa que evolucionaba de los gatos domésticos. Cuando un gato llegaba a los diez años de vida, su rabo empezaba a dividirse lentamente en dos, a la vez que desarrollaba poderes mágicos, principalmente relacionados con la nigromancia y chamanismo.

Gesticulando con sus rabos o con sus patas delanteras, ya que caminarían erguidos, los nekomatas animarían y controlarían a los muertos. En entornos salvajes, se alimentarían de la carroña de los cuerpos muertos.

Aunque el comportamiento de los nekomatas se suele comparar al de los gatos comunes, tienen continuas trifulcas, especialmente los gatos viejos y maltratados, normalmente más poderosos que el nekomata medio.

Algunas historias del folclore japonés afirmaban que el nekomata podía alternar su forma original y una apariencia humana.

Ogetsu-No-Hime

Diosa japonesa de la comida, estrechamente vinculada a Inari, a la que mató Suzano por burlarse de él.

Oh-kuni-nushi

En Japón, el gran amo de la tierra. Mientras Susa-no-wo dormía, Oh-kuni-nushi ató su cabellera a las vigas de la casa y huyó con su hija, junto con las posesiones de su padre: una espada, un arco y las flechas, y un arpa.

Fue el arpa la que despertó a Susa-no-wo, tocando sola mientras huía el raptor, pero éste logró escapar mientras Susa-no-wo iba perdiendo sus cabellos.

Cuando lo atrapó, al parecer admirado por su astucia, decidió concederle a su hija y los bienes que se había llevado, ofreciéndole gobernar el país. Tan sólo le cambió el nombre por el de Utsushi-kuni-dama, o sea «el alma de la Tierra hermosa».

Oni

Especie de ogros o demonios que se encuentran en el infierno japonés o Jigoku, aunque pueden vivir también en la tierra. Son la forma malvada o malévola de los kami. Fuerzas malignas responsables de las desgracias, como las epidemias y las hambrunas, que pueden robar almas y tomar posesión de personas inocentes.

Aunque se considera a algunos oni con capacidad para asumir forma humana o animal, o ambas, la mayoría resultan invisibles para los humanos.

Los adivinos, las sacerdotisas y las personas especialmente virtuosas pueden detectar a veces a estos demonios, cuyo aspecto normalmente es el de un humanoide semidesnudo, con taparrabos de piel de tigre.

Su cara es achatada y luce una amplia sonrisa, su cabeza está provista de cuernos, a menudo poseen un tercer ojo y en manos y pies tienen tres dedos provistos de afiladas uñas.

Pueden andar por tierra o volar, en la mano derecha llevan una barra de hierro repleta de púas. Estos demonios aparecen montados en una carreta en llamas para apoderarse del alma de los malvados antes de morir.

Pese a su aterrador aspecto, suelen aparecer en historias cómicas en las que se les ridiculiza.

Pan-Ku

Para los chinos, es el creador del universo y el regulador del caos.

Para formar el universo empleó 18.000 años y, apenas terminada su obra, se disolvió, convirtiéndose en millones de moléculas del universo.

Se le representa como un enano vestido con la piel de un oso y adornado con varias hondas, con dos cuernos en la cabeza, un martillo en la mano derecha y un cincel en la izquierda.

En otras imágenes aparece en compañía del unicornio, del ave Fénix, de una tortuga gigante y de un dragón, aunque a veces tiene en la mano el sol y la luna.

Parjanya

Dios que preside sobre los relámpagos, la lluvia y la procreación de las plantas y criaturas vivientes, aunque algunos le consideran una forma de Indra.

La creación entera teme sus poderosos golpes e incluso el inocente se esconde del dios, cuando Parjanya destruye con sus truenos a los que obran mal.

Pahsien

Los pahsien, u ocho inmortales, forman en la mitología china un grupo heterogéneo que recibe culto regular, a veces acompañados por el dios de la longevidad.

Poseen un tipo iconográfico concreto y se les considera benefactores. Aunque sus nombres varían, la referencia más fiable menciona los siguientes:

• Cang-Kuo-lao, anciano de gran fuerza mágica que cabalga en un asno blanco.

• Lan Ts'ai-ho, cantor errante, inseparable de su flauta y que viaja por el cielo montado en una cigüeña.

• T'ie-Kual, asceta instruido por Lao-tzé, representado como un mendigo viejo y deforme que se apoya en un bastón de hierro.

• Han Cungli, buscador de la inmortalidad que se aisló en una montaña, representado como anciano eremita barbudo, envuelto en un manto y con un abanico en la mano.

• Lu Tong-pin, joven escritor, cargado de talismanes y con cola de caballo en su mano diestra.

• Ho-sien-ku (muchacha inmortal Ho), joven bella y graciosa con una enorme flor de loto en la espalda.

• Han Siang-tze, supuesto sobrino del gran escritor Han Yu, figurado como un niño con un ramo de flores o un cesto lleno de peces de la inmortalidad.

• Ts'ao Kuo-Kieum, supuesto hermano de Sung emperatriz del siglo XI, hombre muy austero que aparece con los ropajes de mandarín y las insignias de su alto mando.

Prajapati

Dios hindú, creador desde el ascetismo de una pareja, la materia (rayi) y la energía (prana), para que de ellas nacieran todos los seres vivos. La traducción de Prajapati es «señor de las criaturas». Ocupa el lugar de dios creador primordial y algunas veces se identifica con Brahma, el «señor de todo».

Sin embargo, nunca ha recibido ningún culto particular, pues los ritos siempre se dedican a otros dioses y él sólo recibe menciones y alabanzas.

Prithivi

Era la Tierra, uno de los más antiguos dioses arios. Se le relaciona con Dyaus, el cielo. (Ver la leyenda de su nacimiento.)

Puschan

Nombre de un dios-sol indostánico al que se le dedican himnos en exclusiva y cuyas alabanzas son contadas junto con las de Indra. Se dice que abarca todo el universo; se le invoca como guía de viajeros y protector del ganado.

Proteje a sus seguidores en la batalla y participa en las ceremonias matrimoniales donde se le ruega que tome la mano de la novia y que la lleve consigo y la bendiga en sus relaciones conyugales. Se dice también que conduce el espíritu de los muertos de este mundo al otro.

Putana

Según la mitología hindú, Putana era una demonia gigantesca contratada por el malvado rey Kamsa y que adoptó forma humana para hacerse pasar por una nodriza y envenenar a Krishna, que era sobrino de Kamsa.

Para ello untó veneno en sus pechos, pero cuando el bebé dios succionó de su teta, no sólo tomó la leche materna y el veneno, sino también el alma de la demonia. Ella retomó para morir su forma original y cayó al suelo pataleando y gritando. Su cuerpo era tan grande que aplastó uno de los bosques de Vrindávan el pueblo de pastores donde estaba escondido Krishna.

Raiden

Dios de los truenos y rayos en la mitología japonesa, su nombre deriva de la palabra japonesa rai (trueno) y den (rayo). Normalmente es representado como un demonio tocando un tambor para crear los truenos. Una tormenta (kamikaze) atribuida a su intercesión impidió a los mongoles la invasión de Japón. Su compañero era el demonio Raiju.

Rama

Es la séptima encarnación de Vishnú, anterior a Krishna, nacido en la India para librarla del demonio Rávana. En la actualidad, Rama es el dios más popular del hinduismo para el que representa el más alto grado de virtuosismo como rey y como esposo. Para dar el ejemplo a la humanidad y proteger su buen nombre, destierra a su esposa Sita debido a las habladurías de los hindúes de Ayodhya.

Ella, incapaz de vivir sin Rama, se hunde en la Tierra hasta que es rescatada por los dioses con la ayuda de Hanuman. Se le representa a menudo como un joven de piel azul, vestido con una túnica-pantalón (dhoti) amarilla, con el cabello atado en un moño a la cabeza al modo de los ascetas. En una de sus manos sostiene un arco y con la otra hace el gesto hindú de compromiso de protección.

Ramayana

Entre las muchas epopeyas con que cuenta la literatura sánscrita, sobresalen por su mérito el Ramayana, el Mahabharata y los puranas, porque describen subalternamente los usos, costumbres, creencias y cultura de los antiguos arios.

El Ramayana puede considerarse como el vestigio más antiguo de la poesía sánscrita. Su autor fue Valmiki, si bien muchos versos del poema parece que no eran suyos, sino interpolaciones de la tradición popular.

Valmiki era un joven obligado por las circunstancias a ser salteador de caminos hasta su encuentro con el sabio Narada, quien le convenció para que meditara sobre sus errores, tras lo que se le apareció Brahma encomendándole la redacción de un poema a mayor gloria de Rama.

El Ramayana cuenta la historia de los 14 años de exilio voluntario de Rama, su esposa Sita y su predilecto hermano Lakshmana, para defender el honor de su padre, el rey Dasaratha.

Sita fue raptada de su choza, a orillas del rio Godavari, por el gigantesco rey de Lanka, y llevada hasta Ceilán (Sri Lanka), de donde fue rescatada por su esposo y su cuñado con la ayuda de Hanuman, el dios mono, y del ejército de simios del rey Bali, tras grandes batallas y después de construir un puente de 30 kilómetros entre el continente y la isla.

Se dice que, durante el cerco de la capital de Lanka, la reina de este país inventó el juego del ajedrez.

A la muerte de su padre, Rama recuperó el trono de Ayodhya, no sin que le ocurrieran nuevas desgracias por las que tuvo incluso que exiliar a su adorada esposa, que se encontró con Valmiki en el destierro, hasta que murió. Sólo en el otro mundo pudo de nuevo Rama reunirse con ella.

Ravana

Rey gigante de Sri-Lanka (Ceilán), llamado también rey de los demonios, que según el Ramayana secuestró a Sita, la esposa de Rama, enamorado de su belleza.

Rokurokubi

Monstruo femenino de la mitología japonesa que tiene el cuello extremadamente largo y flexible. Durante el día, es una mujer común y corriente, de gran belleza, que no se distingue de una mujer normal.

Pero en la media noche, alarga su cuello y busca hombres de los cuales se pueda alimentar y a los que robar su energía. Otros relatos la describen como un monstruo inocente que sale por las noches a beber el aceite de las lámparas que hay en las puertas de las casas.

Sarasvati

Esposa de Brahma, diosa de la sabiduría y la ciencia, madre de los vedas e inventora del alfabeto devanagari.

Se la representa como a una mujer joven y hermosa con cuatro brazos. Con una de sus manos derechas le ofrece una flor a su marido, a cuyo lado permanece continuamente, y con la otra sostiene un libro; en una de sus manos izquierdas lleva el collar de perlas de Shiva, cuyas cuentas sirven para la oración, y en la otra, un pequeño tambor llamado «damaru».

Vive entre los hombres, pero su morada especial está situada en el Brahmaloka, junto a su marido. Como Sarasvati fue creada por Brahma, era considerada por éste como su hija, por lo que su unión fue considerada un delito por los demás dioses.

Sang Ti

Soberano máximo, especie de dios de los dioses adorado por el propio Huang Ti o «emperador amarillo», símbolo del pueblo chino, que en tiempos de Confucio fue identificado con T'ien o «el cielo».

Considerado como emperador y dios benéfico, pronto se le confirieron atributos de creador del hombre, del cielo y de la Tierra, regulador del universo, árbitro de la adivinación, señor del tiempo y genuina encarnación del Tao. Muchos creen ver en él idénticas características que las del Dios creador de los hebreos descrito en el Génesis.

Señor de las esferas inmortales

Según el texto hindú Rig Veda, como resultado del sacrificio de los dioses, existía una forma primordial y divina de hombre primigenio.

Este hombre de naturaleza divina poseía 1.000 cabezas, 1.000 ojos, 1.000 pies y sus miembros sobresalían más allá de los contornos del planeta, asumiendo su representación un significado de totalidad eterna, sin principio ni final.

Era el llamado señor de las esferas inmortales, hombre primordial que fue inmolado por los dioses para crear la humanidad y al resto de las criaturas, tanto celestes como terrenales. Con sólo la cuarta parte de este hombre sacrificado se generó a todos los seres vivientes, mientras que el resto permanece todavía en el cielo. Los restos del sacrificado fueron esparcidos sobre hierba sagrada, dando lugar a todos los sonidos, himnos y melodías imaginables.

De su boca surgió la casta superior de la India, los brahmanes; de los brazos, el príncipe guerrero; de las piernas, el hombre común; y finalmente, de sus pies, alumbró a los parias, sus siervos más humildes.

Sesha

Serpiente mítica de 1.000 cabezas que hace de sofá para Vishnú en donde este dios reposa durante los intervalos de la fatigosa creación. Vive en palacios subacuáticos y su comitiva la forman los nagas.

Shaolin

A finales del siglo v d. C. existió un monje budista indio llamado Ba Tuo que viajaba por China enseñando el budismo, cuya gran sabiduría y bondad llegaron a los oídos del Emperador, quien le ofreció un lugar y riquezas en palacio, para que siguiera con sus enseñanzas. Ba Tao rehusó esta oferta, pero reclamó a cambio una porción de tierra lejos de cualquier lugar civilizado en la provincia de Henan, sobre la ladera de la montaña Song Sang.

Su petición le fue concedida y le entregaron una gran extensión de tierra y recursos para construir un monasterio en un área llamada «el pequeño bosque»,

que es el significado de la palabra shaolin en mandarín. Allí hizo construir un templo budista, muchos de cuyos sacerdotes eran soldados y generales retirados, por lo que las enseñanzas del monje Ta Mo fueron enriquecidas y refinadas haciendo de estos sacerdotes maestros en las artes marciales, desarrollando el boxeo y el kung-fu.

Shicomé

Su nombre significa «hembras de la gran fealdad» y son las furias japonesas que tienen su morada en el infierno. Fueron invocadas por Izanami para atrapar a Izanagi cuando éste la buscaba para llevarla de nuevo a la tierra. Y casi lo atrapan de no ser porque éste les arrojó unos racimos de uva silvestre y las shicomé se entretuvieron comiéndolos.

Shiva

De la trinidad hindú, Shiva es el dios destructor, esposo de Kali, también llamada Parvati, y padre de Ganesha y Karttikeya; su paradisíaca residencia se encuentra en el monte Kailash.

Tiene tres ojos, uno de los cuales está en medio de su frente, para ver las tres dimensiones del tiempo: pasado, presente y futuro; su piel es de color ceniza y lleva una serpiente alrededor de su cuello, un collar de calaveras y varias serpientes enroscadas en sus brazos. Su garganta tiene color azul debido al veneno que bebió para salvar el mundo, producido cuando los dioses batieron el océano de leche para generar el néctar que los volvió inmortales.

Como dios de la reproducción, el símbolo de Shiva es un falo, generalmente en forma de monolito de piedra, llamado Linga, bajo cuya forma se le adora en toda la India.

En su aspecto destructor, es bebedor de licor y baila y con su danza destruye el universo, pero también es adorado como un gran asceta. Existe un mito acerca de que en una ocasión quemó con su tercer ojo a Kama, el alado dios del amor, de quien toma su nombre el Kamasutra, por haberle disparado sus flechas de flores para que se enamorara de quien luego sería su esposa, mientras estaba dedicado a la meditación.

Las escrituras de los shivaístas, secta que adora exclusivamente a Shiva, dicen que con la mirada ardiente de su tercer ojo quema el universo, incluidos Brahma y Vishnu, y se esparcen sus cenizas por todo el cuerpo. Por eso sus adoradores también se cubren de ceniza.

Shura

Espíritus enfurecidos que habitan el cielo y se reúnen para luchar entre ellos en grupos hostiles. Su aspecto es el de los guerreros japoneses y sus gritos son como el trueno. Los shura son reencarnaciones de guerreros muertos en combate, todos varones, que representan el odio y la venganza.

A los shura se les confunde normalmente con otros seres de origen chino, unos ogros aéreos llamados tengus.

Soma

Dios de la India que representa y da vida al jugo de la planta llamada soma. Amigo del sexo y las bebidas, se dice que Soma tuvo 33 esposas, todas ellas hijas de Prajapati, de las cuales la favorita era Rohihi.

Suku-na-biko

Enano que entre los japoneses fue considerado auxiliar de Oh-kuni-nushi, su nombre significa: «el hombrecito famoso». Abordó a Oh cuando éste se hallaba en la playa, a donde había llegado desde el mar en una balsa, ataviado con alas de pájaro y un manto de plumas.

El amo de la Tierra tomó al enano en la palma de su mano y éste le dijo que era descendiente de la diosa productora de lo divino y conocedor del arte de la medicina. Los dos llegaron a ser como hermanos y colaboraron en el desarrollo de la tierra, cultivando diversas plantas útiles y curando las enfermedades del pueblo.

Sugriva

Rey de los monos, responsable de Hanuman, que en el Ramayana aparece como aliado de Rama tras un pacto por el que éste ha de matar al hermano de Sugriva «mucho cuello», que le había exiliado de su reino, y a cambio dispondrá de su ejército para el cerco de Lanka y el rescate de su esposa Sita.

Surya

En los himnos védicos, Surya y Savitri son dos nombres empleados para designar al sol. Se supone que Savitri se refiere al sol cuando no es visible, mientras que

Surya se refiere al mismo cuando es visible para quienes le adoran.
Su adoración estaba generalizada en tiempos remotos y aún continúa. Diosa invocada por los brahmanes al comienzo del Gayatri, el texto más sagrado de los Vedas.

Se dice que Surya lleva en su carroza como auriga a Aruna, la aurora, hija de Kasyapa y Kadru. Su padre intentó casarla con Soma, pero como muchos dioses estaban ansiosos por obtener una novia tan hermosa, se acordó que celebraran una carrera y que el premio para el vencedor sería Surya. Los dos asvines resultaron vencedores y ella montó en su carroza y se fue con ellos, como la mujer de ambos.

Suzano

Es el dios japonés de las tormentas, literalmente una «deidad de impetuosa rapidez». Como su hermana Ama-terasu, nació de las manchas que Izanagi lavó en el río al salir del infierno.

Tenía un aspecto oscuro, llevaba barba, era de carácter furioso e impetuoso y cuerpo poderoso. Reinaba en el mar, pero descuidaba su reino y provocaba en él todo género de revueltas. Continuamente soñaba con volver a la morada de su madre, y en sus accesos de rabia destruía todo lo que organizaba su hermana con sensatez y calma. Estaba casado con Kushinada.

Taotie

Máscara china, y también monstruo legendario cuyo cuerpo se va destruyendo a medida que come un cuerpo humano.

Temmangú

Dios japonés descendiente de Amaterasu cuyo principal templo shintoísta se encuentra en la ciudad de Osaka.

Tengu

Ogros chinos divididos en dos clases. Los jefes tengus van ataviados con un ropaje rojo y una pequeña corona en la cabeza. Tienen una expresión colérica y amenazadora, su nariz es prominente y simbolizan el orgullo y la arrogancia. Poseen distintas personalidades y residen en un alto pico de su propiedad. Los tengus inferiores están sujetos a un jefe y deben servirle siempre. Su boca es como el pico de un pájaro y el cuerpo tiene unas pequeñas alas. Se congregan en bandadas cerca de la morada del jefe y desde un pino o cedro de los montes vuelan para ejecutar las órdenes de su amo. Se les llama «koppa tengu» o tengus de reparto.

Tien-kuai-li

Otro de los ocho pa-hsien, discípulo del gran filósofo Lao-tsé. Según la leyenda tenía la capacidad de trasmigrar su alma por el espacio, permaneciendo vivo su cuerpo. Pero un día que navegaba su alma, su cuerpo se quemó y el espíritu se reencarnó entonces en un mendigo. Por esto se suele representar a Tien-kuai-li como un pobre mendicante apoyado en un bastón.

Tsuki-Yomi

Dios de la luna en Japón, la traducción literal de su nombre significa «guardián de la noche iluminada». Hermano de Suzano y Amaterasu, tuvo como ellos a Izanagi en sus orígenes.

Tvastri

También conocido como Visvakarma, es el arquitecto y obrero de los dioses indios, el constructor de los aposentos celestiales y principal proveedor de armas poderosas de los dioses de la guerra. Él es quien afila el hacha de hierro de Agni y el que forja los relámpagos de Indra.

Se halla íntimamente unido a los hombres; crea al hombre y a la mujer ya desde el seno materno para que sean el uno para el otro, y bendice los matrimonios con descendencia, por lo que las esposas de los otros dioses son sus más constantes compañeras. Él hizo el mundo y cuantas cosas existen y proteje a sus criaturas.

Uke-Mochi-No-Kami

Su nombre significa en japonés «genio de la comida». Es la diosa que tiene a su cargo la tutela de los alimentos.

Cuando murió a manos de Tsu-ki-yo-mi, de su cuerpo nacieron los comestibles, el caballo y la vaca de su cabeza, sus cejas produjeron las lombrices, su frente, el mijo, el arroz surgió de su abdomen...

Ushas

Diosa que en la India representa al alba. Descrita como hija del cielo, la noche es su hermana, por lo que está relacionada con Varuna.

A veces se la menciona como esposa del Sol, en otras ocasiones se cita a Agni como su amante y los asvines son sus amigos.

Indra es considerado su creador aunque en ocasiones adopta hacia ella una posición hostil e incluso fulmina su carroza con un rayo. Viaja en una carroza reluciente tirada por caballos o vacas coloradas.

También puede ser representada como una hermosa novia, una bailarina cubierta de joyas, como esposa alegremente ataviada que se ofrece a su marido o como una hermosa doncella saliendo del baño, siempre sonriendo y confiada en su irresistible atractivo, descubre sus senos ante quien la observa.

Uzume

Diosa que interpretó una danza para hace salir a Amaterasu de la cueva donde se había escondido, y divirtió tanto a los presentes que hizo temblar la tierra con sus risas. Al escucharlas, la diosa-sol salió por curiosidad para ver lo que pasaba y desde entonces hubo de nuevo sol en el mundo.

Vamana

Es la quinta encarnación de Vishnú como un brahaman enano. Cuando el demonio rey Bali dominaba la Tierra y amenazaba el poder de los dioses, Vamana fue ante Bali y solicitó que se le concediera tanta tierra como pudiera abarcar en tres pasos, lo que para un enano parecía poca cosa, por lo que obtuvo la gracia que pedía.

Entonces adoptó la forma de un gigante que, con el primer paso abarcó el cielo, con el segundo la Tierra y, no teniendo más lugares que apropiarse, utilizó el tercer paso para hundir a Bali en el submundo. A esta maniobra se la llamó Trivikrama, y explica el mito según el cual Vishnú organizó el universo en tres pasos.

Varuna

Regente de la noche en la mitología hindú aunque a veces visible a la mirada de sus adoradores, habita en una casa con 1.000 puertas para ser siempre accesible;

se dice que conoce lo que ocurre en el corazón de los hombres. Es otro de los reyes de los dioses y de los hombres, poderoso y temible, del que nadie resiste su autoridad, los vientos que soplan son su aliento, los ríos fluyen obedeciendo su mandato y además creó la profundidad de los mares.

Vayu

Dios indio de la tormenta y de los vientos asociado con Indra, por lo que se considera que gobierna sobre la atmósfera y sus fenómenos. Fue el vencedor de la carrera para obtener el primer trago de soma y permitió a Indra beber una cuarta parte del zumo que le correspondió.

Vishnú

Es la deidad hindú que todo lo incluye, el primero de la tríada gloriosa junto con Brahma y Shiva, aunque se le identifica mejor por medio de dos de sus avatares o encarnaciones más conocidos, Krishna y Rama. Monta en Garudá, el dios de los pájaros, y su esposa es Laksmi.

Tiene seis atributos o adjetivos gloriosos, que son el conocimiento, el control, la energía, la fuerza, la virilidad y el resplandor.

Se le suele representar como un ser de forma humana, piel azul y cuatro brazos sosteniendo una flor de loto, una caracola (ambas para alentar a sus devotos), un disco chakra que utiliza para degollar a los demonios y una maza de oro.

Frecuentemente aparece sobre una flor de loto y con su esposa sentada en una de sus rodillas.

En su aspecto más cercano a su realidad, Vishnú es tan gigantesco que cada molécula de su respiración es uno de los millones de universos materiales que existen en el cosmos.

A menudo duerme en éxtasis gracias al que sueña las que habrán de ser las actividades de todos los seres vivos.

Vedas

Nombre de los cuatro libros sagrados escritos en sánscrito por los arios, pueblo llegado a la India desde el noreste entre los siglos XVI y XIII a. C., que tratan del conocimiento y los ritos religiosos. El primero es el Rig Veda, que describe el universo; el segundo el Yajur Veda, que contiene el primer ritua; el tercero el Sama Veda, en el que figuran los cantos religiosos; y por último el Atarva Veda, que es el tratado de la religión íntima para uso privado de los fieles.

Wang

Uno de los 26 generales primigenios de la corte celeste, que mutó en funcionario del emperador del cielo, portero del palacio etéreo, auxiliado por guardianes feroces, que a veces castigan a los réprobos, y que en las entradas de los templos taoístas se representa como un fiero guerrero, de rostro y gesto desagradables y amenazadores, armado hasta los dientes y con coraza.

Wangye

Dios de las plagas. Posteriormente, por influjo de los sacerdotes taoístas, pasó a ser el dios de la curación, que aleja las fuerzas maléficas y renueva la comunidad.

En el sur de Taiwan, existen ritos de renovación social, bajo la protección de este dios.

Wen Chang

En China, dios de la literatura muy venerado por los seguidores de Confucio.

Habita en una constelación próxima a la Osa Mayor, de la que descendió 17 veces a la tierra, encarnándose la última vez en los despojos de Cang Ya, quien vivió en el siglo III o IV de nuestra era.

Suele formar tríada con K'uei Sing, dios terrible de los exámenes, que aparece representado como un pez o una tortuga de pesadilla.

Blande como arma el pincel con que se realiza la escritura china y con Cu Hi, el viejo benévolo que ayuda a los malos estudiantes.

Yama

Juez de los hombres y rey del mundo oculto, hijo de Vivasvat y Saranya. Nació antes de que su madre se escondiera de su glorioso marido. Era hermano gemelo de Yami.

De los mortales, Yama fue el primero en morir, descubriendo el camino al mundo oculto, por lo que es el guía de aquellos que abandonan esta vida, y se dice que les conduce a un hogar en el que están a salvo para siempre.

Yama es un rey y mora envuelto en luz celestial en el más recóndito santuario del cielo.

Zashiki Warashi

Niño fantasmagórico que vive en las casas y uno de los yokai que más les gusta a los japoneses.

Es un «dios de la fortuna», por lo que la casa donde se instale estará repleta de prosperidad y buena suerte.

Mitos del lejano Oriente

La cabeza del elefante

Según una leyenda hindú, Parvati tuvo a su hijo mientras Shiva estaba en la guerra contra los asuras. Un día Parvati fue a bañarse, pidiendo a Ganesha que vigilara la puerta de su aposento. En ese momento, Shiva volvió, pero Ganesha no conocía a su padre, ni éste a su hijo, de modo que el joven dios le prohibió el paso.

Hubo una reyerta y Shiva enfurecido, decapitó a Ganesha. Cuando se dio cuenta de que había matado a su propio hijo y ante el llanto desconsolado de su esposa, Shiva bajó a la tierra con la promesa de darle a su hijo la cabeza del primer ser que encontrara a su paso. Y se cruzó con un elefante.

El emperador del Sándalo

Uno de los mitos más importantes de Corea remite a la historia de Tangun, el primer emperador coreano en el año 2333 a. C., y fundador del reino de Choson, como se nominaban las tierras que hoy ocupan Corea. Fue hijo de Hwangung y nieto de Hwanin, conocido como el divino Creador o el Rey de los Cielos.

La leyenda empieza cuando Hwangung le revela al padre su deseo de vivir en la Tierra. Hwanin elige el monte T'aebaek como la residencia ideal para su hijo. Hwangung desciende a la Tierra con 3.000 compañeros y se declara rey. Reina en armonía y prosperidad, asistido por tres ministros: el conde del Viento, el maestro de la Lluvia y el maestro de las Nubes.

Un día, un oso y un tigre le piden a Hwangung que les ayude a convertirse en hombres, y éste les entrega 20 dientes de ajo y un racimo de artemisa, indicándoles que coman las hierbas y que se retiren a sus cuevas durante 100 días, evitando la luz solar.

Si cumplen las condiciones impuestas, se convertirán en seres humanos. El tigre, símbolo de la naturaleza salvaje, deja la cueva antes de lo pactado, empujado por su hambre voraz. El oso espera pacientemente y pasados los días de encierro, emerge convertido en mujer.

El oso-mujer desea un hijo y le reza a un árbol de sándalo para que la ayude. Hwangung decide casarse con ella y poco tiempo después, nace su hijo Tangun, el emperador del Sándalo.

La leyenda cuenta que Tangun se convirtió en el primer humano que gobernó Corea, el ancestro del pueblo coreano, y la persona que dio a Choson el nombre de «la tierra de las mañanas calmas.»

La escalera de los dioses

Uno de los relatos más conocidos sobre Huang-Ti, el «emperador amarillo» narra cómo este personaje encargó a Tch'ong-Li romper la comunicación entre la tierra y el cielo, a fin de que cesaran los descensos de los dioses.

En la época primordial, anterior al mundo tal y como lo conocemos, el cielo y la tierra estaban muy próximos entre sí y los dioses podían descender a la tierra y los seres humanos llegar al cielo, escalando una montaña, o bien subiendo a un árbol utilizando una liana larguísima.

Los dioses descendían a la tierra para oprimir a los hombres y los espíritus también podían bajar a la tierra, con lo cual las posesiones eran frecuentes.

En esta leyenda, Huang-Ti sería en parte responsable en la definitiva separación entre el cielo y la tierra, con lo cual se convierte en héroe, ya que libera al hombre de los desórdenes causados por la incontinencia de los seres superiores. Además, al ordenar a Tch'ong-Li romper la escalera de los dioses, participa en la organización del mundo tal y como lo conocemos en la actualidad.

El budismo

Es una de las religiones universales basada en las cuatro visiones de Buda: un hombre enfermo, un anciano, un muerto y un asceta itinerante.

Sabedor de que el sufrimiento y la muerte eran inevitables, Buda afirmó haber alcanzado la iluminación para ser liberado de su inevitable reencarnación. Esta iluminación, en el más alto grado de la conciencia de dios, llamada el Nirvana, ocurrió bajo un árbol en Bodh Gaya en el año 528 a. C. y tras ella pasó a ser Buda, el despierto o el iluminado.

Como religión, el budismo proclama cuatro verdades: toda existencia implica sufrimiento o frustración, el sufrimiento es hijo del deseo, el sufrimiento puede desaparecer si se elimina el control que ejercen sobre el hombre los deseos y existe un camino imprescindible para alcanzar la perfección basado en una conducta moral, gran disciplina mental y cierta sabiduría intuitiva.
Dentro del budismo existen varias sectas, de las que las más importantes son el lamaísmo o budismo tibetano y el zen.

Niu-Kua arregla el cielo

Según esta leyenda china, dos deidades estaban en guerra: Gong-Gong, dios del agua, y Zhu-Rong, el dios del fuego. Estos dioses, ferozmente enfrentados, luchaban por todas partes del cielo y de la tierra, causando desorden y enormes destrozos. El dios del fuego ganó y, encolerizado, el dios del agua, golpeó la cabeza de Zhu-Rong contra la montaña Buzhou (una cumbre mítica).

La montaña era el pilar que sostenía al cielo y, al derrumbarse, la mitad del cielo se desplomó dejando un enorme agujero negro. La tierra se agrietó, los bosques ardieron, las aguas se derbordaron y las criaturas feroces atacaban a los hombres, constituyendo un desastre sin precedentes. La diosa Niu-Kua, afectada por tanto sufrimiento y dolor, decidió arreglar el desastre y, para ello, mezcló varios tipos de piedras de colores y con la mezcla resultante reparó el cielo.

Luego sacrificó a una tortuga gigante y utilizó sus cuatro enormes patas para sostener el trozo de cielo que se había caído, además de matar a un dragón para escarmiento de las malas bestias.

Finalmente, recogió y quemó una gran cantidad de juncos para amasar con sus cenizas un cemento con el que detuvo la inundación para que la gente pudiera vivir de nuevo feliz.

Según otras versiones, en las que aparecen Niu-kua y Fu-Hi como dragones unidos por sus colas, se produjo un diluvio y éste provocó un gran desastre que Niu-Kua reparó como ya sabemos.

La única consecuencia de su intervención fue que el cielo quedó inclinado hacia el noroeste y la tierra hacia el sureste, lo que explica los movimientos de los planetas y el flujo de los ríos en China, donde todos se deslizan hacia el levante. Recordemos que el hombre en la antigüedad recurría a los mitos para explicarse los fenómenos de la naturaleza.

Morir por Amida

Los japoneses adoradores de Amida solían ofrecerle el sacrificio de su vida ahogándose en honor suyo. La víctima montaba en una barquita dorada, adornada de gallardetes de seda, se ataba unas piedras al cuello, en los pies, y en los vestidos, bailaba al son de varios instrumentos y luego se arrojaba al río.

Algunas veces se perforaba la barquilla y se hundía lentamente a la vista de los parientes, amigos y bonzos.

Otros entusiastas de la misma clase se metían en una cueva estrecha en forma de tumba, cubierta por todas partes a excepción de un pequeño agujero que servía para que entrara el aire, y desde este sepulcro el devoto no cesaba de llamar a Amida hasta que moría de hambre y de sed.

La vuelta al mundo

Los hijos de Shiva, Ganesha y Skanda, decidieron competir para decidir cuál de ellos era el más adorado, haciendo una carrera alrededor del mundo.

Skanda montó en su pavo real, su vahana, y lo recorrió lo más rápidamente posible, pero cuando llegó de nuevo al punto de partida, Ganesha, pese a que su vahana era un ratón, ya estaba allí.

A las preguntas de su hermano sobre cómo podía haberle vencido, Ganesha contestó que él había dado una vuelta alrededor de sus padres, Shiva y Parvati, dando a entender que para él sus padres eran todo su mundo. Siendo además sus padres los dioses supremos, literalmente eran el mundo, con lo que acabó siendo reconocido el vencedor de la carrera.

Yu el Grande controla las aguas

Según cuenta la leyenda, en tiempos del emperador Yu el mundo todavía no tenía el aspecto actual hasta que Yu se aseguró de expulsar a las fuerzas del mal convirtiéndose en el héroe que organiza la sociedad, tal y como la conocemos.

Para ello, Yu estuvo 13 años controlando las aguas y en su obra empleó al dragón alado, animal sagrado en la mitología china, para el dragado de los fondos. Con el fin de abrir un camino en una montaña, se transformó en un oso y logró culminar el gran trabajo que un hombre común no hubiese podido realizar.

Por todo ello, Yu alcanzó el respeto de sus súbditos, que le bautizaron como «Yu, el Grande» y veneraron como un dios de la comunidad. Su historia rompió los límites de su tribu y fue conocido en otros lugares.

En otra fuentes, Yu aparece como una divinidad hermafrodita que hizo de la Tierra un lugar habitable para el ser humano. Según esta versión, esta deidad creó los caminos a través de las montañas, abriendo pasos con su fuerza tras adoptar la forma de oso. Yu, bajo la forma de serpiente, desvió las aguas del río Amarillo hacia el abismo.

Los mitos o leyendas de la antigüedad china reflejan habitualmente la lucha del ser humano por domeñar la naturaleza, para lo que, ocasionalmente, se les atribuyen a los protagonistas poderes mágicos o se les dota de fuerzas sobrenaturales.

El dragón de Koshi

Vivía en Japón cerca del monte Torikami, en Izumo, a las puertas del infierno. Según la leyenda, era un dragón rojo de ocho cabezas y ocho colas, del tamaño de ocho montañas y ocho valles, que año tras año visitaba un poblado cercano donde vivían dos conocidos ancianos llamados Ashinazuchi y Tenazuchi con sus ocho hijas.

Un buen día, todas ellas fueron devoradas por el dragón, hasta que sólo quedaba la menor, cuando el día en que el dragón iba a venir en busca de la última, el dios Susa No Ho descendió y sintiendo piedad por los ancianos, tomó por esposa a aquella última hija, emborrachó al dragón con sake y le cortó sus ocho cabezas.

Al cortarle la cola, encontró dentro de ella una espada mágica de finísimo filo llamada Kusanagi, que es una de las tres joyas imperiales y que se venera en el templo de Atsuta.

El nacimiento de la Tierra

Había un rey llamado Vena, famoso por su maldad y menosprecio de los deberes religiosos. Cuando los rishis no pudieron soportar su impiedad por más tiempo, le mataron, tras lo que la anarquía prevaleció, y pensaron entonces que era preferible un rey malo que no tener ninguno. Así que frotaron el muslo de Vena, del que surgió un enano negro, que nada más nacer preguntó: «¿Qué tengo que hacer?» A lo que se le respondió: «Nisida» (siéntate) ; de ahí que, en la actualidad, sus decendientes sean llamados nisidis.

El cadáver quedó purificado, pues todo el pecado había salido de él con ese enano negro. A continuación frotaron su brazo derecho, del que surgió un hermoso príncipe, al que dieron el nombre de Prithu, que reinó en lugar de su padre.

Durante su reinado hubo una terrible hambruna porque la tierra no ofrecía sus frutos y se produjo una gran escasez. Prithu dijo:

«Voy a matar a la tierra y le obligaré a conceder sus frutos».

Aterrorizada ante esta amenaza, la Tierra asumió la forma de una vaca a la que Prithu persiguió hasta el mismo cielo de Brahma. Finalmente, rendida por la persecución, se volvió hacia él y le dijo:

«¿Es que no conoces que hay enorme pecado en matar a una hembra?».

A lo que el rey respondió que cuando la felicidad de muchos puede asegurarse mediante la destrucción de un ser maligno, la muerte de éste resulta un acto de rectitud.

«Pero —adujo la Tierra—, si para promover el bienestar de tus súbditos, pones fin a mi vida, dime tú, rey de los monarcas, ¿de dónde va a obtener tu gente el sustento?»

Vencida al fin tras largas discusiones, la Tierra declaró que todos los productos vegetales eran viejos y que por eso los había destruidos, pero que ante la orden del rey iba a reponerlos como nuevos frutos de su leche.

«Concédeme pues, para beneficio de la humanidad, el ternero que me permita segregar leche. Haz también que todos los terrenos sean llanos para que mi leche, semilla de toda vegetación, llegue a todos los rincones.»

Prithu siguió el consejo y, donde nunca antes hubo cultivos ni pastos, agricultura ni caminos para el comercio, todos se originaron gracias a la sabiduría de su reinado.

Así nació ternero Swayanbhuba Manu y por eso la Tierra regó los campos de leche para beneficio de la humanidad. Al conceder Prithu la vida a la Tierra, pudo compararse con su padre, y de ahí le viene a aquella el patronímico de Pritivi.

Yi y los diez soles

El mito de Yi es otro ejemplo de un ser humano que por sus hazañas y facultades acaba convirtiéndose en un héroe admirado en la cultura china. Según la tradición, How Yi era un hombre muy conocido en su tiempo por su destreza en el manejo del arco.

En época de Yi aparecieron en el cielo diez soles cuyos rayos fueron letales para muchas plantas y a consecuencia de ello, se perdieron muchos campos. Además, temibles bestias pisoteaban ferozmente lo que encontraban a su paso.

Estos monstruos causaban infinitos destrozos y daños al pueblo. Para solucionar aquel desastre, Yi cogió su arco y disparó nueve flechas con las que derribó nueve soles. Después se enfrentó a todos los monstruos y los derrotó. Por estas valientes obras, Yi fue respetado como un dios.

Otra versión asegura que Di Jun, el padre de los diez soles, envió a un arquero con un arco y flechas mágicas para asustar a los soles y que volviesen a la normalidad. A pesar de la voluntad de Di Jun, Yi disparó nueve flechas, dejando en el cielo solamente a un sol, que es el que nosotros vemos actualmente.

Al ver que sus hijos habían muerto, Di Jun se enfadó tanto con Yi que lo expulsó de los cielos y desde entonces vivió en la tierra como un mortal más.

El sikhismo

La religión sikh surgió en el siglo XVI en el estado del Punjab, en el norte de la India. Su fundador fue Guru Nanak, atraído desde niño por los hindúes y musulmanes, por lo que comenzó a predicar un mensaje de unidad de ambas religiones.

Para él, las enseñanzas básicas de las dos religiones eran esencialmente las mismas. Nanak atrajo muchos seguidores y llegó a ser reconocido como el maestro. Sus discípulos constituyeron la nueva tradición religiosa llamada sikhismo.

Las enseñanzas de Guru Nanak fueron incorporadas en el «Guru Granth Sahib», el libro sagrado de los sikhs, un símbolo de dios para los adeptos. El quinto Guru, Arjun, construyó el templo dorado en Amritsar, el más sagrado de los santuarios sikhs. El décimo Guru, Govind Singh, impartió entrenamiento militar a los sikhs para su autodefensa.

Más adelante se creó una nueva hermandad de sikhs llamada los khalsa (los puros), que se inició con cinco hombres seleccionados por su devoción, y que tenían que llevar siempre los cinco símbolos conocidos como las cinco kas: el pelo sin cortar, un peine, una pulsera de acero, una espada y calzones.

El sikhismo propugna el monoteísmo, se opone al sistema de castas y defiende que todos los hombres son iguales. Sin embargo, acepta las ideas del Karma y la teoría del renacimiento, tomados del hinduismo.

El mono divino

En una ocasión, Agni, dios hindú del Fuego, le dio un plato de dulces sagrados a Dasarath, rey de Ayodhya, para que los repartiera entre sus esposas con el fin de que tuvieran niños divinos, pero un aguila robó uno de los pasteles y fue a dejarlo caer, casualmente, en las manos de Anjana mientras meditaba. Ella se comió el postre divino y dio a luz a Hanuman, que adoptó la forma de un mono y obtuvo la bendición de Pavana, el dios del viento.

Su nacimiento liberó a su madre del embrujo que la había convertido en mona (del que sólo recuperaría su forma si daba a luz a una encarnación de Shiva) y ésta decidió retornar al paraíso. Antes de su partida, le reveló al pequeño Hanuman que sería inmortal y que debería comer sólo las frutas maduras y brillantes como el sol.

El taoísmo

Sistema religioso y filosófico chino, que data del siglo IV a. C., y cuya influencia sólo ha sido superada por la del confucionismo. Las creencias esenciales taoístas se encuentran en el Tao-te King, texto atribuido a Lao-tsé, y en el Chuang-tzu, un libro de parábolas y alegorías que también data del siglo III a. C., pero atribuido al filósofo Chuang-tzu.

Mientras el confucionismo exhorta a los individuos a someterse a las normas de un sistema social ideal, el taoísmo mantiene que el individuo debe ignorar los dictados de la sociedad y sólo ha de someterse a la pauta subyacente del universo, el Tao (camino), que no puede ni describirse con palabras ni concebirse con el pensamiento. Para estar de acuerdo con el Tao, hay que «hacer nada» (wu-wei), es decir, nada forzado o no natural.

En el orden sociopolítico, los taoístas predicaban un retorno a la vida agraria primitiva.

Incompatible con el desarrollo de una teoría política explícita, el taoísmo ejerció su mayor influencia en la estética, en la higiene y en la religión chinas. Se desarrolló en el ámbito popular como un culto en el que la inmortalidad se buscaba a través de la magia y el uso de diferentes elixires.

La alquimia abrió el camino para el desarrollo de cultos que evolucionaron hasta un sistema general de higiene, todavía en práctica, que propugna la respiración regular y la concentración para evitar la enfermedad.

Las artes marciales están profundamente influenciadas por el taoísmo porque se deben disciplinar cuerpo y alma para obtener la unidad y el To mientras se practica el Tae Kwon Do. Si Tae Kwon Do es la actividad corporal, To es la actividad metafísica. Si Tae Kwon Do es la conducta activa general, To es la perspicacia y la intención.

Con estos conceptos, podemos decir que el Tae Kwon Do es un arte marcial que desarrolla la mente y el cuerpo a través de programas de ejercicios encaminados a mejorar la concentración, el conocimiento de uno mismo y la armonía con la naturaleza.

Los diez avatares de Vishnú

Tras haber vivido nueve de las diez posibles reencarnaciones que le adjudicó el plan brahmánico, Vishnú está a la espera de la última encarnación de su ciclo, que coincidirá con el fin del mundo.

Sus anteriores avatares o reencarnaciones fueron las del pez que salvó a Manú del diluvio, la tortuga que obtuvo la bebida sagrada del amrita, el jabalí que volvió a salvar a la tierra de un nuevo diluvio, el león que castigó al blasfemo demonio Hiranya, Trivikrama, el Brahmán enano de los tres pasos, el Parasurama que venció a los chatrias, el Rama ejemplar que se narra en el Ramayana, Rama Chandra, el príncipe negro Krishna y la de Buda.

La décima será el avatar del gigante con cabeza de caballo blanco, de Vishnú transmutado en Kalki, venido a la Tierra para la batalla definitiva contra el mal en el día paralaya, cuando se acabe el mundo y Shiva aparezca también sobre las ruinas de lo que ha sido nuestra Tierra.

Krishna adolescente

En el sentido sexual y amoroso, Krishna sería el contrario de Rama, el anterior avatar de Vishnú, quien estaba casado y fue el ejemplo de aceptación de las reglas religiosas y sociales. Krishna, sin embargo, era un adolescente eternamente púber de unos 13 años, que gustaba mucho a las pastoras que le rodeaban durante su exilio (por sus actividades en esa época es apodado «el amante», «el completamente atractivo» o «el flautista»).

Tuvo muchos amoríos transcendentales con las pastoras llamadas gopis (también se le conocía como Gopinath, el amado seductor de las gopis), que son las niñas púberes del pueblo de Vrindavan. Los devotos de Krishna creen que estos pasatiempos divinos son el tema más profundo de su teología.

Frecuentemente se le representa tocando alguna de sus flautas traveseras, atrayendo y fascinando a las pastorcillas. Krishna junto con su amigo Arjuna fue responsable del incendio del bosque de Khándava para alimentar a Agni, el dios del fuego, causando grandes pérdidas animales y probablemente humanas.

Rama, la séptima reencarnación de Vishnú en la Tierra

El rey Dasaratha de Ayodhya no tenía descendencia a pesar de tener tres esposas, por lo que realizó un sacrificio de fuego para tener hijos y le nacieron cuatro: con su esposa Kausalya tendrá a Rama, con Kaikeyi, a Bharata, y con Sumitri a Lakshman y Satrughna.

Más tarde se produjo el milagroso nacimiento de Sita y la historia posterior que cuenta cómo Ram consiguió su mano tensando y aun rompiendo el inmenso arco del dios Shiva.

La madrastra de Rama, Kaikeyi; deseaba ver a su propio hijo Bharata en el trono y se inventó una intriga por culpa de la que Rama fue desterrado al bosque durante 14 años. Su esposa Sita y Lakshman le acompañaron y, durante su estancia en el bosque, el demonio Ravana, rey de Sri Lanka, que tenía diez cabezas, raptó a Sita y la llevó a su palacio.

Para rescatarla, Rama y Lakshmana contaron con la ayuda del mono Hanuman, ministro de Sugriva, quien de un salto llegó hasta la isla de Sri Lanka para encontrar a Sita, que no quiso volver a saltar con él porque no aceptaba tocar a otro hombre o mono que no fuera su esposo.

Para acceder a la isla con el ejército de Sugriva, Rama tendió un puente de más de 30.000 metros sobre el estrecho de Palk. En el cerco de la capital y tras muchas batallas, los demonios más importantes murieron a manos de los jefes monos, y por fin, Rama acabó con Ravana. Tras recuperar a Sita, los dioses se aparecieron a Rama y le revelaron su condición de señor del universo, e incluso Bharata le cedió el trono que usurpaba.

El zorro y el mapache

Para la mitología japonesa, el tanuki (mapache) y el kitsune (zorro) son animales que se transforman para hacer el bien y tienen fama de traviesos ya que cometen algunas travesuras.

El kitsune es capaz de poseer a las personas, y cuando un zorro posee a alguien, éste empieza a actuar como loco y se pone a comer aceitunas y budín de soja frita hasta que vuelve a la normalidad y no se acuerda de nada.

También es el guardián de los niños perdidos en las montañas, a los cuales brinda su protección hasta que pueden volver a su hogar. Además el zorro es parte de uno de los dioses (kami) más importantes del shintoísmo, llamado Inari, que tiene santuario propio.

El tanuki (mapache) es mucho más gracioso y loco que el zorro, adicto al licor, la comida y las fiestas. Para entrar en las fiestas se transmuta en algún invitado, y así puede comer y beber mucho sake, licor de arroz, que es lo que más le gusta.

Al tanuki le representan con una gorra de paja a la espalda, una gran botella de sake, una enorme barriga y unos grandísimos testículos colgantes.

El señor Saco de Arroz

Como era guerrero por temperamento y se le hacía insoportable el ocio en el hogar, un día Hidesato decidió ir en busca de aventuras.

Se echó al cinto los dos sables, empuñó el arco que sobrepasaba su estatura, se colgó su carcaj al hombro y salió de la casa.

Enseguida llegó al puente de Seta-No-Karashi, tendido al extremo del hermoso lago Biwa, donde le cerró el paso un enorme dragón, tan grande que parecía el tronco de un gigantesco pino derribado.

El monstruo parecía dormido y al respirar lanzaba humo y fuego por el hocico.

Hidesato era un valiente y, desechando el miedo, avanzó sobre el enroscado cuerpo del dragón y sin volver la vista atrás, prosiguió su marcha.

Apenas se había alejado un poco, oyó que alguien le llamaba y al volver la cabeza, vio que el dragón había desaparecido y que en su lugar había un hombre de extraño aspecto, cuya cabellera larga y roja le caía por la espalda, en cuya cabeza llevaba una corona en forma de cabeza de dragón y que se cubría con un vestido azul marino lleno de conchas.

—¿Me llamabas?

—Sí –contestó el hombre–, quisiera pedirte un gran favor. Soy el rey Dragón del Lago y mi palacio está bajo el agua, junto a este puente.

—¿Y qué quieres de mí? –dijo Hidesato.

—Deseo matar a mi mayor enemigo, el ciempiés, que vive en aquellas montañas –dijo el Dragón, señalando a una alta cumbre en la orilla opuesta al lago–. Hace muchos años que habito este lago y tengo una numerosa familia.

Vivimos aterrorizados, porque el monstruo viene cada noche a llevarse un miembro de mi familia. Por eso decidí pedirle ayuda a un ser humano y con esta intención me pongo cada día en el puente, pero todos los que se acerca huyen totalmente horrorizados al verme. Tú eres el único que ha sido capaz de mirarme sin miedo. Compadécete de mí y ayúdame a matar al ciempiés.

El ciempiés tenía su palacio en la montaña Mikami y había que esperarlo en la medianoche, que era cuando bajaba hacia el lago.

Mientras tanto, el Dragón le invitó a su palacio construido de mármol blanco bajo las aguas, que se abrieron para dejarles paso y a Hidesato ni se le humedeció la ropa. Allí le fue servido un banquete en platos de hojas y flores de loto y con palillos hechos con la más rara madera de ébano.

Apenas tomaron asiento, se abrieron las puertas y salieron diez pececitos bailarines seguidos de otros que tocaban el koto y el samisén.

Al llegar la medianoche empezó a temblar el palacio. Hidesato y el rey Dragón miraron hacia la montaña, desde la que se acercaba el ciempiés.

Hidesato no manifestó el menor signo de temor y empuñó su arco y las flechas. Sólo tenía tres flechas en su carcaj.

Con la primera hizo blanco en la cabeza del monstruo, pero la flecha le resbaló y cayó al suelo.

Tiró por segunda vez, pero igual falló. El ciempiés resultaba invulnerable y no tardaría en llegar al lago.

Entonces, el guerrero recordó haber escuchado que la saliva del hombre era mortal para los ciempiés y tomando la última flecha y, tras ponerse su punta en la boca, volvió a disparar.

Hizo blanco otra vez pero, en vez de resbalar, la flecha se clavó en sus sesos y el cuerpo del bicho se agitó convulsivamente hasta quedar inmóvil. El ciempiés había muerto.

Toda la familia real se arrodilló ante su salvador, llamándole su protector y proclamándole el más valiente guerrero de Japón. Le suplicaron que aceptara sus presentes, que fueron una gran campana de bronce, un saco de arroz, un rollo de seda y una olla.

De vuelta a su casa, Hidesato regaló a un templo vecino la campana, para que diera las horas del día a todo el vecindario.
Por mucho que sacaran de él todos los días para comer, el saco de arroz estaba siempre lleno. El arroz era inagotable. El rollo de seda tampoco disminuía, por

más que de vez en cuando cortaban largas piezas para hacer trajes nuevos al guerrero y su familia.

También la olla era maravillosa, puesto que cualquier cosa que se pusiera en ella quedaba cocida al momento.

La fama de la fortuna de Hidesato no tardó en extenderse hasta muy lejos y, como no tenía que gastar dinero en arroz, en seda, ni en leña, llegó a ser muy rico y poderoso, y desde entonces se le llamó el señor Saco de Arroz.

Capítulo 4

Mitos y seres fantásticos de América

Seres fantásticos de Norteamérica

Abeja

Las abejas están conectadas con el mundo sexual. Son mensajeras de fertilidad, protección y de amor.

Abeto de Hemlock

De nombre indio tsuga, es una especie conífera del este y noroeste de Norteamérica.

Sus ramas se utilizaban en diversos rituales como la decoración de los penachos de los danzantes hamats'a de la tribu de los kwakiutls y en la ceremonia de la pubertad femenina de los thompsons, o para frotarse dolorosamente el cuerpo en los ritos de la caza de la nutria marina entre los nootklas.

Adekagagwaa

Fuente de la vida en la mitología iroquesa, identificado con los meses calurosos y luminosos del verano.

Águila

Baluarte dentro de la simbología animal en la cultura india, y signo de buena suerte. El águila para los indios era portadora de protección, sabiduría y riqueza.

Si un indio rezaba y un águila se posaba cerca de él, se entendía que sus plegarias habían sido escuchadas. Este animal era el mensajero directo del dios único indio.

A menudo se asociaba al águila con el Sol, cuyos rayos se interpretan entre los plain y los hopi como sus plumas, símbolos, por otra parte, de las facultades guerreras.

En el nordeste y la costa noroccidental, las águilas, como pájaros del trueno, mantienen una pugna constante con los animales de las aguas, y se consideran ayudantes de los guerreros o de los cazadores de ballenas. En algunas tribus como los pueblo y los hidatsa, las águilas se apresaban con vida, casi siempre jóvenes, y se encerraban en jaulas, para tener siempre plumas disponibles.

Águila pescadora

Magnífico animal, fuerte y veloz, pero un malísimo símbolo, indicador de peligros inminentes y accidentes mortales.

Achiyala

Gigantesco ser mitológico en la tribu zuñi, que llevaba un cuchillo forrado de plumas.

Ahsonnutli

Deidad principal de los indios navajo de Nuevo México, considerado el Creador de los cielos y la tierra.

Se supone que colocó a 12 hombres en cada uno de los puntos cardinales para que soportaran los cielos.

Se creía que poseía las cualidades de ambos sexos, y lo llamaban el Hombre-Mujer Turquesa.

Ahuizotle

Entre los zuñi y los hopi, bestia mítica que rondaba las orillas de los ríos, del tamaño de un perro, que gritaba como un niño y arrastraba la cola de un reptil.

Airsekui

Gran espíritu entre los indios hurón.

Aktunowihio

Dios de las profundidades y de los espíritus subterráneos para los cheyennes, oscuramente emparentado con el pasado ancestral de la propia tribu.

Alce

Poderoso protector de las mujeres. Si una mujer necesitaba ayuda, rezaba al alce para pedirle consejo. Cuando una mujer veía un alce, significaba que pronto tendría un hijo.

Angpetu Wi

Es el dios del sol para los sioux de Dakota.

Anguta

Creador de la tierra, el mar y los cielos, esposo de Nerrivik y padre de Sedna, en la mitología inuit.

Cuenta la leyenda que una noche que estaba especialmente hambrienta, su hija comenzó a comerse por las extremidades a sus padres, de modo que Anguta tuvo que expulsarla del hogar y llevarla a mar abierto para arrojarla por la borda.

Pero la gigante de un solo ojo se aferraba de tal manera a la barca, que su padre tuvo que cortarle los dedos uno a uno hasta que pudo hundirla en las heladas aguas del Ártico, donde mora desde entonces.

Aningan

Nombre por el que conocían en Groenlandia a Igaluk, uno de los dioses de gran alcance del panteón inuit. Él es una deidad lunar, hermano de Malina.

Anpao

Para los sioux de Dakota, es el espíritu del alba.

Antílope

El antílope significa mensajero o guía de los humanos. Por ejemplo, si un indio se encontraba en un cruce de caminos solo se tendría que fijar en qué camino había huellas de antílope para saber que ese camino era el correcto.
Presenciar una pelea entre dos antílopes quería decir que el mismo espectador tendría conflictos con amigos o familiares.

Araña

También consideradas mensajeras y buen signo exceptuando las venenosas (viuda negra, tarántula…). Eran signo de que se estaban levantando falsos testimonios sobre la persona que las encontraba.

En las mitologías de diversas tribus existía la Madre Araña, también conocida como Mujer Araña, creadora de la Tierra, mientras que en otras tradiciones próximas asume el papel de divinidad que conduce a los hombres hacia los mundos superiores.

También juega un papel fundamental en un mito que se repite en diversas culturas, el robo del fuego a los dioses. La astuta araña sería la que se lo entregara a los hombres, a pesar de que cuervo, culebra, búho y caballo habían fracasado previamente en el intento (mito cherokee).

Los indios hopi cuentan con la Mujer Araña como un poderoso espíritu aliado, considerado la medicina viviente, fuente de consejos y auxiliador ante los peligros.

Una Mujer Araña enseñaría a las mujeres navajo a tejer y, si para las tribus de California es un espíritu vengador que castiga el mal, en las llanuras centrales, entre los cheyene o lakota, asume el papel del mentiroso, una figura más o menos heroica o astuta pero bromista y poco fiable.

Ardillas

Un mal signo para un animal simpático. Algunas tribus, especialmente los shoshon, creían que era un animal medicina y le pedían ayuda para combatir enfermedades.

Por el contrario, otras entendían que eran mensajeras de la muerte.

Arrendajo azul

Deidad traviesa de los chinook y otras tribus occidentales, que es un fanfarrón turbulento, un travieso intrigante, el mismísimo payaso de los dioses que siempre se mete en líos cuando no los está urdiendo para otros.

Tomó la forma de un arrendajo, que le fue dada por las Gentes Sobrenaturales, porque lo derrotaron en una competición de tiro con arco y le impusieron una maldición, advirtiéndole de que su canto de pájaro sería interpretado como un mal presagio.

Su hermano mayor, el petirrojo, le reprocha continuamente por su conducta traviesa bombardeándole con sentencias y refranes.

Las historias de los muchos trucos y bromas protagonizadas por el arrendajo azul, eran fuente de gran diversión en torno a las hogueras indias, pues ni siquiera la proverbial seriedad de los hombres rojos podía resistirse a las aventuras cómicas de este búho americano.

Asgaya Gigagei

Dios del trueno cherokee cuyo nombre significa «el hombre rojo». El hecho de que sea descrito de color rojo parece incorporar a sus atributos la simbología del relámpago, que procedería del interior de las nubes tormentosas que se concentran en los picos de las montañas, evocando supuestamente el movimiento de los miembros de esta deidad oculta, para un pueblo que vive en ellas.

Ataentsic

Diosa esencial para el pueblo iroqués, creadora del sol y la luna, poderosa matriarca consejera de los sueños hasta que fue destronada por un nuevo gobernante de los cielos.

Era una diosa del cielo que se cayó a la tierra durante la creación, murió de parto y era también diosa de la fertilidad, del embarazo y de las habilidades llamadas femeninas. Esposa de Hahgwehdiyu.

Atíus Tiráwa

Era el gran dios de los pawnee, una deidad creativa y que ordenaba los cursos del sol, la luna y las estrellas.

Tal como se le interpreta en la actualidad, es considerado omnipotente e intangible; pero resulta difícil definir hasta qué punto esta concepción es el resultado de la influencia misionera.

Atse Estsan

Madre de todos los navajo, creada de una mazorca y esposa de Atse Hastin reconocido así mismo como padre de la tribu.

Awa

Chamán, shaman u «hombre de medicina» en algunas tribus como los bribri, donde también se les llama «sukia», eran responsables ante la tribu de sanar a los enfermos mediante hierbas y salmodias invocando a las fuerzas cósmicas y naturales.

Awonawilona

Deidad nativa entre los zuñi, que destaca como uno de los ejemplos más perfectos de dios constructor en las mitologías de la América india.

Parece estar identificado con el Sol, y de las alusiones remotas que le conciernen y por la manera en que se habla de él como el arquitecto del Universo, puede colegirse que no estaba en contacto cercano con la humanidad. A veces se menciona que tenía los dos sexos.

Binaye Ahani

Entre los navajo, son espíritus gemelos que mataban con la mirada.

Bisonte/Búfalo

Un buen signo, aparte de constituir la dieta básica de muchas tribus.

Era considerado como un dios con fuertes poderes y mensajero de fuerza y supervivencia para las tribus de las llanuras. Es una de las esencias de la cultura india y una de las bases de su espiritualidad. Entre las tribus sioux existe la leyenda del Búfalo Blanco que les entregó a los indios la pipa sagrada.

Buitre

Estos animales son un pésimo signo para los indios, como portadores de desgracias y problemas, además de ser una señal premonitoria de muerte.

Caimán

Este antiguo animal era otro mal signo. Los indios pensaba que eran enviados por alguien para matarlos, y era principalmente usado por chamanes.

Calumet

Se refiere a la pipa sagrada que fumaban los Delaware.

Castor

Mamífero contradictorio con poderes benéficos pero que genera también conflictos y confusión. También significa trabajador, inteligencia e independiente.

Ciervo

Un buen signo con buenos poderes y mensajero de noticias de todo tipo, normalmente muy relacionado con el mundo de la mujer india. Si una mujer veía un ciervo, significaba que pronto tendría un hijo; si un hombre veía a este animal mientras guerreaba, moriría en esa batalla.

Codorniz

Prevenía la llegada de un familiar o amigo. También era un signo de ayuda. Cuando un indio se encontraba en peligro, la visión de estas aves significaba la certeza de que un amigo venía en su ayuda.

Colibrí

Magnífico símbolo relacionado con el mundo femenino. Mensajero de buenas noticias y protector en las largas travesías.

Comadreja

Animal considerado también un espléndido augurio. Travieso, sabio y veloz, buen amigo en las travesías, además de protector y de traer buena suerte.

Coyote

Este animal es uno de los más antiguos signos dentro de la cultura mística de los nativos. Está lleno de magia, poderes especiales y sabiduría. Dependiendo del lugar en que se le encuentre, conviene tener cuidado porque puede ser una trampa.

Los chinook lo consideraban un ser benigno, mientras que los maidu y otras tribus californianas lo creían malo, astuto y destructivo.

Cucaracha

Un pésimo símbolo para muchas culturas y también para la india. Signo de enfermedades y suciedad, pero también considerada un tenaz animal signo de supervivencia.

Cuervo

Un buen signo con múltiples significados. Dependiendo del lugar de su visión o según lo que llevara en el pico era buen o mal signo.

También eran utilizados para combatir los malos espíritus.

Esaugetuh Emissee

El gran dios dador de la vida de los creek y otros muskogeanos, cuyo nombre significa «el amo del aliento». El sonido de su nombre representa la emisión del aliento de la boca.

Era el dios del viento y, como muchas otras divinidades en la mitología americana, su dominio sobre ese elemento estaba aliado con su poder sobre el aliento de la vida, una de las formas del viento o el aire.

El hombre salvaje consideraba al viento como la gran fuente del aliento y la vida.

Ekutsihimmiyo

Su traducción literal sería «camino de leche». Era, para los cheyenne, el sendero que comunicaba el cielo con la tierra, el camino más transitado por los dioses.

Escarabajo

Usado por los chamanes para invocar cambios en el tiempo, ya sea tormentoso o soleado. También prevenía de los ataques de otras tribus guerreras.

Ga-Oh

Para el pueblo iroqués, viento húmedo del este.

Gahonga

Espíritu que habitaba en las rocas y los ríos, muy cercano a Gandayah, el espíritu de la fertilidad de la Tierra, mitos ambos del pueblo iroqués.

Gans

Nombre genérico por el que eran conocidos entre los apache los espíritus de las montañas que se negaron a abrazar a los hombres al constatar la corrupción que reinaba entre ellos.

Garrapata

Los indios pensaban que estos insectos indicaban enfermedades y graves incendios en los bosques. Considerada portadora de malos espíritus y enfermedades.

Gaviota

Simboliza la llegada de temporadas de hambruna y malas condiciones de vida.

Geyaguga

Es el espíritu lunar entre los cherokee.

Gohone

En la mitología iroquesa, es la personificación del invierno. Los iroqueses son una confederación de cinco o seis tribus de americanos nativos.

Ghost Dance

Movimiento mágico dirigido por el chamán Wovoka. Éste hizo creer a los sioux, mediante una danza en la que entraban en trance, que eran invulnerables a las balas; una tragedia que culminó en la matanza de Wounded Knee, el 29 de diciembre de 1890.

Grillo

En zonas donde no había muchos grillos, éstos eran signo de malos augurios y amenaza de variados peligros, mientras que, donde abundaban, eran considerados un buen signo.

Haokah

Dios del trueno personificado en el ritmo de los tambores sioux.

La figura de esta divinidad se dividió en dos mitades, una que expresaba la congoja, y la otra, la alegría. Podía igualmente llorar con la lluvia o sonreír con el sol.

Tocaba en su gran tambor, empleando el viento como palillos, y lanzaba los rayos sobre la Tierra.

Lleva en la cabeza unos cuernos para simbolizar su conexión con el relámpago o con la caza, ya que los dioses del trueno americanos eran poderosos cazadores. Esta doble concepción surge de su posesión de la lanza del relámpago, o la flecha, que en algunos casos también le da el carácter de dios de la guerra.

Hahgwehdiyu

Dios creador, Gran Espíritu del pueblo iroqués, esposo de Ataentsic, en cuyo interior plantó un grano de maíz de donde se originaron todas las cosechas. Tiene un hermano gemelo malvado llamado Hahgwehdaetgan.

Hanghepi

En la mitología de los indios de Dakota, espíritu de la luna de la noche.

Hastsehogan

Dios del hogar para los indios navajo, para quienes Hastseltsi era el dios rojo de las carreras y Hastsezini el del fuego.

Heammawihio

Espíritu del sol entre los indios cheyenne.

Hino

Espíritu del trueno para el pueblo iroqués, es el guardián del Cielo. Armado con un potente arco y con flechas de fuego (relámpagos), destruye todas las cosas nocivas.

Su esposa es el arco iris. Oshadagea, el «gran águila del rocío», está al servicio de Hino.

Hobowakan

Nombre que se daba a la ceremonia de fumar la pipa de la paz entre los delaware.

Hokewingla

Para los sioux de Dakota, es el espíritu de la tortuga que vive en la luna.

Hopi

Los hopi son un pueblo amerindio miembro del grupo de indios pueblo, en el área cultural del suroeste.

Sus ceremonias religiosas más notables son los misterios «kachina» de la fertilidad (el kachina es el espíritu de un antepasado, que generalmente representa un clan, simbolizado en las ceremonias por un danzante enmascarado y maquillado), y los rituales del solsticio de verano y de invierno con la adoración al sol y al fuego.

Su famosa danza de la serpiente era en realidad una danza de invocación a la lluvia.

Los indios hopi afirman que sus antepasados fueron visitados por seres que se desplazaban en escudos voladores y dominaban el arte de cortar y transportar enormes bloques de piedra, así como de construir túneles e instalaciones subterráneas.

La tradición oral describe así los artefactos voladores: «Si de una calabaza cortas la parte inferior, obtendrás una corteza; lo mismo debe hacerse con la parte superior. Si luego se superponen ambas partes, se obtiene un cuerpo de forma de lenteja. Este es básicamente el aspecto de un escudo volador».

Hormiga

Representa la fortaleza, la inteligencia y tiene amplios poderes mentales. Los indios pensaban que los terremotos eran producidos por una gran hormiga negra.

Idlirvirissong

Espíritu maligno que se opone a la salida del sol en los helados desiertos donde todavía viven los inuit. Junto al Igaluk, el espíritu de la luna, son los principales inu, nombre genérico dado a los espíritus celestiales entre los también llamados eskimo o esquimales. El término esquimal, que significa «los que comen carne cruda», es considerado peyorativo por los Inuit, palabra que significa persona, hombre o habitante.

Inipi

Para los sioux lakota, la ceremonia inipi es el preámbulo de todas las demás ceremonias, un ritual de purificación en el curso del cual oraciones y cantos son dirigidos a «Wakan Tanka», el Gran Espíritu.

En esta ceremonia, el aire, el agua, el fuego y la tierra o «Ina Maka», entran en conjunción para que, en el interior de una pequeña cabaña hecha de madera de sauce, el agua vertida sobre piedras al rojo genere un vapor que los lakota interpretan como el aliento de «Tunkashila» el gran padre de todas las cosas.

Isitoq

También conocido como Issitoq, en la mitología inuit es el dios que castiga a quienes han roto un tabú.

Ioskeha

Hermano gemelo de Tawiscan, conocidos como el Blanco y el Oscuro, cuya abuela era la luna para el pueblo iroqués.

Jogah

Nombre con que se denomina a todos los duendes de la naturaleza entre el pueblo iroqués.

Kanati

Padre de todos los indios cherokee.

Katchinas

Para las poblaciones del sudoeste de Norteamérica, sobre todo los hopi, los katchinas son los espíritus o fuerzas invisibles que protegen a los seres vivos.

Por extensión, este término se usaba también para designar a las estatuillas que las representaban y a los danzantes que las encarnaban.

Según estas creencias, existe gran variedad de katchinas, tantas como fuerzas naturales y espíritus.

Cada una tenía su nombre y su significado. Por ejemplo, el Kavayo (de la palabra castellana «caballo») y la Waka (del castellano «vaca») fueron katchinas, palabra que puede traducirse como «venerables sabios».

Se trataba en otras versiones de seres visibles, de apariencia humana, que nunca fueron tomados por dioses sino como seres de conocimientos y potencialidad superiores a los del ser humano, capaces de trasladarse por el aire a gran velocidad y de aterrizar en cualquier lugar. Dado que se trataba de seres corpóreos, precisaban para estos desplazamientos de artefactos voladores, que ellos llamaban «escudos voladores».

Keneun

Para el pueblo iroqués, águila mística que provocaba los rayos de las tormentas parpadeando los ojos y los truenos batiendo sus alas. Por antonomasia, diosa de las tormentas con aparato eléctrico.

Kitshi-Manitou

Nombre que tomaba el Gran Espíritu entre los chippewa.

Kokopelli

Dios de la fertilidad en la mitología de algunos americanos nativos como los hopi. Travieso, curandero y cuentacuentos, Kokopelli ha sido fuente de asombro durante siglos y, en diferentes países, encarna las esencias del auténtico sudoeste norteamericano, que data de alrededor de 3.000 años de antigüedad, cuando se tallaron los primeros petroglifos.

Este flautista y sensual viajero, de origen desconocido, es una figura sagrada cuyas reproducciones han sido encontradas en pinturas y grabados en muros de roca y cantos rodados.

Hay muchos mitos sobre Kokopelli, uno de los cuales es que viajaba de aldea en aldea trayendo el cambio de invierno a primavera, derritiendo las nieves e invocando la lluvia para propiciar las cosechas.

Se dice también que la joroba de su espalda representaba los sacos de semillas o las canciones que portaba. La leyenda también cuenta que el sonido de su flauta se podía escuchar en la brisa de primavera.

La leyenda dice además que todo el mundo bailaba y cantaba durante toda la noche al escuchar su flauta y que, a la mañana siguiente, incluso las doncellas estaban embarazadas. Siempre ha sido fuente de inspiración musical y danza, y ha repartido alegría a los que le rodeaban. Incluso en la actualidad, Kokopelli, con su joroba y su flauta, es bienvenido en las casas de los nativos americanos.

Kodoyanpe

El supremo Creador Maidu que descubrió el mundo junto con el coyote, y con su ayuda hizo que fuera habitable para la humanidad.

Los dos moldearon al hombre por medio de unas pequeñas imágenes de madera que tomaron vida tras la derrota del coyote en la batalla que les enfrentó.

Lagarto

Los lagartos tendían el puente entre el mundo material y el espiritual. Se aparecían en sueños para transmitir mensajes de prevención o de futuro.

También se cree que eran enviados para espiar a otras personas. Los lagartos pequeños eran protectores de los niños.

Lalakoñti

Ritual de septiembre conducido por las mujeres hopi, invocando las bendiciones de una buena cosecha.

Lechuza

Ave de mal augurio para los indios. Simbolizaba el poder negativo. Utilizado por muchos chamanes y jefes de clanes para aumentar su poder y su grandeza exclusivamente en su provecho. También es signo de la muerte.

Lobo

El lobo está considerado un magnífico signo, protector, buen cazador, sabio, independiente y valeroso, pero algo misterioso. Muchas tribus formaban clanes y bandas con el nombre de lobo.

Luciérnaga

Mensajeras del mundo espiritual. Y señal de que un espíritu rondaba cerca.

Maiyunahu´ta

Apelativo que se atribuía generalmente a los guardianes de los espíritus cheyenne.

Manitou

Nombre de origen algonquiano utilizado genéricamente para designar el espíritu o alma de todas las cosas de la naturaleza, ya sea buenas o malas, que fue adoptado por muchas tribus norteamericanas.

Especie de dios total o divinidad suprema en la mitología ojibwa.

Mapache

Es un buen signo, protector e inteligente; usado para combatir la escasez de comida y como ayuda en la caza. Si un indio llevaba este nombre significaba que era un hombre en quien se podía confiar.

Mariposa

Considerada un animal muy espiritual, señalaba la presencia de los buenos espíritus. Símbolo de cambios, armonía, belleza y paz.

Medicina

Objetos sagrados pertenecientes a un individuo o a un clan, que le conferían fuerza espiritual o física y que solían llevarse siempre encima, cerca de la piel, dentro de una bolsa. Perderla garantizaba desgracias propias y en el entorno.

Michabo

La Gran Liebre, deidad principal de los algonquianos. En los relatos de los viajeros más antiguos lo encontramos descrito como el rey de los vientos, el inventor de la escritura pictórica, e incluso creador y guardián del mundo.

Cogiendo un grano de arena del lecho del océano, hizo de él una isla que lanzó a las aguas primitivas. La isla creció rápidamente a un tamaño tan excesivo que un joven lobo que intentó cruzarla murió de vejez antes de acabar el trayecto. Se suponía que una gran sociedad «médica», llamada Meda, fue fundada por Michabo.

Muchas fueron sus invenciones a favor de los humanos. Observando a la araña tejer su tela, inventó el arte de tejer las redes para pescar, y proporcionó al cazador muchos signos y amuletos a emplear durante la caza.

Algunos creían que moraba en una isla en el lago Superior, otros que vivía en un iceberg en el océano Ártico, y otros más en el firmamento, pero la idea predominante era que su hogar estaba en el este, donde surge el sol en las orillas del gran río Océano que rodea la tierra seca.

Se le denominó la Gran Liebre por confusión, porque la raíz wab, de la palabra algonquiana «liebre», también significa «blanco», y de ella derivan las palabras «este», «amanecer», «luz» y «día».

Al proceder sus nombres de la misma raíz, se confundió la idea de amanecer con la de liebre. De hecho, Michabo era el espíritu de la luz y, como el amanecer, traedor de los vientos.

Como señor de la luz, también se convirtió en el creador del relámpago y permanece en constante conflicto con su padre el viento del oeste.

Mofeta

Un mal signo repleto de malos augurios y..., olores. Traía conflictos, enfermedades y mala suerte. Relacionada con la maldad y los poderes negativos.

Mosca

Tendremos que poner a estos insectos dentro del mismo cajón que las cucarachas. Usada para transmitir enfermedades y pestilencia a otras tribus.

Mutsoyef

Héroe místico que introdujo la mayoría de los rituales cheyenne, especie de chamán.

Nagaitcho

Personaje mitológico entre los indios kato, que con la ayuda del Espíritu del Trueno creó el cielo.

Nanabozho

Dios del fuego y la tierra, protector de los animales e hijo del dios del viento, Gaoh y de su esposa Awenhai.

De acuerdo con el mito, Nanabozho y su hermano Manitu, eran enemigos antes incluso de nacer, y ya combatían en el útero de su madre.

Negakfok

Para los inuit, espíritu principal del frío representado mediante una máscara de madera con las facciones tristes.

Niltshi

Viento que condujo al pueblo navajo hasta la Tierra desde su originario mundo paralelo.

Noohlmahl

Espíritu del invierno, es también el apelativo destinado a describir a los locos entre los indios kwakiutl.

Nutria

Un buen augurio, representa felicidad, belleza, buena suerte y salud.

Ohdows

Duende o espíritu de la naturaleza entre los indios iroqueses que vigila que ningún ser maligno llegue a la Tierra desde los otros mundos, habitualmente situados, si son hostiles, en las profundidades del planeta.

Ohoyo-osh Chishba

Espíritu femenino del maíz y las cosechas para los indios chibcha.

Osa Mayor

Diversas tribus indias de Norteamérica, como algonquinos, iroqueses o kootenay, ya identificaron antes esta constelación con la figura y el nombre de un oso.

Mientras que otras tribus, los narragansett e illinois, por ejemplo, consideraron que el oso era la propia estrella Polar.

Por tanto, cada tribu tenía su propia creencia acerca de la Osa Mayor.

Oshadagea

La «gran águila del rocío», servidora de Hino para los iroqueses.

Habita en el cielo del oeste y lleva en el hueco de su espalda un lago de rocío.

Cuando los espíritus maléficos del fuego destruyen sobre la tierra toda clase de verdor, Oshadagea emprende el vuelo y, desde sus alas desplegadas, la humedad benéfica va cayendo gota a gota.

Oso

El oso es siempre un buen signo, de valor y de poderes especiales. Representa sabiduría, intuición y poderes curativos. Si los indios veían un oso por el bosque o por un río creían que esa zona era sagrada y estaba habitada por buenos espíritus.

Pájaro carpintero

Símbolo de salud, buena suerte y felicidad. Los indios tenían la costumbre de que cuando oían a un pájaro carpintero golpear con su pico un árbol, daban tres palmas y pedían un deseo.

Pah

Nombre dado al espíritu de la luna en las aldeas de los skidi pawnee.

Pantera

Un mal signo para algunas tribus y bueno para otras. Las que lo consideraban mal augurio pensaban que eran perseguidos física y mentalmente por el enemigo. Las tribus que lo consideraban bueno pensaban que era signo de buena caza y de protección contra el enemigo.

Pavo

Signo de arrogancia y autoestima. Si un indio veía un pavo antes de la llegada de un visitante significaba que esta persona era nerviosa, arrogante e indecisa. Las plumas de pavo eran altamente valoradas en los regalos ceremoniales.

Peyote

Hierba alucinógena que se utilizaba en algunos rituales entre las tribus de la baja California.

Pinga

Para los inuit, era una diosa de la caza, de la fertilidad y de la medicina, la «madre de los caribús» (renos) y de los esquimales caribús, para quienes el reno representa el elemento más importante de la alimentación. Pinga era considerada como la protectora de los animales terrestres y velaba porque se respetaran las leyes ancestrales de la caza.

Pueblo

Nombre genérico que se daba a las tribus que vivían en casas de barro como los apache, los hopi o los zuñi.

Puerco espín

Usualmente trae mensajes relacionados con la cosecha o la caza.

Rana

Estos pequeños animales eran una especie de duendes para muchas tribus. Considerados como curativos y signos de fortuna, las ranas eran los mensajeros de la lluvia y conocedores del poder del agua.

Saltamontes

Es señal de problemas con la cosecha: sequía y calor.

Sedna

Diosa inuit de los infiernos, el mar y los animales marinos, es prácticamente el único relato esquimal de la creación.

Conocida también como Arnaknagas y como Una-Kuagsak, su hostilidad hacia los hombres se manifiesta mediante tormentas repentinas.

Según las tribus esquimales, vivía en las profundidades gélidas del océano Ártico. Hija de Anguta y Nerrivik, era una gigante con un solo ojo, tan horrible que el único que soportaba observarla era el Angakoq (chamán) de la tribu.

Senotlke

Monstruo en forma de serpiente e importante símbolo squawmish.

Sequoyah

Hijo de un alemán y una mujer india, creó el primer alfabeto de la lengua cherokee.

Serpiente

Primer animal simbólico en la cultura espiritual india, aún más importante que búfalos, lobos y águilas. Las serpientes poseían la sabiduría de la naturaleza, e igual que la naturaleza tenían buenos y malos poderes. Consideradas como protectores, animales medicina y de buena suerte.

Los indios les rezaban para pedir la curación de un ser querido.

Entre las muchas serpientes norteamericanas, hay algunas que destacan por sus características específicas dentro de la simbología general, como la serpiente toro, cuyos poderes eran usados contra otras personas, especialmente durante los juegos o retos; la cascabel de dos tipos, la blanca positiva y la cascabel negra, negativa, utilizadas especialmente para pedir buena caza, valor y protección; o la víbora, cuyo veneno en pequeñas dosis tendía los puentes entre el hombre y la naturaleza por la vía de los sueños o las visiones, también utilizada para pedir protección en la caza y enviada para matar a los enemigos; y la serpiente coral, símbolo profundamente negativo, aparte de ser una de las serpientes más venenosas.

Los nativos no podían matarla, sino sólo rogarle que se apartara de su camino. Especialmente usada contra posibles «amantes» de las parejas legítimas.

Sioux

Pueblo indígena de las Grandes Llanuras, miembro principal de la familia Dakota. Dos de sus grandes jefes, Caballo Loco y Toro Sentado, han pasado a la historia como participantes en la conocida batalla de Little Big Horn, donde murió el General Custer.

Sipapu

Túnel a través del cual la tribu zuñi alcanzó la superficie de la Tierra. Según la tradición de la mayoría de tribus, el hombre vivía en el subsuelo y llegó a la superficie a través de túneles y pasadizos que luego se cegaron.

Sutalidihi

Espíritu del sol en la mitología cherokee.

Takuskanskan

Misterioso poder móvil que acelera el fruto en el vientre y da movimiento a todos los seres vivos, participante en la creación del primer indio sobre la Tierra.

Tatanka

Nombre utilizado por los indios de los Apalaches para referirse al bisonte. Esta palabra tenía una especial significación para los primeros pobladores del continente, quienes al igual que se dice del bisonte, atravesaron el estrecho de Bering durante la última glaciación siguiendo quizá el rastro de su ancestral sustento, que no era sólo material, sino también espiritual.

Una vez muerto, el bisonte Tatanka pasaba a formar parte del Gran Espíritu (Manitú), representado en ocasiones como un descomunal y blanquísimo toro.

Taxet

Lugar donde van a parar las almas después de una muerte violenta para los haida.

Tcolawitze

Es el espíritu del fuego entre los hopi.

Tejón

Es un buen signo, de protección, pero puede ser también mal augurio. De él se obtenían medicinas y amuletos de protección contra los malos espíritus.

Tipi

La palabra «tipi» proviene del término lakota «lugar para vivir» («ti», vivir y «pi», lugar). El tipi, mayoritariamente empleado por los indios nómadas de las llanuras centrales, es uno de los hogares para acampar mejor concebidos desde el punto de vista de la habitabilidad, confort y adaptación a condiciones meteorológicas extremas.

La tienda, de piel tratada de búfalo, debía levantarse orientada siempre al este y era fácilmente desmontable; dos mujeres lo hacían en menos de dos horas.

Todas las partes y elementos del tipi tenían simbología mística: el suelo de la tienda representaba a la madre Tierra (creadora de vida); la cubierta, el cielo padre; cada poste del tipi representa el camino entre el hombre y el Gran Espíritu y entre la tierra y el mundo espiritual.

El espacio exterior del tipi es el dominio del Creador. Incluso su orientación al este no era fortuita, puesto que obedecía a factores utilitarios (ser despertado por el sol al amanecer) y místicos, se le ofrendaba cada mañana al sol un pequeño sacrificio y una oración a «los cuatro ancianos» (o las cuatro direcciones, los cuatro elementos...).

Tortuga

La tortuga tiene una simbología positiva, con poderes benignos. La tortuga era considerada sagrada entre muchas tribus norteamericanas.

Protectora de la salud. Muchas tribus no podían comer carne de tortuga al considerar que traía mala suerte.

Su caparazón era un buen regalo para pedir la mano de una mujer.

Tótem

Término algonquiano, que significa «la marca de mi familia», utilizado para definir los símbolos de los clanes o de personajes importantes, que tomaban la forma de animales, plantas o cualquier objeto fuera o no animado.

Tsul'Kalu

Ojos Sesgados, dios cazador de los indios cherokee, semejante a un ciervo. Es enorme y vive en la gran montaña Blue Ridge Range, al noroeste de Virginia.

Parece haber sido dueño de todos los animales para la caza como propiedad suya en el distrito.

Unktahe

El dios del agua entre los dakota era un astuto hechicero que dominaba los sueños y la brujería y mantenía una lucha constante con Waukheon, el dios Pájaro del Trueno. Es probable que su conflicto simbolizara los cambios atmosféricos que acompañan las diferentes estaciones.

Urraca

Una ayuda muy apreciada para grandes travesías. Las urracas avisaban a los indios de posibles peligros y/u obstáculos en el camino.

Wakinyan

En la mitología lakota, Pájaro del Trueno que vive en la cima de una montaña al borde del mundo donde el sol se pone. Él es muchos, pero ellos sólo son como Uno.

No tiene forma, pero tiene alas con cuatro articulaciones en cada una. No tiene pies, pero tiene enormes garras. No tiene cabeza, pero tiene un pico grande con hileras de dientes como los del lobo.

Su voz es el sonido del trueno y el batido de sus alas en las nubes causa los truenos. Tiene un ojo y su mirada es el relámpago.

Wakonda

Nombre sioux usado para definir el alma de todas las cosas, animadas o no. Por antonomasia, término aplicado al Gran Espíritu, también llamado Wakan Tanka.

Yanauluha

Nombre del primer chamán que ayudó a la tribu zuñi a llegar a la Tierra.

Zorro

Uno de los peores signos, mensajero de peligros, enfermedades y posiblemente de muerte. Algunos chamanes usaban el poder del zorro para ahuyentar a la muerte.

Mitos de Norteamérica

Tribus indias

La llegada del hombre a Norteamérica sigue llena de sombras, aunque según los restos arqueológicos que se han hallado por esas zonas se supone que fue hace 14.000 años.

Los geólogos coinciden en afirmar que el estrecho de Bering fue una franja de tierra por la que se supone que los primeros humanos, posiblemente mongoles, llegaron desde Siberia atravesándolo.

También parece que existe una relación entre los cráneos de los indios primitivos y los de los primeros habitantes del norte de China. Estos invasores, que poblaron la zona ártica, se conocen hoy como aleutianos, inuit o esquimales. Los que bajaron hasta lo que ahora se conoce como Norteamérica se denominan atapascanos. Más adelante, una rama de los atapascanos, los indios pueblo, descendería hasta el centro de América y poblarían Sudamérica.

Antes de que Cristóbal Colón llegara al continente americano, la población indígena de Norteamérica era de cinco millones de habitantes, pero a finales del siglo XIX la población indígena apenas censaba unos 250.000 individuos.

En el mismo periodo, la población no autóctona alcanzó los 75 millones de seres. Este crecimiento brutal trajo como consecuencia la usurpación del territorio a las diferentes tribus indígenas y destruyó tanto el equilibrio económico como las tradiciones de estas tribus.

La llegada de los europeos a esta tierra afectó sin ningún tipo de duda la supervivencia de sus habitantes originales y comportó la aniquilación de muchas tribus y la desaparición de las formas de vida de estos pueblos.

Después de la Segunda Guerra Mundial, empezó a reconocerse y estudiarse el carácter multicultural de Norteamérica. Se despertó el interés por la artesanía nativa y en los últimos tiempos se está produciendo una demanda mundial de información y un profundo interés por conocer el mundo cultural y místico de las diferentes tribus.

TRIBUS DE LAS GRANDES LLANURAS

Zona situada entre la cuenca de los ríos Misisipí y Missouri, entre las Montañas Rocosas, las Colinas Negras de Carolina del Sur hasta las provincias canadienses de Alberta y Saskatchewan. En pocas palabras, una extensión de cerca de dos millones de kilómetros cuadrados. Es el corazón de EE.UU. Como nómadas, vivían en tipis.

Las principales tribus eran Apache, Apache Kiowa, Apsaroke Crow, Arapajoe, Assiniboin, Pies negros, Blackfoot Piegan, Comanche, Cree, Cheyenne, Chippewa, Dakota, Hidatsa, Iowa, Kansa, Kiowa, Lakota, Mandan, Missouri, Nakota, Omaha, Osage, Pawnee, Shoshoni, Ute, Wichita.

Tribus de la meseta de la gran cuenca

Entre las Montañas Rocosas y la Sierra Nevada se extiende los actuales estados de Utah y Nevada, así como parte de Idaho y Oregón. Al ser un terreno montañoso y árido, la agricultura era muy pobre.

Las principales tribus eran Cayuse, Hupa, Modoc, Nez Percé, Paiute, Palouse, Shoshone, Spokane, Ute y Yana.

Tribus de la costa noroeste

Desde la Columbia Británica hasta la zona sur de Alaska, esta zona es rica en recursos naturales. Aparte de la caza, para la alimentación, estas tribus empleaban gran parte del tiempo en distintas expresiones artísticas que incluían cánticos, danzas y la construcción de espectaculares tótems de madera. La dieta básica era de pescado, y eran muy buenos pescadores.

Las principales tribus eran Alseano, Atapascano, Bella Coola, Coosano, Chemakum, Eyak, Haida, Kwakiutl, Kwalhioqua, Makah, Salish y Tlingit.

Tribus del sudeste

Costa del golfo de México y Florida. Indudablemente se trata de una región muy rica y los indios vivían fundamentalmente de la pesca y de los frutos silvestres como nueces y bayas. También del cultivo de la calabaza, maíz o frijoles. Esta apariencia de gente tranquila es falsa como pudieron comprobar las tropas españolas al mando de Ponce de León.

La verdadera razón de que muchas tribus fueran borradas del mapa no fueron las guerras contra los españoles, sino las enfermedades.

Las principales tribus eran Ais, Alabama, Apalachee, Atakapa, Biloxi, Caddo, Caluse, Catawba, Chakchiuma, Chatot, Cherokee, Chickasaw, Chitimacha, Choctaw, Creek, Cusabo, Hitchiti, Houma, Keys, Koasati, Lumbee, Mikasuk, Mobile, Muskogi, Natchez, Ofo, Seminolas, Tekesta, Timucua, Tocobaga, Tohome, Tunica, Tutelo, Yamasee y Yuchi.

Tribus del suroeste

La región suroeste abarca Nuevo México, Arizona, Utah, Nevada, Texas y algunas zonas de Colorado. A pesar de la aridez de esta comarca, la caza proporcionaba alimentos en gran cantidad como venados, conejos, palomas o codornices.

Las principales tribus eran Apaches Chiricahua, Apaches Jicarilla, Apaches Lipan, Apaches Mescaleros, Hopi, Hualapai, Laguna, Maricopa, Mohave, Navajo, Pecos, Pima, Ute y Zuñi. Los indios pueblo solían habitar poblados fijos de adobe y sus mitos y leyendas fueron innumerables.

Tribus del noreste

Región de los grandes lagos y la costa atlántica.

Las principales tribus eran Cayuga, Chippewa, Delaware, Fox, Illinois, Iroques, Huron, Miami, Micmac, Mohicano, Oneida, Onondaga, Séneca y Shawnee.

Tribus del Ártico

Tierra indomable de hielo y nieve. Los arqueólogos afirman que esta zona fue el primer contacto del nuevo continente con las tribus que vinieron de Asia. Al no haber agricultura, su base alimentaria era la caza y la pesca.

Las principales tribus eran Aleutianos, Inuit, Nesilik, Nunivak y Yupik.

Tribus del Subártico

Esta inmensa región va desde la península de Labrador hasta la bahía de Hudson y alcanza Alaska por el oeste. Unos cinco millones de kilómetros cuadrados de territorio con una fauna muy variada y cuya flora incluye desde la tundra hasta los grandes bosques de coníferas al norte o los bosques boreales al sur.

Las principales tribus eran Ahtna, Beothuk, Carrier, Cree, Haida, Ingalik, Koyukon, Kutchin, Naskapi, Ojibwa, Tanana, Tlinglit y Tutchone.

Tribus de California

En el siglo xviii, cuando los españoles construyeron la primera misión en San Diego, la población indígena era de cerca de 400.000 habitantes; era la zona autóctona más poblada. Al no tener que luchar con otras tribus para conseguir alimentos, por su abundancia y variedad, sus habitantes no eran muy belicosos.

Las principales tribus eran Achomawi, Diegueño, Chumash, Gabrielino, Hupa, Karok, Klamath, Luiseño, Maidu, Nisenan, Pomo, Serrano, Shasta, Tipai-ipai, Tolowa, Wintu, Wiyot y Yurok.

El diluvio universal de los indios

Coincidiendo con versiones bíblicas, mahometanas, aztecas, persas, galesas, griegas, asirias, hindúes o sumerias, también entre los indios pobladores de la América del Norte existen varias leyendas tradicionales que relatan la destrucción-reconstrucción del mundo mediante la inundación total producida por un diluvio.

Así, entre los hurones, el gran Padre de las Tribus Indias, junto con su mujer, su familia y animales, pudo sobrevivir en una enorme balsa a la inundación universal que duró varios meses.

Durante ese tiempo, los animales que había en la balsa constantemente se quejaban y crearon un gran desorden, por lo que, al posarse por fin en tierra firme, fueron castigados a no poder hablar nunca más.

Para la tribu mandal, el único superviviente fue Numochmochabah, un hombre blanco que lo superó gracias a una gran canoa cubierta. Tras el diluvio halló nuevas tierras al oeste, donde encontró gentes que se habían ocultado en túneles y que supieron del fin de la inundación enviando un ratón a la superficie.

También entre los sioux de Dakota y a través de leyendas tribales chickasaw, se habla de algunos supervivientes, una familia y dos animales de cada especie que superaron con canoas muy grandes una inundación que duró varias semanas hasta que se encontró tierra seca en el oeste.

Leyenda de la tribu chippewa

El coyote y las cataratas Shuswap

[Las cataratas Shuswap se encuentran en el río Shuswap, al sudeste de la Columbia Británica.]

Hace mucho tiempo, cuando el mundo era joven y fresco, antes del odio, la avaricia y la rivalidad, todos los animales y pájaros vivían juntos en paz y armonía.

La casa del coyote estaba en un bonito pero solitario lugar y no tenía a nadie con quien hablar, jugar, festejar ni bailar. Se encontraba tan solo que decidió invitar a todos sus amigos a una gran fiesta. Si se lo pasaban bien, como esperaba, les invitaría una vez al año.

Se puso manos a la obra y construyó rápidos en el río, que terminaban en una cascada. Luego fabricó un gran caldero de piedra con patas bajo él, que instaló sobre la cascada, y construyó una trampa para peces, también de piedra.

Al lado de la cascada hizo un asiento donde se podría sentar para ver cómo caían los peces en su trampa y eran cocinados en su caldero y donde podría hablar con sus amigos mientras contemplaban la celebración.

Cuando todo estuvo como él quería, las semillas de los abetos comenzaron a estallar.

Con esta señal el coyote supo que el primer salmón llegaba camino río arriba. Entonces llamó en voz alta a sus amigos para que vinieran a su fiesta. En todas las montañas y en todos los valles, sus amigos oyeron su voz.

«Escuchad, coyote nos llama. Vamos», dijeron.

Mientras venían, coyote reconoció las voces de sus amigos. Reconoció el rugido del oso grizzly, el aullido del lobo gris, el resoplido del alce, el canto del búho, el grito del águila y el murmullo del martín pescador. Estaba tan contento y tan excitado que corría sin parar, persiguiendo su propia cola.

Pronto, todos los animales y pájaros estuvieron reunidos al lado del río y se admiraron al ver las maravillas que el coyote había construido allí. Acamparon durante media luna al lado de los rápidos y de la catarata.

Cayeron salmones en la trampa del coyote, los cocinaron en su caldero, bailaron y se divirtieron con todos sus juegos, mientras el coyote charlaba, jugaba y olvidaba su soledad.

Cuando llegó la hora de terminar la fiesta, todos sus amigos le dieron un apretón de manos agradecidos y prometieron volver al año siguiente cuando los abetos florecieran. Todo el mundo se fue a su casa contento.

Esto sucedió hace mucho tiempo, pero los rápidos, la cascada, el caldero y la silla de piedra se pueden ver aún en el río donde el coyote los construyó para su gran fiesta. Y todas las primaveras se puede escuchar la invitación del coyote y las respuestas de sus amigos.

Leyenda de las tribus okanagan y shuswap

Canto sioux lakota

«Amigo Wikinkan,
es a ti a quien primero paso la pipa.
Al dar la vuelta, te la paso,
a ti que moras en la casa del Padre.

Al dar la vuelta, al día que llega.
Al dar la vuelta, a la belleza.
Al dar la vuelta,
cumplo con los cuatro cuartos y el tiempo.

Paso la pipa al Padre del cielo.
Fumo con el Gran Espíritu.

Que nuestro día sea azul».

Las decisiones de Nanabozho

¿Por qué los búfalos tienen joroba?

Hace mucho tiempo, el búfalo no tenía joroba. La obtuvo un verano por culpa de su crueldad con los pájaros.

Al búfalo le gustaba mucho correr por las praderas; los zorros corrían delante y avisaban a los animales pequeños de que su jefe, el búfalo, venía.

Un día el búfalo se dirigió hacia donde viven los pequeños pájaros que anidan en el suelo y estos pájaros avisaron al búfalo y a los zorros de que iban derechos hacia donde estaban sus nidos, pero nadie, ni los zorros ni el búfalo, les prestó atención.

El búfalo, corriendo alocado, pisoteó bajo sus pesadas patas los nidos de los pájaros e incluso cuando escuchó a los pájaros llorando, siguió corriendo sin parar.

Nadie sabía que Nanabozho estaba cerca, pero se enteró de la desgracia sucedida con los nidos de los pájaros y sintió pena por ellos. Corriendo, se plantó delante del búfalo y los zorros y los hizo detenerse.

Con su bastón golpeó fuertemente al búfalo en la espalda y el búfalo, temiendo recibir otro golpe, escondió la cabeza entre sus hombros. Entonces, Nanabozho le dijo:

«A partir hoy, tú siempre llevarás una joroba sobre tus hombros y agacharás la cabeza por vergüenza».

Los zorros corrieron para escapar de Nanabozho, escarbaron agujeros en el suelo y se escondieron dentro. Pero Nanabozho los encontró y también les castigó:

«Por ser crueles con los pájaros, siempre viviréis en el frío suelo».

Desde entonces, por su inconsciencia, los zorros excavan sus madrigueras en agujeros en el suelo, y los búfalos tienen joroba.

¿Por qué el puerco espín tiene púas?

Hace tiempo, cuando el mundo era joven, el puerco espín no tenía púas. Un día cuando el puerco espín estaba en el bosque, un oso quiso comérselo, pero el puerco espín trepó a la copa de un árbol y se puso a salvo.

Al día siguiente, cuando el puerco espín estaba bajo un espino blanco, sintió cómo le pinchaban las espinas y tuvo una idea.

Partió algunas ramas del espino blanco y se las puso sobre el lomo. Luego se fue al bosque y esperó al oso. Cuando el oso saltó sobre el puerco espín, el pequeño animal se enroscó como una pelota y el oso tuvo que marcharse porque las espinas le pincharon muchísimo.

Nanabozho vio lo que había ocurrido y le preguntó:

«¿Cómo sabías esa treta?».

«Siempre estoy en peligro cuando viene el oso, así que cuando vi las espinas, pensé que podría usarlas para defenderme», le respondió el puerco espín

Entonces Nanabozho cogió algunas ramas del espino blanco y le quitó la corteza, puso un poco de barro en el lomo del puerco espín, clavó las espinas en el barro e hizo que todo ello formara parte de su piel.

«Ahora, ve al bosque», dijo Nanabozho. El puerco espín obedeció, y Nanabozho se escondió detrás de un árbol.

Rápidamente apareció un lobo que saltó sobre el puerco espín y salió aullando de inmediato, huyendo a la carrera. También llegó el oso, pero evitó al puerco espín, temeroso de las espinas. Por eso el puerco espín tienen púas en la actualidad.

Leyendas de la tribu chippewa

La camisa moteada del cervatillo

Tawíyela estaba muy nerviosa y trastornada intuyendo el peligro escondido en las sombras de los cerezos silvestres y los retoños de sauce a lo largo del lecho del riachuelo.

Tachínchala, su bebé, acababa de nacer y el corazón de Tawíyela latía tan fuerte como un tambor de guerra, preocupada por él. Su esposo, Tájcha, también vigilaba, observando desde el acantilado para cuidar a su familia.

«¡Oh! Gran Creador, deseo sinceramente en mi corazón una manera de proteger a mi cervatillo recién nacido», suplicó la madre, mientras lavaba a su bebé con la lengua.

«Tú les has dado a todos los padres de las criaturas de esta tierra algún tipo especial de protección para sus bebés cuando nacen. El bebé del búfalo puede correr al poco de nacer y ocultarse entre sus padres y familia en el círculo interior seguro de la manada. Lo mismo sucede con los grandes alces, cuyas abuelas dan la alarma e incluso arrastran a los muy jóvenes hasta alcanzar la seguridad. Las ovejas tienen pequeños que puede correr al acantilado más alto tan pronto como nacen. Y el bebé del antílope es tan ligero de pies que puede huir con su madre del peligro casi antes de que ella termine de lavar su cara. Mi esposo y yo tememos por nuestro bebé, pues no tiene tales habilidades. Él y yo podemos correr y saltar huyendo de cualquier amenaza, pero nuestro hijo es débil y de patas tambaleantes, y no tiene fortaleza para salir corriendo. ¡Oh! Gran Creador de todas las criaturas, escucha nuestra súplica y danos alguna manera para salvar a nuestro hijo de quienes quieren convertirlo en comida», siguió la madre.

El Creador de todas las cosas detuvo lo que estaba haciendo y bajó a la tierra para ver qué podía hacer. Su corazón se había conmovido por las súplicas sinceras de la madre ciervo y decidió concederle lo que pedía.

Se apareció como un gran viento que ahuyentó a todos los depredadores escondidos en las sombras. Fueron enviados lejos para que no pudieran ver ni oír ni saber qué plan idearía el Creador para ayudar a la familia ciervo a proteger a su bebé.

Luego llamó a Tawíyela y Tájcha y se paró junto al pequeño Tachínchala, quien se acababa de caer sobre una mata de bayas.

«Este bebé ciertamente necesita ayuda», dijo el Creador.

«Traedme una piel de ante tan suave como una pluma de ganso, botes de pintura y también unas bolsas de pigmento en polvo», añadió el Creador.

El ciervo padre brincó entre los árboles para reunir todos los artículos que solicitaba el Creador, mientras la madre se quedaba guardando a su bebé.

Tájcha volvió y le ofreció con gran respeto al Creador lo que le había pedido, cantando conforme lo hacía una pequeña plegaria de agradecimiento:

«Pilámayaye, Wakán Tanka», cantó.

El Creador de todo el cielo y la tierra midió al bebé con su gran mano, cortó la mullida piel de ante al tamaño y le indicó a Tawíyela que cortara algunas tiras para atar los costados, mientras mezclaba los pigmentos cuidadosamente en las ollas.

Tomó un poco de negro del carbón de muchos fuegos, un poco de café de la tierra, un poco de blanco del saquillo del padre, añadiendo un poco de amarillo cremoso y una pizca de rojo sagrado.

Entonces, el Gran Pintor dio unos golpecitos con estas pinturas sobre la camisa del bebé. Cuando terminó, pidió a la madre que metiera la camisa sobre la cabeza del bebé para cubrir su espalda y sus costados.

«Aseguraos de que vuestros hijos vistan esta camisa de ahora en adelante», les dijo el Creador, «y decidles que se queden tranquilos donde les dejéis, sin moverse ni hacer ruido. Mientras obedezcan estas instrucciones estarán seguros, pues ahora son invisibles para quienes rondan el bosque, y no tienen olor alguno que los delate ante sus enemigos».

Y por eso el cervatillo viste una camisa moteada, para que no le vean hasta que es lo bastante grande y fuerte para que los lobos no se lo puedan comer.

Leyenda del pueblo lakota

Cómo nació el primer indio

Nació del amanecer y de la mujer. Al principio, la mujer, después de haber sido creada, estaba completamente sola en esta Tierra.

Esta mujer era bella y ningún hombre la había tocado. Entonces ella se encontró con un espíritu, con un poder de la Luna, que trabajó sobre ella y empezó a sangrar por primera vez.

Utilizó corteza y piel de conejo para contener el flujo. Después de encontrarse con este poder, y como el ciclo natural de la mujer había comenzado en ella, se fue a dormir.

Cuando la mujer se despertó a la mañana siguiente, sintió la urgencia de orinar. Apartó la corteza amarilla y la piel de conejo, y una pequeña gota de sangre de Luna cayó en la Tierra.

Mashtinchala, el conejo, se dirigió hacia aquella pequeña gota de sangre y comenzó a jugar con ella, golpeándola, dándole vida. El conejo hizo esto con ayuda de Takuskanskan, el misterioso poder que acelera el fruto en el vientre y da movimiento a todos los seres vivos.

Y al ser golpeada y llevada de un lado a otro, la pequeña gota de sangre empezó a tomar forma. Se formó como una pequeña tripa.

El conejo jugó un poco más con ella y empezaron a formarse brazos y piernas. El conejo le dio unas cuantas patadas más y de repente se formaron el corazón y los ojos. De esta manera, la gota de sangre comenzó a moverse por sí misma y se convirtió en We Ota Wichasha, el primer hombre.

Los cuatro mundos de los hopi

PRIMER MUNDO

El primero era el mundo en el que el Creador situó a los seres humanos. Mientras éstos vivieron en equilibrio y armonía, se les permitió residir allí.

Cuando rompieron la armonía con el Espíritu, éste decidió efectuar una depuración, por lo que los que estaban dispuestos a seguir el camino sagrado, fueron enviadas a la Tierra para protejerles.

Se escondieron en el Gran Cañón, zona de emergencia, un hoyo que se adentra en el suelo del que nadie conoce la profundidad que tiene. Se dijo a los moradores del primer mundo que bajasen al hoyo llevando comida, para permanecer allí seguros mientras durase la depuración.

Entonces, el Creador hizo que los volcanes entraran en erupción, con gran efusión de rocas y gases que se extendieron sobre la tierra y mataron a todos los que no se habían escondido en el refugio que el Creador les había prescrito.

SEGUNDO MUNDO

Una vez terminada la depuración, salieron y repoblaron la Tierra. Era el segundo mundo. Sus habitantes vivieron en él durante más tiempo que el primero. Pero volvieron a perder su equilibrio.

Creyeron que ya conocían todas las respuestas, y dejaron de escuchar al Espíritu. El Creador consideró que había llegado el momento de una nueva purificación y pidió a los guardias espirituales que protegían los Polos Norte y Sur que abandonaran sus puestos y dejasen a la Tierra girar libremente.

Y la Tierra giró libremente, los vendavales azotaron el planeta y extensos campos de hielo se extendieron sobre él. Fue una depuración muy intensa.

Tercer mundo

En el tercer mundo, los seres humanos poblaron casi toda la Tierra, pues habían conquistado unos conocimientos y aptitudes muy superiores. Construyeron grandes ciudades y máquinas capaces de hacer cosas diversas, incluso máquinas que podían volar. Emprendieron guerras entre ciudades, y establecieron límites en la tierra y declararon que determinadas parcelas pertenecían a una persona o tribu. Inventaron el cristal y lo utilizaron con objetivos destructivos. Descubrieron también rayos capaces de destruir.

El Espíritu presenciaba todo esto con pesar y volvió a sonar la hora de la depuración. En esta ocasión, hizo que las aguas de los océanos se desbordasen y cayeran grandes diluvios del cielo.

Entonces, los llamados a sobrevivir (un hombre con sus dos hijos y sus familias) se sumieron en un estado de animación suspendida y, encerrados en el interior de largos tubos huecos, flotaron sobre las aguas hasta que éstas se retiraron.

Los dos hijos y sus familias deseaban seguir la senda del Creador, por lo que a uno de ellos se le encomendó que viajara al este y repoblara la Tierra, mientras que el otro se dirigió al oeste. El que siguió el camino del oeste fue el primer hopi. El que se trasladó al este fue llamado el Verdadero Hermano Blanco.

Una vez establecidos en sus tierras, guiados por la estrella azul Kachina, los hopi aguardaron la llegada del Verdadero Hermano Blanco. Llegaron los españoles, y les preguntaron:

«¿Sois vosotros el Verdadero Hermano Blanco?».

Pero los españoles replicaron:

«¿Dónde está el oro, dónde está el hierro amarillo?», y los hopi supieron que no lo eran.

Cuando llegaron los otros europeos, los hopi les preguntaron lo mismo, pero aquellas gentes sólo deseaban ir a California porque allí es donde está el oro.

En las lápidas de piedra de los hopi se predecía que primero llegarían gentes acompañadas de extraños animales tirando de cajas (vagonetas), que más tarde las cajas se moverían por sí solas (trenes y automóviles), y que se extendería un hilo plateado a través de la tierra que fue la carretera 66.

Se anuncian también telas de araña en el cielo a través de las cuales la gente podría hablar (líneas telefónicas), y que el águila caminaría sobre la luna. Cuando Neil Amstrong pisó suelo lunar y dijo: «El águila ha tomado tierra». Puede decirse que se cumplió la profecía hopi.

También se anunciaba que el pueblo hopi viajaría a un lugar donde se reúnen todas las naciones del mundo para convencerlas de que volvieran a las costumbres sagradas.

Representantes hopi fueron cuatro veces al edificio de las Naciones Unidas, pero no les permitieron dirigirse a la Asamblea General. Las profecías advierten que, si esto ocurría, la hora de la depuración será inminente.

CUARTO MUNDO

La cuarta depuración se producirá por la acción de los cuatro elementos: grandes inundaciones, los vientos más intensos nunca vistos, temblores de tierra y erupciones volcánicas.

Tierra, agua, fuego y aire participarán en el proceso de depuración, junto a otro elemento ajeno descrito como un pueblo de piel rojiza que llegará a esta tierra para conquistarla.

Cuando esto suceda, los hopi no deben salir de sus casas porque habrá una sustancia en el aire que los podría matar y se anuncia que, tras esta depuración, los supervivientes quizá conserven la religión que tenían o busquen una nueva, o incluso habrán evolucionado hasta tal punto que ya no necesiten religión alguna.

La humanidad no sobrevivirá al séptimo mundo.

Leyenda del pueblo hopi

El dios de los coyotes

Entre las gentes del lejano Oeste, los californianos y los chinook, una deidad digna de atención es el coyote. Kodoyanpe, el Creador para los Maidu, descubrió al mundo junto con el coyote, y con su ayuda hizo que fuera habitable para la humanidad. Los dos moldearon al hombre de unas pequeñas imágenes de madera, pero los maniquíes resultaron ser inadecuados para sus propósitos, y los convirtieron en animales.

Las intenciones de Kodoyanpe eran buenas, y como todo le salía mal, llegó a la conclusión de que el coyote era el culpable y decidió destruirle, aunque al lado del malhechor formaba un formidable ejército de monstruos y otras entidades malvadas.

Pero Kodoyanpe recibió el poderoso apoyo de un ser llamado el Conquistador, que libreró al mundo de monstruos y espíritus malignos que habrían resultado enemigos del hombre, quien no había nacido todavía.

El combate duró siglos y Kodoyanpe fue derrotado por el astuto coyote, pero éste había enterrado muchos de los maniquíes de madera que creó al principio y éstos salieron de las profundidades dando origen a la raza india.

Mito del día y la noche, la luz y la oscuridad, Kodoyanpe es el Sol, el espíritu del día, que después de una lucha diurna con las fuerzas de la oscuridad, vuela hacia el oeste para refugiarse.

Coyote es el espíritu de la noche, animal de costumbres nocturnas que sale de su guarida al caer las sombras sobre la Tierra.

Otra versión del mito del coyote en California sugiere que al principio sólo estaban los desperdicios primitivos de las aguas, sobre las que navegaron Kodoyanpe y coyote en una canoa.

Coyote deseó que la superficie debajo de ellos se convirtiera en arena:

«Venía Collote. Llegó a Got'at. Allí se encontró con una gran ola. Temió ser arrastrado por ella, y se subió a unas peñas. Permaneció allí largo tiempo. Luego cogió un poco de arena y la arrojó sobre dicha ola. Esta será una pradera y no una ola, exclamó».

«¡Las generaciones futuras caminarán por esta pradera!». Y así se convirtió Clatsop en una pradera.

Sin embargo, entre las demás tribus, así como entre los chinook e italapa, el coyote es una deidad benefactora.

En los mitos de los indios shushwap y kutenai también figura como una entidad creativa, y en los cuentos folclóricos de los ashochimi de California aparece después de un diluvio y planta en la tierra las plumas de diversos pájaros, que según su color se convertirán luego en las distintas tribus.

Ofrenda zuñi

«Que nuestra Madre Tierra se envuelva
en una cuádruple túnica de harina blanca.

Que sea cubierta de flores de escarcha.

Que allá, en todas las montañas cubiertas de musgo,
los bosques se aprieten unos contra otros, de frío.

Que sus brazos sean quebrados por la nieve
para que la tierra permanezca así.

He esculpido mi báculo de oración
en forma de seres vivos».

Glooskap y Malsum

Una de las figuras más interesantes del panteón algonquiano es Glooskap, que
significa «el mentiroso», título que resulta ser un elogio de su destreza, porque la
astucia es considerada por los indios como una virtud.

Glooskap y su hermano Malsum, el lobo, eran gemelos, los opuestos de un
sistema dualístico: Glooskap representando lo que es bueno para el indio, y
Malsum, todo lo malo.

Su madre murió en el parto, y de su cuerpo Glooskap formó el sol y la luna, los
animales, los peces y la raza humana, mientras que el malévolo Malsum creó las
montañas, los valles, las serpientes y cualquier otra cosa que consideran como
una desventaja para la raza de los hombres.

Como cada hermano tenía un modo secreto de morir, Malsum preguntó a
Glooskap cómo podía perecer, y el hermano mayor, para probar su sinceridad,
dijo que la única forma de quitarle la vida era con el tacto de la pluma de un
búho, o, según otras versiones, con el de un junco floreciente.

Malsum, a su vez, confió a Glooskap que sólo podría perecer por el golpe de la
raíz de un helecho. El malévolo lobo disparó su arco, contra un búho y, mientras
Glooskap dormía, lo rozó con una pluma de su ala. Glooskap murió
inmediatamente, pero, muy a pesar de Malsum, volvió en seguida a la vida.

Pero Malsum decidió descubrir el secreto de su hermano y destruirlo a la primera
ocasión que se le presentara. Glooskap, levantándose riendo tras el intento

fallido, condujo a Malsum hasta el bosque y, sentándose cerca de un arroyo, murmuró, como si se hablara para sí mismo:

«Sólo un junco floreciente puede matarme», y lo dijo porque sabía que el gran castor estaba escondido entre los juncos en la orilla y podía oir lo que había dicho.

El castor acudió a Malsum y le contó lo que consideraba que era el secreto vital de su hermano, y éste se alegró tanto que prometió al traidor darle lo que quisiera. Pero, cuando el animal le pidió tener las alas de una paloma, Malsum se rió en sus bigotes y exclamó:

«Tú, con la cola como una lima, ¿para qué necesitas alas?».

El castor se enfadó y, acudiendo a Glooskap, le contó lo sucedido. Glooskap, muy enfadado, tomó la raíz de un helecho y golpeó con ella a su hermano traicionero, matándole en el acto.

Historia del primer «atrapasueños»

Hace mucho tiempo, un viejo líder espiritual lakota tuvo una visión cuando estaba en la montaña. En ella, Iktomi, el gran maestro bromista de la sabiduría, se le aparecía en forma de una araña hablando con él en el lenguaje secreto que sólo los líderes espirituales de los lakota sabían entender.

Mientras hablaban entre ellos, Iktomi tomó un trozo de madera del sauce más viejo al que dio forma redonda y adornó con plumas, pelo de caballo, cuentas y adornos, tras lo que empezó a tejer una tela de araña.

Hablaron de los círculos de la vida, de cómo empezamos la existencia como bebés y alcanzamos la niñez y después la edad adulta, para llegar finalmente a la vejez, cuando volvemos a ser cuidadosos, como cuando éramos bebés, completando así el círculo.

Iktomi hablaba mientras iba tejiendo su red desde el exterior hacia el centro. Cuando terminó de hablar, le dio al anciano lakota la red y le dijo:

«Mira, la telaraña es un círculo perfecto, pero en el centro hay un agujero, úsala para ayudarte a ti mismo y a tu gente, para alcanzar tus metas y aprovechar las ideas de la gente, sus sueños y sus visiones. Si crees en el Gran Espíritu, la telaraña atrapará tus buenas ideas y las malas se irán por el agujero».

El anciano lakota transmitió su visión a su gente y ahora muchos indios usan el atrapasueños que cuelgan encima de las camas, en su casa, para separar sus sueños y visiones: lo bueno de los sueños queda capturado en la telaraña y se incorpora a su experiencia, mientras lo malo escapa por el agujero del centro y ya nunca será parte de ellos.

Los lakota creen que el atrapasueños encamina su futuro.

El gran montículo de la serpiente

En América del Norte no existe nada que pueda llamarse monumento indio, a excepción de varios grandes montículos que se encuentran en diferentes lugares del país. Se trata de acumulaciones de tierra y piedras de diferentes tamaños, que se utilizaron para enterrar a los muertos.

Están localizados principalmente en los valles del Ohio y el Misisipí y, aunque muchos de ellos tienen forma de pirámide, los más extraordinarios están moldeados como serpientes, águilas, zorros, osos, alces, bisontes y también con la forma de seres humanos.

Estos montículos con efigie, únicos en el mundo, sólo pueden ser apreciados adecuadamente desde el aire y bajo ellos se han descubierto miles de esqueletos humanos.

El más célebre de todos es el de la serpiente, en el condado de Adams, Ohio, un sinuoso terraplén de casi un metro de altura que reproduce el cuerpo de una serpiente, datado en el siglo I a. C., y que mide más de 400 metros de longitud. La serpiente tiene la boca abierta, y aparece en la actitud de comerse un huevo. En las leyendas amerindias, la serpiente solía representar el poder fecundador del agua.

Los indios y la guerra

El objetivo de las guerras raramente consistía en la aniquilación del enemigo, sino que el botín era lo más importante: caballos, esclavos, mujeres, niños...

La parte más importante del enemigo era su cabeza aunque otros trofeos de guerra muy valorados en algunas tribus, como la cheyenne, eran los testículos. Sin embargo, la cabellera era una forma muy práctica de indicar el triunfo sobre el adversario, porque era fácil de quitar, pesaba poco y podía ser un adorno.

La operación de cortar la cabellera, aunque dolorosa, no era mortal en casi ningún caso y está bien documentada. La parte que se arrancaba era circular y estaba situada justo debajo de la coronilla.

La práctica de cortar cabelleras se difundió rápidamente debido a las recompensas que daban los gobiernos coloniales a cambio de las cabelleras de los indios hostiles a ellos. Es una costumbre guerrera que erróneamente se atribuye a los indios, pero que había sido importada de Europa.

Los guerreros indios se preparaban para las expediciones y las batallas mediante la ingesta de destilados y la celebración de numerosos rituales, danzas con gran exhibición de fortaleza física y agilidad al ritmo de tambores, mientras recibían las admoniciones salmodiadas del chamán de la tribu y cantaban alabanzas al Gran Espíritu, que les prometía la inmortalidad o un futuro de eternas cabalgadas por las inmensas praderas del cielo.

La preparación para la lucha formaba parte, pues, del terreno de la mística y frecuentemente era considerado inviable entrar en combate sin la pertinente preparación espiritual.

Entre las tribus del noroeste, las expediciones de guerra eran exclusivamente para conseguir esclavos, aunque no dudaban en cortar cabezas si les planteaban problemas.

La palabra india para definir a un esclavo era «lugsh», cuya traducción era «llevar una carga». Tan profundamente estaba arraigado el concepto de esclavo, que en algunas tribus el comercio giraba en torno al mercado de esclavos.

Las armas básicas del guerrero eran un cuchillo, una maza y el mítico arco. También usaban lanzas, pero eran más parte de los atributos de los jefes. Algunas tribus llevaban una especie de armaduras echas con madera y cuero, pero normalmente vestían ropa ligera y el pelo largo recogido en una cola de caballo.

Si bien el arco era su arma principal, para el cuerpo a cuerpo preferían mazas y los tomahawk, una especie de hacha, que usaban con suma precisión.

La irrupción del arma de fuego en la cultura guerrera india relegó estas armas exclusivamente a los ceremoniales.

La creación según el pueblo apache

Los animales, el sistema solar y los fenómenos naturales son venerados por los apaches, para quienes lo que está más allá de su comprensión siempre se atribuye al mundo sobrenatural.

Al principio nada existía: no había tierra, ni cielo, ni sol, ni luna. Sólo la oscuridad estaba en todas partes. De pronto, de entre la oscuridad surgió un disco delgado, con un lado amarillo y el otro blanco, que apareció suspendido en medio de la nada.

Dentro del disco había un pequeño hombre: el Creador («el que vivía anteriormente»), sentado, como si despertara de un largo sueño, se frotó los ojos y cruzó sus brazos. Cuando parecía que nada iba a cambiar y que la oscuridad duraría para siempre, la luz apareció.

El Creador miró hacia abajo y surgió un mar de luz. Miró hacia el este y creó las líneas amarillas del amanecer.

Al oeste nacieron brochazos de innumerables colores, que pronto se esparcieron en sus infinitos matices, reflejados en las nubes.

El Creador recogió el sudor de su rostro con las manos y dejó caer gotas sobre una nube. Miró hacia abajo y en esa nube brillante comprobó que se hallaba sentada una muchacha, que era el fruto de su sudor.

«¿Qué haces ahí y de dónde vienes?», le preguntó, pero ella no contestó. Él frotó sus ojos de nuevo y le ofreció su mano derecha a la muchacha.

«¿De dónde vienes tú?», preguntó a su vez ella y asió su mano.

«Del este, donde ahora ya no hay vacío», contestó Él caminando sobre la nube.

«¿Dónde está la tierra?», volvió a preguntar ella, «¿dónde está el cielo?». Él inició un canto que decía:

«Yo estoy pensando, pensando, pensando lo que voy a crear».

Y lo repitió cuatro veces porque era su número sagrado. El Creador enjugó de nuevo el sudor de su cara con sus manos y dejó caer unas gotas. Ante él y la muchacha huérfana, se erguía también el dios Sol, que estaba de pie.

De las gotas que había dejado caer nació el pequeño muchacho. Los cuatro, reunidos sobre la nube, se pusieron a pensar qué hacer. La nube era demasiado pequeña para vivir los cuatro en ella eternamente.

Entonces, Él creó a la tarántula, a olla grande, el viento y a hacedor de relámpagos, y también algunas nubes hacia el oeste, para que en ellas pudiera morar este último. El Creador entonó un nuevo canto:

«Dejadme hacer la Tierra. Estoy pensando en la Tierra, en la Tierra, en la Tierra», repitiendo su canto cuatro veces.

Los cuatro dioses agitaron sus cabezas y el sudor de los cuatro se mezcló en las manos del Creador, entre las cuales se formó una pequeña bola de color marrón (como el barro) no más grande que un guisante.

El Creador la empujó con su pie y comenzó a crecer. La muchacha la empujó a su vez y la bola siguió creciendo. Sol y el muchacho empujaron con fuerza la bola y en cada ocasión la bola crecía y crecía.

El Creador pidió al viento que se introdujera en la bola para hincharla más y la tarántula tejió un hilo negro alrededor de la bola y, alejándose rápidamente hacia el este, tiró del cordón con todas sus fuerzas, y tejió otro cordón azul y corrió hacia el sur; uno amarillo y se fue al oeste; y uno blanco y se encaminó hacia el norte.

En cada ocasión volvía a estirar con todas sus fuerzas y en cada ocasión la bola creció hasta hacerse inmensa.

Así surgió la Tierra. Pero no había colinas, ni montañas, ni los ríos eran visibles. Sólo una inmensa llanura parda, sin árboles. El Creador frotó su pecho con sus dedos y nació un colibrí, el primer pájaro.

«Vuela en las cuatro direcciones y cuéntanos lo que veas», dijo el Creador.

Al volver, el colibrí exclamó:

«Todo está bien. La Tierra es hermosa y hay agua hacia el este». Así se creó este mundo.

Pero la Tierra aún no estaba terminada, por lo que crujía y temblaba a cada instante y el Creador construyó entonces cuatro inmensas columnas (una negra, otra azul, otra amarilla y otra blanca) para sujetar la Tierra al cielo.

El viento trasladó las columnas a los cuatro puntos cardinales y la Tierra comenzó a afirmarse. Pero el colibrí les advirtió que en cuatro días, el agua del este se desbordaría y un gran diluvio amenazaba con arrasarlo todo.

El Creador hizo un árbol muy alto y sobre el árbol la muchacha construyó un armazón de madera y tuvo lugar el diluvio. Cuando, a los 12 días, el agua retrocedió, descendieron todos y se pusieron a dar forma a las nuevas cordilleras, a los ríos, a los valles y colinas.

El Creador decidió dejar el mundo en las manos de los humanos y de algunos dioses, pero antes frotó con fuerza sus manos y sus piernas con las de la muchacha y del roce surgieron chispas que prendieron en un montón de madera, entregando a los humanos el primer fuego. Grandes nubes de humo se alzaron hacia el cielo. A una de ellas se subieron el Creador y la muchacha para alejarse de allí.

Otros dioses les siguieron por diferentes nubes de humo hasta dejar solos a 28 humanos para que iniciaran sus trabajos en la Tierra.

El dios Sol fue a vivir al este y cada día nos visita. Desde el horizonte del oeste la muchacha cumple constante su labor de vigía y olla grande todavía es visible cada noche en el cielo del norte, sirviendo de orientación para todos. Algunos le llaman la Osa Mayor.

Ioskeha y Taxviscan

Dos hermanos, Ioskeha y Taxviscan, o el Blanco y el Oscuro, eran gemelos y su abuela era la Luna. Cuando crecieron discutían violentamente el uno con el otro, y llegaron a las manos. Ioskeha utilizó como arma los cuernos de un ciervo, mientras que Taxviscan cogió una rosa salvaje para defenderse. Ésta resultó ser un arma inútil y, herido gravemente, Taxviscan huyó. Las gotas de sangre que perdió se convirtieron en pedernales.

Luego Ioskeha se construyó una tienda en el este lejano, y se convirtió en el padre de la humanidad y la deidad principal de los iroqueses, aniquilando a los monstruos que infestaban la Tierra, llenando los bosques de animales para la caza, enseñando a los indios cómo sembrar las cosechas y hacer fuegos, e instruyéndoles sobre muchas de las demás artes de la vida.

Dicho mito, más tarde, parece haber sido adoptado por los mohawk y los tuscarora.

La venganza del topo

El topo estaba en el bosque, construyendo una madriguera en la colina, cuando oyó los gritos de su familia. Bajó corriendo hacia su casa donde se encontró el bosque ardiendo y otras criaturas que huían le dijeron que coyote había provocado el fuego.

La familia del topo no había sobrevivido. El animal se enfureció tanto que hizo un voto de venganza contra todo coyote que se le acercara hasta el fin de sus días.

Aquel topo mató muchos coyotes durante decenas de años, ignorando las súplicas por la vida de sus bebés y cerrando los ojos a su dolor. En su vejez se encontró con uno de los que habían huido del bosque el día del incendio. El topo estaba ansioso por recoger más información, que daría a sus viejos huesos vitalidad nueva para proseguir con su brutal venganza, pero a medida que el arrendajo azul le contaba todo lo que había pasado, un sentimiento extraño se apoderaba de él. Enfermó y quería morir, porque no podía creer lo que estaba oyendo.

Más tarde, esa noche, cuando la abuela luna empezaba a levantarse, el topo expresó a gritos su agonía atronando el bosque. Clamó a la Madre Tierra, y ésta le contestó diciendo:

«Topo, has oído finalmente la verdad de la historia del coyote. El pobre animal se quemó vivo intentando salvar a tu familia del fuego que comenzó cuando un rayo hirió un árbol. A partir de este momento, serás cegado por la luz, tus orejas se pegarán a tu cabeza, y tendrás que soportar para siempre estos símbolos por tu necia sed de venganza».

Sedna, la hija del mar

Existió una muchacha muy joven y hermosa llamada Sedna, pero nadie quería casarse con ella cuando tuvo la edad para hacerlo.

Un día, vio desde su iglú un magnífico barco capitaneado por un apuesto y rico cazador extranjero, el cual se enamoró inmediatamente de la doncella y ella, seducida con palabras llenas de promesas de amor y tesoros, se marchó con el desconocido.

La muchacha cayó en una terrible desesperación al conocer la verdadera identidad del cazador, que no era más que un pájaro mágico que tenía la facultad de cambiar de forma y fue así como la sedujo. Mientras tanto su padre, al conocer la repentina desaparición de su hija, navegó a través del océano hasta que dio con ella.

Sedna estaba sola y aprovecharon para huir juntos, pero cuando el pájaro regresó y supo de la fuga de su amada, partió tras ella y desencadenó una rabiosa tempestad al ver que el padre se negaba a devolverle a Sedna.

De este modo, el anciano comprendió que era la voluntad sobrenatural del mar la que reclamaba a su hija y, aunque aterrorizado y pesaroso, hizo lo que debía hacer.

Lanzó a Sedna fuera del barco, al mar profundo, para consumar el sacrificio. Ella, en medio de su desesperación, salió a la superficie y trató de aferrarse a las bordas del barco, pero su propio padre le cortó los dedos con un hacha. Sedna hizo aún otro intento para salvarse, pero su padre siguió cortándole los dedos, uno por uno.

Los primeros dedos se transformaron en focas, otros en «okuj» o en morsas, y del resto nacieron las ballenas. El océano calmó al instante la furiosa tormenta tras el sacrificio y las olas quedaron en calma.

Desde entonces a Sedna es la reina de las focas, y vive en el fondo del océano Ártico «en una región llamada Adliden donde afluyen las almas de los muertos para someterse al juicio y a la sentencia que a todos nos espera en ultratumba».

Leyenda de los indios inuit

Sin Voz

Sin Voz era un misterio para la «gente de la medicina» de su tribu. No había hablado nunca.

Largos años de silencio habían convencido a su familia de que nunca pronunciaría una palabra. La niña sí oía y se podía comunicar por señales, pero todos habían perdido la esperanza de que llegara a cantar o alzar su voz en acción de gracias durante la ceremonia.

Era cierto que la niñez de Sin Voz había sido extraña. Nació bajo unos sauces donde su madre había ido a dar a luz y las primeras horas de su joven vida estuvieron cargadas de sucesos horribles, ya que el campamento de su tribu había sido atacado por el enemigo.

El padre de Sin Voz protegió a su hija y a su mujer, perdiendo su vida en ello.

Un día, en su séptimo invierno de vida, Sin Voz se puso enferma por haber comido algo malo y tenía náuseas. Avisaron al «hombre de la medicina» y, cuando Sin Voz sintió que su estómago se convulsionaba, pasó algo curioso.

Algunos sonidos salieron de sus tripas, a los que siguieron otros en los que los presentes reconocieron lamentos de personas heridas y temerosas.

El Hombre Sagrado sonrió al explicarles que cuando era una recién nacida había ahogado sus sonidos, sabiendo que, si lloraba, ella y su madre morirían.

Por fin, un dolor de estómago le había permitido vomitar su miedo y sanar. Sin Voz recibió un nombre nuevo al recobrar el habla: ahora se llama Sin Miedo.

El muchacho lobo

En un campamento kiowa vivían un hombre joven, su mujer y su hermano menor. Cada vez que el mayor se iba de caza, el chico subía a una colina cercana y se sentaba allí todo el día hasta que volvía. Una vez, antes de que el chico se fuera, como de costumbre, a la colina, su cuñada le dijo:

«¿Por qué eres tan solitario? Seamos amantes», pero él se negó para no ofender a su hermano.

Una noche, cuando todos se fueron a dormir, la mujer fue hasta donde el chico solía sentarse en la colina, excavó un hoyo muy profundo y lo cubrió colocando una piel sobre el agujero de manera que pareciese natural y nadie reparase en ello.

Al día siguiente, cuando el hermano mayor se fue a cazar, el menor partió hacia donde solía sentarse, cayendo en el agujero. La mujer subió a la colina y mirando dentro del hoyo, le dijo:

«Si estás dispuesto a ser mi amante, te dejaré salir. Si no, tendrás que permanecer aquí hasta que mueras».

«No quiero», contestó el chico.

Cuando el hombre regresó a su casa, le preguntó a su mujer por su hermano menor.

«No le he visto desde que te fuiste, cuando subió a la colina», dijo ella. Aquella noche, en la cama, el hombre le dijo a su mujer que le parecía oír una voz en alguna parte.

Ella le respondió que sólo oía a los lobos y él no durmió en toda la noche. Al ver que no aparecía, acabaron por entender que había muerto y todos le lloraron.

El chico, en el hoyo, lloraba y se moría de hambre. Miró hacia arriba y vio que un lobo retiraba la vieja piel. El lobo, tras enterarse de lo que había pasado, le ofreció sacarle a cambio de que fuera su hijo. Aceptó y pronto una manada de lobos cavaron hasta que pudo salir a rastras.

Como hacía mucho frío, se tumbaron a su alrededor y encima de él para darle calor e incluso, a la mañana siguiente, mataron a una cría de bisonte y se la llevaron y la despedazaron para que el chico comiera hasta hartarse.

Hasta le buscaron un cuchillo para que, en adelante, cuando los lobos matasen para el chico, él mismo despedazara la carne. Algún tiempo después, unos jóvenes de la tribu salieron a matar lobos y repararon en un hombre joven que andaba con la manada y al ver a los hombres salieron huyendo. El joven también huyó con ellos.

Al día siguiente, todo el campamento salió a perseguirles hasta que les dieron alcance y cogieron al muchacho, quien les mordió como un lobo.

Más tarde, su padre y su hermano le reconocieron y quisieron saber qué le había pasado, por lo que les contó la conjura de su cuñada y cómo los lobos lo habían salvado, viviendo ya desde entonces con ellos.

El lobo aulló a lo lejos y le dijo al joven que alguien debía ir en su lugar, que tenían que envolver a la mujer con tripa de bisonte y mandársela.

El padre y la madre de la joven se enteraron de lo que había hecho y le dijeron al marido que hiciera lo que el lobo les pedía, porque había obrado mal.

Así pues, el marido de la joven la atrapó, la envolvió con las tripas y la condujo a donde la manada había dispuesto. Todo el campamento salió a ver el acontecimiento, y el muchacho lobo dijo: «Dejadme llevársela a mi padre lobo».

A cierta distancia, se detuvo y aulló como un lobo, ante lo que acudieron lobos de todas partes. El chico le aulló a su padre:

«Ahí está la que querías tener en mi lugar», y la manada entera la despedazó.

Leyenda kiowa

El rapto de Shunka

Shunka gimió al sentirse empujada bruscamente dentro de un saco de piel. Apenas había despertado y sin embargo ahí estaba, asida por el cuello y secuestrada en la misma entrada de la guarida de sus padres.

Al principio pensó que seguía soñando dentro de la cálida cueva, acurrucada junto a sus hermanos y hermanas.

Ella siempre se había sentido bastante segura bajo las raíces del gran abeto.

Los retoños del árbol habían formado un círculo grueso a su alrededor, brindando un buen lugar para ocultar a una familia de cuatro cachorros peludos. Al menos eso es lo que los padres de Shunka esperaban.

Pero Shunka no estaba soñando. Sus padres habían ido de caza y habían dejado cerca a un tío para cuidar a los cachorros. El tío era muy joven y no tenía experiencia en estas cosas.

Se distrajo con una ardilla que corría por un tronco caído y, mientras tanto, una criatura extraña había venido al campamento de los lobos, atrapando a Shunka y a uno de sus hermanos. Los otros cachorros se ocultaron fuera de su alcance, al fondo de la guarida.

Shunka y su hermano fueron empujados y golpeados mientras eran cargados dentro de los sacos en las espaldas de las criaturas. Pasado un tiempo, Shunka se asomó por encima del hombro de la criatura de dos piernas y allí, frente a ella, contempló un panorama maravilloso.

En una pradera había un grupo de refugios altos como árboles formando un círculo, con las entradas orientadas al este, hacia el sol naciente.

Muchas criaturas de dos piernas salieron corriendo para saludar a las abuelas que volvían al campamento. Todo era un remolino de nuevas imágenes, de nuevos sonidos y olores inusitados pero maravillosos que saturaban el campamento.

Shunka sólo había conocido el olor de la guarida de tierra, el aroma lechoso y dulce de su madre, y más tarde, cuando sus pequeños dientes blancos habían brotado, el olor a la carne agria que su padre regurgitaba como desayuno para sus hijos todas las mañanas.

Por culpa de ese olor las abuelas habían encontrado la guarida. De repente, Shunka sintió que era depositada rudamente en el suelo. A su lado gemía su hermano, asustado y confundido.

«No te preocupes», murmuró ella, «nos tenemos el uno al otro. Yo permaneceré contigo. Di huká, no tengo miedo».

Pero les separaron y Shunka se fue a vivir con la abuela Unchí, la cual le habló suavemente.

«Toma», dijo la abuela cogiendo del fuego algunos pedazos de carne que olían muy bien, y dándoselos a la loba.

Tras lo que le dijo:

«Estoy muy complacida de haberte encontrado. Eres un gran regalo para mí. De ahora en adelante tendré a alguien que me ayude y una amiga para hacerme compañía».

Y así fue cómo Shunka fue separada de su familia como una winú, una prisionera, y forzada a vivir en la aldea de las criaturas de dos piernas por el resto de su vida.

Pero la abuela Unchí fue bondadosa con ella, y alababa y reconocía su trabajo.

Así que cuando Shunka tuvo su propia familia, ella llegó a ser una especie de hunka para los dos piernas, porque se convirtió en un pariente por elección, y todos sus hijos y sus nietos también lo fueron. Héchetu yeló. Eso es cierto.

Leyenda lakota

El origen de la medicina

Hace mucho tiempo un hombre se fue al bosque a cazar. Una noche, mientras acampaba, le despertaron un cántico y un sonido que parecían el batir de un tambor. Incapaz de dormir, se levantó y fue en la dirección del sonido, hasta que llegó a un lugar y vio con sorpresa que parecía habitado.

A un lado había un montón de grano, al otro una gran calabaza y tres mazorcas de maíz. No pudo entender el significado de su hallazgo y, curioso e inquieto, se fue a cazar determinado a volver algún día.

A la noche siguiente, cuando ya estaba a punto de dormirse, le despertó de nuevo el mismo sonido. Cuando abrió los ojos vio a su lado a un hombre que le estaba mirando, mientras se dirigían hacia él muchas personas.

«¡Cuidado! Lo que viste la noche pasada es sagrado y mereces la muerte», le dijo el hombre extraño.

«¡No! Vamos a perdonarle y compartiremos con él nuestro secreto. Dile para qué son el grano y la calabaza», clamó el pueblo que rodeaba al cazador.

«El grano y la calabaza son una gran medicina para nuestras heridas, le dijo el hombre. Vente conmigo y te enseñaré a prepararla y cómo se usa».

Le condujo a un lugar donde había un fuego y un matorral de laurel que parecía de hierro. En torno a él mucha gente bailaba, cantando y frotando las cáscaras de calabaza. «¿Por qué están bailando?», preguntó el cazador.

Como respuesta, uno de ellos cogió una lanza y se la clavó en la mejilla derecha, pero luego le aplicó una medicina y, rápidamente, la herida se curó. Otra persona blandió un bastón y se lo clavó en la pierna, para aplicarle luego una medicina que le sanó en el acto.

Durante todo ese tiempo, estuvieron cantando el cántico medicinal y se lo enseñaron también.

Luego le enseñaron cómo hacer la medicina, pero cuando el cazador se encaminaba hacia su casa, se dio cuenta de que los bailarines y todos los demás no eran seres humanos como había creído, sino que eran animales: osos, castores y zorros.

Pero, cuando se volvió hacia ellos, habían desaparecido.

De vuelta a su casa, siguió las instrucciones que le habían indicado, cogió una mazorca de maíz, extrajo el grano y lo pulverizó. Recordaba en qué medida la tenía que mezclar con agua de un manantial, de la corriente que mana, nunca de la corriente que va hacia abajo, se dijo repitiendo lo que había oído.

La medicina que hizo curaba las heridas al instante, tal como le habían demostrado, por lo que, durante muchos años, el hombre hizo la medicina y con ella curó a mucha gente.

Antes de morir, preparó la suficiente para que durase más de cien años. Este fue el origen de la gran medicina de los indios séneca.

Cada vez que el grano cambia su piel, hacen la medicina, entonando el cántico que el cazador oyó en sueños.

Cuando la medicina se aplica al paciente, el pueblo canta este cántico y frota la cáscara de la calabaza como acompañamiento.

Leyenda de la nación séneca

La creación para los indios omaha

En el principio todas las cosas estaban en la mente de Wakonda. Todas las criaturas, incluido el hombre, eran espíritus. Se movían en el espacio entre la tierra y las estrellas. Buscaban un lugar donde pudieran tomar una existencia corporal. Ascendieron hasta el sol, pero el sol no era adecuado para vivir en él.

Se trasladaron a la luna y vieron que tampoco era buena para hacer de ella su morada.

Entonces descendieron a la tierra y vieron que estaba cubierta de agua. Flotaron por el aire dirigiéndose hacia el norte, el este, el sur y el oeste, y no encontraron tierra seca. Estaban sumamente apenados.

De pronto, en medio del agua surgió una gran roca. Estalló en llamas y las aguas ascendieron por el aire en forma de nubes.

Apareció la tierra seca, crecieron las hierbas y los árboles. La muchedumbre de espíritus descendió y se convirtió en seres de carne y hueso.

Se alimentaron con las semillas de las plantas y los frutos de los árboles, y la tierra vibraba con sus expresiones de alegría y gratitud hacia Wakonda, el Creador de todas las cosas.

Leyenda omaha

La sonrisa nórdica

En las lejanas tierras nevadas de Canadá, se desarrolló la historia acerca de cómo un lobo se convirtió en el mejor amigo del hombre.

Cuenta la leyenda que, en aquellas montañas, vivía Skan (el cielo), el gran lobo gris plateado junto a su manada de lobos árticos, y también cuenta que todas y cada una de las especies convivían en paz y armonía.

Pero ocurrió que, con la llegada del hombre, la hermosura de aquellos paisajes vírgenes y la pureza de las aguas cristalinas empezaron a desvanecerse, mientras el hombre avanzaba apropiándose de todo lo que pisaba.

Una mañana en la que Skan buscaba una presa para llevar a su familia como desayuno, cayó en una de las trampas que los humanos habían colocado en el bosque y quedó malherido.

Cuando pensaba que ya no tendría salida, alguien le agarró del cuello, lo alzó hasta la grupa de su caballo mustang negro y lo salvó.

En efecto, los humanos le habían herido y un humano le había salvado, pero en el segundo caso se trataba de un joven indio de la tribu de los lakota, de piel rojiza y cabellos largos de color negro azabache.

Aquel muchacho lo rescató de una muerte segura a manos del depredador más temible, el ser humano, que odiaba a los lobos. Skan quedó muy agradecido a aquel joven por sus cuidados, y sintió en su corazón que algún día no muy lejano quizá podría devolverle el favor...

Así que, aquella noche, aulló a la luna llamando a la diosa Nokomi (hija de la luna), para que le concediera su deseo de devolver el favor a aquel muchacho indio. Ella le contestó que, para protegerle, debería aprender a sonreír, porque sólo así podría convivir en una comunidad humana sin que le tuvieran miedo.

Skan aceptó y, al día siguiente, despertó sintiéndose diferente. La mirada de sus ojos pardos había adquirido un brillo dulce color miel que emanaba ternura y sus dientes ya no parecían los de un lobo fiero y salvaje.

Ahora en su morro se dibujaba una hermosa sonrisa que desprendía simpatía y confianza.

Entonces fue cuando Skan se encaminó hacia la aldea de los lakota y una vez allí se dio cuenta de que la gente le trataba como a un dios y gritaban llenos de júbilo y alegría. Le pareció muy curioso que todos aquellos indios le sonrieran.

Decían, comentando entre sí, que el hermano lobo gris que sonríe habría venido al fin para proteger a su pueblo, y que se llamaba Nordic, el legendario lobo que según la profecía debía venir para salvarles.

Y así fue cómo Skan se convirtió en el fiel compañero y protector de la tribu de los lakota, donde pasó de ser un lobo gris a parecer un perro con bonita sonrisa, siendo así el pionero de las generaciones de nuestros actuales nórdicos.

Desde entonces, se dice que los perros nórdicos son poseedores de la más hermosa y sencilla de las sonrisas..., la sonrisa nórdica.

Seres fantásticos y dioses mitológicos
de Centroamérica

Achuykaak

Entre los mayas, dios de la guerra, de la destrucción y los sacrificios humanos, caracterizado por una raya negra o punteada que le cae sobre la mejilla y el ojo.

Su jeroglífico es una cabeza de perfil, con dicha raya negra o punteada sobre la mejilla.

Se le relaciona con el dios de la muerte, Ah Puch, en escenas de sacrificios humanos o se le ve incendiando casas con una antorcha en una mano, mientras que con la otra, armada de una lanza, las destruye arrojándolas al suelo.

Acolmiztli

Señor del inframundo, al que los aztecas llamaban Mictlan. Su nombre significa león fuerte, y en su honor el rey poeta de Texcoco, Nezahualcóyotl, se puso su nombre. También llamado Acolnahuacatl.

Acuecucyoticihuati

Diosa azteca de los mares, de los ríos y del agua que corre. Su representación es una mujer dando a luz, y se la considera una de las formas de Chalchitlicue.

Ah Mun

Joven dios del maíz, alimento fundamental entre los mayas, en frecuente lidia con el dios de la muerte, Ah Puch, señor del noveno infierno. A veces se le identificaba con Yun Kaax.

Aluxes

Duendecillos malévolos que vagan por los bosques y suelen penetrar en las casas de los campesinos mayas por las noches, según la leyenda.

Suelen sacudir a las hamacas de los durmientes para despertarlos, lanzar piedras y maltratar a los perros. Provocan fuertes calenturas y vómitos en las personas con sólo pasarles la mano suavemente por la cara.

Sólo se compadecen de quienes les regalan comida o les hacen ofrendas. En compensación, los protegen y cuidan de sus casas y sus milpas.

A quien atrapen robando los frutos de los huertos ajenos le propinarán una paliza y, por último, acabarán pegando en los gajos los frutos arrancados por el ladrón.

Los aluxes nunca duermen o, si lo hacen, mantienen los ojos abiertos. Un día un campesino maya descubrió a un alux por sorpresa. El campesino describió al aluxde la siguiente manera: «Es como un niño. Anda en alpargatas y sombrero y tiene un perro. Este último es muy pequeño».

La descripción terminaba así:

«Por las noches, cuanto todos duermen, dejan sus escondites y recorren los campos; son seres de estatura baja, muy niños, pequeños, pequeñitos, que suben, bajan, tiran piedras, hacen maldades, se roban el fuego y molestan con sus pisadas y juegos. Cuando el humano despierta y trata de salir, ellos se alejan, unas veces por pares, otras en tropel. Pero cuando el fuego es vivo y chispea, ellos le forman rueda y bailan en su derredor; un pequeño ruido les hace huir y esconderse, para salir luego y alborotar más. No son seres malos. Si se les trata bien, corresponden. Pero el caso es que alejan los malos vientos y persiguen las plagas. Si se les trata mal, tratan mal, y la milpa no da nada, pues por las noches roban la semilla que se esparce de día, o bailan sobre las matitas que comienzan a salir. Nosotros les queremos bien y les regalamos comida».

Bacabs o pauahtuns

Los cuatro dioses mayas que sostienen el cielo. Sus figuras se ven a menudo en los pilares de los templos sujetando el techo, que representa la plataforma de la tierra.

Suelen ser identificados con los cuatro puntos cardinales, un árbol (la ceiba sagrada) y un ave.

A cada uno de los cuatro dioses mayas que sostienen el cielo se le atribuía un color simbólico: blanco el del norte, amarillo el del sur, rojo el del este y negro el del oeste.

Biembienes

Seres salvajes y míticos en la República Dominicana, que se agrupan en clanes escondidos en las montañas. Viven desnudos y emiten gruñidos como único lenguaje.

Su aspecto es feo y desagradable, tienen el cuerpo enjuto, deforme y son de muy baja estatura. Dicen que son ágiles trepadores de árboles y barrancos y que atacan en grupos desordenados.

Aseguran las leyendas que estos hombrecitos de las cordilleras salen de noche de sus escondrijos a proveerse de alimentos en los conucos, y que como la ciguapa, dejan huellas al revés para que no se les descubra el paradero.

Se asegura que entre los biembienes hay algunos que comen carne humana obtenida por sacrificio. Se llaman «mondongos» y tienen el pelo rojo amarillento.

Añade la leyenda que cuando alguna persona se acerca al territorio de los biembienes, éstos lo espantan con gritos y alaridos amenazadores.

Brujas

La leyenda de las brujas en la República Dominicana es una herencia de Europa, que conserva los ecos de las creencias medievales.

Seres de la noche, mujeres de aspecto envejecido y tétrico, de alma perversa, que vuelan en escobas, o se convierten en aves de gran tamaño y revolotean sobre las casas, emitiendo graznidos espantosos.

Las brujas dominicanas se quitan la piel antes de volar, la ponen en remojo en una tinaja, y luego alzan el vuelo diciendo: «¡Sin Dios ni Santa María!», para acceder a las fuerzas más oscuras.

Aseguran los campesinos que cuando las brujas no vuelan por las noches, descansan bajo las matas de plátano de los conucos.

Las brujas succionan la sangre de los niños extrayéndola directamente del ombligo o del dedo gordo del pie, a través del peciolo hueco de una hoja de higuera.

Se cree que no atacan a los hijos de sus compadres, ni a los mellizos o gemelos. El proceso de atrapar a una bruja se conoce como «tumbar a una bruja», y los «tumbadores» son personas con cierto poder, que conocen las oraciones y los rituales especiales para este fin.

Dicen que cuando se atrapa a una bruja hay que esperar el amanecer, pues cuando sale el sol el encantamiento se rompe y se puede descubrir la identidad de la maligna mujer. Aseguran que cuando llueve y hace sol, en algún lugar escondido se está casando una bruja.

Camaxtli

Deidad de la guerra de los tlascalanas, que estaban constantemente en oposición a los aztecas de México. Él fue para los guerreros de Tlascala prácticamente lo que Huitzilopochtli para sus enemigos.

Estaba estrechamente identificado con Mixcoatl y con el dios de la estrella de la mañana, cuyos colores se reflejan en su cara y en su cuerno.

Camaxtli había sido un dios de la caza que en los últimos tiempos fue adoptado como dios de la guerra porque poseía el dardo del relámpago, símbolo de la destreza guerrera divina.

Centéotl

Es un grupo especial de dioses aztecas que presidían la agricultura, de los que personificaba cada uno de ellos alguna característica de la planta del maíz.

La diosa principal del maíz era Chicomecohuatl (siete serpientes), cuyo nombre aludía al poder fertilizante del agua, elemento que los aztecas simbolizaban por medio de la serpiente. Lo mismo que Xilonen, ella representaba el xilote o mazorca verde.

Chalchiuhtlicue

Diosa del agua de los nahualt que compartía su poder con su esposo Tláloc, ambos creados por los cuatro tezcatlipocas, hijos de la divinidad dual suprema.

Era representada a menudo con la pequeña imagen de una rana que llevaba alrededor del cuello un magnífico collar de piedras preciosas, de las que colgaba un pendiente de oro, y coronada con una diadema de papel azul decorada con plumas verdes.

Las cejas eran de turquesa, dispuestas como un mosaico, y su vestido era de un nebuloso color verde azulado, que recordaba el color del agua de los mares de los trópicos.

La apariencia de Chalchiuhtlicue se resaltaba con una aureola en la cabeza formada de flores marinas o plantas acuáticas y en la mano izquierda también llevaba una, mientras que en la derecha portaba un jarrón con una cruz en la parte superior, emblema de los cuatro puntos de la brújula, de donde viene la lluvia.

Su nombre significa señora del manto esmeralda y era venerada especialmente por los aguadores de México y todos aquellos cuyo trabajo tenía contacto con el agua.

Chiccan

Dios maya de la juventud o divinidad serpiente a quien corresponde el signo del día, es un dios joven al que se representa con una mancha como la escama de una culebra en la sien.

Su jeroglífico es una cabeza de perfil que lleva en la parte supra-posterior el signo de la serpiente.

Chac

El dios maya de la lluvia. Monstruo con cabeza de cocodrilo y las orejas grandes, que trae las lluvias y al que se considera un dios muy importante.

Los mayas del norte creían que este dios se retiraba a los cenotes y permanecía ahí toda la época de sequía.

La ceremonia del chac-chac, antes de plantar el maíz, se realizaba con el propósito de pedir al dios Chac que saliera del cenote para hacer su trabajo con las lluvias.

Suele aparecer multiplicado en chacs, divinidades que producen la lluvia vaciando sus calabazas y arrojando hachas de piedra. Las uo (ranas) son sus acompañantes y anuncian las precipitaciones.

Se le representa mediante una figura humana con los dedos de las manos alargados como los de la salamandra, con dos líneas negras paralelas y también por medio de curvas tras los ojos.

Chicomecóatl

Nombre que en lengua nahuatl significa «siete serpientes», es la diosa de las cosechas y de la subsistencia, que aparece en los códices con el cuerpo y el rostro pintados de rojo, y una especie de mitra de papel decorada con rosetones del mismo material. Adorno con el que también aparece en las esculturas, portando en cada mano una doble mazorca de maíz. Su culto es antiquísimo y era concebida como patrona de la fecundidad.

Cihuacóatl

Divinidad azteca, mitad serpiente, mitad hembra humana, que fue la primera mujer en dar a luz, considerada por ello protectora de los partos y, en especial, de las mujeres muertas al dar a luz, muy veneradas por los indios.

Ayudó a Quetzalcóatl a construir la presente era de la humanidad moliendo huesos de las eras anteriores y mezclándolos con sangre. Es madre de Mixcóatl, al que abandonó en una encrucijada de caminos.

La tradición dice que regresa frecuentemente para llorar por su hijo perdido, pero en el lugar sólo encuentra un cuchillo de sacrificios. En una leyenda, esta divinidad se aparece para advertir sobre la destrucción del imperio de Moctezuma, tomando después como nombre popular el de «la Llorona».

Coatlicue

La madre Tierra, divinidad azteca madre de Huitzilopochtli. Su nombre significa «la de la falda de serpientes». Diosa terrestre de la vida y la muerte, de apariencia horrible.

Era representada como una mujer que llevaba una falda de serpientes y un collar con los corazones arrancados a las víctimas de los sacrificios. Tenía los pechos flácidos y garras afiladas en manos y pies. Coatlicue era una diosa sedienta de sacrificios humanos. Su esposo era Mixcóatl, la serpiente de las nubes y dios de la persecución. Como virgen, alumbró a Quetzalcóatl y Xolotl.

Cosheenshen

Entre los nahuas mexicanos, cabeza que anda brincando separada del cuerpo, huele a piña y suena como una sonaja: los niños se la tropiezan y los perros la corretean, pero quien la toca se vuelve piedra porque es el diablo.

Coyolxsauhqui

Para los aztecas, hija de Coatlicue, hermana de los 400 centzon huitznahua a los que animó a perseguir y matar a su madre por el deshonor de su inesperado y sospechoso embarazo.

Al igual que sus hermanos, fue muerta en batalla por el dios Huitzilopochtli, que era precisamente aquel hijo sospechoso, quien le cortó la cabeza y la envió tan lejos que se convirtió en la luna.

El Jaguar, dios del sol

Para los mayas, es un dios que vive en los niveles más altos de cielo. Durante el día, él se encarga de trasladar el sol por los cielos con el nombre el nombre de Kinich Ahau.

Cuando el sol entra en la zona del inframundo, se convierte en el temible dios Jaguar.

Ek Chuak

Para los mayas, dios negro de la guerra, de los mercaderes y de las plantaciones de cacao. Dios de los caminantes, se le representa como un hombre con la cara pintada de negro, con los labios rojos y caídos y que tiene en la mano un bastón.

Este dios parece haber tenido un carácter doble y contradictorio; como dios de la guerra era malévolo, pero como dios de los mercaderes ambulantes era propicio. En el carácter negativo, se le suele representar con una lanza en la mano, a veces combatiendo o derrotado por otro dios de la guerra.

Es frecuente encontrarle armado de jabalinas y de lanza, tomando parte en la destrucción del mundo por el agua.

Como un dios favorable, aparece con un fardo de mercancías sobre la espalda, semejante a un mercader ambulante. También en algún caso se le ha mostrado con la cabeza de Xaman Ek, dios de la estrella polar y guía de los mercaderes.

Sus jeroglíficos son unos ojos rodeados por bandas negras o la propia cara del dios pintada de negro, o con dos líneas dirigidas hacia atrás desde el final del ojo.

Gucumatz

En la mitología maya, Gucumatz o Gucamatz es el dios de las tempestades. Creó vida por medio del agua y enseñó a los hombres a producir fuego.

Fue así mismo uno de los 13 dioses creadores que ayudaron a construir la humanidad en el último intento, a partir de maíz.

Según el libro sagrado Popol Vuh: «Solamente había inmovilidad y silencio en la obscuridad, en la noche. Sólo el Creador, el Formador, Tepeu y Gucumatz, los progenitores, estaban en el agua rodeados de claridad, ocultos bajo plumas verdes y azules. Vinieron juntos Tepeu y Gucumatz, en la obscuridad, en la noche, y hablaron entre sí, consultando entre sí y meditando; se pusieron de acuerdo, juntaron sus palabras y su pensamiento».

Entonces se manifestó con claridad, mientras meditaban, que cuando amaneciera debía aparecer el hombre».

Huehuetéotl

Es el dios viejo del fuego del centro de México.

Huión

Es el sol creador en la mitología de los indios aborígenes cubanos, que salía de su caverna para elevarse en el cielo y alumbrar a Ocón, la Tierra.

Por deseo de Huión, y tras un mágico conjuro, éste creó al hombre para que existiera quien le admirara y adorase esperando todos los días su salida y viese en él al poderoso señor del calor, la luz y la vida. Hamao fue el primer hombre.

Huitzilopochtli/Vislipuzli

Dios del sol, de la guerra y las tempestades, su culto es el dominante sobre el de todos los dioses de la mitología azteca, ya que los aztecas se consideraban como el pueblo elegido por el sol, encargados de garantizar su recorrido por el cielo y alimentándolo.

Su origen es oscuro, pero el mito referido a su llegada a este mundo es diferente por su originalidad y carácter. El nombre Huitzilopochtli significa «colibrí en la izquierda».

Hun Batz y Hun Chuen

Dioses del mono en la mitología maya. Eran los dos hermanos más viejos de los Gemelos del Héroe, que los convirtieron en monos mientras ellos se reconocían como dioses de los escribas.

Hunab Ku

Las fuentes escritas sobre la civilización maya mencionan a una deidad creadora llamada Hunab Ku, que significa «dios Uno».

De este dios Creador se dice que hizo al ser humano a partir del maíz, y parece un dios que reúne los grandes opuestos cósmicos y su dualidad se representa en un símbolo que plasma la permanente evolución del ser humano.

Hunab Ku representa la eterna batalla entre la ignorancia y la conciencia, de la cual el espíritu humano emerge y florece.

El hermoso símbolo gráfico de Hunab Ku evoca los procesos de polarización que conducen a nuevas escalas de valores, sistemas de creencias y filosofías en la constante búsqueda del conocimiento, la verdad y la evolución del ser humano.

Hurakan

Dios maya de las tempestades que fue, junto con Gucomatz y Tepeu, uno de los dioses que crearon la vida a partir de las aguas.

Dios de las tormentas según aparece en el libro Popol Vuh, donde se le denomina «corazón del Cielo».

Igú

Palabra yoruba usada en Cuba para designar algún espíritu malévolo.

Ix Chel/Chack Chel

Esposa de Itzamná, para los mayas es la diosa de fertilidad, el amor, los partos y la medicina. Como diosa del arco iris, lo es también de las tejedoras y, como la primera madre, es una diosa de la luna.

Ixtlilton

Apodado «el Negrito», era el dios mexicano de la medicina y la curación, por lo que se le consideraba a veces hermano de Macuilxochitl, el dios del bienestar y la buena suerte.

Llamado también Tlaltetecuin, es además el dios de las danzas, los festivales y los juegos. Hermano de Xochipilli.

Itzamná

Para los mayas, dios omnipotente y señor de los cielos. Es la divinidad más importante, el señor del día y de la noche. Suele aparecer como un dios cuádruple.

Es la única deidad suprema y puede abrir los portales del mundo de los espíritus y permitir el «itz» o sustento para que fluya en el mundo y sostener así a la humanidad.

A su carácter divino, debe agregarse su condición de héroe cultural, pues se le atribuye ser el inventor de la escritura y por consecuencia, dios de las artes y las ciencias. Entre algunas tribus, se le considera hijo de Hunab Ku, ser supremo y todopoderoso, con quien se le identifica unas veces y otras con el dios Sol, Kinich Ahau. Se manifestaba como mujer bajo el nombre de Ixchel.

Itzam Yeh

Para los mayas, pájaro celestial o hechicero bondadoso, que es el encargado de vigilar las puertas que conducen al otro mundo.

Ixbalanqué

En la mitología maya, hermano gemelo de Hunahpú, hijo del dios Hun-Hunahpú y la joven Ixquic. Se aventuró junto con su hermano a atacar a los señores de Xibalbá, equipados únicamente con sus cerbatanas, y Hunahpú fue muerto por un Camazotz en la casa de los murciélagos, pero posterioemente Ixbalanqué logró revivir a su hermano y ambos acabaron derrotando a los señores de Xibalbá.

Tuvo otros hermanos mayores, Hunbatz y Hunchouén. Esta historia, originaria de Guatemala, es desarrollada en la segunda parte del Popol Vuh, texto primordial de la literatura precolombina que desarrolla el conjunto de la cosmogonía maya.

Ixchel

Diosa de la Luna y de las artes femeninas, manifestación maya del todopoderoso Itzamná o esposa suya según versiones.

Su imagen es la de una vieja desdentada, con los pómulos hundidos y la nariz grande. Hostil para los humanos, aparece también siendo la personificación del agua como elemento de destrucción, de las inundaciones y los torrentes de lluvia.

Se la representa generalmente rodeada por símbolos de muerte y destrucción, con una serpiente retorciéndose sobre su cabeza y huesos cruzados bordados en su falda.

Ixtab

Diosa del suicidio. Los antiguos mayas creían que los suicidas iban directamente al paraíso y por ello adoraban a esta diosa especial que era la patrona de los que se habían privado de la vida ahorcándose.

En el Códice de Dresde aparece colgando del cielo con una cuerda arrollada a su cuello. Tiene los ojos cerrados por la muerte, y en sus mejillas, un círculo negro que representa la descomposición de la carne.

Ixtitlan

Es el dios azteca de la danza.

Iztaccihuatl

Es una montaña y una princesa mitológica azteca que se convirtió en diosa. Se enamoró de uno de los guerreros de su padre.

Juego de pelota

El juego de pelota mesoamericano era la expresión de la lucha diaria entre la noche y el día, entre Tezcatlipoca y Quetzalcóatl.

Las canchas para el juego tenían diversos tamaños, desde algunas con más de 150 metros de largo, como la de Chichén Itzá, hasta otras de pocos metros de extensión. Los jugadores usaban protectores en la cintura, manos y muslos, y en ocasiones llevaban máscaras, como se ve en algunas regiones de Oaxaca.

El ritual de este juego era importante, ya que simbolizaba el acontecer cósmico, la lucha entre los poderes diurnos y nocturnos; era la lucha constante entre los dioses que estaba acompañada con el sacrificio y la decapitación, tal como se ve en Chichén Itzá o se puede leer en relatos como el Popol Vuh'.

K'awil/Bolon Dzacab

Es el dios maya del poder real, de los reyes y el linaje divino. Aparece a menudo en los cetros que sostenían los gobernantes durante las ceremonias rituales y sus pies toman forma de serpiente.

Kinichkaakamó

Anciano dios maya al que se representa lujosamente ataviado y llevando en la nariz una voluta arrollada en espiral con círculos pequeños en su borde externo. Su jeroglífico es el del sol.

Kinich Ahau

El dios maya del sol, hasta que el astro rey desaparece al anochecer. Entonces se convierte en el todopoderoso y sanguinario dios Jaguar.

Kukulcán

Dios maya del viento al que se asocia frecuentemente con Chaac, el dios de la lluvia. El culto de Kukulcán, de origen tolteca, multiplicó las ceremonias religiosas, llenas de pompa y esplendor.

Los sacerdotes mayas, temidos y venerados, eran los maestros de toda ciencia, leían y componían los analtés o Libros Santos, predicaban y presidían los actos religiosos, asesoraban a los príncipes o soberanos y dirigían la vida civil y privada.

Cultivaban el conocimiento de la medicina y de las artes, curaban a los enfermos, intervenían en las bodas y las treguas de paz, vaticinaban el porvenir y conjuraban los espíritus. Usaban túnicas talares, blancas de algodón, y solían llevar el pelo en largas melenas teñidas con la sangre de las víctimas de los sacrificios.

Hoy mismo, desde lo alto de la pirámide de Kukulcán, que tiene más de 21 metros, la vista de las ruinas del Imperio Maya es asombrosa: enormes templos, complejas plataformas esculpidas, inmensas canchas para el juego de pelota y columnas salpican el paisaje hasta donde alcanza la vista.

Macuilxóchitl

Llamado también Xochipilli, sus nombres significan «cinco flores» y «origen de las flores». Es el patrón de la buena suerte en el juego.

Los zapotecas lo representaban con un gráfico que recuerda a una mariposa cerca de la boca y la cara coloreada parecida a un pájaro con el pico abierto y una cresta muy alta y erecta. La veneración de este dios estaba muy extendida.

Mapou

Es un gran árbol del folclore afro-haitiano, sede de los encuentros entre incontables razas de demonios.

Se dice que algunas noches se ve a través del tronco del mapou un resquicio de luz, señal de que los demonios hacen cónclave.

Metztli o Yohualticitl

La «Señora de la Noche» es la diosa azteca de la Luna (en nahuatl, metztli significa luna), que tenía dos aspectos. Uno de protección beneficiosa sobre las cosechas y promotora del crecimiento en general, y otro de portadora de humedad, frío y aires podridos, fantasmas misteriosos de la turbia media luz de la noche y su sobrecogedor silencio.

Mictlantecuhtli

El «Señor del Infierno» era el dios de la muerte y presidía el reino de la maldad y de las sombras, a donde acudían las almas de los hombres después de su muerte.

Está representado en las pinturas como un monstruo horrible con la boca enorme a la que caían los espíritus de los fallecidos.

Su horrenda morada se conocía como Tlalxicco (el ombligo de la Tierra), pero los aztecas por lo general creían que estaba en el lejano norte. Juntamente con su esposa Mictlancihuatl, ejercían su soberanía sobre los «nueve ríos subterráneos».

Se le representa como el esqueleto de un humano con una calavera con muchos dientes. Asociado con las arañas, los murciélagos y los búhos.

Mixcóatl

Dios azteca de la caza y su culto provenía, probablemente, del de una deidad de los otomi, aborígenes de México.

Su nombre significa serpiente de nube y esto dio origen a la idea de que Mixcóatl era la representación del torbellino tropical, lo que no es del todo correcto, pues el dios de la caza se identifica con la tempestad y los nubarrones, y el relámpago se supone que representa su flecha.

Como muchos otros dioses de la caza, se le dotaba de las características del ciervo o del conejo.

Cuando se le representa normalmente lleva un haz de flechas, para significar el rayo. Simboliza la Vía Láctea.

Nahuatl

La denominada «habla clara» era el idioma de los aztecas y actualmente es la lengua amerindia más extendida en México, donde lo siguen hablando casi un millón y medio de habitantes, la mayoría bilingüe con el español.

A esta lengua debemos en el español palabras como cacahuete, chicle, chile y chocolate.

Omacatl

Era el dios azteca de la alegría y la diversión. El nombre significa «dos juncos» y le veneraban principalmente los que vivían bien y los ricos, que celebraban espléndidas fiestas y orgías en su nombre.

El ídolo de la deidad se colocaba invariablemente en la cámara donde tenían lugar estos actos, y los aztecas consideraban una atroz ofensa si se representaba algo despectivo al dios durante la alegre ceremonia, o si faltaba algo imprescindible en aquellas reuniones.

Creían que si al anfitrión se le pillaba en algún descuido, Omacatl se le aparecería castigando al asustado huésped.

El ídolo de Omacatl tenía un agujero en la zona del estómago, donde se almacenaban provisiones como la pasta de maíz.

Se le representaba con la figura rechoncha, pintada de blanco y negro, coronada con una diadema de papel y con papeles de colores colgando.

Ometeotl

Nombre azteca para el gran dios que contiene la dualidad del universo: el tiempo y el espacio. Ometeotl es el Creador de todas las dualidades de la naturaleza: masculino y femenino, orden y caos, día y noche, materia y espíritu.

Se manifiesta en los elementos básicos del universo: fuego, aire, agua y tierra: cuando se manifiesta a través del agua es Tlaloc, la lluvia, que es rojo y está en el este; cuando se manifiesta a través de la tierra es Tezcatlipoca, la noche, que es negro y vive en el norte; cuando se manifiesta a través del aire es Quetzalcóatl, el viento, que es blanco y queda al oeste; cuando se manifiesta a través del fuego es Huitzilopochtli, la guerra, que es azul y viene del sur.

Era un dios antiguo, que no tenía templos, y casi desconocido por el pueblo pero muy nombrado en los poemas de las clases altas.

Esta dualidad, también llamados Ometecuhtli y Omecihuatl, se considera la pareja creadora de la especie humana.

Ometochtli

Venerado bajo la forma de un conejo, en México era el dios de la bebida y la embriaguez. Los dioses propios del pulque, bebida original mexicana, eran Patecatl, Tequechmecauiani, Quatlapanqui y Papaztac.

Eran considerados dioses del libertinaje y a ellos se sacrificaba a los borrachos.

Opochtli

Dios azteca que formaba parte del grupo de compañeros de Tlaloc, los tlaloques. Decían que era el inventor de las redes de pesca y también de un instrumento para matar peces llamado minacachalli.

Cuando le hacían fiesta los pescadores y la gente del agua, le ofrecían de comer y pulque, que ellos mismos utilizaban, así como maíz e incienso.

Peyote

Pequeño cactus sin espinas que contiene numerosos alcaloides, entre ellos la mescalina, que es un poderoso alucinógeno.

Tarda más de 30 años en alcanzar la floración por lo que, debido a su lento crecimiento y a la sobrerrecolección a que está sujeto, se le considera en peligro de extinción.

La parte superior del cactus que sobresale del suelo, también llamada corona, tiene forma de disco y es lo que se separa de la raíz y se pone a secar. Eso es lo que generalmente se mastica o se hierve en agua para elaborar un té psicotrópico. La dosis efectiva de la mescalina es alrededor del 0,3 al 0,5 g. (equivalente a 5 g de peyote seco) y la experiencia dura alrededor de 12 horas.

Desde la antigüedad, el peyote (del nahuatl «peyotl») ha sido utilizado por tribus nativas, como los huichol de México septentrional, para alcanzar un trance místico.

Pulque

Bebida alcohólica que fabricaban los aztecas a partir del jugo del maguey, obtenida de la fermentación de los jugos conocidos como aguamiel, concentrados en el corazón de la planta, antes de que salga la flor.

Durante la época prehispánica, el pulque era usado en ceremonias principalmente por los sacerdotes, para recibir mejor los mensajes que enviaban los dioses. El abuso del pulque (octli) estaba severamente prohibido.

La embriaguez era considerada «causa de toda discordia y disensión, como una tempestad infernal, que trae consigo todos los males», y sólo podían emborracharse los enfermos y los viejos. Se le recomendaba a mujeres cercanas al parto y lactantes.

El pulque se ha representado en relieves tallados en piedra por los nativos de México desde el año 200 d. C. El origen del pulque es desconocido, pero debido a que tiene una función primordial en la religión prehispánica, muchas leyendas explican su creación.

De acuerdo con las historias indígenas toltecas, durante el reinado de Tecpancaltzin, un noble llamado Papantzin descubrió cómo extraer el aguamiel de la planta de maguey; y a las personas que fabricaron el pulque se les denominó «tlachiquero» (del nahuatl «rasguño»), ya que tallaban las pencas de maguey para extraer su fino líquido.

Pukuj

Los tzotziles, los hombres murciélago, llaman al diablo Pukuj. En años recientes hicieron alianza con los tzeltales, choles y tojolabales para detenerlo.

Para los mayas de Chiapas, el demonio fue una inagotable fuente de leyendas, entre las que se encuentran la historia de los héroes de la cueva de la campana que mataron al demonio Pukuj, otra acerca de un hombre que hizo un pacto con Pukuj o el relato de un encuentro con el Anciano Hombre Rojo, que era en realidad el demonio Pukuj.

Quetzalcóatl

Conocido como «Serpiente Emplumada», fue el rey máximo de donde se originaron los troncos de los diversos reinos (toltecas, mexicanos o mayas).

Es considerado como la versión del mesías para los mayas y reverenciado en la mitología azteca.

Nace de un pedernal y fue engendrado por los dioses creadores, quienes le encargaron diferentes trabajos, como cargar el cielo o fundar dinastías.

Quetzalcóatl fue el Creador de los cinco soles o edades cósmicas de los hombres, dador de vida a costa de su sangre, como en el caso del maíz, ya que fue el que, junto con Tláloc, se lo arrebató a las hormigas para que los hombres se alimentaran.

Según la leyenda cayó en una trampa que le tendió Tezcatlipoca, quien le hizo beber varios tragos de pulque, supuestamente beneficioso para su salud, pero Quetzalcóatl, avergonzado por haber perdido su entereza y equilibrio, salió de Tollan, la capital tolteca, y fue al este hacia «el lugar de la quema», vaticinó su regreso y se incineró.

Sus devotos, para venerarlo, se sacaban sangre de las venas que están debajo de la lengua o detrás de la oreja y untaban con ella la boca de los ídolos. La efusión de sangre sustituía el sacrificio directo.

Segua

En Costa Rica, personaje de leyenda que se aparece a los borrachos. Según el relato presuntamente biográfico de un alcohólico:

«Los hombres trasnochadores y borrachos tenemos más probabilidad de topárnosla cuando venimos de la cantina pasando por trillos y cafetales. Bella como el girasol, de curvas pronunciadas y grandes senos, piernas torneadas como bizcocho de maíz, su cara por mi borrachera no se notaba muy bien. Al pasar junto a ella en mi caballo a las once de la noche, me pidió fuego para encender un cigarro, de inmediato saqué mis fósforos y al encender uno, miré su cara de yegua, con sus grandes dientes y sus ojos rojos y endemoniados, caí desmayado sobre mi caballo y permanecí cuatro días con la lengua trabada».

Siboney

De África, los esclavos llevaron a Cuba sus mitos religiosos y costumbres, y se creó en la isla una nueva mitología tras un fuerte proceso de sincretismo. En la mitología yoruba, Olofi es el dios, la paz, la divinidad y el ser supremo.

Es el dios infinitamente lejano e incomprensible que creó el universo. Posee Olofi tres entidades: el Creador, la ley universal; Olordumare que significa la sujeción a las leyes de la naturaleza, y Olorum (Orún), el sol, la fuerza vital o energía universal. Olorum es el signo de la vida, por tanto, el dueño de la luz.

Existe bastante similitud entre los mitos yoruba y siboney. En el yoruba, Orún (Olorum) es el sol y, en el siboney, Huión. En el yoruba interviene la Luna (Oxú), y en el siboney también (Maroya); en ambos engendran un hijo: Orungán en el yoruba e Imao en el siboney.

Uayeyab

Dios aciago del final de cada año, es un anciano con vestiduras mayas y la cabeza muy adornada.

Tecciztecatl

Llamado «el del caracol marino», acabó por ser el dios azteca de la Luna, pero pudo haberlo sido el sol aunque retrocedió ante la prueba, y en su lugar Nanahuatzin se convirtió en el astro del día.

Era hijo de Tláloc y Chalchitlicue. En algunos mitos, es homólogo del misterioso Tezcatlipoca, el cielo nocturno.

Tezcatlipoca

Confuso señor del cielo y de la tierra, fuente de vida, tutela y amparo del hombre, origen del poder y la felicidad, dueño de las batallas, omnipresente, fuerte e invisible. Portaba un espejo (su nombre significa espejo humeante), en el que se reflejaban los hechos de la humanidad.

Divinidad aérea, representaba el aliento vital y la tempestad y llegó a asociarse posteriormente con la fortuna individual y con el destino de la nación azteca.

Entre los toltecas, era un dios maléfico de la muerte, que descendió del cielo a la tierra valiéndose de una tela de araña, para destruir la obra de Quetzalcóatl, a quien se le apareció bajo el aspecto de un viejo que le ofreció el brebaje de la inmortalidad, pero éste era en realidad un buen trago de pulque.

En una de las leyendas nahuas de la creación, Tezcatlipoca y Quetzalcóatl crearon el mundo cuando existía sólo el océano primigenio donde únicamente vivía el monstruo de la tierra. Tezcatlipoca ofreció su pie como señuelo, y el monstruo de la tierra emergió y se lo comió.

Entonces, Tezcatlipoca y Quetzalcóatl se apoderaron de él, y lo extendieron para convertirlo en la tierra que conocemos. Su múltiples ojos se convirtieron en estanques y lagunas, y sus fosas nasales son la cuevas.

Se le representa con una franja negra en el rostro y en una pierna muestra un hueso expuesto donde debería estar el pie. Su animal es el jaguar.

Tianquiztli

La constelación de las pléyades era conocida como Tianquiztli, que significa «mercado», por los aztecas, que eran excelentes observadores del sol, la luna y los planetas.

Medían el tiempo de acuerdo con el movimiento de las estrellas y el sol. Su calendario estaba basado en ciclos de 52 años.

Observaban cuidadosamente el movimiento de las pléyades en el cielo para asegurarse de que el mundo no se iba a acabar.

Al final de cada ciclo, se celebraba una ceremonia religiosa para asegurar el renacimiento del sol.

Los aztecas creían que podían evitar que el demonio de la obscuridad descendiera a la Tierra y se comiera a los hombres, ofreciendo sacrificios humanos a los dioses.

Según el calendario azteca, fueron los dioses quienes crearon los días, los meses y los años. Dieciocho meses de 20 días componían este calendario solar con un total de 360 días buenos, más cinco días aciagos.

Tijean Petro

Malévolo dios haitiano, que hace presa en los niños indefensos oculto en el follaje de los cocoteros.

Tlahuizcalpantecuhtli

Dios azteca del colorido sonrosado de la aurora.

Su nombre significa «señor de la Estrella del Alba», y es la personificación del lucero de la mañana, el planeta Venus.

Tláloc

Dios azteca de la lluvia, padre de los tlalocs (nubes), que provocan los distintos tipos de lluvia. Su compañera es Chalchiuhtlique, diosa de las aguas marinas.

Vivían en un paraíso de aguas llamado Tlalocan, donde iban los que habían muerto en inundaciones, fulminados por un rayo o enfermos de hidropesía, que allí disfrutaban de una felicidad eterna. Se sacrificaban anualmente muchas doncellas y niños a Tláloc.

Si los niños lloraban, se interpretaba como buen augurio para la estación lluviosa. Era también dios de la fertilidad, representado como un hombre que usaba una red de nubes, una corona de plumas, sandalias de espuma y cargaba cascabeles que producían el trueno.

Tláloc descargó su cólera muchas veces sobre los aztecas y a menudo usaba sus rayos y relámpagos para enfermar a las personas.

Se dice que tenía cuatro diferentes jarrones de agua. Cuando vaciaba el primero, daba vida a las plantas, el segundo destrozaba las casas, el tercero traía el hielo y el cuarto será el que provoque la destrucción total.

Tlaltecuhtli

Señor azteca de la tierra, que con sus grandes fauces comía la carne de los muertos; a partir de ese momento, continuaban su camino lleno de peligros para llegar, finalmente, al Mictlán. Mictlantecuhtli y Mictlancihuatl eran la dualidad que se encontraba en el Mictlán, el noveno y más profundo de los niveles del inframundo.

Se les muestra a menudo descarnados y en ocasiones ricamente adornados.

Tlazoltéotl

La «devoradora de la porquería» es diosa azteca de la purificación de la enfermedad o el exceso.

También es diosa del parto y de la fertilidad, de la mujer madura y en reproducción; patrona de las parteras y de la medicina, diosa de la lujuria, el adulterio y la intensa pasión sexual. En contrapartida, es la que preside la confesión y la penitencia con los sacerdotes indígenas.

Es la diosa de la limpieza y recolección de basuras.

Tonatiuh

Dios del sol al que el pueblo azteca consideraba como el líder del cielo. También fue conocido como el quinto sol, debido a que los aztecas creían que fue él quien asumió el control cuando el cuarto sol fue expulsado del cielo.

De acuerdo con su cosmología, cada sol era un dios con su propia era cósmica y según los aztecas ellos aún se encontraban en la era de Tonatiuh.

Según el mito de la creación, el dios demandaba sacrificios humanos como tributo y si éstos se le rehusaban, él se movería a través del cielo para ocultarse.

Se dice que alrededor de 20.000 personas eran sacrificadas cada año a Tonatiuh y otros dioses, aunque otras fuentes consideran este dato exagerado.

Tulevieja

Personaje legendario en Puerto Rico, cuya mención sirve para asustar a los niños.

Se trataba en origen, según parece, de una viejecita que vivía cerca del río Virilla en una casucha destartalada y que usaba para taparse del sol un gran sombrero de «tule», hoja amplia de la planta del mismo nombre.

Cuando pasó al imaginario popular, se la describía con su gran sombrero de tule, los pechos al desnudo, patas de gavilán, alas de murciélago, rostro de bruja y carga de leña.

Se decía de ella que alzaba el vuelo y caía sobre su objetivo, despedazándole si había ofendido al dios.

Xaman Ek

Dios maya de la estrella polar, de los caminos y el comercio. Dador de luz al ser señor de la estrella del norte, neutral en los conflictos de las demás deidades; cuida y guía a los comerciantes y mensajeros en sus largos viajes hacia otros pueblos. Dios del invierno y Señor de la noche.

Xkanleox

Abuela de los dioses en la civilización maya, se la representa como una anciana con la boca abierta y desdentada, y aparece realizando una ofrenda o sacrificio.

Xilonen

Diosa azteca del maíz venerada particularmente por los huaxtecas. Junto a Chicomecóatl, deidad agraria, eran muy celebrados.

La siembra o el crecimiento y recolección de los frutos se acompañaban con rituales y ceremonias propiciatorias, ya que los dioses tenían su parte benéfica, como enviar el agua a la tierra, pero también podían enviar granizo, sequía o lluvia en demasía que provocaban la muerte de las plantas, por lo que era necesario mantener el lado positivo de los dioses para que esto no ocurriera.

A cada una de las etapas del maíz le corresponde una deidad: para la semilla es Chicomecóatl (que significa siete serpientes), Xilonen para la mazorca tierna, o elote y Cintli para las mazorcas secas o maíz.

Xiuhcoatl

Llamada serpiente de fuego, serpiente brillante o serpiente solar, era el arma más poderosa de los dioses aztecas cuando la empuñaba como su espada el dios de la guerra Huitzilopochtli. Con ella mató a sus 400 hermanos con suma facilidad para defender la vida de su madre.

Mítica serpiente de fuego; se pueden ver dos representaciones de ella en la Piedra del Sol.

Xiuhtehcutli

También llamado Huehueteotl (que significa dios viejo), era la personificación de la vida después de la muerte, la luz en la oscuridad y la comida en épocas de hambruna.

Generalmente se le representaba con un rostro rojo o amarillo y con el aspecto de un anciano. Su esposa era la diosa Chalchitlicue.

Xochipilli

En la mitología azteca, Xochipilli, «príncipe de las flores», era el dios del amor, los juegos, la belleza, la danza, las flores, el maíz y las canciones. Su esposa era Mayahuel y su hermana gemela era Xochiquetzal.

Xochiquetzal

Diosa de la belleza y el amor para los aztecas, su nombre significa «flor preciosa». Esta diosa se representa con flores y con un tocado de plumas de quetzal. Se le rendía culto con sacrificios humanos, particularmente jóvenes doncellas y niños.

Fue una de las principales diosas femeninas y lunares, pues también se le identificaba con la luna joven.

Las diosas lunares eran las esposas o hermanas del sol; patronas de las trabajadoras textiles, presidían la procreación y los nacimientos.

Eran las madres de los dioses y de la tierra, solían ser a menudo licenciosas, se les asociaba con las rosas y eran esposas o compañeras de los poetas o cantantes. También eran las deidades de la adivinación y estaban relacionadas con el agua.

Xochitónal

Para los aztecas, es un dios menor que cuida la entrada al «reino de los muertos».

Se le representa con la figura de un caimán encargado de vigilar el paso por el Apanhuiayo, lago de agua negra que era el séptimo obstáculo que el alma debía superar en su viaje hacia el definitivo reposo.

La mitología nahuatl afirma que el alma de los que morían de muerte natural debían eludirlo o vencerlo para poder alcanzar las orillas del Cjicumahuapán, donde se encontraría con el señor de los muertos, Mictlantecuhtli, para morir definitivamente en su presencia.

Xólotl

Dios rebelde, dios azteca de las venganzas, de los gemelos, de la enfermedad y la deformidad.

Sufrió diversas metamorfosis y acabó muerto bajo la forma de un pez llamado «axólotl».

Se le representaba como un esqueleto. En una de sus mutaciones, como perro, acompaña a Quetzalcóatl, y guía a los muertos hasta el Mictlan o inframundo.

Yun-Kaax

Dios maya de la agricultura y el maíz como trasciende de su tocado, y que es representado con una mazorca en las manos.

Su jeroglífico es una mazorca encima de una cabeza. Este dios era el patrono de la labranza, y los códices lo presentan a menudo ocupado en gran variedad de trabajos agrícolas.

Directamente, o personificado por un sacerdote, aparece algunas veces en las escultura lanzando granos de este cereal sobre la cabeza de la madre tierra.

Yum-Kimil

Dios de la muerte, también llamado Ah Puch, lo representaban los mayas con cabeza de calavera, el espinazo y las costillas sin piel ni músculos e infinidad de cascabeles atados a sus cabellos o a fajas que le ciñen los antebrazos y piernas, pero más a menudo prendidos de un collar en forma de golilla.

Estos cascabeles son de todos los tamaños, hechos de cobre y a veces de oro, los lleva en las muñecas y los tobillos.

Su jeroglífico es una cabeza con el ojo cerrado por las pestañas.

También se le simboliza por dos huesos cruzados o por una señal en la mejilla entre dos puntos. El animal que se le atribuye es el búho.

Zotzilaha Chimalman

Figura siniestra, es el príncipe de las legiones mayas de la oscuridad, es el dios-murciélago que habita en una caverna horripilante situada en el camino hacia las moradas de la muerte.

Se encontraron alusiones a esta deidad en el Popol Vuh, donde se le denomina Camazotz, en estrecha proximidad con los señores de la muerte y el Infierno, e intentando siempre obstruir el viaje de los dioses-héroes a través de los sombríos reinos.

Mitos de Centroamérica

La Llorona

Es la leyenda mexicana más conocida, aunque existen varias versiones de ella. La más popular relata que, a mediados del siglo XVI, los habitantes de la ciudad de México acostumbraban a refugiarse en sus hogares tras el toque de queda.

Sobre todo, los sobrevivientes de la antigua Tenochtitlán cerraban a cal y canto puertas y ventanas porque todas las noches les despertaban los llantos de una mujer que vagaba por las calles. Este suceso se repitió por mucho tiempo.

Quienes buscaron la causa de tan amargo llanto, dijeron que la luna llena les permitió ver cómo las calles se llenaban de una neblina espesa a ras de suelo y a alguien con forma de mujer, vestida de blanco y con un velo en su rostro, recorriendo con pasos lentos las calles de la ciudad, pero que siempre se detenía en la Plaza Mayor para arrodillarse y volver su rostro al oriente y luego se levantaba para continuar su recorrido.

Al llegar a la ribera del lago de Texcoco, desaparecía. Los pocos hombres que se arriesgaron a acercarse al fantasma o conocieron espantosas revelaciones o murieron.

La versión original de esta leyenda es de origen azteca y narra que esa misteriosa mujer era la diosa Cihuacóatl, vestida con ropas de cortesana y que, cercano el tiempo de la Conquista de México, gritaba por las calles:

«¡Oh, hijos míos!, ¿dónde os llevaré para que no os acabeis de perder?», para augurar eventos terribles como la derrota de Moctezuma.

Iztarú

Iztarú, hija del cacique de Coo, fue llevada a la cima del volcán y ofrendada en sacrificio ante su dios, para detener la furia del Cacique de Guarco, Gran Señor de Purrupura. Iztarú, hija de Coo, hizo estallar la tierra, y con ella a toda la gran montaña... y todos los pueblos de todos los confines de Nolpopocayán (América Central) sintieron la furia de Iztarú.

Entonces Guarco, el Gran Guarco lloró al ver sus tierras cubiertas de ceniza mientras su población nadaba en el lodazal. Guarco prometió y cumplió la paz.

En tierras de Coo se sintió un simple temblor de tierra. La vida siempre floreció en Aquitava, Churruca, Chicagres y Chumazara en Tatiscú.

Leyenda de Costa Rica

El árbol de la vida es la mujer

Caunao, hijo de Hamao y Guanaroca, se sentía muy solo y su vida le resultaba indiferente y vacía.

Cierto día, cuando regresaba a su bohío, se detuvo a contemplar el juego amoroso de dos pajarillos en la rama de un árbol y comprendió que encontrarse solo en el mundo era el gran motivo de su pena.

Al día siguiente, mientras vagaba por el monte, reparó en un árbol de tamaño mediano, de redondeada copa, corteza lisa de color claro y hojas verde oscuro, que llamó poderosamente su atención.

Racimos de olorosos frutos en plena madurez pendían de sus ramas, mientras que otros esparcidos por el suelo le provocaron grandes deseos de probar aquella maravilla que la naturaleza ponía al alcance de su mano.

Tomó uno de los más hermosos y comió con avidez aquel alimento agridulce y perfumado.

Tanto le gustó la fruta, que corrió a su bohío en busca de un catauro de yagua para llenarlo con los sabrosos frutos pero, al tratar de colocarlos en la cesta, un rayo de luna les llenó de luz y surgió de ellos un ser hermoso y desconocido en el cual reconoció a una mujer.

Jagua se llamó la compañera que Maroya, la diosa de la noche, le regaló a Caunao para disipar su soledad, hacerle objeto de sus caricias y darle múltiple descendencia, y a partir de entonces el árbol de donde surgiera también llevó ese nombre, que en lengua aborigen significa manantial, riqueza, fuente y principio.

Si Guanaroca fue la madre de los primeros hombres, Jagua lo fue de las primeras mujeres. Ella fue quien enseñó a los hombres el arte de la pesca y de la caza, a cultivar las fértiles tierras de la zona, dictó las leyes a los pacíficos siboney que la habitaron y hasta les transmitió secretos para curar enfermedades y también los misterios de la danza y el canto.

Leyenda aborigen cubana

La laguna Guanaroca

Al sudeste de la bahía de Cienfuegos se extiende una hermosa laguna de nombre Guanaroca, a la que se considera como la verdadera representación de Maroya, la Luna.

Una leyenda siboney contaba cómo, en tiempos remotos, Huión, el Sol, tuvo el deseo de crear al hombre para tener quien le adorara y admirara. Al mágico conjuro de Huión surgió Hamao, el primer hombre, quien desde entonces le adoró y saludó cada mañana.

Sin embargo, estaba solo y sentía languidecer su espíritu y le afligía su vida solitaria hasta que Maroya le dio por compañera a Guanaroca, la primera mujer en la tierra, para dulcificar su existencia.

Se amaron con frenesí y de su unión nació Imao, en quien Guanaroca depositó todo su cariño. Cuentan que Hamao se puso muy celoso de su propio hijo y por ello concibió la criminal idea de llevarse al niño muy lejos.

Una noche, después de raptarlo, se lo llevó al monte, donde el calor excesivo y la falta de alimento provocaron la muerte de la criatura.

Hamao, consciente de la gravedad de lo que había hecho, tomó un güiro bien grande, le hizo un agujero, colocó dentro al infante y después lo colgó de la rama de un árbol. Mientras tanto, Guanaroca, desesperada, buscaba a su pequeño.

Dicen que vagó ansiosa por el bosque llamándole en vano hasta que, al borde de la extenuación, descubrió el güiro al que se acercó por pura intuición.

La leyenda narra que, cuando Guanaroca contempló el interior del güiro, su dolor fue tan grande que desfalleció y se le cayó de las manos. Al romperse, observó cómo salían de él peces, tortugas de distintos tamaños y gran cantidad de líquido que corrió colina abajo.

Aconteció así el mayor portento: los peces formaron los ríos que bañan el territorio de Jagua, la mayor de las tortugas se convirtió en la península de Majagua y las demás, por orden de tamaño, los otros cayos.

Las lágrimas ardientes y salobres de la madre infeliz que lloraba sin consuelo la muerte de su pequeño hijo, formaron desde entonces la laguna que lleva su nombre, Guanaroca.

Más tarde, la pareja tendría otros hijos, de los que el mayor fue Caunao, cacique de los hombres y dueño de las tierras y del río, al que Maroya un día, pasando un rayo azul a través de un rezumado fruto de Jagua, le diera compañera, y a la que él, confuso y agradecido, pusiera el mismo nombre, como relata la leyenda anterior.

Leyenda aborigen cubana

El cielo de los mayas

Los mayas creían que había 13 cielos dispuestos en capas sobre la tierra y que eran regidos por sendos dioses llamados Oxlahuntiku.

La tierra se apoyaba en la cola de un enorme cocodrilo o de un reptil monstruoso que flotaba en el océano.

Existían nueve mundos subterráneos, también dispuestos en capas, y regidos por sendos dioses, los bolontiku, que gobernaban en interminable sucesión sobre un «ciclo» o «semana» de nueve noches.

El tiempo era considerado una serie de ciclos sin principio ni fin, interrumpidos por cataclismos o catástrofes que significaban el retorno al caos primordial. Pero nunca se acabaría el mundo porque creían en la palingenesia, la regeneración cíclica del universo.

Los libros del Chilam Balam exponen predicciones acerca de esos ciclos de destrucción y renacimiento, como la que relata la sublevación de los nueve dioses contra los 13 dioses celestiales, el robo de la Gran Serpiente, el derrumbe del firmamento y el hundimiento de la tierra.

También en el Chilam Balam se dice que en 1541 llegaron los dzules, los extranjeros.

Hasta ese momento estaba medido «el tiempo de la bondad del sol, de la celosía que forman las estrellas, desde donde los dioses nos contemplan», pero llegaron los dzules y lo deshicieron todo. «Enseñaron el temor, marchitaron las flores, chuparon hasta matar la flor de los otros porque viviese la suya»: habían venido «a castrar al sol».

Según los mayas lacandones, cuando se acabe el mundo los dioses decapitarán a todos los solteros, los colgarán por los talones y juntarán su sangre en vasijas para pintar su casa. Después reconstruirán la ciudad de Yaxchilán, donde se habrán refugiado los lacandones.

Según otra versión, los jaguares de Cizín, dios del inframundo, se comerán el sol y la luna.

El rabioso nacimiento de Huitzilopochtli

Cuenta la leyenda que bajo la sombra de la montaña de Coatepec, cerca de la ciudad Tolteca de Tollan, vivía una piadosa viuda llamada Coatlicue, que era la madre de los indios centzonuitznaua, y que tenía una hija de nombre Coyolxsauhqui.

Solía rezar diariamente en lo alto de una pequeña colina y un día, mientras rezaba, le cayó encima una bola de colores adornada con plumas. Le gustó y la guardó en el seno para ofrecérsela al dios Sol.

Algún tiempo después se dio cuenta de que estaba embarazada y sus 400 hijos (los centzon huitznahua), incitados por su hermana Coyolxsauhqui, la insultaron y humillaron por ello.

Coatlicue vagaba asustada cuando el espíritu del nonato le habló palabras de aliento. Sus hijos, sin embargo, decidieron borrar lo que consideraban una ofensa para su estirpe y acordaron asesinarla.

Pero uno de ellos, Quauitlicac, se apiadó de ella y confesó la deslealtad de sus hermanos al nonato Huitzilopochtli, que le dijo:

«¡Oh, hermano! Escucha atentamente lo que te voy a decir. Estoy totalmente informado de lo que va a ocurrir». Cuando fueron en su busca, sus hijos iban armados hasta los dientes y llevaban un fardo de dardos para darle muerte.

Quauitlicac fue a avisar a Huitzilopochtli de que sus hermanos se acercaban para matar a su madre. «Dime exactamente hasta qué lugar han avanzado», dijo el niño.

Hasta Tzompantitlán, respondió Quauitlicac. Cuando llegaron los enemigos, salió del vientre de su madre Huitzilopochtli blandiendo su escudo y una lanza de color azul. Estaba pintado y tenía la cabeza tocada con un penacho y la pierna izquierda cubierta de plumas.

Destrozó a Coyolxsauhqui, le cortó la cabeza a su hermana y la tiró al cielo donde se convirtió en la Luna y dio caza a los centzonuitznaua, a los que persigió durante mucho tiempo.

No intentaron defenderse. Muchos perecieron en las aguas del lago contiguo, adonde se habían lanzado en su desesperación.

Todos murieron excepto unos pocos que se escaparon a un lugar llamado Uitzlampa, donde se rindieron a Huitzilopochtli y le entregaron sus armas.

La Xtabay

Vivían en un pueblo dos mujeres; a una la apodaban los vecinos la Xkeban, que es como decir la pecadora, y a la otra la llamaba la Utz-Colel, que quiere decir mujer buena.

La Xkeban era muy bella y se entregaba continuamente al amor, por lo que las gentes honradas del lugar la despreciaban y huían de ella.

En más de una ocasión habían intentado expulsarla del pueblo, aunque a fin de cuentas prefirieron tenerla a mano para mejor despreciarla. La Utz-Colel, sin embargo, era virtuosa, recta y austera además de bella.

Jamás había cometido un desliz de amor y gozaba del aprecio de todo el vecindario.

La Xkeban era muy compasiva y socorría a los mendigos que llegaban a ella en demanda de auxilio, curaba a los enfermos abandonados, amparaba a los animales y era humilde de corazón, por lo que sufría con resignación las injurias de sus vecinos.

Aunque virtuosa de cuerpo, la Utz-Colel era rígida y dura de carácter: desdeñaba a los humildes por considerarlos inferiores a ella y no curaba a los enfermos porque le repugnaban. Recta era su vida, como un palo enhiesto, pero sufrió su corazón como la piel de la serpiente.

Un día ocurrió que los vecinos no vieron salir de su casa a la Xkeban durante varios días, por lo que supieron que había muerto, abandonada; solamente sus animales cuidaban su cadáver, lamiéndole las manos y ahuyentándole las moscas. Un perfume aromático que inundaba todo el pueblo se desprendía de su cuerpo.

Cuando la noticia llegó a oídos de la Utz-Colel, ésta rió despectivamente. «Es imposible que el cadáver de una gran pecadora pueda desprender perfume alguno», exclamó.

Pero fue hasta el lugar, y al sentir el aroma dijo, con sorna: «Cosa del demonio debe ser, para embaucar a los hombres», y añadió: «Si el cadáver de esta mujer mala huele tan aromáticamente, seguro que el mío olerá mejor».

Al entierro de la Xkeban sólo fueron los humildes a quienes había socorrido, los enfermos a los que había curado; pero por donde cruzó el cortejo se fue dilatando el perfume, y al día siguiente la tumba amaneció cubierta de flores silvestres.

Poco tiempo después falleció la Utz-Colel, que como había muerto virgen, seguramente el cielo se abriría inmediatamente para su alma, pero contra lo que ella misma y todos habían esperado, su cadáver empezó a desprender un hedor insoportable.

El vecindario lo atribuyó a malas artes del demonio y acudió en gran número a su entierro llevando ramos de flores para adornar su tumba, flores que al amanecer desaparecieron.

Pasado el tiempo, se supo que después de muerta la Xkeban se convirtió en una florecilla dulce, sencilla y olorosa llamada xtabentun.

El jugo de esa florecilla embriaga dulcemente tal como embriagó en vida el amor de la Xkeban.

En cambio, la Utz-Colel se convirtió después de muerta en la flor de tzacam, que es un cactus erizado de espinas del que brota una flor hermosa pero que huele de forma desagradable y al tocarla es fácil pincharse.

Convertida la falsa mujer en la flor del tzacam, se dio a reflexionar, envidiosa, en el extremo caso de la Xkeban, hasta llegar a la conclusión de que seguramente porque sus pecados habían sido de amor, le ocurrió todo lo bueno que le ocurrió después de muerta.

Y entonces pensó en imitarla entregándose también al amor.

Sin caer en la cuenta de que si las cosas habían sucedido así fue por la bondad del corazón de Xkeban, quien se entregaba al amor por impulso generoso y natural.

Llamando en su ayuda a los malos espíritus, la Utz-Colel consiguió regresar al mundo cada vez que lo quisiera.

Convertida nuevamente en mujer, regresaba para enamorar a los hombres, pero con amor nefasto, porque la dureza de su corazón no le permitía otro.

Pues bien, sepan los que quieran saberlo que ella es la mujer Xtabay, la que surge del tzacam, la flor del cactus, que cuando ve pasar a un hombre vuelve a la vida y lo aguarda bajo las ceibas peinando su larga cabellera con un trozo de tzacam erizado de púas.

Sigue a los hombres hasta que consigue atraerlos, los seduce luego y al fin los asesina en el frenesí de su amor infernal.

Leyenda maya

El Rincón de la Vieja

Esta es una encantadora leyenda que explica el origen del nombre del volcán Rincón de la Vieja.

La princesa Curabanda se enamoró de Mixcoac, jefe de una tribu enemiga vecina. Cuando su padre, Curabande, se dio cuenta de la relación, capturó a Mixcoac y lo lanzó dentro del cráter del volcán. Curabanda se fue a vivir a un lado del volcán y dio a luz un hijo.

Para permitir que el hijo estuviera con su padre, ella también lo lanzó dentro del volcán. Durante el resto de su vida, Curubanda vivió cerca del volcán y llegó a ser una poderosa curandera. La gente se refería a su casa como el «Rincón de la Vieja». Desde entonces el volcán lleva ese nombre.

Leyenda de Costa Rica

El nacimiento del hombre según los mayas

Hay una curiosa leyenda acerca de la primera raza aborigen. El mundo, según ella, está en su cuarta época de existencia. En la primera moraron los saiyabuincoob, que formaron la primera raza del país.

Eran unos astutos y misteriosos enanos que alzaron las ciudades de piedra cuyos vestigios nos asombran. Trabajaban en la obscuridad y apenas surgió el Sol, fueron trocados en granito. Sus imágenes se ven en las ruinas.

En su época subsistía un camino suspendido en el cielo que se llamaba Zacbé o Cuxaanzum, ruta blanca y cuerda viviente. Por allí les llegaba el alimento a los habitantes de aquellas ciudades. Dicha ruta fue cortada y desapareció el puente celeste tras el Diluvio.

Se cuenta que hubo tres diluvios antes de llegar a las generaciones precolombinas.

En cuanto a la creación del hombre hay en el Palacio de los Tigres de Chichén Itzá un estupendo friso cuya figura central representa a Hunab-ku, el dios Supremo.

De sus órbitas fluyen dos fuentes de lágrimas que caen al suelo y extendiéndose a derecha e izquierda del numen, corren en caprichosas volutas y ondulaciones, surgiendo progresivamente de su corriente las plantas y las flores, la vida vegetal, los peces, los animales de la tierra y el hombre, primero caído y luego en pie, con toda la fuerza de su advenimiento y la que le da la conciencia de su ser y de su destino.

Sac Muyal

Cierta vez, Sac Muyal robó a una muchacha y desapareció con ella. Para rescatarla, el amante recorrió día y noche montes y caminos. De pronto le salió al paso una serpiente y le dijo:

«Sé lo que buscas y quiero ayudarte. Sácame un poco de sangre, bébela y entonces seré tu guía».

Lo hizo así y echó a andar detrás de la serpiente; pero como ésta era perezosa, después de un rato se quedó dormida. Entonces el hombre la azotó con un bejuco y sólo de ese modo reanudó su camino. A poco llegó a un monte tan tupido que le fue imposible avanzar más. Ya se volvía desconsolado cuando una vieja se le acercó y le dijo:

«Toma esta hebra de mi pelo; tírala y podrás seguir tu ruta».

En cuanto tiró la hebra se abrió una vereda y sin dificultad caminó hasta alcanzar la orilla de un lago. Entonces ahí un venado le dijo:

«Toma esta piedra, échala al agua y lo podrás cruzar».

El hombre tiró la piedra y como en sueños fue llevado a la otra orilla. Tras lo que se le apareció un águila y le dijo:

«Toma esta uña de mis garras; te será útil. Ahora sigue tu camino».

Avanzó y, al pasar bajo una anona, le cayó en los ojos una gotita de su savia y le dejó ciego. Entonces un escarabajo le dijo:

«Pásate esta bolita de tierra por los ojos y volverás a ver».

Se la pasó dos veces y recobró la vista. Siguió avanzando y se detuvo junto a una cueva donde estaban la vieja, el venado, el águila, el escarabajo y la serpiente. La vieja le habló así:

«Ha llegado el término de tu viaje. Entra en la cueva y ahí encontrarás a la muchacha que buscas».

El venado le dijo:

«Tócala con la piedra».

El águila le dijo:

«Tócala con mi uña».

El escarabajo le dijo:

«Pásale la bolita por los ojos».

La serpiente le dijo:

«Rocíala con el agua que llevas en tu calabaza».

El hombre cumplió con lo que le dijeron, pero se le nubló la razón y ya no supo más de sí. Cuando despertó, tenía en sus brazos a la muchacha que le robó Sac Muyal.

Leyenda maya

Los cuatro soles

Entre los aztecas existía la idea de la sucesión de distintas eras o mundos, interrumpidos y transformados a través de cataclismos.

El primer sol se llamaba Nahui-Ocelotl (Cuatro-Ocelote o Jaguar), porque el mundo, habitado por gigantes, había sido destruido, después de tres veces 52 años, por los jaguares, que los aztecas consideraban nahualli o máscara zoomorfa del dios Tezcatlipoca, dios del frío y de la noche.

El segundo sol, Nahui-Ehécatl (Cuatro-Viento), desapareció después de siete veces 52 años al desatarse un fuerte huracán, manifestación de Quetzalcóatl, que transformó a los sobrevivientes en monos.

El tercer sol, Nahuiquiahuitl, al cabo de seis veces 52 años, cayó una lluvia de fuego, manifestación de Tláloc, dios del trueno y el relámpago, de largos dientes y ojos enormes, y de Quiahuitl, la lluvia; todos eran niños, y los sobrevivientes se transformaron en pájaros.

El cuarto sol, Nahui-Atl (Cuatro-Agua), acabó con un terrible diluvio, después de tres veces 52 años y del que sólo sobrevivieron un hombre y una mujer, que se refugiaron bajo un enorme ciprés (en realidad, ahuehuete).

Tezcatlipoca, en castigo por su desobediencia, los convirtió en perros, cortándoles la cabeza y colocándosela en el trasero.

Cada uno de estos soles corresponde a cada punto cardinal: norte, oeste, sur y este, respectivamente.

El quinto sol

Mito azteca que afirma que la época actual corresponde a un ciclo conocido como Quinto Sol o Quinto Mundo. Para los aztecas, el Quinto Sol fue creado en la antigua ciudad de Teotihuacán.

Se llama Nahui-Ollin (Cuatro-Movimiento), porque está destinado a desaparecer por la fuerza de un movimiento o temblor de tierra, momento en el que aparecerán los monstruos del oeste, tzitzimime, con apariencia de esqueletos, y matarán a todos los pobladores del mundo.

Quetzalcóatl, junto con su hermano gemelo, Xólotl, creó a la humanidad actual, dando vida a los huesos de los viejos muertos con su propia sangre. El sol presente se sitúa en el centro, quinto punto cardinal, y se atribuye a Huehuetéotl, dios del fuego, porque el fuego del hogar se encuentra en el centro de la casa.

La fiesta del maíz Huichol

Esta fiesta se celebra entre los huicholes mexicanos para que los niños inicien un viaje simbólico a Leunar, llevados por los chamanes, y es la fiesta a partir de la cual se podrán recoger los frutos de las cosechas, sin molestar a los dioses que no permiten que se haga sin que antes se le hayan ofrecido los frutos sagrados; es decir, los primeros.

La fiesta se celebra en el patio del ririki, donde se pone un altar lleno de velas, elotes, calabazas, carne de venado seca, peyote, etc. Los elotes simbolizan a los niños y las calabazas a las niñas. Conviene subrayar que el maíz es elemento fundamental en la alimentación, pero sobre todo en la supervivencia, del pueblo mexicano.

Las mujeres se colocan en primera fila, junto a sus hijos. A las siete de la mañana empieza la ceremonia propiamente dicha: el maracame toca el tepo, un tambor adornado con flores de cempasúchil, y canta sentado en un equipal.

Él es quien da la ofrenda a los dioses, les promete llevar a los niños al cerro quemado y le pide a Tamatz Kallaumari que los proteja.

Nuestra Madre, a quien los niños presentes también saludan por medio del chamán, los cuidará para que no enfermen y para que crezcan fuertes.

Mientras tanto, las madres encienden velas nuevas que sostienen en una mano, a la vez que con la otra toman la del niño y la mueven para que suenen las maracas rituales que todos llevan ese día.

El chamán, al final de este «viaje», se despide de Tamatz y de los otros dioses y se compromete a regresar un año después con los niños.

El chamán ordena que se coma peyote, y uno de los ayudantes reparte galletas entre los niños y los padres presentes. Al regreso, los padres agradecen «al cantador» que haya llevado a sus niños y le prometen volverlos a mandar con él al año siguiente.

El tambor calla y los niños devuelven sus sonajas.

Para terminar, todos toman un caldo preparado con un toro, al que matan especialmente para esta ocasión, acompañado por tortillas y frijoles. Los primeros frutos se quedan en el altar, adornados con flores, y nadie puede tocarlos. La fiesta dura entre tres y cuatro días.

Los sacrificios humanos

Entre los mayas primigenios, los chilames eran los profetas y adivinos del futuro y eran muy venerados, como los chaques eran los asistentes de los oficiantes en las ceremonias, los nacones ejercían de sacrificadores y los xmenes, brujos o hechiceros, se ocupaban en sortilegios.

Así el Ahmac-ik conjuraba los vientos, el Ahpul atraía sobre sus víctimas las enfermedades y la muerte, el Ahauxibalbá evocaba a los muertos y a los demonios.

Los sacrificios y ofrendas eran tanto flores, manjares y bebidas, esencias aromáticas y animales como pájaros, perros o ciervos y, esencialmente, el hombre.

En los sacrificios humanos, las víctimas se agujereaban por su propia voluntad las orejas y se horadaban los labios, pasando por ellos un cordel con espinas.

En las grandes solemnidades los sacrificios eran más cruentos y pavorosos. Se extendía sobre ancha y redonda piedra a la víctima y se le sacaba el corazón con un cuchillo de pedernal para ofrendarlo luego a los dioses.

La piel del sacrificado, al que se desollaba, aún caliente, la vestía el nacón supremo para danzar litúrgicamente envuelto en ella.

También se solía asaetear a las víctimas atadas a un poste, teñidas de azul para identificarlas con el dios del cielo, entre giros y evoluciones de la danza sagrada.

Otra costumbre era arrojar al cenote de Chichén-Itzá, doncellas hermosas e inocentes y aun niños vivos para hacerse propicio al dios de las cosechas.

Desde que se fijaba el día magno de las ceremonias, la víctima era objeto de tratamientos exquisitos y respetuosos.

Se le albergaba y cuidaba entre flores y se dulcificaba su prisión con reiterados obsequios y visitas, se la alimentaba, acariciaba y mimaba en extremo, y se la paseaba por la ciudad ricamente vestida entre bailes y regocijos, comilonas y jolgorio, pues era la «enviada a los dioses».

El día del acto se adornaba con plantas el templo, se conducía a la víctima regiamente ataviada y coronada de flores, ungida de añil y aromas.

Los más valerosos guerreros acudían a recibirla, purificaban el templo los nacones mientras, inmóviles, los chaques circundaban, sentados en los cuatro ángulos, el recinto sagrado por medio del cíngulo o cordel sagrado que sostenían sus manos.

Saltaba la valla el nacón supremo y en pos iba su séquito sacerdotal, con la víctima, que nunca se quejaba, dicen que bajo los efectos de algún tipo de alucinógeno, entre músicas y frenéticas danzas.

Inmediatamente, cien guerreros clavaban sus flechas de obsidiana sobre el pecho del infeliz sacrificado a los sones de los tristes y rudos instrumentos musicales, las flautas de hueso y de caña y los tunkules y zacatanes atronadores, mientras el caracol mugía lúgubres sonidos.

Terminado el sacrificio, se despedazaba a la víctima y sus miembros eran distribuidos en porciones entre los concurrentes a manera de comunión sagrada, reservándose para sí los sacerdotes y sacrificadores la cabeza, las manos y los pies.

La tristeza del maya

Un día, los animales se acercaron a un maya y le dijeron: «No queremos verte triste, pídenos lo que quieras y lo tendrás».

«Quiero ser feliz», dijo el maya.

La lechuza le respondió:

«¿Quién sabe lo que es la felicidad? Pídenos cosas más humanas».

«Bueno, quiero tener buena vista», añadió el hombre.

El zopilote le dijo:

«Tendrás la mía».

«Y quiero ser fuerte», añadió el hombre.

El jaguar le dijo:

«Serás fuerte como yo».

«Y quiero caminar sin cansarme», siguió pidiendo el hombre.

El venado le dijo:

«Te daré mis piernas».

«Y quiero adivinar la llegada de las lluvias», añadió el maya.

El ruiseñor le dijo:

«Te avisaré con mi canto».

«Y quiero ser astuto», insistió el hombre.

El zorro le dijo:

«Te enseñaré a serlo».

«Y quiero trepar a los árboles», dijo el hombre.

La ardilla le dijo:

«Te daré mis uñas».

«Y quiero conocer las plantas medicinales», añadió el maya.

La serpiente le dijo:

«¡Eso es cosa mía porque conozco todas las plantas! Te las enseñaré en el campo».

Y al oír esto último, el maya se alejó. Entonces, la lechuza les dijo a los demás animales:

«El hombre ahora sabe más y puede hacer más cosas, pero siempre estará triste».

Y la chachalaca se puso a gritar:

«¡Pobres animales! ¡Pobres animales!»

Canto azteca

«A este mundo venimos a dormir,
venimos a soñar, porque no es verdad,
no es verdad, que hayamos venido
para vivir la realidad».

Ceremonia otomí a la tierra

Para los otomíes o hñähñu, pueblo ligado a los olmecas de Nonoualco y a los estratos más antiguos del alto altiplano en México y que fueron los primeros pobladores del Valle de Tula, incluso antes de la llegada de los toltecas, es importante alimentar a la Tierra y para ello celebran lo que llaman «la costumbre». El rito consiste en llevar al campo cuatro docenas de papel de sonote divididas en cuatro manojos, y dentro de cada uno poner un pollito vivo. Esta costumbre la sahuman y la rezan, y luego entierran los manojos en cada una de las esquinas del campo de cultivo.

Generalmente, ellos mismos celebran el rito, aunque algunas veces contratan a un pedidor de lluvias para que lo haga por ellos. El pedidor arregla una especie de equipal, al que adorna con cuatro velas y las figuritas de los espíritus que hace con papel de sonote recortado. Las figuras de papel blanco se usan para magia blanca y con papel negro se recortan los «espíritus malos» que usan para «brujería».

La ceremonia se acompaña con música de guitarra y violín. Primero degüella un pollo y con su sangre mancha las figuritas de papel; pone el pollo muerto sobre éstas y seguido por los propietarios de la parcela, van al cultivo y entierran la ofrenda con refino, chocolate, tamales, pan, flores, copal y figuritas de palma que representan a las estrellas.

La serpiente emplumada

La serpiente emplumada comienza a descender. Todo está envuelto en la oscuridad a excepción de la escalera norte del enorme templo dedicado al dios Kukulcás, que es por donde llega.

Mientras el sol proyecta su misteriosa sombra, los escalones se iluminan poco a poco dando la vida a la gran cabeza del reptil que reposa en la base del templo.

El gran dios se desliza por los escalones, extiende su prodigioso cuerpo y entonces desaparece. Hermosa leyenda maya, alegoría del amanecer.

Leyenda del Popocatépetl y la montaña Iztaccihuatl

En la mitología azteca, Iztaccihuatl fue una princesa que se enamoró de uno de los guerreros de su padre, quien envió a su amor a una batalla cerca de Oaxaca, prometiéndole entregarle a su hija si regresaba victorioso, lo que el rey consideraba imposible.

Otro pretendiente de Iztaccihuatl le dijo a ésta que su guerrero amado había muerto en batalla y logró convencerla para que se case.

Cuando, después de algún tiempo, el guerrero regresó victorioso, Iztaccihuatl, que ya se había entregado al rufián, y ante la imposibilidad de darle su virginidad a su auténtico enamorado, se suicidó y al conocer la noticia lo hizo también su amor.

Por aquel gran amor, los dioses los convirtieron en dos inmensas montañas que se encuentran alrededor del valle de México, las que llevan los nombres de Iztaccihuatl y Popocatépetl, para que permanecieran juntos eternamente.

El muñeco Canancol

Este muñeco que lleva una piedra en la mano no es un muñeco común, sino algo más; cuando llega la noche toma fuerzas y ronda por el sembrado que protege.

Es el sirviente del dueño del maizal y se llama Canancol. Lleva la sangre del amo, y a él sólo obedece.

Se fabrica de la siguiente manera: después de la quema de la milpa, se trazan en ella dos diagonales para señalar el centro; se orienta la milpa del lado de Lakín (Oriente) y la entrada queda en esa dirección.

Terminado esto, que siempre tiene que hacerlo un hechicero, se toma la cera necesaria de nueve colmenas, el tanto justo para recubrir el Canancol, que tendrá un tamaño relacionado con la extensión de la milpa. Después de fabricado el muñeco, se le ponen los ojos, que son dos frijoles; sus dientes son maíces y sus uñas, frijoles blancos. Se le viste con las hojas que cubren las mazorcas y se le asienta sobre nueve trozos de yuca.

Cada vez que el brujo ponga uno de aquellos órganos al muñeco, llamará a los cuatro vientos buenos y les rogará que sean benévolos con... (aquí se dice el nombre del amo de la milpa), y le dirá, además, que es lo único con que cuenta para alimentar a sus hijos.

Terminado el rito, el muñeco es ensalmado con hierbas, presentado al dios Sol y dado en ofrenda al dios de la lluvia; se queman hierbas de olor y anís y se mantiene el fuego sagrado por espacio de una hora; mientras tanto, el brujo reparte entre los concurrentes balché, que es un aguardiente muy embriagante, con el fin de que los humanos no se den cuenta de la bajada de los dioses a la tierra. Esta es cosa que sólo el «men» (hechicero) ve.

La ceremonia debe llevarse a efecto cuando el sol está en el medio cielo.

Al llegar esta hora, el brujo da una cortada al dedo meñique del amo de la milpa, la exprime y deja caer nueve gotas de sangre en un agujero practicado en la mano derecha del muñeco, agujero que llega hasta el codo.

El men cierra el orificio de la mano del muñeco, y con voz imperativa y gesticulando a más no poder, dice a éste: «Hoy comienza tu vida. Este (señalando al dueño) es tu señor y amo. Obediencia, Canancol, obediencia... Que los dioses te castigarán si no cumples. Esta milpa es tuya. Debes castigar al intruso y al ladrón. Aquí está tu arma».

Y en el acto coloca en la mano derecha del muñeco una piedra.

Durante la quema y el crecimiento de la milpa, el Canancol está cubierto con palmas de huano; pero cuando el fruto comienza a despuntar, se descubre..., y cuenta la gente sencilla que el travieso o ladrón que trate de robar recibe pedradas mortales.

Por eso, en las plantaciones donde hay un Canancol nunca roban nada. El dueño, al llegar a su milpa, toma precauciones y antes de entrar le silba tres veces, señal convenida; despacio se aproxima al muñeco y le quita la piedra de la mano; trabaja todo el día, y al caer la noche, vuelve a colocar la piedra en la mano del Canancol, y al salir silba de nuevo.

Cuando cae la noche, el Canancol recorre el sembrado y hay quien asegura que para entretenerse, silba como el venado. Después de la cosecha, se hace un hanincol (comida de milpa) en honor del Canancol; terminada la ceremonia, se derrite el muñeco y la cera se utiliza para hacer velas, que se queman ya en el altar pagano, ya en el altar cristiano.

Leyenda maya

Seres fantásticos de Sudamérica

Achikee

Bruja de origen quechua, mujer que cuentan en Perú que se había peleado con Dios y era su enemiga.

Dice una de sus leyendas que a dos niños que no tenían nada que comer, sus padres los abandonaron.

En un lugar muy oscuro encontraron a una anciana que, prometiéndoles una rica comida, les hizo entrar en su casa.

Envió a uno de ellos a buscar agua para cocinar patatas y cuando regresó, Achikee le dio de comer piedras calientes, como si fueran papas sancochadas.

Después, la malvada devoró a uno de los hermanos. Mucho más tarde, la niña, tomando los huesos de su hermano, escapó.

La vieja persiguió a la asustada niña hasta que Teeta MaTuco hizo caer una cuerda de lo alto, por la que la chica trepó. Una vez en el cielo, Teete MaTuco hizo reconstruir los huesos del pequeño.

Achikee quiso trepar también por la cuerda, pero un ratón cortó la soga con sus dientes y, mientras caía, Achikee gritaba:

«¡A la pampa, sobre la pampa..!».

Pero se estrelló sobre unas piedras peladas y de su sangre nacieron por primera vez las zarzamoras, a la vez que de su vestido rojo surgían las plantas espinosas y todo lo que crece allí donde no se puede cultivar.

Amalivaca

El principal héroe cultural de los tamanacos, pueblo indígena de filiación lingüística caribe hoy desaparecido.

Dentro de la cosmogonía tamanaca, Amalivaca era un hombre supuestamente blanco, como lo eran los tamanacos al principio de los tiempos, que iba vestido.

Tenía un hermano llamado Uochí, junto con el que según la leyenda creó al mundo, la naturaleza y a los hombres.

Cuando se detuvieron para crear el Orinoco, comenzaron a discutir porque querían que el río pudiera fluir tanto aguas arriba como aguas abajo, a favor de corriente en ambas direccionas, a fin de que los remeros no se cansaran durante su recorrido. Pero, finalmente, ante tan complicada empresa, desistieron de su empeño inicial.

Según la tradición oral, un día Amalivaca decidió regresar en canoa al otro lado del mar, de donde provenía, y a donde supuestamente iban las almas de los hombres después de la muerte.

Cuando estuvo listo para partir, ya montado en su canoa, les dijo a los tamanacos con voz distinta a la usual: «uopicachetpe mapicatechí» («mudarán únicamente la piel»). Lo que significaba una bendición para darles vida eterna, pues se rejuvenecerían constantemente como hacen algunos animales al cambiar de piel.

Sin embargo, una vieja que lo escuchó, demostró que dudaba de la bendición de Amalivaca y pronunció un «oh» que parecía ponerla en tela de juicio, ante lo que el dios se enfureció y de inmediato les comunicó que volvían a ser mortales diciendo: «mattageptchí» (morirán).

Los tamanacos atribuyen desde entonces la existencia perecedera de los hombres a este episodio.

Para otras versiones, muchos años atrás hubo una gran inundación, pero Amalivaca y su hermano arreglaron los desastres del diluvio. En esta gran inundación sólo quedó una pareja de humanos vivos.

Entonces los dioses se trasladaron a una gran colina y desde allí comenzaron a arrojar los frutos de la palma moriche, saliendo de sus semillas los hombres y las mujeres que pueblan el mundo desde entonces.

Aman

Entre los indios amazónicos, demonio que vive en los cerros. Haciendo bocina con las manos hace sonar un «kachu», que es una especie de cuerno. Si se le responde, se enfada mucho y es capaz de encerrar en una cueva al que lo hizo.

Amarú

Mito quechua ligado al comienzo del mundo. Existe un relato precolombino que cuenta lo siguiente:

Antes, todos estos valles estaban cubiertos por las aguas, el Mantaro era un inmenso lago. Nuestra tierra era pura agua. Eso era Wanka. En aquella antigua época, vivía en Wanka el espantoso Amarú: cuerpo de sapo, cabeza de huanaco, alitas y una cola como una serpiente. Había emblanquecido por los años.

Cierta vez, el gran Arco Iris decidió crear otro Amarú para que acompañara al viejo. Era más pequeño, de piel dura y oscura. Pero ambos querían ser el único señor y el dueño del inmenso lago y, aunque la Wanka era generosa, no podía albergar a los dos Amarú. Por eso se disputaron largamente: con fuerza y odio, agitaban las aguas, que se levantaban en remolinos hacia el cielo.

Tiksi, que dicen que todo lo mira, se perturbó con ese problema. Desató una granizada y un enorme rayo mató a los dos enemigos. Cayeron heridos de muerte sobre el lago, las aguas se desbordaron hacia la tierra de los ayacuchanos y así se formó este riquísimo valle. Del sobrante de aquellas aguas queda el lago Ñawipukio.

Anhanga

Omnipresente espíritu maligno para los tupis-guaranis brasileños. Este espectro quasi diabólico, que inspira terror y miedo por donde aparece, puede asumir la forma de cualquier animal o del hombre, y a menudo basta con verle para producir fiebre, o llevar a la locura y hasta a la muerte.

Su presencia asusta a cualquiera porque puede parecer cualquier cosa. Ese carácter maligno, y el terror que inspiraba a los indios, condujo a los evangelizadores a identificarlo con el Diablo cristiano, entidad que, sin embargo, sería más parecida a Jurupari porque, cuando se aparece, nunca asume ninguna encarnación como Anhanga.

Antumiá

Espanto en Colombia entre los indios emberá-catía. Demonio de los ríos.

Asiaj

Es una de las formas o espantos con que se conoce al demonio en los Andes. Un día, enviaron a una niña a recoger sus ovejas. Tenía que pasar por una quebrada que se llamaba Pachcanajaja y al pasar divisó un animal dormido, con una orejas grandes como de burro y con una cola también larga, que era Asiaj.

La pequeña, imprudente, se asustó, pero agarró una piedra y se la tiró a la cabeza. Al llegar donde sus compañeros, se levantó un fuerte viento del que vieron que salía un bulto negro en forma de culebra que llegó donde había neblina y desapareció. Todos miraban asustados; y entonces el viento comenzó a cobrar más intensidad hasta que cayó una granizada y rayos muy fuertes, que interpretaron como la venganza del demonio.

El Asiaj suele aparecer donde hay alguien que no haya sido bautizado y le convierte en Asiaj.

Bachué

Diosa de las aguas y de las lagunas, simbolizada en la serpiente. En lenguaje indígena, la llamaban «Furachogue», es decir «mujer benéfica» y se consideraba la protectora de las cosechas, de la naturaleza, del bienestar humano y del trabajo.

Diosa madre de todos los hombres que, de acuerdo con el mito colombiano muisca del mismo nombre, salió de las aguas de la laguna de Iguaque, en Boyacá, con un niño en brazos, junto con el cual, una vez crecido, tendría como descendencia a los primeros pobladores del género humano.

Años después Bachué y su compañero volverían a la laguna donde aparecieron en la que Bachué se convertiría en serpiente antes de desaparecer entre sus aguas.

Generalmente se describe con formas totalmente femeninas y sin deformidades, aunque hay quienes aprecian en ella ciertos rasgos de animalidad.

Su culto estuvo bastante extendido y consistía en ofrendas de cosechas y sacrificios ceremoniales con resinas, yerbas e incienso.

Bochica

Fundador, legislador y padre protector de los indios muiscas de la actual Colombia, que pertenecían a la familia chibcha, y a quienes comunicó tanto los elementos esenciales de las artes y las leyes, como el uso y conocimiento del tiempo para las faenas de labranza.

El círculo era la figura más usada por los muiscas, que daban esta forma a las empalizadas, palacios y templos de los zipas y zaques, a sus bohíos o casas particulares e incluso a sus labranzas. Tras su muerte, fue divinizado y se le construyeron suntuosos templos como los de Sogamoso y Bacatá.

Boitatá

En Brasil, bestias con cuerpo de víbora o de pájaro y con una llama en la cabeza.

La leyenda local cuenta que en tiempos muy antiguos hubo un gran diluvio, del que apenas se salvaron unos pocos hombres y animales: entre estos últimos estaba la gran serpiente cobra (guaçu-boi), que trepó a la cumbre del árbol más alto y allí esperó a que las aguas volvieran a su cauce.

Muerta de hambre, la cobra miraba pasar los cadáveres flotantes, y poco a poco se aficionó a devorar sus ojos. Ahora bien, los ojos de un muerto guardan la última luz que han visto, y de tanto comerlos la cobra comenzó a hincharse a la vez que su cuerpo adquiría una inquietante luminescencia: no la de una llama roja, sino una de frialdad azul, amarilla y triste.

Tanto comió la cobra que finalmente reventó, y el resplandor helado llegó a todos los rincones. Los indios, al verlo, la llamaron mboi-tatá: culebra de fuego. Y desde entonces, en tiempo de verano, cuando hace bochorno, el espectro brillante de la cobra recorre por las noches los cementerios y las corrientes de agua, de los que sale para perseguir a los lugareños con su fuego que no quema.

Muchos que la vieron han quedado ciegos; otros tuvieron la precacución de cerrar los ojos y esperar en silencio, inmóviles, a que se fuera.

La Boitatá no siempre es vista con antipatía: muchos creen que es un espíritu protector del campo, y que sólo castiga a quienes intentan prender fuego al bosque. A veces se dice que toma la forma de un buey.

Boraro

Entre los indígenas del Vaupés y en general de la cuenca amazónica de Colombia y Brasil subsiste la creencia en el Boraro, el espíritu de las selvas espesas, que es reconocido por sus terribles y largos gritos, que se escuchan desde lo más profundo de la selva.

Algunos imaginan al Boraro como un ser monstruoso parecido al hombre, cubierto de hirsuta pelambre y con enormes colmillos que le asoman de la boca.

Tiene grandes orejas puntiagudas y un gran pene; sus pies están vueltos de modo que los dedos miran para atrás y los talones para adelante; sus rodillas no tienen coyunturas de modo que cuando el Boraro cae, le cuesta mucho volver a levantarse.

Los indios tukanos y otros pobladores de la cuenca amazónica aseguran que los murciélagos acompañan al Boraro en la noche y grandes mariposas azules le siguen durante el día. Algunos dicen que el Boraro no tiene dedos en los pies y otros que no tiene ombligo.

El Boraro mata a las personas apresándolas con su poderoso abrazo, que convierte la carne en una masa informe, pero sin desgarrar la piel ni quebrantar los huesos. Luego, abre un pequeño agujero en la coronilla de sus víctimas y aspira la pulpa hasta que sólo queda la piel flácida cubriendo el esqueleto.

Entonces, soplando, hincha la piel y la víctima, atontada y como en sueños, vuelve caminando a su maloca, donde al cabo de poco tiempo morirá.

Los indígenas tienen muchas leyendas del Boraro. Dicen que mora en la espesura de la selva y que se alimenta de cangrejillos que recoge en los grandes ríos y también de los frutos del «barbasco», que se usa como veneno para los peces.

Cuando camina, invade el ambiente un olor fétido a su paso; así mismo, sus orines son veneno y enferman mortalmente a quien los toca. Los cazadores y viajeros solitarios de las selvas tienen un miedo infinito al Boraro, pues corre detrás de ellos hasta cansarlos y despistarlos del camino.

Los indios también dicen que al Boraro le gusta devorar a las mujeres indígenas, o que las secuestra y se las lleva a su morada.

Bufeo

El bufeo (delfín) es un mamífero acuático. De ahí que los nativos lo asuman como mitad hombre, mitad pez. En eso se parece a los yacuruna y comparte con ellos el estigma de la hipersexualidad.

Sin embargo hay que distinguir entre los bufeos blancos, que ayudan a los pescadores y entregan a los ahogados, y los colorados, que son los que buscan gente para sus prácticas sexuales.

Por supuesto, el bufeo hembra busca varones y el macho busca mujeres, pero este último es mucho más activo.

Las mujeres no sólo no deben viajar solas en canoa, sino que ni siquiera fuera del agua están a salvo de ellos.

Los bufeos machos visitan en forma humana las ciudades y chacras atraídos por el olor de la menstruación. En muchos casos, se transforman en gringos, asisten a una fiesta, enamoran a una chica y la dejan luego embarazada. Cuando nace el hijo, tendrá forma de bufeo y hay que arrojarlo al río. La mujer, en estos casos, sólo podrá ser curada posteriormente por los curanderos y nunca por un médico.

El bufeo hembra ataca generalmente a los hombres que viven solos o a los soldados, les secuestra y suelen aparecer pasado un tiempo muy lejos del lugar donde estaban y sin recordar cómo llegaron allí.

La carne de bufeo no se come, pero sirve para elaborar la pusanga, un brebaje mágico que ayuda a enamorar al sexo opuesto.

Cacanching

Demonio de los tonocoté, primeros pobladores aborígenes de la gran llanura argentina, al que realizaban numerosas ofrendas. Le adoraban por medio de brujos y en sus dominios se respetaban mucho los nacimientos, la vida y la muerte.

Sus ídolos eran la lechuza, que representaba lo elevado, lo que está por encima del hombre, el agua, la lluvia y el aire; y la víbora, que representaba la tierra y la fertilidad en las cosechas, como muestran sus pinturas rupestres y alfarería.

Juntos lechuza y víbora significaban la fertilidad de la tierra y la fecundidad de las hembras.

Coquena

Divinidad de la puna del noroeste argentino considerada protectora de las vicuñas, o llamas, y los guanacos.

Se dice que es un hombrecito enano, de cara blanca y con barba.

Aunque, según otros, es lindo y elegante, lleva un sombrero ovejón y usa ropa tejida con lana, pantalón de barracán, camisa de lienzo y «un collar de víboras relumbrando», calza sus pies con botines con clavos de plata.

Cambia su poncho todos los años para el día de carnaval y entierra el viejo en el mismo lugar donde tiene su tesoro escondido.

El mito cuenta que Coquena vaga por los cerros durante la noche conduciendo rebaños cargados de oro y plata en bolsas atadas con serpientes para depositar su carga en las minas del Potosí.

Quien se encuentra con esta divinidad se convierte en aire, en un espíritu. Otorga bienes en abundancia, así como castigos terribles: se cuenta que, al encontrar un cazador de Tilcara que había sacrificado muchas vicuñas, le dio gran cantidad de plata para que abandonase esta ocupación.

El cazador contó el episodio a un indio, quien quiso imitarlo matando gran cantidad de vicuñas.

Sin embargo, esta vez Coquena respondió con ira, aprisionando al codicioso y condenándole a pastorear ganado a perpetuidad.

El indígena puneño no caza más vicuñas de las que precisa para su sustento para no despertar la ira de Coquena.

Costé

Según el mito indígena colombiano, Costé era como un indio, pero muy grande. En los brazos tenía unas especies de enormes navajas barberas con las cuales cortaba todo lo que quería. Sus dientes eran de oro puro.

Dice la leyenda que cogía a los indios que se perdían en el monte, cuando estaban cazando, y se los llevaba para su tambo, donde los castraba y los engordaba. Para engordarlos pronto, les ofrecía la carne grasa de otros indios, pero como ellos no la comían, les preguntaba por lo que querían. Si decían que carne de cerdo o de res, Costé iba y se robaba un cerdo o una res. Como tenía mucha fuerza, los cargaba a sus espaldas.

Cuando estaban bien gordos, los ponía sobre una batea grande de madera, para no perderse nada, y con las navajas de sus brazos los destrozaba, se los comía y luego se bebía su sangre. Muchos indios cuando iban a montiar, se perdían para siempre.

La mamá de Costé era una vieja muy flaca porque su hijo no le daba sino los huesos, por lo que estaba muy enojada con él y, un día que Costé se fue a montiar y a traer leña, la vieja le explicó a un indio al que Costé estaba engordando cómo podía hacer para escaparse.

Tenía que subir a un filo y echarse a correr hacia abajo, hasta que volviera a su casa. El indio dijo que él estaba tan gordo que no era capaz de correr, pero la mamá de Costé lo alentó y le indicó que cuando llegara al alto se echara a rodar.

Así que el indio gordo escapó y logró llegar a su casa y contó la historia de lo que había sucedido y describió a todos cómo era Costé y habló de sus barberas y sus dientes de oro.

A las 12 de la noche, más de 50 indios fueron al lugar con escopetas y lo encontraron dormido y lo mataron.

Cunuñunun Pishco

En Ecuador, pájaro diabólico que habitualmente es sólo un raro y frondoso árbol que vive siempre en las orillas de los ríos, contribuyendo con su presencia a embellecer el paisaje montuno.

No florece jamás, aunque sus hojas acorazonadas y esmaltadas de verde intenso le confieren un aspecto llamativo. Cierto día del año, al caer estas hojas en el agua, se convierten en suculentos peces que pueden ser aprovechados dentro de las inmediatas 24 horas.

Pero después de ese plazo, los peces se devorarán mutuamente hasta quedar un solo, el cual se transformará en un enorme pájaro negro, parecido al cóndor, cuyos dantescos graznidos retumban y se escuchan en varios kilómetros a la redonda.

Esta ave monstruosa que denominan Cunuñunun Pishco, no es para las creencias populares, sino uno de los más destacados residentes del averno que se ha disfrazado de pájaro por órdenes de Satanás, para, con sus graznidos, ensordecer de por vida a quienes han contravenido las leyes dictadas por Pacha Rúrac (el Hacedor del mundo). Debido a ello, ningún poder humano les podrá devolver ya el don maravilloso de la audición.

El Cunuñunun Pishco, que nace como se ha dicho y al ocaso del día, abandona precipitadamente el agua tan pronto como se siente con alas, y empieza a volar en círculos cada vez más amplios, mientras atruena con sus gritos la comarca. Atisba constantemente las nubes cargadas de electricidad, con el fin de capturar uno de sus rayos y, cuando lo consigue, lo usa como vehículo que le conducirá a las entrañas de la tierra.

Desde tiempos remotos se ha venido hablando de un posible antídoto que contrarrestaría los efectos de la sordera que produce, que consiste lisa y llanamente en cercenar los pabellones auditivos de quienes la padecen. Sin embargo, hasta la fecha, nadie ha querido probar semejante medicina.

Curupí

Deidad guaraní, fortachón y esbelto, con grandes bigotes, que camina por el monte a la hora de la siesta, pero lo hace a cuatro patas y arrastrando casi por el suelo un exagerado miembro viril tan largo como una soga con el que enlaza a sus víctimas.

Éste es a la vez su punto débil, porque cuando la víctima es enlazada por su pene, puede cortárselo y dejarlo inofensivo.

El Curupí persigue preferentemente a mujeres, sorprendiéndolas cuando van al bosque a por leña.

Con sólo verlo, éstas se vuelven locas. Dicen que su cuerpo es de una sola pieza, carente de articulaciones y con los pies vueltos hacia atrás. Por ello es fácil burlarle subiéndose a un árbol ya que no puede trepar.

Según esta versión, es antropófago y prefiere la carne de niños o mujeres. Los guaraníes han utilizado la amenaza de su existencia para mantener a las mujeres lejos de los peligros de la selva y a salvo de los raptos. Se suelen presentar las andanzas del Curupí como la causa de todos los hijos naturales.

Curupira

Duende popular en todo Brasil, que tiene el tamaño de un asno y el pelo rojo como el fuego. Como otros asustadores, tiene los pies del revés, con los dedos hacia atrás, con el fin de impedir que se sepa por sus huellas de dónde viene o a dónde fue.

Hace desaparecer a los cazadores en la profundidad de la selva y, como el Anhanga, es protector de la caza y castiga de modo sistemático a los indios o blancos que matan más de lo que necesitan para su consumo.

Chenche

Entre los indios emberá-catía de Colombia, el Chenche es un animal de la estatura de un perro y con patas parecidas a las del cangrejo. Tiene además una chivera (cabeza) tan dura que no le entra ni el machete, y habita en las ciénagas.

Ches

Nombre con el que designaban al Ser Supremo los aborígenes venezolanos. Habitaba las cumbres solitarias donde el ser humano no puede vivir, y tenía como agentes en el mundo de los hombres a los sacerdotes chapoti quienes, teniendo el favor de su dios, podían dominar los fenómenos naturales a voluntad, predecir el futuro y domeñar los malos espíritus.

Cuando el Ches descendía a la tierra, después de la segunda cosecha del año, dos sacerdotes entregaban tributos al dios para restablecer su fuerza vital y esperaban sus augurios para el resto del año. Si éstos eran buenos, posteriormente se realizaban alegres fiestas, pero de lo contrario todo el pueblo se retiraba triste a sus casas.

Las festividades en su honor estaban compuestas por procesiones totémicas de indígenas pintados y vestidos con pieles que pasaban bajo arcos de flores y frutos de la tierra, y danzas acompañadas por cantos y pantomimas.

Chonchón

Los brujos araucanos lo convierten, o se convierten a sí mismos por su influencia, en un espíritu maligno de la Patagonia representado con cabeza humana y enormes orejas que mueve como alas.

De ambos sexos indistintamente o de sexo sin especificar y de naturaleza maligna, envía muerte, enfermedades, daños y otras desgracias.

Se dice que revolotea alrededor de los enfermos, y que a veces, cuando los encuentra solos, los mata y absorbe su sangre.

Se le reza para alejarlo o hacerlo caer; mediante oraciones cristianas o aborígenes. Para ahuyentarlos, según el credo de cada uno, se rezan las siguientes oraciones: San Cipriano va para arriba, San Cipriano va para abajo, sosteniendo una vela del buen morir.

Con estas palabras el Chonchón cae al suelo. O también se le puede echar sal al fuego de la cocina y se dice: «Pasa, Chonchón, tu camino, o vuelve mañana por sal». Al día siguiente se presentará alguien a pedir sal y no hay que negársela.

Escuchar su grito («tué, tué») indica que una persona va a morir.

Chulla Chaqui

¿Duende benefactor? ¿Demonio? En general es difícil hacer la distinción cuando hablamos de la mitología amazónica. Sus personajes se parecen más a la realidad que los espantos de otras tribus: combinan la protección con la travesura, y la maldad del demonio con la bondad de los duendes benefactores.

Si muchos misioneros (antes españoles, ahora norteamericanos; antes católicos, ahora católicos y protestantes) los califican de demoniacos, es en gran parte porque tienen dificultad para comprenderlos.

El Chulla Chaqui toma su nombre del quechua: «chulla» significa pie y «chaqui» desigual, de un solo lado. Efectivamente, uno de sus pies es humano y el otro de animal: venado, cabra u algún felino.

Es el espíritu protector de los animales y las plantas, y también castiga a quien caza demasiadas presas, pero se hace amigo de quienes hacen una dieta especial y protege a los curanderos.

Le gusta reírse de la gente y hace que se pierdan en la selva, pero ni les hace daño como muchos otros asustadores, ni practica con ellos el sexo como los bufeos. Es pues inofensivo, pero personifica los peligros que hay en la selva.

Es el espíritu del monte y representa todo lo que es la antítesis de la sociedad. Habita en sitios despoblados y no tiene padres. Por supuesto, tampoco tiene ombligo.

Espantarlo resulta muy fácil: basta hacer la señal de la cruz o soplar humo de tabaco. El tabaco («tsáag» en aguaruna) funciona en el mundo amazónico como alucinógeno usado para la comunicación con el trasmundo.

El Al

Dios superior en la cultura tehuelche del norte de la Patagonia, creador de los indios y de los animales, exterminador de las fieras, civilizador del hombre a quien habría enseñado el uso de las armas y también a hacer fuego, para que les permitiera vencer a la nieve y al frío en las laderas del Chaltén, fuego que brotó cuando El Al golpeó ciertas piedras.

Dicen que a partir de entonces los tehuelches ya no temieron a la oscuridad ni a las heladas porque eran dueños del secreto del fuego, y que el fuego era sagrado para ellos porque se lo había dado su padre Creador. También les habría transmitido el conjunto de sus ideas morales.

Estos nómadas creían que el gran dios no intervenía en las cosas de la tierra, por lo que veneraban chotacabras, algunos lagartos achatados y todo objeto o animal raro y desconocido.

De su mitología quedan relatos incompletos, donde se destaca la figura del Elemgasem, padre o generador de la raza, que vive en una cueva y al que se le atribuye la autoría de las pinturas rupestres.

Tenía la forma de un gran animal extraño, cubierto de enorme caparazón muy grueso parecido al de los armadillos actuales.

Robaba mujeres y tenía según algunos cara humana y según otros era un hombre de talla gigantesca con la espalda cubierta por una enorme coraza.

Los llamados a sí mismos günün-a-küna (los indios tehuelches) tenían un canto dedicado al Elemgasem y decían que era el dueño de todos los animales vivientes y que sólo podía matarle el rayo.

Raspaban sus hipotéticos huesos, que eran los de cualquier fósil que encontraban, y se lo daban a beber a los niños para que crecieran fuertes y sanos.

Emesek

Entre los indios jíbaros y casi todo el resto de los amazónicos, es el nombre que toma el espíritu dañino de un enemigo muerto que viene de ultratumba a continuar la lucha con el enemigo, con el que todavía tiene cuentas que arreglar, a modo de wakán vengador.

La magia que se obtiene al reducir su cabeza será el medio para controlar a ese enemigo pertinaz e invisible, anulando su capacidad de daño y esclavizándolo para obligarle a trabajar con el fin de aumentar las riquezas de quien logró vencerle.

Para el celebrante, la fiesta de la reducción significa la culminación del éxito y el logro de un mayor estatus. Para su familia y partidarios será la desaparición definitiva de una amenaza que suele persistir durante años.

Para todo el grupo jíbaro, la reducción de cabezas («isantsa») constituye la afirmación de su ser étnico y la expresión máxima de su espíritu indomable.

Fiura

Ser mitológico al que se describe como poseedor de pies enormes y brazos poderosos, de sexo femenino, de menos de medio metro de estatura y aspecto repugnante, que vive en zonas pantanosas.

Peina constantemente su cabellera negra con un peine de plata muy pulido, que brilla con los rayos del sol.

Es hija de La Condená y el Trauco, al que aventaja en malignidad y ferocidad y encarna al vicio y la perversidad, deleitándose en prodigar males a los miembros de la tribu. Hace uso de la fetidez de su aliento para retorcer los miembros de los animales y de las personas, siendo tal su poder, que puede surtir efecto a distancia.

Se apodera (con su aliento y su mirada) de la voluntad de los humanos, «tomándoles sus alientos» para disfrutar sexualmente de ellos; éstos suelen quedar tullidos, aunque plenamente satisfechos. Suponen los mapuches que son varias las fiuras y que solamente un calcu poderoso puede actuar contra ellas, visten de colorado y suelen bañarse en las cascadas.

Furufuhué

Ente mitológico de la Patagonia vinculado con un viento tan fuerte que a veces no permite mantenerse en pie.

Se le describe como un pájaro cuyo cuerpo está cubierto con escamas refulgentes en vez de plumas, y que sólo puede ser visto a contraluz.

Nadie sabe dónde anida ni de dónde viene, pero su potente silbido puede escucharse en cualquier lugar de la Tierra. Mito original de la región meridional de Argentina y Chile.

Los gatos

Entre los quechuas, se presenta a estos animales como demonios que vienen a llevarse a los condenados o como agentes del diablo que con sus maldades hacen pelear a los matrimonios mejor avenidos o como vinculados a los poderes ocultos de la naturaleza.

El gato es el demonio a quien el alma respeta. Pero hay que tener mucho cuidado, porque el propio gato puede ser el más interesado en llevarte a los infiernos.

Ha habido muchos casos en que el gato ha matado a sus dueños. Cuando el gato mata a alguien, se lleva su cadáver, vuelve y sigue matando a todos los que viven en esa casa. Pero si no se puede llevar el cadáver, es el gato el que desaparece.

Para evitar que el gato mate a sus dueños o un demonio se apodere de él, lo mejor es bautizarlo. Para bautizarlo hay que cortarle, cuando todavía es cachorro, la punta del rabo y de las orejas.

El gato negro es el más peligroso. Cuando lo maltrata su dueño, se transforma a las 12 de la noche en una vela y, al caminar, deja en sus huellas chispas de fuego.

Se dice que nunca muere en casa de su dueño, sino que va a dejar sus restos en lugares apartados, como las cuevas o las quebradas.

Cuando se va este animal, nadie lo ve porque va a unirse con el diablo y su alma vuelve cada 15 días, durante los cuales el dueño está fastidiado porque por la noche ve fuegos fatuos en su casa. Entonces tendrá que pedirle protección a san Honorato, cara de gato.

A los gatos les gusta practicar «funerales» en los que uno de ellos se hace el muerto y el resto lo carga. Esta acción de los gatos es de mal agüero, por lo que es necesario sin tardanza hacer un «chique» para contrarrestar y dejar sin efecto la intención maligna. Para lograrlo hay que matar a todos los gatos que hayan estado practicando el funeral, o por lo menos a uno. Si no se logra, algún conocido será el que muera.

Guarmi Volajun

A la hora en que las malignas lechuzas dejan oír su lúgubre graznido mientras se desplazan en vuelo rasante, y también cuando el murciélago, común personificación del demonio, abandona su antro para ir en pos de sus víctimas, en definitiva, cuando, ante entorno tan sobrecogedor que no anuncia sino peligro inminente, todos los seres diurnos, incluyendo el hombre, procuran ponerse a buen recaudo, es el momento en que «la voladora» hace su aparición.

Apenas la Guarmi Volajun, surgiendo de detrás de las lomas, deja notar su presencia, es saludada por el aullido de los perros y la gente se precipita hacia el patio de sus casas para verla volar.

Es visible en un gran perímetro, ya que viaja dentro de una roja hoguera que se recorta contra el fondo oscuro del cielo. Las llamas que la envuelven no tienen capacidad para iluminar el paisaje, sino que tan sólo sirven para ubicar su posición, que todos observan más con curiosidad que con miedo.

Porque la voladora, aunque considerada hechicera, nada tiene que ver con las horripilantes brujas que participan en los aquelarres y adoran al macho cabrío; ni siquiera utiliza una escoba como vehículo. Es una hija de los antiguos dioses que abandonaron la tierra, perseguidos por el cristianismo.

Se trata de una bella mujer de larga y roja cabellera, que tiene su mansión en el lucero vespertino, de donde viene de noche en noche cuando la luna está ausente. Mas nadie sabe por qué visita a menudo la patria de sus mayores.

Ella no es mala, ni tiene vínculos con el maligno, y lo que parece una hoguera, que impresiona a quienes la miran, no son sino sus espléndidos cabellos rojos.

Es vulnerable a la astuta maldad del hombre quien, a veces, logra hacerla caer con sólo valerse de unas tijeras colocadas en cruz sobre el suelo, debajo de donde va a pasar la noctámbula y voladora viajera.

Hatu Runa

Versión quechua del «hombre-lobo» europeo, aunque el Hatu Runa, a diferencia del mencionado del viejo mundo, no hereda sus virtudes de transformación ni éstas se activan gracias al influjo de la luna llena. Tampoco asalta los rediles.

Este personaje de los Andes, que es un poderoso brujo, puede adoptar a voluntad cualquiera de sus dos estados: el de Hatu (lobo) y el de Runa (hombre).

No obstante, prefiere el atardecer, sobre todo cuando amaina la lluvia, para convertirse en Hatu feroz, enorme, negro, de hocico babeante. Es cuando se lanza a merodear por el gélido páramo, en busca de víctimas a poder arrancarles el corazón, que es el ingrediente principal de su dieta. No existe medio posible de combatirlo.

La cruz, los rezos y el agua bendita producen en él extraños aullidos similares a la risa.

Huayra Tata

Nombre del dios de los vientos y los huracanes en el noroeste argentino y en Bolivia. Vive en las cumbres de los cerros y en los abismos, lugar que abandona para demostrar su poder ante su esposa, la Pacha Mama.

El viento fecunda la tierra quitándole el agua al lago Titicaca para luego dejarla caer sobre ella en forma de lluvia. Por eso mismo, mientras el viento dormía, las aguas de los lagos y de los ríos también descansaban tranquilas.

Huecuvú

Genio maléfico andino que destruye los resultados del trabajo del hombre y le enferma para que no pueda seguir trabajando.

Dicen que este genio supedita su acción al Pillán y que a veces adopta la forma humana o de cualquier animal, procediendo a quemar la leña del canelo para que el hombre se vaya del lugar.

También llaman Huecuvú a ciertos valles donde proliferan hierbas dañinas, existiendo una enfermedad nerviosa y fatal en los equinos a la que denominan huecú, producida por la ingestión del coirón blanco.

En los pasos de la cordillera andina se suele encontrar una gran cantidad de animales muertos y osamentas, lo que es atribuido por los indígenas exclusivamente a la obra del Huecuvú.

Igpuriara

Criatura asustadora de forma humana, masculina o femenina.

Los machos se caracterizan por tener los ojos muy profundos, mientras que las hembras son hermosas mujeres de largos cabellos.

Los igpupiaras viven en las orillas de los ríos y, cuando capturan a sus víctimas, las abrazan y besan con tal ferocidad, que acaban despedazándolas.

Cuando se dan cuenta de que tienen un cadáver entre los brazos, huyen emitiendo a veces sonidos lastimeros.

Pero, otras veces, aprovechan que ya están muertos para devorar los ojos, las narices, los genitales y los dedos de pies y manos de sus infelices víctimas.

Inti

En la mitología incaica, Inti (el sol), llamado «siervo de Viracocha», ejercía la soberanía en el plano divino, del mismo modo que un intermediario, el emperador llamado «hijo de Inti», reinaba sobre los hombres.

Los quechuas le colocaban en el primer peldaño del escalafón celeste y le acompañaba su esposa (y hermana, como corresponde a un inca) la luna, en igualdad de rango en la corte celestial, bajo el nombre de Mama Quilla.

Inti, como Creador, era adorado y reverenciado, pero a él también se acudía en busca de favores y ayuda, para resolver los problemas y aliviar las necesidades, ya que sólo él podía hacer nacer las cosechas, curar las enfermedades y dar la seguridad que el ser humano anhela. Se le adoraba en múltiples santuarios, para rendirle ofrendas de oro, plata y ganado, así como las llamadas vírgenes del sol.

Iobec Mapic

Nombre que le daban los indios mocobíes a una planta de la familia de los helechos, y que significa árbol de la sal.

Se cuenta una leyenda respecto a este curioso árbol:

«Cierta vez Cotáa (el gran Dios), condolido por la triste vida de los hombres del Chaco, quiso darles un árbol, cuyo jugo sirviera de alimento a los hambrientos y apagara la sed de los sedientos».

Pero cuando la concluyó, Neepec (el diablo) le arrojó encima una vasija llena de lágrimas con lo que la planta, en vez de dulce ambrosía como había querido Cotáa, produjo desde entonces un zumo áspero y salado.

Cuando Cotáa supo de la obra del maldito, dijo:

«Tu maldad será trocada en bonanza. Esta planta servirá para salar los venados y guasunchos y con la sal de las lágrimas endulzará los alimentos porque los hombres la usarán eternamente».

Y desde entonces apareció en el Chaco el árbol de la sal.

Irampavanto

Según los indios ashaninkas del Amazonas, cuando un hombre se interna solo en el bosque, se le presenta uno de estos demonios en forma de atractiva mujer (o toma la forma de su esposa), pero con un tucán en el hombro, y lo excita hasta llevarle al coito.

Una vez realizado el acto sexual, el irampavanto le informa al hombre de la verdad, y si éste se asusta, será golpeado hasta morir.

La víctima revive y vuelve a su hogar, pero el recuerdo de lo que ha pasado le hace enfermar y muere o se vuelve loco.

También pueden aparecerse, en forma de varón, a una mujer, con los mismos resultados y procedimientos.

Ivunche/Ivúm Koñi

Es un ser de la mitología araucana al que generalmente se describe como un duende con la cabeza vuelta hacia atrás.

Según algunas versiones, el Ivunche sería el producto de la unión de un calcu con una bruja, y actúa como cancerbero de sus cuevas y consejero en sus actividades. Pero a pesar del vínculo de sangre, sus «madres» le tratan como un esclavo y le reservan castigos muy crueles.

Otras versiones le dan al Ivunche un origen menos fantástico: se trataría de niños varones robados y esclavizados por los brujos cuando tenían entre los seis meses y el año de edad, y a quienes les obstruyen todos los orificios del cuerpo.

Sea cual fuera su origen, se describe al Ivunche caminando sobre una sola pierna, ya que la segunda le nace de la nuca y no le sirve para la locomoción.

Esto se debería, según la mayor parte de las fuentes, a que de pequeño le dislocaron una pierna y debe llevarla recogida sobre la espalda para toda la vida, además de torcerle el pie sano en dirección contraria a la de la marcha.

Gracias a esto, el Ivunche debe caminar a tres patas y, al incorporarse, da la sensación de que la pierna dislocada le brotara de la nuca o de la espalda. Como complemento para la marcha, utiliza un bastón retorcido.

Se le describe desnudo, con el cuerpo hinchado por las palizas que recibe de sus «progenitoras» y completamente cubierto de largos vellos. Carece del don de la palabra y, cuando los brujos le consultan, sólo responde negativa o positivamente con movimientos de su cabeza.

Sin embargo, emite una especie de balidos y apenas deja oír sus quejas cuando es apaleado. Para colmo de males, es también bastante sordo. Existen muchos Ivunches y encontrarse con ellos no tiene mayores consecuencias para el «afortunado» aunque, por su aspecto, repugna a las mujeres embarazadas.

Una última versión cuenta que, en realidad, el Ivunche es un macho cabrío, de barba larguísima y muy afecto a la carne humana, que se alimenta de niños recién nacidos y cambia su dieta por carne de chivo cuando llega a la edad adulta.

Iwanch

Los indios aguarunas, que viven en el Amazonas, creen que el Iwanch es el alma de los seres (wakán) cuando se ha desprendido definitivamente del cuerpo tras la muerte.

En el pensamiento aguaruna todos los seres tienen wakán: hombres, animales, plantas u objetos inanimados.

Cuando el wakán se transforma al morir su poseedor, suele tomar la forma de un humanoide glotón, cobarde y poco inteligente.

Esta primera etapa de su nueva vida en el inframundo, a la que se llama «dekas Iwanch», durará el mismo tiempo que su anterior vida humana. Luego se transforma en un «Iwanch Wampag» (mariposa azul) que desaparecerá entre las nubes.

Los aguarunas cuentan muchas historias de raptos llevados a cabo por el Iwanch, quien asalta y golpea a sus víctimas dejándolas medio muertas. Por ello existe un ánen (fórmula mágica o encantamiento cantado o salmodiado) dedicado a espantarlo y que dice así:

«¡Tú eres! Tú de espíritu maligno
tomaste forma. ¡Mi alma no te lleves!

Recordando los tiempos en que cuerpo has tenido
sin duda has dicho así: «Iré a ver a mi esposa».

Ya no has de hablar así, ya no habras de hablar así.

¡Tú eres! Tú de espíritu maligno
tomaste forma. Mi alma no te lleves.

Yo soy como la yema
adherida al nudo del carrizo.

Así mi alma al cuerpo está adherida.

Recordando los tiempos en que cuerpo has tenido
sin duda has dicho así: «Iré a ver a mi esposa».

Ya no habrás de hablar así, ya no habrás de hablar así.

En la lejanía piérdete para siempre».

Jepá

Especie de boa que vive en los pantanos y que es capaz de atraer a sus víctimas desde dos leguas. El trueno arrastra a los indígenas colombianos al charco para que las boas se los coman.

Una especie de jepá produce los remolinos, revolcándose en los fondos de los ríos, para tragarse todo lo que cae en la turbulencia, ya sean hombres o canoas.

Kai Kai Filu

Ser mitológico araucano causante del diluvio universal. Es descrito como un animal híbrido, mitad caballo y mitad culebra, que vive en el fondo del mar y agita las aguas, por lo que se le atribuye toda gran inundación. Relincha como un caballo.

Hay versiones que niegan su mitad equina y que su grito sea un relincho.

Katsivoreri

En la selva amazónica, los nativos ashaninkas dicen que estos demonios animales viven en cuevas en las colinas y salen de noche. Son seres pequeños, negros y con alas, que llevan a su espalda a un compañero aún más pequeño.

Del katsivoreri emana una luz que puede ser vista flotando a través del aire cuando el demonio sale a realizar sus descubiertas nocturnas.

Atacará a cualquier humano que encuentre, asiéndolo con sus poderosos puños y clavándole su gigantesco pene en el cuerpo; de este modo mata a su víctima o la convierte en otro katsivoreri.

También atacan con su miembro viril los mironi, que tienen la forma de un tapir grande y el tamaño de una mula, con enormes ojos y gigantesco pene, pero que puede aparecer como un viejo de corta estatura, vestido con una vieja túnica, llevando un bastón y, sin duda, también provisto de un enorme pene.

Atacará al hombre solitario en el bosque, clavándole su miembro en el cuerpo. La víctima muere y resucita como un mironi hembra.

Este demonio ataca sólo a los varones, ya que se asusta al ver los senos de la mujer que le parecen dos poderosas armas como las suyas al servicio del enemigo.

Kókeske

En la cosmogonía de los tehuelches, era uno de los dioses primigenios que formaba parte del comienzo del mundo, cuando aquella tierra desierta, la Patagonia, era el reino de Shíe, la nieve, y de Kókeske, el frío.

Los dos hermanos, siempre juntos, siempre de acuerdo, recorrían permanentemente su territorio. Shíe llegaba quedamente, deshaciendo en motas su vestido blanco, acolchando las rocas y tachonando el mar.

Luego Kókeske endurecía la nieve caída y la volvía afilada, brillante y resbaladiza. A veces convocaban a Máip, el viento helado, que jugaba con Shíe haciéndola volar y corría con Kókeske carreras velocísimas.

Eran los amos de la Patagonia y se pusieron furiosos cuando descubrieron a El Al, que bajaba del cerro Chaltén, donde lo había dejado el cisne, para vivir en esa tierra y cambiarlo todo.

A pesar de que los dos hermanos atacaron al niño con todo su poder, no pudieron vencerlo y para siempre le guardaron rencor, a él y al pájaro que había trazado el camino del invasor.

Por eso Kíus (el chorlo) sólo vive en la Patagonia mientras el tiempo es cálido; por eso emigra hacia el norte, cuando el invierno se acerca, temeroso de la venganza de Kókeske y Shíe.

Kóoch

Dios principal en la Patagonia, Creador del mundo, de cuyas saladas lágrimas surgieron todos los mares.

Machi

Para los mapuches de Argentina y Chile, médicos hechiceros que forman una especie de casta.

En cada tribu el/la machi es una especie de consejero del caudillo, que reunía en su persona los atributos del médico, el sacerdote y el curandero local.

A través de plantas medicinales y de otras técnicas heredadas ancestralmente, que quien realizaba las rogativas por la lluvia en tiempo de sequía, obtenían sus plegarias y además era el mediador entre los hombres y los demonios.

Usaba vestiduras especiales, hacía vida solitaria y por temporadas se retiraba a vivir en cavernas, dedicándose a prácticas ascéticas.

Casi siempre es de sexo femenino, siendo el Machitun la ceremonia tradicional en que ejerce como médica o hechicera.

Maiturús

Espanto de origen indígena, que tiene su espacio en el mundo mágico de los esclavos negros al comienzo del periodo colonial. Tiene los pies hacia atrás, y es muy temido por los antiguos esclavos que vivían en el campo.

Manco Cápac

Personaje semilegendario, uno de los cuatro hijos de Viracocha, el Sol, quien les habría hecho nacer de una abertura central o «abertura magnífica» de una colina situada al sur de Cuzco. Fue el fundador del Imperio inca.

Los cuatro hermanos, Ayar Manco (Cápac), Ayar Cachi, Ayar Uchu y Ayar Auca, casarían a su vez con sus cuatro hermanas, Mama Ocllo, Mama Huaco, Mama Cora y Mama Raua, y serían los responsables de la emigración que, junto a los diez clanes, les llevaría a asentarse en el Cuzco y fundar varias poblaciones más.

La jefatura del grupo la asumiría Manco Cápac mediante la eliminación de sus hermanos, y con su hermana y esposa se dedicó a fecundar la tierra con un bastón de oro que el dios Tiksi, Viracocha, le había regalado, y haciendo crecer las nuevas plantas para beneficiar a la raza de los pobres mortales.

También para su bienestar iba dando forma a los ríos y arroyos, hacía brotar árboles y pastos y construía las mansiones en las que pudieran vivir.

Cuando llegó al Cuzco, el territorio estaba ocupado por cuatro tribus aymara, los huallas, los alcabizas, los lares y los poques, que se someterían al poder inca. Como sus hermanos, se transformó en ídolo de piedra adorado por los incas.

Madreselva

Mito de origen indígena presente en casi todas las regiones de Colombia. Es una de tantas deidades, asustadores o espantos que cuida los montes y las selvas, por lo que persigue a los cazadores, pescadores y aserradores de los bosques, envenenando las aguas de los ríos desde las cabeceras para que, al bañarse, les ocasione calenturas, llagas, ronchas y enconos.

Su figura es la de una mujer de gran corpulencia con manos largas y huesudas, todo el cuerpo cubierto de hojarasca y una cabellera de musgo y melenas que cubren su rostro, dejando ver solamente sus grandes colmillos y los ojos saltones y encendidos.

Generalmente aparece en zonas de marañas y maniguas y sus bramidos y gritos infernales se oyen en las noches tempestuosas y oscuras.

Hace perderse a los niños y los esconde debajo de las cascadas en las montañas. También persigue a los hombres que andan por malos caminos haciéndoles perderse en el monte.

Para ahuyentarla, cuando se encuentra de cara, hay que insultarle, no mostrarle miedo y azotarla con lo que se tenga a mano. También el humo del tabaco, o una medalla bendita, impiden que aparezca.

Según los campesinos, rige los vientos, las lluvias y todo el mundo vegetal.

Máip

Para los indios tehuelches, uno de los tres espíritus hijos de Tons, la Oscuridad, muy temidos por la tribu.

Se dice que cuando la luna y el sol se fundían tras el horizonte, la oscuridad invadía la tierra hasta el regreso de los amantes, pero óolo aparecía el sol, entonces Tons se alejaba de la tierra para encontrarse con el Tiempo, que era su consorte, con el que engendró a los tres malos espíritus llamados Nóshtex, Kelenken y Máip, estos dos últimos mellizos.

Uno de ellos vivía en el fondo de un manantial sulfuroso, otro deambulaba por la Patagonia derramando sus males por doquier, mientras que Máip, que representaba el viento helado, acompañaba a su hermano mellizo, apagando los fogones, entumeciendo los miembros de los seres humanos, matando a los pájaros sin nido y congelando los tiernos brotes de las plantas.

Mama Quilla

Para los quechuas era la Madre Luna, esposa del Sol (Inti), y madre del firmamento; de ella se tenía una estatua en el templo del Sol, a la cual una orden de sacerdotisas rendía culto, orden que se extendía a lo largo de la costa.

Mama Quilla estaba adscrito al fervor religioso de las mujeres y ellas eran quienes formaban el núcleo principal de sus fieles seguidoras, ya que nadie mejor que la diosa Quilla podía comprender sus deseos y temores, y darles el amparo buscado.

Los antiguos moche, a diferencia de los incas, consideraban a la Luna la deidad principal.

Mankóite

Demonios animales que residen en el interior de los grandes riscos del territorio campa. Tienen forma humana con grandes melenas, vestidos con viejas cushmas (traje tradicional ashaninka), y con una planta roja parásita (ananta) en vez del apropiado plumaje rojo del guacamayo en sus coronas de mimbre.

Los mankóite son demonios poderosos; sus poderes se acercan a los de los dioses.

Quien ve un mankóite puede esperar una muerte instantánea. Generalmente, sin embargo, el daño que producen es una enfermedad que resulta de la brisa que dejan al pasar, a la que llaman «atantsi».

Viviendo en los riscos que dominan los ríos, su especialidad era capturar las almas de los niños que utilizan las vías fluviales.

También a los hombres blancos les llamaban mankóites pues, como ellos, eran y son poderosos pero no benevolentes, ricos pero no generosos, por lo que a los indios les resultaba más sencillo identificarlos como demonios que como mortales.

Matinta Pereira

Mito de las áreas del norte-nordeste de Brasil. El Matinta Pereira es un indio pequeño de una sola pierna, que lleva un birrete rojo en la cabeza. Suele ir acompañado de una mujer vieja y muy fea que llama de puerta en puerta pidiendo tabaco.

Se dice que el que consiga arrancarle el gorro de la cabeza habrá conquistado la felicidad.

Millalobo

Entre los indios chilotas, todopoderoso dios del mar que habita en lo más profundo y fue concebido, bajo la protección del espíritu de las aguas Coicoi-vilu, por una hermosa mujer que tuvo amores con un lobo marino durante el periodo en que las aguas del mar invadieron la tierra.

Tiene el aspecto de una gran foca y su rostro es el de un pez antropomorfo. La parte superior del tórax tiene aspecto humano y el resto de su cuerpo formas de lobo marino.

Está cubierto de un corto y brillante pelaje de color amarillo dorado, de ahí su nombre «Lobo de Oro».

Comparte su vida con Hunchula, hija de una vieja machi, llamada la Huenchur, y cuando las condiciones lo permiten, sale con su amada a las playas solitarias para disfrutar de los rayos del sol.

Coicoi-Vilu le nombró amo y señor de todos los mares, aunque delega sus importantes funciones en varios subalternos encargados de hacer cumplir su voluntad.

Ellos se ocupan de sembrar peces y mariscos, cuidar su desarrollo y multiplicación, dirigir las mareas o controlar las calmas y tempestades. También están bajo su mandato seres maléficos como la Vaca Marina, el Cuero, el Cuchivilu y el Piuchén.

De su unión con la hermosa Hunchula nacieron la Pincoya, la Sirena y el Pincoy, quienes como buenos hijos desempeñan importantes papeles en los vastos dominios de su poderoso padre.

Mohán/Muán

Es el mito más generalizado en Colombia y está enraizado en numerosas costumbres indígenas.

Se dice que era un hechicero que tuvo una visión anticipada de la llegada de los españoles y de los horrores de la conquista, por lo cual se refugió en el monte y se convirtió en el dios de los ríos.

De forma humana, pero descomunalmente grande, guarda y protege los montes y habita en el fondo de grandes ríos. Es medio sátiro y le gusta asomarse para ver bañarse a las muchachas bonitas.

Es el dios más legendario, conocido y respetado en el Tolima. Se puede decir que es el personaje más importante de la mitología tolimense.

Se le llama, también, el Poira, especialmente para cuanto se refiere a su caracterización como perseguidor de muchachas casaderas que apenas han traspasado los umbrales de la pubertad.

Su descripción es la de un indio viejo de tamaño gigantesco y aspecto demoníaco, con el cuerpo peludo, la cabeza greñuda, ojos y mirada brillante, boca muy grande y uñas muy largas.

Vive en el monte cerca de los meandros que forman los ríos, en cuyas finas arenas aprovecha para calentarse al sol de la mañana. Ha sido visto fumando y tocando tiple.

Dicen de él que es juguetón, mujeriego y libertino. Además, es antropófago, ya que rapta a los niños y, después de chuparles la sangre, se los come asados.

Como es un gran fumador, para calmarlo le dejan tabaco como ofrenda sobre las rocas que están cerca de los ríos.

Naipú

Dice la leyenda guaraní que una bella joven, llamada Naipú, vivía con sus padres en la orilla de un río, y un dios la vio y enloqueció de amor por ella. Sin embargo, Naipú se enamoró de un mortal y huyó con su amado en una canoa.

El dios, enfurecido por los celos, hizo aparecer las cataratas de Iguazú (agua grande), para impedir que los amantes huyeran juntos.

La tribu guaraní habita gran parte del territorio brasileño, el norte de Argentina y Paraguay. En la confluencia de estos países se sitúan las mencionadas cataratas, que son un conjunto de saltos de agua de aproximadamente 80 m de altura y con una extensión de más de 3 km.

Nalladigua

Árbol imaginario que, según los indios mocovíes, lleva el alma de rama en rama hasta conducirla al cielo.

Según dice la leyenda, una anciana transformada en Capiguara (un diablo) e irritada por la falta de solidaridad entre los indios, carcomió el tronco del árbol hasta romperlo. Desde entonces, las almas de los mocovíes no pueden usar el árbol para llegar al cielo.

Ngnechen

El Ser Supremo para la mayoría de los indios mapuche, primeros pobladores de la Patagonia, al que a menudo se denomina «dios de los mapuche» y «gobernador de los mapuche». Durante la salmodia ceremonial, se le adjudican prefijos como «chau» (padre) o «kume» (bueno).

Nóshtex

Mito tehuelche de la Patagonia, Nóshtex era un gigante hijo de Tons, la Oscuridad, que raptó a la nube Teo y la encerró en su caverna para hacerla un hijo.

El todopoderoso Kóoch le maldijo prediciendo que su hijo sería más fuerte y poderoso que su padre, así que decidió matar a Teo y al hijo que llevaba en sus entrañas.

Pudo despedazar a la nube, pero al niño le salvó Ter-Werr, una tuco-tuco que vivía en su casa subterránea excavada en el fondo de la gruta, que consiguió que escapara volando a lomos de un cisne.

Ese niño era El Al, a quien se considera el padre de los hombres y gran benefactor de la humanidad.

Nunsí

Entre los primeros habitantes de Colombia, especie de peces que viven en el fondo de las pozas de los grandes ríos. Salen de noche y sus ojos resplandecen como el fuego. Se comen el cuerpo y el alma de quien se baña en sus pozas.

Pacha Mama

«La Madre Tierra» tenía un culto muy extendido entre los quechuas y por todo el imperio inca, puesto que era la encargada de propiciar la fertilidad de los campos.

Su morada está en el Carro Blanco (nevado de Cachi), y se cuenta que en la cumbre hay un lago que rodea una isla. Esta isla está habitada por un toro de astas doradas que al bramar, emite por los belfos las nubes de tormenta. Los rituales indígenas de la ceremonia de la Pacha Mama asumen el consumo de coca y alcohol, regar la tierra con aguardiente y enterrar ofrendas de comida alrededor de su imagen.

Pachacutej

En una leyenda de origen boliviano, se cuenta que Pachacutej, dios de todas las cosas y hacedor supremo, dispuso en cierta ocasión, que el Sol y la Luna, siempre tan distantes el uno del otro, tuvieran contacto, siquiera por unos momentos, y se conocieran para entablar amistad.

Fruto de sus amores nacerían el inca a quien llamaron Manco Cápac y su hermana, que nombraron Mamauchic.

Paqki

Es la serpiente anaconda para los indios amazónicos. Vive con Tsugki, el señor de las aguas, en lo más profundo de las pozas del río, sobre todo en las partes en que hay pongos.

Su cola produce remolinos y por eso hay que navegar en silencio, para no despertarla. Cuando salen a la tierra, les acompañan torbellinos de viento huracanado.

Payak

Especie de genio coordinador de los espíritus del Mal.

Para los indios tobas y pilagás no existe la muerte natural, por lo que todos los óbitos (menos los de los guerreros en las batallas) son obra de los payaks.

Son espíritus que disfrutan chupando la sangre de los enfermos, por sí mismos o a través de un hechicero.

En este último caso, el espíritu abandona el cuerpo del enfermo y se refugia en un árbol hasta que el hechizo desaparece.

Cuando muere algún indio en estas condiciones, se quema su ropa y se le entierra en una sepultura aérea. Cada muerto se reencarna en otro ser, animal o planta, según haya sido su vida.

Pihuchén

Es una voz mapuche que significa secar a la gente, y que denomina a un culebrón verdoso, de alrededor de medio metro de largo, que vive en el corazón de los árboles huecos y chupa la sangre de las ovejas o de los humanos a distancia.

Su presencia se reconoce por las huellas de sangre que deja.

Se trata de un espanto que también es conocido y temido entre los araucanos de la zona central. En algunas comunidades, a los rebaños de ovejas se les añaden seis o más machos cabríos, pues la sangre de estos animales es muy fuerte y ahuyenta al pihuchén.

Para matarlo, se cubre el árbol en que está escondido con una tela fuerte, para que no pueda huir y, en seguida, se le prende fuego.

Pishtaco

El mito de los asustadores pishtacos es de tradición muy antigua en el mundo andino, y resulta común a toda la sierra peruana, aunque en algunos lugares tome otros nombres.

En el quechua del sur se le conoce como nakaq y se cree que pishtaco es su traducción al castellano.

Aunque dotado, según muchos, de poderes mágicos, no es un condenado ni un ser de la otra vida, pues aparece como un hombre de carne y hueso que tiene como «oficio» matar a las personas, extraerles la grasa y venderla, como los llamados en España «sacamantecas».

En el cerro Cuchihuayacco y frente a Cutupaita, en la subida del río Watatas, están esos lugares donde vivían los pishtacos. A cualquiera que pasaba por ahí lo descuartizaban, llevándole a un inmenso espacio donde tenían preparado el lugar de su matanza.

Una vez que lo descuartizaban, lo colgaban de unos eslabones, como un carnero, abierto a lo largo de todo el pecho.

Dicen, pues, que goteaba el aceite humano y lo recogían en grandes vasijas para exportarlo al extranjero, a buenos precios, porque en aquellos tiempos se inventaron en los países adelantados las grandes máquinas y éstas funcionaban mejor con aceite humano.

Todo el trabajo de sacar aceite lo hacían de día y a pleno sol. Queda un testimonio de que ya en el año 1613 se definía esta operación de la siguiente manera:

«A estos hechizeros dizen los quales tomauan una olla nueva que llaman ari manca, que lo cuesen sin cosa nenguna y toma sebo de persona y mays y zanco y plumas y coca y plata, oro y todas las comidas. Dizen que le echan dentro de la olla y los quema mucho y con ello habla el hechizero, que de dentro de la olla hablan los demonios (...). Estos dichos pontifizes de los Yngas hazían serimonias con carneros y conejos y con carne humana, lo que les dauan los Yngas. Toman sebo y sangre y con aquello soplaban a los ydolos y uacas y los hacian hablar a sus uacas y demonios».

Pisibura/Sisibura

Espanto de los indios emberá-catía, en Colombia, es un animal que a veces se presenta en forma de ardilla y que es capaz de oler al hombre desde muy lejos.

Entonces lo persigue hasta alcanzarlo y no deja ni rastro de él. Apenas divisa el humo de los tambos, chilla como una oropéndola.

Pombero

Señor de los pájaros y de la noche, es el duende más popular y multifacético de la región guaraní.

En sus inicios era el genio protector de los pájaros de la selva, sin embargo a través del tiempo fue «adquiriendo» las más diversas habilidades: se mimetiza con facilidad transformándose en indio, tronco o camalote; puede también hacerse invisible cuando quiere, puede deslizarse por los espacios más estrechos e incluso atravesar el ojo de las cerraduras; sabe correr a cuatro patas, es ventrílocuo y puede imitar el canto de todas las aves (aunque prefiere las nocturnas), el silbido de los hombres y de las víboras y el grito de los animales.

Puede incluso tomar la forma de cualquier animal: algún viajero ha dicho que a distancia parece un carnero alzado sobre las patas traseras.

Dicen que parece un hombre alto, flaco, de abundante vello y que luce un enorme sombrero de paja y viste, a veces, andrajoso y con una bolsa al hombro. Otros lo pintan casi enano, gordo, negro, peludo y feo.

En Paraguay se describe al Pombero como un niño rubio que camina entre los árboles con un bastón en la mano, o como un enano fornido con los pies hacia atrás para despistar a los que pretendan seguirlo.

Tampoco se ponen de acuerdo con su nombre: en el litoral argentino lo llaman Pombero (derivado del verbo «pomperiar» o «espiar»), aunque en algunas zonas de Corrientes se usa el vocablo guaraní Py-ragüe, «pies con plumas». En Paraguay le dicen Karai-pyhare, el «señor de la noche»», y otras versiones, menos generalizadas, lo presentan como Kuarahy-Yara, el «Dueño del sol», un viejo color rojo con un solo ojo en el medio de la frente, dientes de perro, brazos largos y manos muy grandes. Así se emparenta con el mito mbyá del sur de Brasil.

Casi todos coinciden en que tiene la boca grande y alargada y los dientes muy blancos; los ojos chatos, como los de un sapo, que miran fijo como la lechuza, y las cejas de pelo largo, que pía y silba como un pájaro y camina sin hacer ruido.

Se dice que habita en el monte, en casas abandonadas, y que le gusta pasear en octubre y noviembre, cuando empieza el calor en la zona guaraní. Incluso se habla de un Pombero llamado el «Dueño de octubre» que aparece una sola vez, el día primero de ese mes, armado con un rebenque con el que azota a todo aquel que no coma en su honor hasta atragantarse.

Pero el Pombero más difundido es el que recorre el monte a la hora de la siesta y si encuentra niños cazando pájaros, los secuestra y después los abandona lejos de su casa, muertos o atontados.

También actúa durante la noche, y en Chaco se dice que bebe la sangre de los niños hasta matarlos, para luego colgarlos de algún árbol. Si el niño no duerme la siesta o quiere escaparse de noche, se le amenaza con recibir la visita del Pombero.

Durante sus andanzas nocturnas despierta a las mujeres con el suave y escalofriante roce de sus manos, especialmente a aquellas que en verano duermen al sereno.

A veces las secuestra y las posee, y después de saciarse las deja ir, generalmente embarazadas, en cuyo caso el hijo nacerá muy parecido al Pombero.

En algunos casos se asemeja a un duende, ya que es descrito como travieso y ocurrente: desordena la casa, extravía las llaves, rompe los aparatos, dispersa a los animales, roba tabaco, miel, huevos o gallinas, desparrama el maíz, tira al jinete de su montura y asusta a las cabalgaduras.

Los puquiales

En Perú, los puquiales u ojos de agua son los lugares donde afloran las aguas subterráneas o, en muchos casos, el nacimiento de un río. Pero son mucho más.

Como espacio privilegiado para que aflore el mundo subterráneo, a las cuatro de la tarde se vuelven propiedad del demonio. Desde esa hora, nadie se atreve a acercarse por estos lugares, ya que dan por sentado que el diablo atraparía a quien llegue a ellos y le llevaría bajo tierra. Para conseguir estos objetivos, se disfraza de mil formas.

Si quiere atrapar a un varón se convertirá en sirena; si a un niño, en un muñeco bailarín o en un lindo corderito. Una vez que tenga atrapada la víctima, la conducirá a sus dominios subterráneos, donde hay un mundo de riquezas, pero también otros animales y personas, y del que sólo los animales más fuertes, como el toro, pueden salir por sus propios medios. Si alguien quiere salir de allí, tendrá que hacerlo agarrado a la cola de un toro.

Cuando se cae en un puquial, aunque sea de día, se enfermará, con lo que llaman «el chacho», que es una enfermedad por la que el cuerpo se seca totalmente y sin remedio.

Qarqacha/Jarjaria

El qarqacha tiene algunos puntos en común con la uma: es un ser de este mundo, es antisocial y se transforma de noche. Pero los relatos de brujas apuntan sobre todo a mostrar a la uma como un ser ligado a las fuerzas ocultas de la naturaleza, mientras que el qarqacha está generalmente unido al incesto.

Se transforman en qarqacha quienes hayan tenido relaciones sexuales con algún pariente o también los curas que hayan tenido relaciones con su sirvienta. Son, pues, seres castigados de esta vida, que de noche se convierten en animales y asustan a la gente.

Generalmente se convierten en llama, aunque también pueden convertirse en algún otro animal doméstico (con excepción del cordero, ya que éste es un «animal puro»), o en alguna deformación zoológica: burro con cuernos, llama con dos cabezas o mitad hombre mitad llama.

El grito del qarqacha es aterrador: se parece a una carcajada expresada con la onomatopeya qar-qar-qar, de donde viene su nombre. Los perros reaccionan aullando, ladrando o bien atacando valientemente, mientras que los hombres se aterrorizan y a veces se ponen a rezar.

Para atacar al qarqacha hay que hacerlo en grupo y lacerarlo con una cuerda, generalmente hecha de lana de llama. El crucifijo es una gran protección, lo mismo que todo objeto de metal como hachas, picos o barretas.

El grupo intenta coger al qarqacha y esperar que tome en el día su forma original para conocerlo y hacerle pasar vergüenza. Muchas veces ofrecen riquezas a cambio de que los suelten, ya que ellos también conocen los subsuelos.

Sacha Runa

En la extensa y montañosa jurisdicción de Sigchos, provincia de Cotopaxi, sigue vigente la creencia de la existencia de un raro personaje con apariencia humana denominado Sacha Runa, que en idioma quechua significa «hombre de los bosques».

Se asegura que este ser antropomorfo jamás abandona su guarida escondida en lo más recóndito de la selva, viviendo de la caza y habitando profundas cavernas.

Quienes han tenido la oportunidad de verlo de cerca, afirman que está cubierto de pelo y que, como único atuendo, lleva un precario taparrabos fabricado de la piel de algún animal.

Aseguran que es mucho más alto y corpulento que un hombre de talla normal y que no se comunica mediante lenguaje articulado, sino que tiene la increíble capacidad de comprender y de hacerse entender telepáticamente. Otra de sus particularidades, muy común, es la de tener los pies situados al revés, es decir, con el talón hacia delante.

Los leñadores y los cazadores temen encontrarse con este monstruo que conduce a su madriguera a quienes se encuentran con él, mediante amenazas inaudibles, pero que resuenan como un trueno en las profundidades de la mente, y arrastrándolos por los cabellos.

Una vez en su cueva, donde habita en compañía de otros de su misma raza y de ambos géneros, obliga a sus huéspedes a tomar parte de orgías sexuales, de las que son devotos.

Algunos que han logrado escapar de sus garras aseguran haberse encontrado, en los antros de estos seres, con conocidos suyos que desaparecieron. Envejecidos prematuramente, no habían sido capaces de reconocer a los recién llegados ni les dirigieron nunca la palabra. Es más, silenciosos para siempre, se someten con docilidad y hasta complacencia a las orgías que protagonizan sus «anfitriones».

Sachayoj Zupay

Mito procedente de la selva saladina de Santiago del Estero, según el cual existe un espíritu errante que cruza la Pampa corriendo o montando una mula negra, llevando consigo obsequios para quienes se atrevan a cruzarse en su camino.

Sashinti

Demonio que se distingue por su extremada delgadez. Para los ashaninkas, ser flaco es un mal signo porque lo relacionan con la enfermedad o con la escasez de unas fuerzas que son necesarias para vivir en la Amazonia.

Cuando un sashinti se le aparece a alguien, le «rompe» el cuerpo en pedazos, para luego volverlos a juntar y revivirlo con su aliento. La víctima, recordando lo que le ha pasado, vuelve a su hogar para enfermarse y morir.

Shonkatiniro

Son demonios de las aguas, para los indios campas, que viven en los remolinos y en los malos pasos de los ríos donde esperan para ahogar y comerse a los viajeros que pasan cerca de ellos.

Su padre es Tsomiriniro, el que reúne las almas de los ahogados en su estómago para luego transformarlas en virakochas (hombres blancos) y poder casarlos con sus hijas.

Surranabe

Entre los indígenas colombianos era un gusano muy grande y feroz, que se comía a los hombres y a los animales, y al que toda la población tenía miedo.

Para acabar con sus tropelías, cuenta la leyenda que se juntaron cuatro hermanos mellizos armados con lanzas de guerra y acabaron con su vida. En el lugar donde lo mataron se formó una laguna y desde entonces no se han vuelto a ver gusanos grandes como aquel.

Tijai

Entre los aborígenes amazónicos, espíritu que habita en las peñas, solitario, acompañado sólo por sus perros.

Se pueden encontrar sus huellas y el rastro que deja, cosa que ocurre a menudo, pero quien lo ve directamente muere. En ocasiones pelea con los iwanch y los vence. Pero, después de una borrachera, vuelven a recobrar las amistades.

Tiumía

Animal muy raro que vivía en Puerto de Oro, en Risaralda.

Disponía de una especie de arpón que disparaba cuando algún indígena pasaba navegando por el río y, si lograba atraparlo, se lo comía, por lo que nadie se atrevía a atravesar sus dominios. Los indígenas resolvieron entonces fabricar un muñeco grande de madera liviana de balsa, y lo echaron al río, contando con que, al verlo, Tiumía trataría de arponearlo, pensando que era un hombre.

Así sucedió, pero Tiumía no pudo desprenderlo del arpón, ni tampoco tragarlo. Con la garganta atorada por el muñeco, los indígenas atacaron a Tiumía y acabaron con su vida.

Toro-rumi

Espanto quechua del valle del Mantaro. A pocos metros del camino que lleva de Huancas a Jauja, antes de iniciar el descenso, en pleno cerro, hay enclavada una roca semejante a la cabeza de un toro.

Se dice que, en plenilunio, esta roca abandona su emplazamiento a toda velocidad, convertida en un toro bravo que despide fuego por su boca y sus ojos, y se lanza en veloz carrera por sembrados y caminos, bramando ruidosamente, buscando alguien a quien embestir para quitarle la vida.

Como los pobladores de Huancas ya conocen este encantamiento, se ocultan sigilosos en lugares secretos y esperan a que el toro, fatigado y desengañado, retorne a su lugar, como efectivamente sucede.

Sin embargo, las personas que sufrieron las cornadas del toro-rumiy desaparecieron para siempre.

El trauco

Es un personaje enraizado en el inconciente colectivo de los habitantes del archipiélago de Chiloé, en el sur de Chile.

Cuenta la leyenda que vive en los bosques, y que se alimenta de frutos, raíces y troncos de árboles podridos.

Tiene la apariencia de un duende contrahecho y es poseedor de gran fuerza física y de una mirada feroz. Su vestimenta está confeccionada con la corteza de árboles nativos. Lleva siempre un hacha de piedra y usa un gorro semejante al de los gnomos de los cuentos infantiles europeos.

El trauco, dicen, es un ente malvado. Un sátiro al que le gustan las jóvenes vírgenes. Ellas sienten una atracción irresistible y sorprendente por él, y de esta unión suelen nacer hijos, por lo que es común, cuando una muchacha soltera queda embarazada, escuchar historias en las que se responsabiliza al Trauco.

Si se sueña con el Trauco, existe la creencia de que se pueden padecer hasta 25 enfermedades distintas.

La mujer es, a veces, poseída por este espíritu mediante una especie de sueño libidinoso que deja absolutamente exhausta a su víctima.

Tupavé

También llamado Tupa o Tenondeté, es el dios supremo de los guaraníes, que creó la luz y el universo. Su morada es Kuarahy, el sol. Esposo de Arasy (madre del cielo), fijó su morada en la luna.

Es así mismo la deidad que creó la raza (es el origen de la raza guaraní según, también, una leyenda caribe).

En una remota mañana, Tupavé y Arasy bajaron a la tierra. Instalados sobre una colina, en Areguá, crearon los mares y ríos, los bosques, las estrellas y a todos los seres del universo.

Allí crearon la primera pareja humana. Tomó Tupavé un poco de arcilla, la mezcló con zumo de la yerba fabulosa, sangre de un ave nocturna, hojas de plantas sensitivas y un ciempiés e hizo una pasta remojándola con agua de un manantial cercano que más tarde sería el lago Ypakaraí. Con esa pasta modeló dos estatuas, a su semejanza, y las expuso al sol para secarse, y quedaron dotadas de vida.

Tupavé y Arasy pusieron a los recién creados frente a ellos, y dijo Arasy: mujer, que de mí naciste a mi semejanza, te doy por nombre Sypavé (y fue la madre común de la raza). Al otro, que era varón, le dijo Tupavé: te doy por nombre Rupavé (que sería el padre común de la raza).

Tupavé les aconsejó que vivieran en amor y procrearan, y puso a disposición de ambos todos los seres y productos de la tierra para usarlos sin desperdicio, y también creó y dejó con ellos a Angatupyry, espíritu del bien, y a Taú, espíritu del mal, que les indicarían el camino a seguir en la vida.

Rupavé y Sypavé tuvieron tres hijos varones, Tumé Arandú, Marangatú y Japeusá, y muchas hijas como Guarasyáva y Porasy.

Uma/Bruja

La uma es una mujer joven, que sale a pasear con la cabeza separada de su cuerpo.

La bruja se divide en dos: la cabeza voladora, donde se concentra toda su vida, y el cuerpo, que permanece inerte mientras dura el hechizo, pero mantiene una vida latente que se manifiesta en el burbujeo que forma su sangre en el cuello.

Sus salidas son siempre de noche: para algunos las noches de luna llena, para otros algunos días especiales (viernes, martes, jueves). Su grito más frecuente es «¡waq... waq...!», parecido al del pato.

Come excrementos humanos, que confunde con manzanas, y tiene los cabellos largos y enredados.

Normalmente en sus incursiones, cuando encuentra a un hombre solo, se entabla un verdadero combate en el que cada cual utiliza los puntos débiles del contrincante para obtener ventaja. El hombre puede atacar a la cabeza o al cuerpo, que están separados.

Si ataca al cuerpo inerte de la bruja (que entonces no se puede defender), lo podrá matar poniéndole sal o cenizas en el cuello, donde la sangre hierve. Si la bruja logra pasar por entre las piernas del hombre, será ella quien lo mate.

Si la uma constata que ya no puede pegarse a su propio cuerpo (porque su cuello tiene ceniza), vuelve al ataque buscando sujetarse firmemente al hombro del hombre, apropiándose así de su cuerpo, que tendrá en adelante dos cabezas.

Contra la uma en vuelo el hombre dispone de un arma fundamental, las espinas, con las cuales se recubre los hombros y la entrepierna para protegerse, o que utiliza como arma para atrapar la cabeza. Existe también la posibilidad de esconderse y escapar, pero entonces la cabeza puede perfectamente ganar, porque es muy rápida y tiene buen olfato.

Quien tiene una uma sobre sus hombros está obligado a esconderse, por vergüenza. Pero como la bruja debe alimentarse, tendrá que dejar al hombre en libertad para que vaya a recoger frutos, porque de otro modo se enredaría en las espinas. Es posible que en ese momento se equivoque y se instale sin querer sobre el cuello de un venado que escapará hacia un bosque o hacia la selva.

Para el hombre lo que está en juego es su libertad, pero en esas circunstancias favorables podría buscar también obtener riquezas prometiendo a la uma liberarla, puesto que ella conoce los sitios donde se esconden los tesoros minerales de la tierra, de los cuales es dueña y los puede regalar.

Se dice que la uma es humana, aunque una mujer mala, castigada por Dios de esa manera.

Uwitsutsu

Ave monstruosa que, según las tradiciones amazónicas, entra por las noches en las chozas para chupar la sangre de los que en ellas se encuentran.

Vive en lo más alto de los cerros y tiene la estatura de un niño de ocho años, el plumaje blanco y un pico muy largo.

Viracocha

De nombre completo Illa Viracocha Pachayachachi, «esplendor originario, señor, maestro del mundo», fue la primera divinidad de los antiguos tiahuanacos.

Provenía del lago Titicaca, al igual que su homónimo Quetzalcóatl, y surgió del agua, creó el cielo y la tierra y la primera generación de gigantes que vivían en la oscuridad. Su culto suponía un concepto intelectual y abstracto, por lo que estuvo limitado durante mucho tiempo a la nobleza.

Viracocha fue un dios nómada que tenía un compañero alado, el pájaro Inti, gran sabedor incluso de los acontecimientos futuros. Pachamanac era casi una reedición de Viracocha, venerado en la costa central y más tarde incorporado al Imperio inca.

Wa-Qon

Pariente masculino de la Achiqué, entre los quechuas, también es un devorador de niños que baja rodando (o bailando) desde las alturas para devorarlos.

La gente le entrega a sus hijos «para evitar la sequía», por lo que puede que sea tan solo un recuerdo oral, simbólico, de los antiguos sacrificios de niños que se hacían para conservar el orden de la tierra.

Un mito huanca contemporáneo relata que una época de gran hambruna terminó cuando «un pastorcito tan puro como la flor de la escarcha, que representaba el bien y la abundancia», se sacrificó ahogándose en un lago.

Yacuruna

Nombre de origen quechua: «yacu» es río y «runa» significa gente. Son personas antisociales convertidas en demonios.

Tienen aspecto humano con alguna deformación y buscan tener relaciones sexuales con los humanos para luego llevarlos a vivir con ellos a las profundidades del río, donde habitan en grandes ciudades.

En sus casas y mobiliario participa toda la naturaleza: su hamaca es una boa, su banco la charapa (tortuga acuática), su gorra es una raya, sus zapatos la «carachama» y su camisa está fabricada con pieles de animales.

Para protegerse de los yacuruna la gente reza a Dios o acude a los curanderos. Un informante decía que los ataques eran más frecuentes antes de la llegada de los «padrecitos» y que las principales víctimas son los que viven «en pecado».

Los curanderos se comunican con ellos en sus alucinaciones y buscan su ayuda para curar o para hacer daño a otras personas.

La gente acude a los curanderos para liberarse de los males causados por los yacuruna o rescatar a las personas que ellos se han llevado hasta las profundidades del río.

Yaguar Shimi

También conocida como «boca de sangre», es un espanto femenino quechua, singular personaje muy habitual del dilatado callejón interandino, y realmente temido por los criollos.

Su aspecto es el de una joven y hermosa mujer dotada de infinito poder de seducción. Alta y esbelta, posee unas piernas maravillosas, finas y largas. Cuando pasea, con frecuencia por los caminos solitarios, su talle adopta el rítmico y ondulante balanceo de una palma mecida por la brisa vespertina.

También su rostro es tan hermoso como los de las niustas (princesas) consagradas a Inti. Una negra y abundante cabellera enmarca su faz ovalada provista de unos grandes ojos negros y de una boca de labios rojos y jugosos.

Como vestuario utiliza el mismo atuendo con el que la vieron por primera vez en la lejana época del asesinato del emperador Atabalipa: batín blanco, sin mangas y de falda corta, profusamente bordado con hilo de oro, caracteres incáicos y ceñido por un ancho cinturón del color de la sangre, es todo lo que lleva encima.

Para el hombre que tiene la oportunidad de encontrarse con la Yaguar Shimi, verla y enamorarse resultan una misma cosa. Desde luego, tampoco la bella mujer manifiesta una actitud indiferente, sino que se muestra encantada de complacer sin reservas los requerimientos más caprichosos de su amante recién conquistado.

Es generosa y experta en las artes del amor, que practicará hasta la extenuación antes de devorar a su pareja.

En el pintoresco poblado de Isinliví, aún pueden contemplarse los restos de una casa algo apartada del perímetro urbano a la cual nadie se acerca por creerla maldita.

Sus dueños la abandonaron después de que uno de sus hijos resultase devorado por la dama, a quien tuvo la ocurrencia de invitar a su lecho, creyéndola enamorada de él.

Las características de la antropófaga coincidían plenamente con las de la Yaguar Shimi, según se asegura. Más tarde, en el corto lapso de siete meses, fueron encontrándose en aquel mismo lugar, una detrás de otra, las osamentas de tres desdichados más.

Eran forasteros y los tres, en diferentes ocasiones, fueron vistos, se comenta, en compañía de la fatal mujer.

Yaguareté Abá

Forma con la que se describe al hombre tigre en guaraní, en una leyenda muy difundida en Argentina y Paraguay.

Son indios viejos que de noche se vuelven tigres para comerse a las personas. Cuando se quieren transformar, se retiran y se revuelcan de izquierda a derecha sobre la piel de un jaguar, rezando un credo al revés mientras cambian de aspecto.

Salen de caza y, una vez devorada la presa, retornan a su forma primitiva, realizando la misma operación en sentido inverso. Se le combate con balas o machetes bendecidos.

Yasy Yateré

Espanto brasileño, hermoso enano rubio y barbudo que recorre el campo desnudo, con un sombrero de paja y un bastón de oro dotado de poderes mágicos.

Habita en la selva, y su modus operandi es similar al del Pombero, si bien rapta a los niños para jugar un tiempo con ellos, lamerlos y abandonarlos luego en el monte, envueltos en enredaderas.

También es frecuente que los lleve al río, donde los ahoga, o que les retenga consigo para enseñarles a robar.

Su apetito sexual es célebre: secuestra muchachas hermosas para satisfacerlo, y de esas uniones nacen niños de hábitos reprobables semejantes a los del padre.

Los raptados por Yasy Yateré sufren un ataque de epilepsia al cumplirse un año del hecho.

Yetáita

En la Tierra del Fuego, a los niños yamana se les asusta con referencias a un espíritu maligno llamado Yetáita.

Se les dice que Yetáita, al que se conciben como una suerte de espíritu de la tierra, inflige tormentos y castigos, en la cabaña de la iniciación, a los niños malos.

En la ceremonia de iniciación propiamente dicha, Yetáita aparece como un hombre vestido de modo estrafalario.

Finalmente, se revela al asustado candidato el secreto, puesto que el supuesto Yetáita es en realidad un hombre del círculo de sus íntimos. Recibe entonces esta amonestación:

«Estás asustado, pero recuerda: el verdadero Yetáita es mucho peor. Y no debes hablar, sobre todo a los niños y a los profanos, de lo que acabas de aprender sobre Yetáita».

Mitos y leyendas de Sudamérica

Kóoch creó el mundo

En la antiquísima cosmogonía tehuelche se cuenta que «el que siempre existió» vivía rodeado por densas y oscuras neblinas allí donde se juntan el cielo y el mar, hasta que un día, pensando en su terrible soledad, lloró y lloró por un tiempo incontable, y así sus lágrimas formaron a Arrok, el mar primitivo. El eterno Kóoch, al advertirlo, dejó de llorar, y suspiró. Y su suspiro hizo nacer el viento.

Entonces Kóoch quiso contemplar la creación: se alejó en el espacio, alzó su mano y de ella brotó una enorme chispa luminosa que rasgó las tinieblas. Había nacido el Sol. Con él, la sagrada creación tuvo la primera luz y el primer fuego, y con él nacieron las nubes.

Entonces, los tres elementos del espacio armonizaron sus fuerzas para admirar y proteger a la tierra de la vida perecedera que Kóoch había hecho surgir de las aguas primeras.

Andando el tiempo, El Al, el héroe-dios, el nacido de Teo, la nube cautiva, y el cruel gigante Nóshtex, creó a los chónek (hombres) de la raza tehuelche en las tierras del Chaltén y fue su organizador, protector y guía.

Así lo cuenta esta hermosísima leyenda:

Nadie sabe por qué un día Kóoch, que siempre se había bastado a sí mismo, se sintió muy solo y se puso a llorar. Lloró tantas lágrimas, durante tanto tiempo, que con su llanto se formó el inmenso océano donde la vista se pierde. Cuando Kóoch se dio cuenta de que el agua estaba a punto de cubrirlo todo, dejó de llorar y suspiró. Y ese suspiro tan hondo fue el primer viento, que empezó a soplar constantemente, abriéndose paso entre la niebla y agitando el mar.

Algunos dicen que fue así, a empujones del viento, cómo la niebla se disipó y apareció la luz, pero otros opinan que fue Kóoch el inventor de la claridad.

Cuentan que, en medio del agua y envuelto en la oscuridad, deseó contemplar el extraño mundo que le rodeaba. Se alejó un poco a través del negro espacio y, como no podía ver con nitidez, levantó el brazo, y con su gesto hizo un enorme tajo en las tinieblas. Dicen también que el giro de su mano originó una chispa, y que esa chispa se convirtió en el sol.

Xáleshen, como llaman los tehuelches al gran astro rey, se levantó sobre el mar e iluminó ese paisaje magnífico: la inmensa superficie azul ondulada por el viento, cuyo soplo retorcía cada ola hasta verla deshacerse bajo su tocado de espuma. El sol formó las nubes, que de allí en adelante se pusieron a vagar, incansables, por el cielo, mientras el viento las empujaba a su gusto, a veces suavemente, y a veces tan fuerte que las hacía chocar entre sí. Entonces las nubes se quejaban con truenos retumbantes y amenazaban con el brillo castigador de los relámpagos.

Luego Kóoch se dedicó a su obra maestra. Primero hizo surgir del agua una isla muy grande, y dispuso allí los animales, los pájaros, los insectos y los peces.

Y el viento, el sol y las nubes encontraron tan hermosa la obra de Kóoch que se pusieron de acuerdo para hacerla perdurar: el sol iluminaba y calentaba la tierra, las nubes dejaban caer la lluvia bienhechora, el viento se moderaba para dejar crecer los pastos..., la vida era dulce en la pacífica isla de Kóoch.

Entonces el Creador, satisfecho, se alejó cruzando el mar. A su paso hizo surgir otra tierra cercana, más grande, y se marchó hacia el horizonte, de donde nunca más volvió.

Y así hubieran seguido las cosas en la isla de no ser por el nacimiento de los gigantes hijos de Tons, la Oscuridad. Un día, uno de ellos, llamado Noshtex, raptó a la nube Teo y la encerró en su caverna. Sus hermanas buscaron a la desaparecida, pero nadie la había visto. Entonces, furiosas, provocaron una gran tormenta.

Xáleshen quiso saber el motivo de tanto enojo y apareció entre las nubes. Enterado de lo sucedido, le contó a Kóoch las novedades, y Kóoch contestó: Quienquiera que haya raptado a Teo, será castigado. Si ella espera un hijo, ese será más poderoso que su padre.

Escuchó Nóshtex las palabras de Kóoch, y tuvo miedo de su pequeño enemigo, que ya vivía en el vientre de Teo, y pensó: voy a matarlos y a comérmelos a los dos. Golpeó salvajemente a Teo mientras dormía, arrancó al niño de sus entrañas y, sin mirar a su hijo abandonado en el suelo de la caverna, la despedazó.

Pero Ter-Werr, una tuco-tuco que vivía en su casa subterránea excavada en el fondo de la gruta, le mordió el dedo del pie con todas sus fuerzas, para rescatar y esconder al niño debajo de la tierra antes de que el gigante pudiera reaccionar. Sin embargo, el refugio era demasiado precario.

Nóshtex cruzaba la caverna haciéndola temblar con sus pasos de gigante, recorría la isla buscando al cachorrito que apenas había visto, a ese hijo que en cuanto creciera podría vengarse de él.

Entonces Terr-Werr pidió ayuda al resto de los animales, por lo que todos hicieron una asamblea para discutir el asunto. Fue Kíus, el chorlo, el único conocedor de la otra tierra que había creado Kóoch antes de recluirse en el horizonte, el que propuso enviar allí al niño.

Así comenzaron los preparativos para la fuga secreta. Una madrugada, cuando el hijo de Teo y el gigante estuvo listo para partir, Terr-Werr lo llevó hasta las inmediaciones de una laguna y lo escondió entre los juncos. Desde allí llamó a Kíken, el chingolo, para que a su vez transmitiera el mensaje: todos los animales fueron convocados para escoltar al niño.

Algunos, como el puma, se negaron. Otros, como el ñandú y el flamenco, llegaron demasiado tarde. El zorrino iba tan contento al encuentro de la criatura que, interceptado por el gigante, no supo guardar el secreto.

Enterado, Nóshtex se dirigió a grandes pasos hacia la laguna, pero el petirrojo le distrajo con su canto. Por eso no llegó a tiempo de ver cómo el cisne se acercaba al niño nadando majestuosamente y lo colocaba sobre su lomo, ni cómo correteó luego para levantar el vuelo.

Tan solo alcanzó a distinguir en el cielo un pájaro blanco que, con su largo cuello estirado y las alas desplegadas, volaba decididamente hacia el oeste.

Así se alejó y así llegó el protegido de Kóoch a la tierra salvadora de la Patagonia.

El origen de las estrellas

Dicen los abuelos tobas que en las noches claras de invierno, pasada un poco la medianoche, se puede observar en el cielo un grupo de estrellas que forman un dibujo: se trata de dos niños, dos perritos y un ñandú.

Esta constelación tiene su origen en una vieja historia toba que con el paso del tiempo se ha ido desdibujando y fusionando con historias del folclore europeo, por lo que no se trata, por lo tanto, de un mito puro, sino de la fusión de una historia aborigen y otra europea, pero conservando la imaginería propia de las creaciones aborígenes.

La leyenda cuenta que:

Una familia toba salió a recolectar frutos según su costumbre, pero los dos hijos de la pareja, un niño y una niña, se alejaron de sus padres jugando por el lugar, hasta que los perdieron de vista y no supieron volver con ellos. Los dos niños caminaron un largo trecho alimentándose de raíces y frutos, de noche descansaban en la tierra o la niña subía a un árbol para ponerse a salvo de las fieras.

Un día al mediodía estaban descansando cuando la niña le pidió a su hermano que cazara una pequeña paloma que rondaba cerca, pero al intentar tomarla, la paloma habló al niño; le dijo que no la capturasen y que ella los salvaría de un peligro que los amenazaba.

Continuaron el camino y encontraron a una vieja que comía personas; la paloma les indicó cómo engañar a la mujer y hacerla caer al fuego, de esa manera la vieja resultó muerta por los niños.

Entonces los niños cortaron los pechos de la mujer: de uno de ellos nacieron los reptiles, las víboras, los sapos y las tortugas que no existían hasta entonces sobre la tierra, y del otro pecho salieron dos perritos, una hembra para la nena y un macho para el varón. Del humo nacieron los mosquitos.

Continuaron su camino y se dieron cuenta de que no podrían volver junto a sus padres. Encontraron un pavo real que fue capturado por los perros, poco más adelante encontraron un ñandú y como corría muy ligero, no pudieron alcanzarlo.

Pero, cuando llegó la noche, el ñandú levantó el vuelo y los niños y los perritos volaron tras él.

Al llegar al cielo se transformaron en una constelación llamada N-qua-aic, que puede traducirse como «el camino».

Leyenda toba argentina

La Mama Galla

Según cuentan en Perú, Mama Galla era una mujer que vivía en las alturas del camino de Canta a Huamantanga, y a todo viajero que pasaba por su puerta le ofrecía de comer y le engañaba con platos y manjares hechos con carne humana.

Esta anciana tenía una hija y dos nietos a los que criaba aparte para que no conocieran sus malas obras. Pero llegó un día en que no tenían nada que comer ni les visitaba ningún pasajero y decidió matar a su hija.

Pero sus nietos no la dejaban ni un momento a solas, por lo que quiso enviarles a traer agua en una canasta, si bien los chicos no quisieron ir, pretextando que no se podía llevar agua en la canasta.

Entonces la vieja les dijo que fueran y taparan los agujeros de la canasta con piedras pequeñas, a fin de que se demoraran y ella pudiera realizar su horrendo crimen.

Inmediatamente después de que salieron los chicos, la Mama Galla llamó a su hija y la degolló. Después de haber bebido su sangre la hizo pedazos y la echó en una olla grande llamada pampana.

Entretanto, los chicos llegaron del río y preguntaron por su mamá; la vieja les contestó que había ido a pastar los ganados y que volvería al día siguiente; pero los trozos de la madre desde la olla, con el calor del fuego, decían: Hijos del alma mía, escapad y dirigíos al cielo, que yo os ayudaré.

Los chiquillos, al oír la voz de su madre, ingeniaron la manera de huir y le dijeron a la abuela que les enseñara a llenar el agua de la canasta; pero ya en el camino se escondieron y regresaron para recoger los trozos de su madre y emprender la huida.

Y cuando la abuela iba a alcanzarles, el arcángel san Miguel les envió una cadena para que pudieran subir por ella; la vieja también alcanzó a coger la punta de la cadena, pero un pájaro (el acacllo) la cortó con su pico y la vieja al verse en el vacío empezó a gritar:

«¡Compadre zorro! ¡Compadre zorro!, tiéndete en el suelo para que no me haga daño». Pero la cruel abuela, al caer a tierra, se convirtió en una laguna y la laguna la ahogó.

También dicen que la laguna existe y que en medio de ella hay una piedra a la que llaman Mama Galla. El relato termina con la huida mágica hacia el cielo de los niños, protegidos por diversos animales.

Leyenda de Perú

Cómo nacieron los picaflores

Cerca del lago Paimún, oscuro y silencioso como un estanque, vivían hace mucho tiempo dos hermanas: Painemilla y Painefilu. Las dos eran jóvenes y hermosas, y un día un gran jefe extranjero se enamoró de Painemilla.

La muchacha y el inca se casaron y se fueron a vivir a su hermoso palacio de piedra, construido en la cercana montaña de Litran-Litran. Pronto Painemilla supo que esperaba un hijo, y el inca convocó a los sacerdotes para que les hicieran sus profecías. Uno de ellos dijo que nacerían un varón y una mujer, y que los dos, en señal de distinción, tendrían en el pelo una hebra de oro.

Como se acercaba el momento del nacimiento y el inca tenía que viajar al norte, Painemilla le pidió a Painefilu que viniera al palacio para hacerle compañía. Painefilu sentía una envidia inconfesable de Painemilla, de su vida tan plácida y colmada de abundancia y amor.

Odiaba su facilidad para hacerse querer y le dolía verla acariciar distraídamente su vientre y sola, durante muchas noches, no podía pensar en otra cosa más que en los ojos amantes con que el inca había mirado a su hermana al despedirse.

Painefilu trataba de disimular sus sentimientos y cuidaba mucho a Painemilla, pero con el nacimiento pareció enloquecer: convenció a su hermana de que había parido una pareja de perritos y escondió a los hermosos mellizos, hizo fabricar un cofre, acomodó en él a los bebés y mandó que lo arrojaran al lago Huechulafquen. En el palacio, Painemilla lloraba espantada, mientras amamantaba a los dos perritos.

Cuando el inca estuvo de vuelta, no perdonó a su mujer. Furioso, echó a Painemilla, la mandó a vivir a la cueva de los perros e hizo matar a los cachorros.

Por otro lado, el agua del lago se abrió para recibir el cofre donde dormían los hijos de Painemilla y sé cerro sobre él cubriéndolo de espuma. Pero la caja asomó unos metros mas allá y se mantuvo milagrosamente a flote, atascándose entre las piedras y las plantas de la orilla.

Dicen que Antü, el padre Sol, descubrió el cofre por el brillo de su cerradura de oro y decidió protegerlo, dándole calor o sombra según lo necesitara, hasta que, cierto día, un hombre viejo que pasaba junto al lago lo sacó del agua y se lo llevó a su casa, pero no lo abrió enseguida, porque era la hora de comer y no quería hacer esperar a su vieja esposa.

La pareja comía su chaskin cuando escuchó unos sonidos extraños que provenían del cofre. Lo abrieron y encontraron a los mellizos de hermosos cabellos entre los cuales destacaba, más largo y brillante, un pelo de oro.

Los viejos mapuches se asombraron mucho de los recién nacidos, que empezaron a crecer ostensiblemente apenas los sacaron del baúl. Los criaron con amor, pese a que los extraños y hermosos niños nunca comían y, sin embargo, se hacían cada vez más grandes.

Un día, mientras el inca paseaba tristemente por las inmediaciones del lago, vio a los mellizos que jugaban junto al bosque. Le atrajeron aquellos chicos solitarios y, al acariciar la cabeza del varón, sintió en su palma el pelo de oro. Al instante, los tres se reconocieron. Entonces, el varón le gritó al inca:

«¡No podemos llamarte padre! ¡Echaste a mamá de palacio y pasa frío y hambre entre los perros!».

Conmocionado, el inca mandó que llevaran a los mellizos al palacio de Litrán.

Una vez allí, su hijo volvió a increparle:

«¡Queremos ver a mamá ahora mismo! ¡No nos quedaremos ni un minuto si no le devuelven el respeto que se merece!».

El inca obedeció, y así fue como Painemilla y sus hijos se reunieron, se conocieron y no se separaron nunca más.

De Painefilu, la traidora, se vengaron sus propios sobrinos. La ataron, la empujaron afuera del palacio y la obligaron a sentarse sobre una roca. Entonces el muchacho sacó un objeto que tenía guardado, alzó hacia el sol la pequeña piedra transparente y rogó:

«¡Ayúdame, Antü! Que todo tu calor atraviese mi piedra mágica. Que se convierta en rayo, en antorcha, en la llama más azul, para destruir a Painefilu».

El prodigio se cumplió, y de Painefilu sólo quedó un montón de cenizas. Pero un pedacito de su corazón no llegó a arder y, cuando sopló el viento, de entre las cenizas salió volando un pájaro tornasolado. Era el pinsha, el picaflor, que según los mapuches predice la muerte y vive inquieto y triste como Painefilu.

No se posa en las ramas ni roza con sus alas el follaje como los otros pájaros, sino que tiembla, tiembla de miedo constantemente y, como si esperara un castigo, se esconde en cavernas oscuras o se aferra con desesperación a los acantilados.

Leyenda quechua

La difunta Correa

En el siglo pasado, vivió Deolinda Correa, que era una mujer muy atractiva y a la que las montoneras de Quiroga dejaron sin padre ni marido, lo que, sumado al acoso de los hombres, la llevó a huir una madrugada junto con su hijo de meses rumbo a La Rioja. El largo camino, la sed, el calor y el cansancio minaron sus fuerzas al punto que cayó rendida en la cima de un pequeño cerro.

Entonces, unos arrieros que andaban por la zona vieron buitres volando en círculos sobre la cumbre y hallaron al niño mamando de los pechos de la madre muerta. La recogieron y le dieron sepultura en la zona del Vallecito, en la cuesta de la sierra Pie de Palo. La gente, asombrada por el hecho, empezó a visitar su tumba, llevando flores y ofrendas, y levantó un oratorio que hoy en día está lleno de ofrendas. A la difunta Correa muchos le rinden tributo, en especial los viajeros que dejan repuestos de vehículos en las ermitas dedicadas a la difunta, donde también se observan coronas, flores de papel o naturales y velas a millares.

Leyenda argentina

El ritual ngillatún

En la cultura mapuche, uno de los rituales más importantes es el ngillatún por la paz, que se desarrolla de la siguiente manera: en un cerro o lugar alto se clavan estacas en forma de círculo, dejando una sola entrada que deberá estar situada al oeste. Luego se forma un arco con ramas y flores. En el interior también se hará una enramada semejante, con laurel y flores blancas. En el lado este del círculo se plantan tres arboles pequeños.

El individuo que dirige la ceremonia, la inicia provisto de un bastón y encabeza una procesión por el lado externo de este lugar sagrado. Una asistente lleva dos ramos de laurel y una bandera de paz. Los participantes acompañan la ceremonia descalzos y sin ningún objeto metálico sobre ellos. Se cantan himnos y se reza a la paz en mapudungún.

Terminada esta primera parte, se procede a inmolar un carnero de tres años de edad y con su sangre se hacen cruces en la frente de cada persona y se desea salud a los enfermos. El carnero sacrificado se descuartiza y se queman sus vísceras.

Durante toda la ceremonia se dedica la ofrenda, acompañada de cánticos religiosos al Chau (dios), se esparce chicha y se canta al abuelo Huentreao, a Blanca Flor y al inca Atahualpa.

Esta trinidad está representada por los arboles recién plantados dentro del círculo.

Después, se consume el animal, se baila en forma circular y se bebe chicha. Entonces empieza una fiesta que tiene carácter de liberación.

Huampi

El indio Huampi gobernaba varias tribus que habitaban los valles calchaquíes. Bien merecía llevar su nombre, pues no había otro que se destacara como él por su indomable valor y su extraordinaria destreza en el manejo de las armas.

Admirado y temido por todos, era el amo y señor de toda la comarca. Cazador incansable y el más diestro, manejaba el arco con tal habilidad que no perdía pieza a la que dirigiera sus certeras flechas.

Por eso, en los montes, valles, praderas y bosques que recorría, tanto caían guanacos, vicuñas y huillas, como los cóndores, los suris y toda clase de aves...

Huampi no perdonaba, en sus frecuentes cacerías, ni las crías más chiquitas. Iba de este modo despoblando de animales la región. Y no era justo que así sucediera. Volvía un día, al caer la tarde, cargado de caza, cuando se le apareció Pachamama, entre resplandores:

«¡Huampi, mal hijo de la Tierra! ¿Te has propuesto terminar con todos los animales? ¿Por qué los persigues con tanta saña? Hasta los pájaros del bosque te tienen miedo y callan cuando apareces».

Huampi bajó la cabeza y Pachamama prosiguió:

«¿Piensas, indio soberbio, que he creado los animales sólo para que tú los mates? Llegará el momento en que te faltará su carne para comer y su leche y sus pieles para cubrirte. Si no dejas vicuñas ni guanacos, ¿dónde encontrarás lana suave y sedosa para tejer tus mantas? Si no dejas llamas, ¿qué animal llevará las cargas a lugares lejanos? ¡Mata las aves y no tendrás plumas para adornarte! Eres ambicioso, egoísta y desagradecido porque no sabes respetar los bienes que te da la Madre Tierra. No tienes corazón. No mereces que te perdone..., sino un castigo por tu maldad, y te llegará...».

Pachamama desapareció envuelta en luz y Huampi creyó despertar de una pesadilla. Estaba paralizado por el miedo.

Intentó dominarse, pero los amargos reproches de Pachamama y la amenaza de castigo le atormentaban. Apoyado en el grueso tronco de un árbol, entregado a sus reflexiones, oyó un silbido. ¿Qué es eso?, pensó, ¿será el castigo de la Pachamama? Y no estaba equivocado. Sintió su rostro azotado por el aire, que quemó su obscura piel; las ramas de los árboles se agitaban, hojas, flores y frutos se arremolinaron a sus pies y el silbido era cada vez más lastimero y terrible.

Huampi no dudó ya. Era la furia de la Madre Tierra sobre él y sus dominios, en forma de un huracán espantoso. Era el castigo prometido. Dicen que, desde entonces, sopla el viento Zonda por nuestros valles andinos con voz casi humana.

Leyenda calchaquí argentina

El quirquincho cantador

El armadillo peludo o quirquincho es una especie endémica del Altiplano central de Bolivia, actualmente en peligro de extinción, entre otras causas porque la construcción de los charangos se hace de acuerdo a viejas tradiciones y para su elaboración se utiliza, principalmente, el caparazón del quirquincho. Es protagonista de muchas leyendas, pero especialmente de ésta, relacionada con el uso musical de su caparazón, que se reproduce a continuación:

«Aquel quirquincho viejo nacido en un arenal de Oruro se pasaba horas junto a una grieta de la peña donde cantaba el viento. Tenía una afición musical innegable. Cuando oía cantar a las ranas las noches de lluvia, sus ojillos se humedecían y solía decir:

«¡Oh!, si yo pudiera cantar así, sería el animal más feliz del altiplano».

Las ranas se burlaban de él:

«Jamás aprenderás nuestro canto, porque eres muy estúpido».

El pobre quirquincho, humilde y resignado, no se ofendía por tales palabras.

Un día, creyó enloquecer de alegría cuando unos canarios pasaron cantando desde unas jaulas que transportaba un hombre. ¡Qué deliciosos sonidos!

Aquellos pajaritos amarillos y luminosos, como caídos del sol, le conmovieron hasta lo más hondo. Y le siguió arrastrándose por la arena durante leguas y leguas, hasta que las patitas se le iban acabando, de tanto rasparlas en la arena y se quedó tirado, hasta que el último trino mágico se perdió a lo lejos.

Ya era de noche cuando regresó a su casa. Al pasar cerca de la choza del hechicero, tuvo la idea de visitarlo, para hacerle un extraño encargo: «Compadre, tú que todo lo puedes, enséñame a cantar como los canarios, le pidió llorando».

El hechicero se puso serio y le contestó: «Yo puedo enseñarte a cantar mejor que los canarios, que las ranas y que los grillos, pero tendrás que pagarlo con tu vida».

«Lo acepto todo, pero enséñame a cantar», respondió el quirquincho.

«Convenido: cantarás desde mañana, pero esta noche perderás la vida».

«¡Cómo! ¿Cantaré después de muerto?».

«Así es».

Al día siguiente, el quirquincho amaneció cantando, con voz maravillosa, entre las manos del hechicero.

Cuando pasó, poco más tarde, por el charco de las ranas, se quedaron éstas mudas de asombro: «¡Venid todas! ¡Qué gran milagro! ¡El quirquincho aprendió a cantar!... ¡Y canta mejor que nosotras!... ¡Y mejor que los pájaros!... ¡Y mejor que los grillos!».

Muertas de envidia, siguieron a saltos detrás del quirquincho que, convertido en charango, desgranaba sus acordes musicales.

Leyenda boliviana

El Dorado

El origen del mito de El Dorado, el más famoso de cuantos estimularon la conquista del continente americano, se remonta al año 1534, cuando un indio colombiano reveló a los españoles una de las ceremonias rituales del cacique Guatavita, que despertaría la codicia de soldados y aventureros.

Cubierto su cuerpo desnudo con polvos de oro adheridos a su piel con tintura de trementina, el cacique, ante su pueblo, se embarcaba solo en la laguna de Guatavita; al llegar al punto en que se cruzaban dos cuerdas tendidas perpendicularmente de orilla a orilla, se bañaba y arrojaba al agua, en honor a su dios, piezas de oro y esmeraldas. Igual homenaje rendían sus súbditos.

Basada en un hecho cierto, según se ha podido comprobar al estudiar las costumbres de los chibchas, la leyenda se extendió por el norte de América Meridional, descendió al Perú, y de allí pasó, años más tarde, al Río de la Plata, y no tardó en asimilar fabulosos elementos que la desvirtuaron totalmente.

El mito acabó perdiendo su relación con el cacique dorado, y se llamó El Dorado a las regiones auríferas y diamantíferas de distintos lugares de América, absolutamente imaginarios, a los que se creía emporio de riquezas incalculables.

En busca de El Dorado salieron muchas expediciones, tantas que en 1538, y en el plazo de una semana, concidieron en las ya desoladas zonas de Guatavita las tres que dirigían Belalcázar, Federmann y Jiménez de Quesada, procedentes del Perú, Venezuela y Santa Marta, respectivamente.

Sir Walter Raleigh sobresale entre los extranjeros a quienes deslumbró la célebre leyenda, y que llegaron a América en pos de una quimera que tuvo también en Europa fervorosos propagandistas.

Así nació el río Orinoco

Al principio del mundo, sólo había un río de agua dulce en la Tierra llamado Kashishiwari. Wanadi, el Creador, lo quiso así. Sus fuentes estaban en la montaña divina del Marawaca.

Allí fue donde nació todo: el agua, las plantas y los animales. Wanadi creó a los hombres yekwana en el Alto Padamo. No había otros hombres en la Tierra. Pero los yekwana recién creados se morían de sed y enviaron a Kashishi, la hormiga divina del cielo, a buscar agua en la tierra seca. En el cielo, Kashishi tenía mucha agua.

Kashishi les dijo que había traído agua a la Tierra, pero que estaba muy lejos. Kashishi viajó una luna, dos lunas, mientras los yekwana, esperando, morían. A la tercera luna, Kashishi llegó al agua.

Era un río grande como el mar, en el que había olas como en el mar. Kashishi indicó a la tribu el camino de Kashishiwari, y dejaron de morir de sed, pero el agua de la vida estaba lejos.

Mahamona, el gran brujo, oró a Wanadi hasta que el Creador, compasivo, trazó con dos dedos de su mano derecha un gran surco de este a oeste. Cortando en su cabecera al Kashishiwari, que bajaba de norte a sur, formó al hijo Orinoco y sus afluentes, de modo que el agua única del único Kashishiwari comenzó a correr por ese surco divino: así nacieron el Orinoco y los demas ríos.

Desde entonces, los yekwana nunca tuvieron sed. El Orinoco es un surco del dedo de Wanadi.

Leyenda yekwana, Colombia

El barco fantasma

Por los ríos amazónicos navega un barco fantasma que tiene tratos con la sombra, pues siempre se lo han encontrado de noche. Lo iluminan luces rojas, como si en su interior hubiese un incendio, y está extrañamente equipado con mesas que son enormes tortugas, hamacas que son grandes anacondas y bateles que son caimanes gigantescos.

Sus tripulantes son bufeos que son hombres. A tales peces obesos, llamados también delfines, nadie los pesca y menos los come.

Nadie se atrevería a arponear a un bufeo, porque es pez mágico. De noche se vuelve hombre y en la ciudad de Iquitos se va a los bailes, requebrando y enamorando a las mujeres hermosas. Un indio del alto Ucayali vio a la misteriosa nave no hace mucho, según cuentan en Pucallpa y sus contornos.

Sucedió que tal indígena, perteneciente a la tribu de los shipibos, estaba cruzando el río en una canoa cargada de plátanos, ya oscurecido. A medio río distinguió un pequeño barco que le pareció ser de los que navegan por esas aguas. Le llamaron desde el barco a voces, para comprarle los plátanos y, como le daban buen precio, vendió todo el cargamento.

Pero, no bien se había alejado unas brazas, oyó que del interior del barco provenía un gran rumor y luego vio con espanto cómo la armazón entera se inclinaba hacia adelante y se hundía, iluminando desde dentro las aguas, dejando una estela rojiza unos instantes, hasta que todo volvió a la oscuridad.

Era el barco fantasma. El indio shipibo, bogando a todo remo, se fue derecho a su choza. Al menos, por los plátanos le habían dado billetes y moneda dura.

Pero, a la mañana siguiente, comprobó que los billetes eran de piel de anaconda y las monedas, escamas de pescado.

La llegada de la noche le proporcionó una sorpresa más. Los billetes y las monedas volvieron a ser de plata. Así que el shipibo estuvo gastando, en los bares y bodegas de Pucallpa, durante varias noches, el dinero mágico procedente del barco fantasma.

Sale el barco desde las hondas profundidades, de un mundo subacuático en el cual hay ciudades, gentes, toda una vida como la que se desenvuelve a flor de tierra. Salvo que esa es una existencia encantada.

En el silencio de la noche, aguzando el oído, puede escucharse que algo resuena en el fondo de las aguas, como voces, como gritos, como campanas.

Leyenda amazónica

La luz mala

Entre las supersticiones de la gente de los cerros está la de la «luz mala» o el «farol de Mandinga», mito con transcendencia religiosa que se extiende por casi todo el noroeste argentino.

En algunas épocas del año (generalmente las más secas) se suelen ver entre las pedregosas y áridas quebradas de los cerros del oeste tucumano, cuando los últimos rayos del sol iluminan las cumbres y el intenso frío de la noche va instalándose en los lugares sombríos, una luz especial, un fuego fatuo, producto de los gases exhalados por restos orgánicos. Son las luces «malas» que aterrorizan a los lugareños, la luz del diablo.

Estas luces son temidas porque los indígenas imaginan ver en ellas el alma de algún difunto que no ha purgado sus penas y que, por ello, sigue de esa forma en la tierra.

Nadie excava en los lugares de donde sale la luz por el miedo que esta superstición produce en la comarca, pero los pocos que lo han hecho, encontraron objetos metálicos o alfarería indígena (muchas veces urnas funerarias con restos humanos, lo que aumentó el terror nativo) que al ser destapadas despiden un gas a veces mortal para el hombre, por lo que los lugareños aconsejan tomar mucho aire antes de abrirlas o hacerlo interponiendo una manta gruesa de lana o un poncho, para no respirar los gases.

Leyenda argentina

La yerba mate

De noche, Yací, la luna, alumbraba desde el cielo las copas de los árboles y el agua de las cataratas. Es todo lo que conocía ella de la selva: los enormes torrentes y el colchón verde e ininterrumpido del follaje, que casi no deja pasar la luz.

A veces lograba colarse en un claro para espiar las orquídeas dormidas o el trabajo silencioso de las arañas. Pero Yací es muy curiosa y quiso ver por sí misma las maravillas que le contaban el sol y las nubes: el tornasol de los picaflores, el encaje de los helechos y los picos brillantes de los tucanes.

Así que, un día, bajó a la tierra acompañada de Araí, la nube, para, convertidas ambas en muchachas, recorrer la selva. Era mediodía y el rumor de la selva impidió que escucharan los pasos sigilosos del yaguareté (jaguar) que se acercaba dispuesto a atacarlas.

En ese mismo instante, la flecha disparada por un viejo cazador guaraní fue a clavarse en el costado del animal. La bestia rugió, furiosa, y se volvió hacia el tirador. Enfurecida, saltó sobre él, pero ante la mirada de las muchachas paralizadas, otra flecha le atravesó el pecho.

En medio de la agonía del yaguareté, el indio creyó haber entrevisto a dos mujeres que escapaban, pero cuando finalmente el animal se quedó quieto no vio más que los árboles y la oscuridad de la espesura. Esa noche, acostado en su hamaca, el viejo tuvo un sueño extraordinario.

Volvía a ver al yaguareté agazapado, volvía a verse a sí mismo tensando el arco, volvía a ver el pequeño claro y en él dos mujeres de larguísima cabellera. Ellas parecían estar esperándole y, cuando estuvo a su lado, Yací lo llamó por su nombre y le dijo:

«Yo soy Yací y ella es mi amiga Araí. Queremos darte las gracias por salvar nuestras vidas. Fuiste muy valiente, por eso voy a premiarte con un secreto. Mañana, cuando despiertes, encontrarás ante tu puerta una planta nueva llamada caá. Con sus hojas, tostadas y molidas, se prepara una infusión que acerca los corazones y ahuyenta la soledad. Es mi regalo para ti, tus hijos y los hijos de tus hijos».

Al día siguiente, al salir de la gran casa común que alberga a las familias guaraníes, lo primero que vieron el viejo y los demás miembros de su tevy, fue una planta nueva de hojas brillantes y ovaladas.

El cazador siguió las instrucciones de Yací: no se olvidó de tostar las hojas y, una vez molidas, las colocó dentro de una calabaza hueca. Buscó una caña fina, vertió agua caliente y probó la nueva bebida.

El recipiente fue pasando de mano en mano: había nacido el mate.

Leyenda guaraní, Argentina

El condenado

Una mujer vivía sola, hilando día y noche para ganarse el sustento. Una noche, a las 12, llamaron a su puerta y ella al abrir se encontró con un hombre que le dijo:

«Señora, hágame el favor de guardarme estas ceritas, que mañana a esta misma hora volveré a recogerlas».

Ella aceptó y grande fue su sorpresa cuando, al verlas a la luz del candil, las ceras se trocaron en huesos. Asustada, tiró los huesos a un rincón y se pasó la noche muy preocupada sin dormir.

Al día siguiente, apenas amaneció, fue en busca del cura de la parroquia, a quien le contó lo sucedido.

El cura le dijo que había hecho mal en abrir la puerta a esas horas porque el hombre era un condenado, y que no había más remedio que esperar a que volviera para devolverle los huesos; cuando volviese, no debía abrir la puerta sola, sino acompañada de tres niños y tres niñas. La mujer prometió que así sucedería.

A la noche siguiente, cuando la mujer estaba en su casa con sus vecinas y los seis niños, llamaron a su puerta como la noche anterior. Ella, con los niños alrededor, salió a recibir al condenado y le entregó los huesos con la mano izquierda.

El condenado, con voz nasal, le dijo: «Considera a esos niños, porque si no te hubiera comido».

Y desapareció en el acto.

Leyenda quechua

Los condenados

La anterior leyenda tiene su engarce con la conocida tradición quechua (trufada de cristianismo) de los condenados, que son seres del otro mundo. Cuando alguien muere bien, su alma, antes de partir, recorre los lugares donde sufrió o fue feliz, vestida de una túnica blanca y sin poner los pies en el suelo, y cinco días después sube al cielo.

Pero no es lo mismo cuando alguien muere de manera trágica, por suicidio o accidente, o cuando no ha limpiado sus culpas antes de morir.

En estos casos, el muerto es rechazado por Dios y debe purgar sus culpas entre los vivos durante una temporada, como condenado. Se puede llegar a condenado por culpa del incesto, o por haber cometido algún crimen, o por avaricia o mentira.

Incluso se conoce una versión para niños donde alguien se condena por tirar de los pelos a su madre.

En el caso de los condenados que han dejado dinero escondido, regresan para decir dónde se encuentra, lo que ocurre también con las «almas en pena» de la cosmogonía criolla.

Según el caso, cada «condena» es distinta. Los suicidas por amor no serán recibidos en el cielo hasta el día en el que estaba programado que murieran. Los que han robado no serán aceptados hasta que devuelvan lo ajeno.

Pero los que han muerto con violencia, la violencia se seguirá repitiendo hasta que consigan su salvación. Estos últimos condenados viven en cuevas o al lado del cementerio. Allí se escuchan sus gritos y terribles lamentos, azotados o colgados por los diablos. Su aspecto varía, pero la cadena parece ser un rasgo permanente.

Suelen tomar forma de animal, pero también aparecen como personas con hábito de monje o de negro, que a veces usa botas rojas, de fuego.

El condenado busca comerse a quienes están salvos. En especial, apropiarse de su alma para encontrar su salvación o cambiar su suerte. Cuando ha sido incestuoso, busca llevarse a quien fue su pareja. En otros casos busca comerse la cabeza o los sesos de su víctima, donde reside su alma.

Para librarse del condenado hay varias maneras. Es posible protegerse con oraciones, o con un crucifijo y pronunciando el nombre de Jesús, o con una intervención directa de la Virgen. También con objetos como la lana de llama, las fajas de colores, los panes, la sal, el jabón, la música de una corneta de cuerno o a través de los niños.

Inclusive cuentan que alguna vez se les ha prendido fuego o se les ha destrozado a hachazos, logrando que escapasen, convertidas en palomas, las almas que se había tragado.

La Patasola

El ser más terrible, sanguinario y endemoniado que perturbó nunca las mentes campesinas fue la Patasola; imperaba este mito en las montañas vírgenes, donde vivían todavía el tigre y otros animales semejantes.

Algunos dicen haberla visto como una mujer hermosísima que da grandes saltos para avanzar con la única pierna que tiene; otros la describen como una perra grande y negra de inmensas orejas; y otros como una vaca negra, grande y torpe.

La leyenda reza que la Patasola fue una mujer muy bella, codiciada por todos, pero perversa y cruel, que se dio a la disipación. Para acabar con su dañino libertinaje, en horrendo castigo, le amputaron una pierna con un hacha, y el miembro fue luego quemado en una hoguera de maíz.

La mujer murió a consecuencia de la terrible mutilación, y desde entonces vaga por el corazón de las montañas gritando en busca de consuelo y engañando con sus lamentos al que la escucha, quien cree, al oír sus voces angustiosas, que es una persona perdida en la espesura e ingenuamente contesta sus gritos, con los cuales la atrae hasta que termina por devorarlo ferozmente.

Huye y se enfurece ante todo lo que se relacione con el hombre; le fastidian las grandes serrerías en las montañas, las trochas, las cacerías, las labranzas y las siembras, en especial de maíz, cerca de sus dominios; las excursiones con bueyes, caballos u otros animales amigos del hombre y todo aquello que trate de invadir sus abruptos territorios.

Persigue a los hombres que maldicen en las montañas, a los cazadores que tienen la osadía de adentrarse en la espesura; a los aserradores, que por lo general pasan la noche en la montaña; a los mineros, a los que abren caminos y buscan maderas y, en fin, a todos los que por un motivo u otro violan las soledades de la montaña.

Para protegerse de los ataques de la Patasola hay una oración especial, que es la siguiente:

> «Yo, como si,
> pero como ya se ve,
> suponiendo que así fue,
> lo mismo que antes así,
> si alguna persona a mí
> echare el mismo compás,
> eso fue, de aquello depende,
> supongo que ya me entiende,
> no tengo que decir más.
> Patasola, no hagas mal
> que en el monte está tu bien».

Pero se puede dar la circunstancia de que se presente de improviso la fatídica aparición y la víctima se quede perpleja sin articular palabra.

En este caso, es aconsejable hacer un gran esfuerzo y a voz en grito pedir:

«¡El hacha!..., ¡Las tres tusas...! ¡La candela!». Recordándole a Patasola los tres objetos que sirvieron para la amputación de su pierna.

Cuando alguno logra ponerse a salvo de su ataque, favorecido por algún talismán, o porque vaya rodeado de animales domésticos o sepa la canción, se enfurece diabólicamente, provoca terribles ventarrones, hace bramar la montaña y temblar la tierra y desencadena una tormenta de rayos y agua que destruye por completo los alrededores.

La Patasola así mismo, acaba con los sembrados aledaños a la montaña, serrerías y animales de corral que se críen en sus alrededores.

Muchos se salvaron milagrosamente en el último instante, metiéndose entre el ganado, bueyes o perros, con lo que la Patasola, ante la confusión de los elementos, gritó desilusionada:

«Anda y agradece que te encuentras en medio de esos animales benditos», y la tormenta pasó y la aterrada víctima se libró milagrosamente de la muerte.

Leyenda colombiana

Las lamparitas del bosque

En una profunda caverna, cerca del cráter de un volcán, vivía el Gran Brujo, atormentado por sus maldades. La gente de los valles le tenía miedo porque creían que era el causante de todas sus enfermedades y de la muerte de sus rebaños y de sus aves de corral.

Por eso, para tenerlo contento, le dejaban fuera de sus rucas cántaros llenos de «mudái», especie de chicha que al Gran Brujo le encantaba.

Cuando la noche estaba más oscura, solía bajar de la cumbre montado en una ventolera y, al pasar por el bosque, encendía miles de lamparitas rojas con el fuego que traía del volcán, para no perder el camino de vuelta si volvía borracho.

El Gran Brujo vaciaba jarro tras jarro de chicha hasta olvidar todas las maldades que hacía y la rabia que se le retorcía como culebra en el corazón.

Hasta los niños se reían del Gran Brujo, pues sabían que estando borracho no hacía daño a nadie. Aquellas risas infantiles caían como un bálsamo en su negra alma, haciéndole preguntarse:

¿Por qué tuve que ser malo? Si mi madre fue una serpiente y mi padre un diablo, ¿qué otra cosa podía ser yo sino un malvado brujo? Y luego añadía, con sonrisa lacrimosa: Pero nací bueno... Lo recuerdo.

De este modo, pasaron muchos soles y lluvias y el Gran Brujo, con su mala voluntad, se puso más perverso. También se puso más tonto; y un tonto malo y poderoso es el peor azote que pueden tener los hombres y los seres de la naturaleza.

Pero sucedió que un año llovió más de la cuenta y el verano se atrasó. El Gran Brujo tuvo que esperar para encender sus lámparas y como le hacía falta su bebida, se puso de un genio espantoso. Aullaba en la cima de la montaña, arrojando piedras y cenizas.

Su amigo, el gigante Cheruve, hacía otro tanto, lanzando lava y agua hirviendo a los valles, y robando niñas pequeñas para comérselas. Cuando por fin llegó el buen tiempo, hubo más lamparitas que otras veces en el bosque.

Y el Gran Brujo, al no encontrar toda la bebida que necesitaba para apagar su tremenda sed, se vengó de los campesinos enterrando sus dedos negros en las siembras de papas, por lo que pronto no hubo qué comer.

Se reunieron los jefes y dueños de las tierras para decidir qué hacer con el malvado Gran Brujo y, tras rechazar la violencia que crea más violencia, escucharon al más anciano: tenemos que reunirnos con nuestros animales protectores del aire, de la tierra y del agua, e invocar a los buenos espíritus de las selvas. Entre todos, tal vez podamos echarlo para siempre de nuestros valles.

Cada familia se preocupó, pues, de hablar con su animal protector. Unos acudieron a las colinas para conversar con el guanaco y otros a las selvas para hablar con el puma. Los de la orilla del mar conferenciaron con los delfines y los de la montaña, con el águila blanca.

Los que habitaban cerca de las selvas se internaron para comunicarse con los espíritus de los árboles, cuyos pensamientos son profundos como raíces y amplios como sombras. Y fue el espíritu del Canelo el que aconsejó lo más sabio: el Gran Brujo de la montaña necesita sus lámparas para no perderse en la espesura de la selva; si se las quitamos, no sabrá encontrar los senderos hacia los valles. Sólo así nos dejará en paz.

Ese mismo día, las mujeres y las niñas se pusieron a fabricar grandes cantidades de la bebida favorita del Gran Brujo y el olor del mudái llenó el aire que llevaba el viento hasta la montaña. Porque el viento también quiso participar en la guerra contra el que hacía tanto daño.

Allá, en su gruta, el Gran Brujo, aún dormido, empezó a oler el agrio perfume con que el viento le hacía cosquillas, y bajó a emborracharse como nunca.

Mucho más tarde, cuando inició su regreso, a medida que se internaba en el bosque, iban desapareciendo una a una las lamparitas que había dejado encendidas.

Los guanacos escondieron las luces detrás de sus cabezas; los venados, entre sus astas; los pumas, con sus anchas patas; las águilas, con sus alas; los hombres, bajo sus mantas.

Y los niños huían por todas partes, como luciérnagas risueñas, llevando entre sus manos cada uno una radiante lamparita. Hasta las truchas de los riachuelos jugaron a beberse los reflejos, iluminándose en el agua como fuegos fatuos.

El Gran Brujo suplicó que le devolvieran sus luces, dándose cuenta de que si conseguían arrebatárselas, estaba perdido. Pero los espíritus protectores se negaron, porque no se puede creer en las promesas de un borracho.

Solamente logró que los pensamientos de los árboles le guiaran hasta su gruta, donde a pesar de su derrota y de la rabia que le hervía en la cabeza, cayó al suelo a dormir su borrachera.

Nunca más volvió a bajar a los valles para hacer daño a los hombres y a las criaturas humildes. Nunca más el Cheruve le prestó una tea de fuego.

Pero aquellas luces que entre todos le quitaron vuelven a iluminar cada año los senderos y son las flores del copihue, que cuelgan de los árboles de la selva como campanitas.

Leyenda mapuche, Chile

La Madre de Agua

Es este otro mito o personaje legendario de las aguas, muy conocido y difundido entre las creencias campesinas tolimenses.

La Madre de Agua es una niña hermosa, de cabellos dorados, casi blancos; sus ojos son grises, claros como dos gotas de agua, de un atractivo imposible de resistir.

Su único defecto es que tiene los pies volteados hacia atrás, por lo cual deja los rastros en dirección contraria a la que ella sigue.

Persigue únicamente a los niños, sobre los que ejerce una influencia perniciosa. Se puede decir que hay niños que nacen predispuestos a la persecución de la Madre de Agua y desde bebés son atraídos y molestados por ella.

Estos niños hablan siempre de una niña linda que les llama, sueñan con ella, se despiertan asustados y tienden siempre a ausentarse solos, atraídos por algo extraño.

En las orillas de las aguas se les ve intranquilos, creen ver flores muy bellas flotando en la superficie; se abalanzan sobre lo que creen ver bajo el agua e insisten en que tienen que irse, pues una niña les llama con sus blancas manos; a veces les da fiebre y diarrea, o enferman perniciosamente, y muchas veces mueren, sin contar con que en otras ocasiones, por un ligero descuido, se pierden o se ahogan, raptados por la Madre de Agua.

Para librar a un niño de esa fuerza maléfica hay que llevárselo al cura para que lo bendiga, colgarle escapularios, medallas, azabaches o abalorios indígenas del cuello; frotarlo con ajo o yerbas aromáticas como la ruda y la albahaca.

Ofrecérselo en presentación a las Ánimas Benditas y procurar no llevarlo a la orilla de las aguas, por lo menos mientras crece, hasta que ya no sea perseguido por el espíritu maligno.

Leyenda colombiana

El pájaro que trajo el fuego

Los jíbaros no conocían el fuego y se comían crudos los zapallos, los porotos, la yuca, las aves y los peces. Tampoco podían alumbrarse por las noches. Pero había un hombre que sí tenía, no se sabe cómo, candela. Se llamaba Taquea.

Una vez, su mujer se fue a la chacra a recoger tubérculos y, de regreso, encontró en el suelo del camino un pájaro quinde, que estaba mojado y no podía volar. La mujer se compadeció del animal y se lo llevó a casa.

Para calentarlo, lo acercó a las llamas: el quinde sacudió las alitas en la ceniza caliente y, sin querer, empezaron a arder las plumas de su cola y echó a volar.

Se posó en un tronco seco del bosque y allí dejó las llamas para los jíbaros, que salieron corriendo de sus chozas y cada uno tomó su parte y se la llevó a su casa. Así comenzaron a cocinar los alimentos, a alumbrarse de noche y a tejer historias alrededor de una fogata. Por eso, el quinde tiene en la cola un destello de fuego.

Leyenda jíbara

Cuidado con el Urcu

Para los campesinos andinos no es motivo de felicidad vivir cerca de un majestuoso Urcu, sabiéndose vigilados por él permanentemente.

Nada de lo que se dice o se hace en la localidad, aunque sea en sueños, pasa desapercibido al tiránico vigilante, que tiene la facultad de aparecer en el lugar y en el momento que a él le plazca.

Para ello no precisa mimetizarse, como lo haría un brujo experto, puesto que su categoría de dios le exige conservar a toda hora su aspecto de apuesto y joven caballero, que es como se permite él dejarse ver por los sumisos campiranos, sobre todo, si están soñando.

El Urcu no duerme ni se descuida jamás. Se mantiene atento siempre a todo cuanto acaece en derredor suyo, esperando la oportunidad de entrar en acción, bien para distraerse, o simplemente con el fin de recordar al feudo quién es su amo y señor. Con tal propósito malogra a veces las cosechas, soplando desde sus cumbres vientos helados y tormentas de granizo.

También le gusta hurtar el ganado de las fincas, ocultando a los animales en lo más intrincado de los barrancos. Días después, durante el sueño de los perjudicados, ya se presentará para exigirles rescate por la devolución de las reses.

Les suele exigir una gallina negra, un par de velas o una botella de anís, que deberán dejar a medianoche en determinado sitio.

Semejantes actos de pillaje no son nada más que inocentes travesuras con las que se recrea el Señor de la Montaña, porque, sin duda, el peor de los males para la comunidad surge cuando le apetece convertirse en amante de alguna mujer.

Con tal de conseguir su objetivo, le tiene sin cuidado si quien habrá de sufrir su asedio es soltera o casada, o hasta si está embarazada. Seguro de la impunidad de sus desafueros y carencia de escrúpulos, no desdeña a ninguna.

No obstante, es conocida su predilección por las vírgenes, en quienes dejará traumas emocionales y huellas tangibles e indelebles, y algunos afirman que nunca ataca dos veces a la misma persona.

Su táctica es ocultarse en la espesura y esperar a que alguna mujer se le acerque. Entonces, adoptando la naturaleza del aura, se desliza hasta ella para envolverla en su tenue aliento, que es deliciosa caricia y narcótico fulminante a la vez.

Sin transición, la agraciada por el dios de la montaña caerá en el más dulce de los sueños en los que se verá idolatrada por un hermoso mancebo que finalmente se unirá íntimamente a ella.

Siempre sucede así. Tanto solteras como casadas que han corrido esta suerte tienen la misma versión acerca de los acontecimientos. Y, por lo que se asegura, cuando ocurre una concepción del resultado de estas uniones entre seres tan diferentes, su fruto es un auténtico monstruo, un insulto a la estética y una ofensa para la vista.

Nace este desventurado con una o más jorobas y albino, a la imagen y semejaza del Urcu, aunque su estatura, en su máximo desarrollo, no rebase a la de un enano.

Tiene los ojos saltones y la nariz remangada. En vez de llevar cinco dedos en cada mano, apenas trae tres.

El engendro, consciente de que su fealdad imbuye repulsión en los demás, se torna misántropo y evita todo contacto con ellos, retribuyendo con ciego rencor la compañía.

En el caso de una mujer embarazada que llega a tener este tipo de contactos sexuales, el hijo de ésta tampoco sale bien librado del percance. Aunque no con las mismas taras que el anterior, vendrá al mundo al menos con un estigma que le acreditará su vínculo con el Urcu.

Una mancha escarlata cubriéndole la mejilla, o el labio leporino, una verruga peluda en la barbilla o una pierna más corta que la otra, son signos inequívocos de su infortunio.

Para agraciarse con el Urcu local, es muy frecuente que los montañeses intenten sobornarlo con animales menores y lo mejor de sus cosechas. Mas todo sacrificio es como echar en saco roto.

Leyenda andina

Nunkui, creadora de las plantas

Hace largos años, cuando los shuaras empezaban a poblar las tierras orientales del Ecuador, la selva no existía. En su lugar se extendía una llanura con escasas hierbas, una de las cuales era el unkuch, el único alimento de los shuaras.

Gracias a esta planta, la tribu pudo soportar durante mucho tiempo la aridez de la arena y el calor sofocante del sol ecuatorial. Pero, lamentablemente, un día la hierba desapareció y los shuaras comenzaron a extinguirse lentamente.

Algunos echaron la culpa a Iwia y a Iwianchi, seres diabólicos que desnudaban la tierra comiéndose todo cuanto existía; mientras, otros continuaron buscando el ansiado alimento. Entre estos había una mujer Nuse que, venciendo sus temores, buscó el unkuch en los sitios más ocultos y tenebrosos, aunque fue inútil. Sin desanimarse, volvió con sus hijos y reinició con ellos la búsqueda.

Siguiendo el curso del río, caminaron muchos días; pero a medida que transcurría el tiempo, el calor agobiante terminó por aplastarlos.

Así, uno a uno, fueron quedando tendidos en la arena.

Inesperadamente, sobre las aguas del río aparecieron pequeñas porciones de un alimento desconocido, que era la yuca. Apenas probó ese manjar sabroso y dulce, Nuse sintió que sus ánimos renacían misteriosamente y enseguida corrió a socorrer a sus hijos.

Entonces, percibió que alguien la observaba desde el viento y súbitamente, de entre las ráfagas que silban lejanías, descendió una mujer de belleza primitiva.

Nuse retrocedió asustada, pero al descubrir la dulzura en el rostro de esa mujer le preguntó:

«¿Quién es usted, señora?».

«Yo soy Nunkui, la dueña y soberana de la vegetación. Sé que tu pueblo vive en una tierra desnuda y triste, en donde apenas crece el unkuch, pero..., tú has demostrado valentía y por ello te daré, no sólo el unkuch, sino toda clase de alimentos».

En segundos, ante la sorpresa de Nuse, apareció un huerto. Nunkui continuó:

«Y para tu pueblo, que hoy lucha contra la muerte, te enviaré una niña prodigiosa que tiene la virtud de hacer que crezca el unkuch y la yuca que has comido y el plátano y...».

Nunkui desapareció y en su lugar estaba la niña prometida. Nuse aún no salía de su asombro cuando la pequeña, la hija de Nunkui, como luego la llamaron, le anunció que en el territorio de los shuaras, la vegetación crecería también majestuosa.

Alborozada, Nuse reanimó a sus hijos y regresó a su pueblo. Cuando llegaron, la niña cumplió su ofrecimiento y la vida de los shuaras cambió por completo.

Las plantas crecieron en los huertos y cubrieron el suelo de esperanza.

Leyenda shuara, Ecuador

El dueño del fuego

Cerca de donde nace el Orinoco vivía el rey de los caimanes llamado Babá. Su esposa era una rana grandota y, juntos, tenían un gran secreto escondido en la garganta del caimán.

La pareja se metía en su cueva y amenazaban a quien osara entrar, diciéndoles que dentro había un dios que todo lo devoraba y que sólo ellos, los reyes del agua, podían pasar.

Un día la perdiz, que estaba haciendo su nido, entró distraída en la cueva. Buscando pajas encontró hojas y orugas chamuscadas, como si el fuego del cielo hubiera caído por allí.

Probó las orugas tostadas y le supieron mejor que cuando las comía crudas. Se fue aleteando a ras del suelo para contarle todo a Tucusito, el colibrí de plumas rojas.

Al rato llegó el pájaro Bobo y entre los tres urdieron un plan para averiguar cómo hacían la rana y el caimán para cocinar tan ricas orugas. Bobo se escondió dentro de la caverna aprovechando su oscuro plumaje.

La rana soltó las orugas que traía en la boca al tiempo que Babá abría la suya, que era tremenda, dejando salir unas lenguas rojas y brillantes. La pareja comió las orugas sin percatarse de Bobo, tras lo cual se durmieron satisfechos.

Entonces, Bobo salió corriendo para contarles a sus amigos lo que había visto y se pusieron a maquinar cómo arrebatarle el fuego al caimán sin quemarse ni ser la comida de los reyes del agua. Decidieron que sería cuando éste abriera la boca para reír.

Por la tarde, cuando todos los animales estaban bebiendo y charlando junto al río, Bobo y la perdiz colorada hicieron piruetas haciendo reír a todos, menos a Babá.

Bobo tomó una pelota de barro y la lanzó dentro de la boca de la rana, que de la risa pasó a atragantarse y el caimán, al ver los apuros que pasaba la rana, soltó una carcajada. Tucusito, que observaba desde el aire, se lanzó en picado, robándole el fuego con la punta de las alas. Elevándose, rozó las ramas secas de un enorme árbol que ardió de inmediato.

El rey caimán exclamó que, si bien se habían robado el fuego, otros animales arderían, pero Babá y la rana vivirían como inmortales donde nace el gran río. Dicho esto, se sumergieron en el agua y desaparecieron para siempre.

Las tres aves celebraron el robo del fuego, aunque ningún animal supo la manera de aprovecharlo. Pero los hombres que vivían junto al Orinoco se apoderaron de las brasas, que ardieron durante muchos días en la sequedad del bosque y aprendieron a mantenerlas vivas, a cocinar los alimentos y a conversar durante las noches alrededor de las fogatas.

Tucusito, el pájaro Bobo y la perdiz colorada se convirtieron en sus animales protectores por haberles regalado el don del fuego.

Leyenda yanomani, Venezuela

Los kogi

Tribu que habitaba la Sierra Nevada de Santa Marta.

Dicen haber llegado a Colombia en épocas remotas, del otro lado del mar, del país de Mulkuaba, que un día se incendió, por lo que los que escaparon debieron atravesar ríos de fuego.

Los antepasados kogi huyeron al mar y se embarcaron en nueve canoas. Los guiaba Kukulyéxa, el Señor Jaguar. Así llegaron a la desembocadura del río Palomino.

De su país de origen traían algunos objetos de oro, la coca y el arte de tejer. Kukulyéxa, el Señor Jaguar, sabía escribir.

Esta tribu, enormemente rica en creencias y mitos, ha elaborado una clara filosofía del respeto al otro, a la naturaleza y a la comunidad. Se sienten los «hermanos mayores» de los hombres, porque ellos guardan el gran secreto del saber, la Ley de la Madre que sostiene la tierra.

Por eso bailan y cantan y hacen ofrendas. Por eso los hermanos menores están siempre enfermos, por eso pelean tanto y se hacen siempre la guerra y se matan unos a otros.

Para los kogi, el saber es fuente de prestigio, la verdadera riqueza. Un hombre no es respetado por sus posesiones, sino por lo que sabe.

Si dos discuten uno de ellos tratará de demostrar que el otro «no sabe nada». Otro elemento fundamental de su filosofía es el concepto de «yuluka», que podría definirse como el acuerdo:

«Hay que estar de acuerdo con la madre; hay que estar de acuerdo con el dueño de los animales; hay que estar de acuerdo con el sapo, con la lluvia, las culebras, las nubes, las enfermedades. Hay que estar de acuerdo con todo».

Es una especie de identificación con el otro, o con la energía que ese otro representa para neutralizar su fuerza.

Un kogi dijo un día:

«Yo pienso como la enfermedad».

Lo que quiere decir que estaba de acuerdo con aquella enfermedad, por lo que ya no era su víctima sino su dueño.

Otro concepto interesante que diferencia a los kogi del resto de las tribus es el de «alúna», concepto similar al que los civilizados denominamos «pensamiento abstracto». Alúna es todo lo que es intención, intuición, espíritu, idea o proyecto.

La más respetada institución entre los kogi es el Mama, que es a la par un sacerdote y un sabio, que enseña y hace respetar las leyes.

Los loros disfrazados

Cuando el gran diluvio desbordó mares y ríos, dos hermanos se resguardaron en lo más alto de un monte. Se llamaban Chonta y Pila. En cuanto pasó la lluvia, se asomaron a mirar los valles y vieron que todo estaba cubierto de agua y encontraron una caverna que les serviría como refugio, pero no encontraron nada de comer.

Una tarde, al caer el sol, llegaron a la caverna sin aliento ya para seguir viviendo, muertos de hambre.

Entonces la niña vio, sobre una piedra, que había un mantel de hojas frescas con frutas, carnes, mazorcas de maíz y todo lo que habían soñado comer durante días. Cuando estuvieron satisfechos, se pusieron a dormir.

En sueños oyeron gritos y risas de los guacamayos, esos grandes loros que habitan en las oscuras selvas de los valles.

Al despertar, no tuvieron necesidad de recorrer los montes, porque los misteriosos seres continuaron llevándoles comida día a día. Nunca alcanzaban a verlos; acudían sólo cuando los niños dormían o se alejaban de la caverna.

Los niños sintieron una gran curiosidad de saber quiénes eran los que con tanta generosidad los alimentaban, curiosidad que fue creciendo porque ya no tenían mucho que hacer, sino contemplar los valles convertidos en lagos y jugar. Así que decidieron descubrir a sus benefactores.

Antes del amanecer, ambos se escondieron junto a la caverna. Estaban nerviosos e impacientes. De pronto, algo tembló en el aire como un arco iris, y se escucharon fuertes aleteos y sonoros gritos.

Se asomaron con cuidado y vieron unos grandes guacamayos, los mismos que habitaban en las selvas, pero su aspecto era diferente: los loros venían disfrazados con delantales y gorros de cocineros, lo que a los niños les pareció extraordinariamente cómico. Les dio tanta risa que no pudieron seguir escondidos.

«Mira, Chonta, son loros disfrazados», se burló Pila.

«¡Ja, ja, ja! ¡Mira cómo las plumas les asoman por debajo de los delantales y de los gorros!», se burló Chonta.

Los loros se enojaron al oír las burlas y tampoco les gustó haber sido descubiertos. Con las plumas erizadas y los ojos chispeantes, volaron lejos, llevándose la comida.

Los niños rieron largo rato; pero al ver que los guacamayos no regresaban y que luego pasaron los días sin que les trajeran más alimentos, el hambre les hizo comprender su imprudencia y su ingratitud.

Con sus últimas fuerzas, gritaron mañana y tarde pidiendo perdón a sus benefactores por haberlos espiado y por burlarse de sus disfraces.

Al día siguiente, con gran rumor de plumas, los guacamayos regresaron, pero ya no llevaban disfraz alguno, sino que lucían su maravilloso colorido.

Los niños crecieron y engordaron con la buena alimentación y todas las tardes se asomaban a los abismos para ver si el agua bajaba y comprobaron que lentamente volvían a formarse los ríos, las lagunas y los mares; la tierra se secaba y surgían las selvas.

Un día Pila y Chonta decidieron regresar al lugar donde estuvo su cabaña, pero no querían perder a los loros, no sólo porque los habían alimentado, sino porque eran unos pájaros muy bellos.

Sus parloteos, sus cantos y sus vuelos luminosos habían sido una compañía reconfortante.

Entonces, cuando los guacamayos vinieron con los alimentos, entre los dos hermanos apresaron a uno de ellos y le recortaron las alas para que no pudiera volar.

«Perdónanos por hacerte esto, amigo, pero no queremos perderte al bajar al valle», le explicaron. Lo llevaron consigo montaña abajo, amarrado de una pata.

Pero estas aves nunca abandonan a uno de los suyos, así que toda la bandada siguió a los muchachos hasta el sitio donde antes vivían.

Ocurrió que, en el valle, los guacamayos se transformaron en muchachas y muchachos alegres y hermosos cuyos ojos brillaban y cuyas cabelleras tenían reflejos multicolores.

Al cabo de un tiempo, Pila y Chonta se casaron con aquellos seres de extraña belleza, llenos de buena voluntad. Según la leyenda, este es el origen de una raza indígena ecuatoriana.

Aquellos loros misteriosos fueron dioses de las antiguas selvas y sus virtudes y poderes benéficos se transmitieron a sus descendientes.

Leyenda ecuatoriana

Así murió la uma

Una vez, un joven se había comprometido con una señorita. Pero ella le decía que no la visitara los viernes ni los martes porque tenía compromisos. Los meses pasaban y el muchacho se impacientaba por no saber qué hacía su novia esos dos días de la semana, hasta que decidió visitarla un martes.

Llegó el día martes y el joven se dirigió a la casa de su prometida, y vio con horror que se sacaba la cabeza y que ésta se iba a deambular por las calles, mientras el cuerpo se quedaba postrado en la cama.

El joven se dio cuenta de que su novia era una uma, entró en el cuarto, embadurnó de abundante ceniza el cuello de la que era su amada y se metió debajo de la cama a esperar a que llegara.

Por fin, entró la cabeza al cuarto queriendo regresar a su estado normal, pero no podía pegarse al cuerpo por culpa de la ceniza que había en su cuello. El joven no pudo soportar lo grotesco de la situación y se echó a reír y entonces la bruja se lanzó contra el hombro del joven, pegándose a él.

Asustado, el muchacho comenzó a correr por un campo de tunales. El joven le decía:

«Quiero comer tunas y te voy a coger unas cuantas para que puedas comer».

La cabeza de la bruja no quería pero, después de mucha insistencia, le dijo que se las cogiera.

Entonces el joven tendió su poncho en el suelo para que la cabeza pudiera esperarle mientras recogía las tunas y la cabeza, engañada, aceptó esperarle allí.

Él aprovechó la oportunidad y escapó corriendo, hasta que por donde estaba la uma pasó una taruca, y la cabeza de la bruja se pegó al cuerpo del animal, el cual comenzó a correr asustado por entre las pencas, donde había abundantes espinos.

El pelo de la bruja se enredó en los tunales y allí murió. La taruca siguió corriendo asustada por entre las pencas.

Leyenda quechua

La Laguna del Inca

Escondida en las alturas de la Cordillera de los Andes, en Portillo, se encuentra una hermosa laguna que hoy se conoce como la Laguna del Inca. Algunas personas aseguran que sus tranquilas aguas color esmeralda se deben a una romántica historia de amor. Antes de que los españoles llegaran a estas tierras, los incas habían extendido sus dominios hasta las riberas del río Maule, y como se consideraban hijos del Sol, las cumbres andinas eran el escenario ideal para realizar sus rituales y ceremonias religiosas.

Según cuenta la leyenda, el inca Illi Yupanqui estaba enamorado de la princesa Kora-llé, la mujer más hermosa del imperio. Decidieron casarse y escogieron como lugar de la boda una cumbre ubicada a orillas de una clara laguna.

Cuando la ceremonia nupcial concluyó, Kora-llé debía cumplir con el último rito, que consistía en descender por la ladera del escarpado cerro, ataviada con su traje y joyas, seguida por su séquito.

Pero el camino era estrecho, estaba cubierto de piedras y bordeado por profundos precipicios. Fue así como la princesa, mientras cumplía con la tradición, cayó al vacío.

Illi Yupanqui, al escuchar los gritos, echó a correr, pero cuando llegó al lado de la princesa, ella estaba muerta.

Angustiado y lleno de tristeza, el príncipe decidió que Kora-llé merecía un sepulcro único, por lo que hizo que el cuerpo de la princesa fuera depositado en las profundidades de la laguna.

Cuando Kora-llé llegó a las profundidades, envuelta en blancos linos, el agua mágicamente tomó un color esmeralda, el mismo que tenían los ojos de la princesa.

Se dice que desde ese día la Laguna del Inca está encantada. Incluso hay quien asegura que, ciertas noches de plenilunio, el alma de Illi Yupanqui vaga por la serena superficie de la laguna emitiendo tristes lamentos.

Leyenda peruana

La cautiva

El hijo del Sol, Túpac Yupanqui, «el hombre de todas las virtudes», como lo llamaron los sabios de Cuzco, celebraba su victoria sobre la indomable tribu de los pachis.

Todo el Imperio estaba ahí para festejar su triunfo. Pero el cóndor de las alas gigantescas, cobardemente herido y sin fuerzas, cayó ese mismo día de la montaña más alta de los Andes, tiñendo la nieve con su sangre.

El Gran Sacerdote, viéndolo morir, anunció que se aproximaba el fin del reinado de Manco Cápac, primer inca fundador del Imperio; que otras gentes vendrían de muy lejos, montados en inmensas piraguas, para imponer su religión y sus leyes.

Sin embargo, la fiesta continuó y se hizo venir a una bonita cautiva que iba a ser entregada al inca.

Su corazón estaba lleno de amargura porque había sido alejada del ser que ella amaba y porque se la obligaba a cantar alabanzas al vencedor.

De repente, ella se puso a temblar viendo que su prometido se encontraba allí, también prisionero del inca.

La noche comenzó a caer sobre las montañas, y la comitiva real se detuvo en Izcuchaca.

Más tarde, la alarma cundió en el campamento.

La bonita cautiva, la joven mujer destinada al serrallo del inca, fue sorprendida huyendo con su amante, a quien mataron por defenderla.

Tupac Yupanqui ordenó la muerte de la esclava infiel, la cual escuchó su sentencia con alegría, deseando reunirse con el amante de su corazón y porque sabía que la tierra no es la patria del amor eterno.

Desde entonces, en el lugar donde fue inmolada la cautiva, sobre el Palla Huarcuna, en la cadena de montañas entre Izcuchaca y Huaynanpuquio, se puede ver una roca que tiene la forma de una india con un collar alrededor del cuello y un turbante de plumas sobre la cabeza.

Se afirma que nadie puede pasar la noche en el Palla Huarcuna sin ser devorado por su fantasma de piedra.

Leyenda peruana

El kakuy

Cuenta la leyenda que en una época muy remota, una pareja de hermanos vivía en su rancho en el monte tupido de Santiago del Estero.

Amaba mucho el varón a su hermana, y trabajaba de sol a sol para que nada le faltase; cada vez que volvía a casa traía las algarrobas más gordas, los mistoles más dulces, las mejores flores silvestres y buscaba en los troncos huecos miel de palo, para llevárselo a su hermana, de quien vivía pendiente.

Pero su hermana era muy ingrata con él. Volvió una tarde sediento, fatigado, pidiéndole a su hermana un poco de hidromiel para beber y ésta, en lugar de servírsela, derramó en su presencia la botijilla con la miel.

Y así transcurrían los días, viendo cómo su hermana le despreciaba, le volcaba la olla con la comida o le tiraba el mate del desayuno.

Hasta que, un día, no pudo soportar tanto desdén y desprecio y, bajo pretexto de buscar miel en un árbol, la llevó al monte y allí la persuadió para que subiera por el tronco, para poder realizar la operación sin que le picaran las abejas.

Subió la ingrata, cubierta con un poncho, hasta las ramas más altas, llegando casi a la copa del árbol gigante, y entonces su hermano cortó todas las ramas por las que había trepado, huyendo del lugar inmediatamente.

Arriba transcurría el tiempo, hasta que la hermana se dio cuenta de que se hallaba sola, presa en lo alto, y en sus oídos comenzó a sonar el zumbido de los insectos. Nunca se le había mostrado tan tenebroso el cielo, ni las calladas breñas.

Entonces en su alma comenzaron a surgir los remordimientos y comenzó a llamar a su hermano, con gritos lastimeros, Kakuy, Kakuy Turay, repitiéndolo una y otra vez.

Al pasar el tiempo, sus pies descalzos, por el esfuerzo de ceñirse a las ramas donde se hallaba, fueron desfigurándose en garras de búho, la nariz y las uñas de las manos se empezaron a encorvar, y sus brazos abiertos en agónica distensión, se emplumecían desde sus hombros hasta las manos, hasta que acabó convertida en ave nocturna y un arranque de valor la separó del árbol y la llevó volando hasta las sombras.

Así nació el kakuy, de aquella pena que se ahogó en su garganta llamando al hermano despreciado y justiciero, y es el grito que aún resuena sobre la noche en los montes, pronunciando: «Kakuy..., Kakuy..., Turay..., Turay...». En lengua quechua, lo que la hermana decía era: «Kakuymi tatay niara, nokaka manchoram» («Hermano mío, te clamo, no te vayas»).

Leyenda quechua, Argentina

Mitología mapuche

El wenumapu o ruka es el cielo en la mitología mapuche del sur de Chile y Argentina. En él viven los dioses. El mayor de ellos y en cierto modo el único es Ngnechen. Él controla a los dioses menores.

En el wenumapu se realizan las mismas acciones que en la mapu o tierra realizan los hombres. También se afirma que existe un solo creador, con distintos nombres.

El minchemapu representa lo contrario: el mal, las profundidades. Es un mundo de espíritus malignos o wekufes. El poder de ellos produce las enfermedades y la muerte. Además de Ngnechen, dueño o tutor de los hombres, existe el Antú. Es llamado también Antú fucha (anciano rey sol) y en su dimensión femenina es el Antú kuche (anciana reina luna).

La creación del mundo, para los mapuche, sucedió de esta manera: Hace una infinidad de lluvias, en el mundo no había más que un espíritu que habitaba en el cielo. Solo en la inmensidad, Ngnechen decidió un día crear la vida.

Para ello, primero abrió los ojos y de sus brazos hizo nacer una criatura vivaz e imaginativa, a la que llamó Lituche, que en mapudungun significa «hombre del comienzo».

Entonces quiso enviarlo en seguida a la tierra, pero lo lanzó con tanta fuerza que se golpeó contra el suelo. Al escuchar sus lamentos, su madre abrió una ventana en el cielo para mirarlo. Ella era Kuyén, la luna, y desde entonces vigila el sueño de los hombres.

Ngnechen también quiso saber lo que acontecía y para observarlo abrió una ventana, Antú (el sol), que da luz y calor a los seres vivos. Desde la tierra, Lituche clamó al cielo:

«Padre, ¿por qué he de estar solo?».

En realidad, necesita una compañera, pensó Ngnechen, y tomando una estrella, modeló a Domo, la mujer.

Luego, con gran delicadeza, la dejó caer sobre la tierra. Domo comenzó a caminar y para que no se dañara los pies, Ngnechen hizo crecer a su paso la hierba y las flores. Y de su boca nacieron insectos, pájaros y mariposas. Así fue cómo Domo llevó a Lituche el armonioso sonido de la naturaleza.

Hombre y mujer se miraron con gran curiosidad y comprendieron que juntos llenarían el vacío de la tierra. Y así fue cómo los hijos de Domo y Lituche, los mapuche, se multiplicaron y aprendieron que los frutos del Pewén eran su mejor alimento.

De él sacaron harina y cocieron su pan en las cenizas. Domo cortó la lana de una oveja, la hiló y la tiñó con raíces vegetales. Después la tejió en un telar de cuatro palos, al que llamó witral.

Mientras Domo y Lituche construían su hogar, la ruka, el cielo, se pobló de nuevos espíritus, los cherrüfes, muy temidos por la comunidad. Y aún hoy, este pueblo respeta la naturaleza y mira al wenumapu, el cielo, buscando la protección de su Creador, el Chau Ngnechen.

La leyenda del ceibo y del churrinche

Esto sucedió en la época en que las carabelas y los jinetes españoles llegaron a nuestras playas. Hasta entonces, las costas del Paraná-Guazú no habían sido holladas más que por los desnudos pies del aborigen.

Imaginad el asombro de los charrúas cuando contemplaron las grandes naves y vieron que de ellas venían figuras a caballo que parecían seres sobrenaturales, mitad hombres, mitad animales, y que en lugar de su piel, sus torsos mostraban brillante metal, y en lugar de cabellera lucían cascos como hechos de sol.

De inmediato, el cacique de la tribu acudió a consultar al adivino y se entabló entre ellos el siguiente diálogo:

«Acudo a tu presencia», dijo el Cacique, «para que me expliques el significado de los hechos inauditos que están ocurriendo».

«Dime cuáles son y con la ayuda de Tupá, yo los descifraré».

«Allí en esa línea que une el Paraná-Guazú con el reino de Tupá, allí en esa línea que jamás pájaro alguno ni canoa se atrevió a atravesar, profanando su inmovilidad, yo he visto multitud de águilas gigantes sobre las grandes olas».

«¿No sería, oh gran jefe, una engañosa figura de nube, una simple anunciadora de tormenta, un mensajero de Añang, el enemigo que siempre se complace en manchar la faz de Tupá?».

«Lo mismo pensé yo al principio. Por eso demoré en traerte el anuncio. Pero he visto seres horrorosos, como los que envía a los sueños de niños y mujeres el maléfico Añang. Eran mitad guerreros y mitad venados gigantes. Tenían pecho de luna y cabeza de sol, y a veces resoplaban por la boca como el viento en el juncal».

«¿Dónde se encuentran?».

«Allí en el monte, junto al río».

«¿Y cómo están ociosas vuestras flechas y vuestras boleadoras?».

«Antes de combatir quisiéramos oír tus presagios, saber si son hombres como nosotros o monstruos del mal».

«Id a convocar a los guerreros, que mientras tanto yo consultaré a Tupá».

Al quedar solo, el adivino, imploró al dios del bien, Tupá, para que le revelase la influencia que sobre el destino de su raza tendría la invasión de los seres extraños.

Cuando volvió el cacique, el adivino le reveló que los que habían llegado eran los rostros pálidos, guerreros que exterminarían a toda la raza charrúa.

Ante el cacique y los demás guerreros, convocados para escuchar las extrañas revelaciones, éstos afirmaron que si eran hombres como ellos, los destruidos serían los intrusos.

«Nada podrá vuestro valor y vuestras armas contra las que ellos esgrimen», dijo el Adivino.

«¿Entonces seremos destruidos?».

«Sí, a menos que queramos someternos».

«Eso nunca», proclamó el cacique.

«Durante lunas y más lunas, la tierra del charrúa se regará con la sangre nuestra y la de los rostros pálidos. Lentamente les iremos cediendo la costa del Paraná-Guazú, retirándonos hacia la región de los vientos calientes», continuó el adivino.

Entonces, el más joven de todos los guerreros, llamado Zuanandí, interrogó al adivino:

«¿Quién les dirá a los hombres que vendrán, cuando nosotros ya no estemos, que era nuestra esta tierra y que preferimos la muerte antes de cederla a los extraños? ¿Quién nos salvará del olvido y hará que nuestro recuerdo perdure con los ríos, con los arenales, con las palmas y los ombúes?».

También para esto tuvo respuesta el adivino:

«El recuerdo de la raza perdurará en el rojo de la sangre del primer guerrero que muera herido por el invasor. Esa sangre no se secará porque se transformará en una flor que resurgirá cada primavera. Esta flor tendrá dedos, como una mano pronta para la caricia y la protección. Tendrá la forma de una mariposa, pero será más bella que las que revolotean en las mañanas. Será roja como los labios destinados a revelar los actos grandes del pasado, y tendrá la pureza de las bocas que nunca fueron mancilladas por la mentira».

Cuando el cacique le preguntó quién sustentaría esa flor, el adivino le respondió que sería un árbol que nacería del cuerpo herido y sería un testimonio del valor que tuvo el charrúa para defender su tierra.

Su tronco tendría el color de la piel del charrúa musculoso que blande la maza; lleno de espinas como el que hace frente al que quiere esclavizarlo. Sus hojas tendrían en una faz el color de la esperanza que va a alentar la lucha, y en la otra el color de las cenizas de los huesos de los guerreros muertos gloriosamente.

«¿Y cómo se llamará ese árbol?», preguntó Zuanandí.

«Para los charrúas llevará siempre tu nombre, Zuanandí. Aunque también le llamarán Ceibo los futuros poseedores de esta tierra».

«Así que aquel que muera primero en combate, ¿se transformará en ese árbol prodigioso?», exclamó Zuanandí.

«¡Prefiero perdurar en él a vivir un instante como esclavo!», y diciendo esto, blandió su maza.

Seguido por los demás guerreros, se lanzó al combate.

Cuando el adivino volvió a quedar solo, se le acercó una dulce y bella doncella de la tribu llamada Churrinche, y le hizo notar al venerable anciano que una flor era insuficiente para que perdurase, por los siglos de los siglos, el heroísmo con que el charrúa defendería su tierra natal.

«Yo pienso», le dijo, «que aunque el árbol, por estar fijo, hablará de las glorias de la raza, hablará tan solo junto a los ríos y sin más voz que aquella que le dé el viento pampero cuando haga mover sus ramas».

«Será así», sentenció el Adivino. «¿Pero qué deseas tú?».

«Quisiera que el recuerdo y el amor a la libertad de nuestra raza, no viviera sólo en las márgenes de los ríos, sino que, dotado de alas, anduviese continuamente evocando el alma del charrúa por el cielo de nuestra tierra».

Meditó el anciano unos instantes y luego, como inspirado por el dios de la luz, Tupá, dijo levantando la frente:

«Bien. La joven que consuele y aliente al primer guerrero herido enjugando su sangre, será como una flor del árbol que hubiera creado alas».

«Esa quisiera ser yo», afirmó Churrinche con entusiasmo.

«Lo serás y llevará tu nombre, Churrinche».

Churrinche partió, ya casi con la ligereza de un ave, al lugar de la batalla.

Los charrúas, que se habían emboscado, comenzaron a hacer bajas al invasor sin recibir ellos ninguna, y hasta lograron matar de un certero flechazo en la axila al jefe de la expedición española en el instante en que plantaba el estandarte de Castilla para tomar posesión en nombre de su rey.

Pero los españoles reaccionaron y comenzaron a devolver los golpes. El primer herido fue Zuanandí quien, sostenido por el cacique y consolado por Churrinche, volvió a la presencia del adivino.

«Envidiadme», dijo el heroico guerrero. «Soy el primero que derrama su sangre en defensa de la libertad, y yo seré ese árbol prodigioso que han de llamar ceibo. Nada me importa que mi carne duela», añadió.

«Aquí tienes mis manos para restañar tus heridas. Ellas han calmado mi dolo», dijo Churrinche, mientras se las ofrecía.

«De acuerdo con mi anuncio», sentenció el Adivino, «te transformarás tú, Zuanandí, en ceibo, y tú, Churrinche, en un ave roja como su flor y la sangre que has restañado».

Al conjuro de estas palabras, el bosque nativo fue testigo de un prodigio. Poco a poco, Zuanandí, que sostenido por Churrinche se mantenía aún en pie, fue convirtiéndose en el citado árbol simbólico y, luego, la grácil figura de su compañera, en el pájaro de su nombre, aquel que prefiere la muerte a la esclavitud.

Leyenda charrúa, Uruguay

El mundo sobrenatural de los yaganes

Los yagán habitaron los canales y costas occidentales del sur de la Tierra del Fuego, limitando su territorio con la entrada del Canal Beagle por el norte, hasta Bahía Aguirre por el este, la península de Brecknock por el oeste y el Cabo de Hornos por el sur.

Sectores como el canal Murray e islas como Hoste, Navarino, Picton y Wollaston fueron lugares habituales de asentamiento según consta mediante los vestigios hallados de sus campamentos.

El término «yagán» parece tener su origen en una abreviación del nombre que esta etnia daba a un sector del canal Murray, zona habitual de asentamiento, llamada «Yashgashaga».

También se ha utilizado para designar a este grupo el término «yámana», cuyo significado sería «hombre», hasta el punto de que ambas denominaciones siguen siendo utilizadas indistintamente para designar al mismo pueblo indígena.

Entre esta tribu indígena, la creación de todo lo existente se conocía como «watauiwineiwa»:

«El arco iris que se ve en el cielo se llama watauiwineiwa. A él se encomiendan los hechiceros yaganes y todos los que necesitan algo, porque watawineiwa no castiga, sólo ayuda».

Watauiwineiwa no era adorado del modo en que la sociedad ha entendido tradicionalmente el teísmo, porque se trataba de una entidad que estaba en todas partes, y se manifestaba en cada cosa, lugar o ser.

También formaban parte de sus creencias los «yoalox», a los que se atribuía la enseñanza del uso y fabricación de las armas y herramientas. Estas entidades, existentes desde los tiempos remotos, se encontraban en la base de su mundo sobrenatural y se manifestaban a los yagán a través de fenómenos naturales.

Del mismo modo que existía «Curpij», a quien se debían el viento, la lluvia y la nieve.

Entre los yagán existieron, y fueron muy importantes los curanderos o chamanes, llamados «yekamush», que podían sanar enfermos, curar desequilibrios emocionales e invocar a los espíritus.

Así actuaban los hechiceros, según la moderna etnografía:

«(…) se dispone el hechicero a actuar mediante un largo canto, llamando en esta forma a los espíritus para que le auxilien. Nada debe molestar ni distraer su atención; prefiere verse sólo con los que le piden su ayuda, los cuales se sientan o se tienden ante él. Entre cantos y suaves balanceos del tronco «va reuniendo en un determinado lugar la materia enfermiza», chupándola violentamente con sus labios. En seguida la escupe en la palma de la mano y la sopla después. (…) Si un paisano se enfermaba o si tiraba una cáscara de maucho al agua y le venía un dolor, lo llamaban para que él hiciera su trabajo. Chupaba ese aire malo y lo soplaba hacia arriba, levantando las manos para expulsarlo. También cantaba un canto especial de los hechiceros distinto a los del duelo y del chiajous».

Los aprendices de curanderos debían someterse a un difícil aprendizaje. Eran elegidos entre los jóvenes que contaban con capacidad o predisposición a esta función, aun cuando también podían ser recomendados por parientes o por algún otro médico.

Para el aprendizaje propiamente dicho, se reunían en una vivienda especialmente construida para la ocasión, alejada de los campamentos y de los curiosos, donde se les preparaba con diversas pruebas en las que debían lograr un total control físico, espiritual y mental, enseñándoseles todos los secretos de su papel dentro del grupo, tarea que estaba a cargo de los curanderos más ancianos.

Se distinguieron cinco grupos base entre los yagán, que fueron:

• Wakimaala, ubicado en el canal Beagle desde Yendegaia hasta Puerto Róbalo, incluyendo Isla Ambarino, el canal Murria e Isla Hoste.

• Utamaala, al este de Puerto Williams y la isla Gable hasta las islas Picton, Nueva y Lenox.

• Inalumaala, en el canal Beagle, desde la punta Divide hasta el Brecknock

• Yeskumaala, ubicado en el archipiélago del Cabo de Hornos.

• Ilalumaala, desde Bahía Cook, hasta el falso Cabo de Hornos.

Sus diferencias no sólo radicaban en su distribución geográfica, sino que llegaron a desarrollar distintos dialectos de la lengua yagán.

Dada la alta movilidad de los canoeros yagán, establecieron numerosos vínculos de intercambio con algunos de los otros pueblos cazadores de la comarca, como los indios llamados selk'nam, que habitaron en los sectores más australes de Tierra del Fuego.

Leyenda de Chile

El año nuevo de los huilliches

Esta tribu poblaba el sur de la llamada depresión intermedia, desde el río Toltén hasta el golfo de Reloncaví.

Presentaba numerosas afinidades con los mapuches y picunches, pero poseían un mayor desarrollo cultural aunque los mapuches les superaban en capacidad militar.

Se agrupaban en tribus no sometidas a ninguna autoridad central. Consumían maíz y guisantes, además de pequeños animales y pescado. Su nombre quiere decir «gente del Sur», y se sabe que rendían culto a sus antepasados.

Para la cultura occidental, el «wiñoi chipantu» o renovación de la tierra coincide con el solsticio de invierno, que se produce entre el 22 y el 24 de junio, pero los conquistadores españoles introdujeron la costumbre de celebrar el año nuevo el 31 de diciembre.

Este cambio vino acompañado de una imposición ideológica: el año nuevo como el avance hacia un final sustentado en la teología cristiana, frontalmente enfrentado a la visión del mundo huilliche que se apoya en el desarrollo cíclico del sistema formado por el conjunto de la naturaleza.

Cuando llega el «wiñoi chipantu», la tierra culmina un ciclo y comienza otro. Este ciclo es la demostración del carácter orgánico de la Mapu Ñuke (deidad sobrenatural) y se suele homologar en todos y cada uno de los seres, incluyendo el ser humano, que tanto se parece al citado gran organismo.

La ceremonia de la renovación de la tierra se inicia durante la noche del 23 de junio y finaliza antes de que salga el sol el día 24.

Esta celebración huilliche tiene una íntima relación con la observación de la tierra y del cielo, gracias a la que pudieron percatarse de que, cada año, había un momento de renovación que coincidía con estas fechas, con el momento en que la luz del día comienza a durar más que la noche.

En ese momento, en el «wenumapu» (la tierra de arriba), un grupo de estrellas que había permanecido oculto durante meses, aparece de nuevo en el firmamento por el este: es la constelación de «los cabritos».

En cuanto eran divisadas, pocas horas antes de la salida del Sol, los huilliche decían «wiñoi chipantu», palabras que afirmaban que venía de regreso la vida a la «Mapu Ñuke» o que volvía el año.

La noche anterior, las machulla se habían dado cita en el «lelfvn» o campo ceremonial, para esperar esta aparición, espera que amenizaban con este canto:

«Nos prepararemos, nos alegraremos..., nuestros corazones estarán bailando (bailañi piuke che), bailando de alegría porque es wiñoi chipantu, viene de regreso la vida, ko, ko, ko... el agua ya llegará limpiando la Mapu Ñuke, para dar paso a su nuevo ropaje... Nos alegramos porque los siete cabritos en el cielo nos anuncian que ya es wechipantu, chawanti desplegará sus rayos nuevos sobre toda la vida de los hijos de la Mapu Ñuke... Wechipantu, año nuevo para toda la vida de la tierra...».

Capítulo 5

Mitos y seres fantásticos de otras culturas

Mitos y leyendas de España

Dioses iberos

Iberia es el nombre con que los griegos designaron las tierras situadas en los límites de su mundo conocido. Tierras a las que los romanos llamaron Hispania, describiendo a sus habitantes por los nombres de las comunidades que convivían en ella: indiketes, laietanos, ilergetes, edetanos, contestanos, bastetanos, turdetanos…, todos ellos eran pueblos iberos; al otro lado de la cordillera Ibérica y en la meseta, se encontraban pueblos de cultura diferente, fruto de mezclas generadas por invasiones, en parte llamados celtíberos.

Los iberos aborígenes, convivían con otros pueblos y culturas, tenían un nivel de civilización muy desarrollado y hablaban una lengua antigua.

Se conoce la lengua ibera por las inscripciones sobre plomo, cerámica, monedas, piedra…, escritas o talladas con signos específicos que fueron descifrados en 1925. Presenta las características de las lenguas mediterráneas anteriores al griego, el latín o los dialectos celtas, todas del grupo indoeuropeo.

Al ser una lengua muy antigua, de la que no quedan apenas testimonios conocidos, existió una enorme dificultad para su traducción. Fue una lengua que se utilizó en un área comprendida entre el valle medio del Guadalquivir y el río Hérault. Esta falta de información fidedigna y contrastada dio lugar a una cosmogonía confusa, en la que se entremezclan dioses adoptados tardíamente por los iberos o bien fusionados con dioses iberos pero sin correspondencia con los originales nombres.

El medio más consecuente para acercarse a la religiosidad de los iberos por ahora es básicamente la arqueología y las analogías con otros cultos mediterráneos ante y poscolonización fenicia y griega. Sin embargo, y a modo de aproximación documental, el siguiente listado podría relacionar algunos de los antiguos dioses iberos «reconocidos».

Los dioses iberos eran estos:

• Acheloo: el dios Toro, símbolo de la virilidad y la fertilidad masculina.

• Adaegina: diosa de la noche y de la «luna que mata», y diosa de los infiernos «superiores», que se encuentran en lo más profundo de los bosques. Llamada también Attacina o Ataecina, porta una rama de ciprés en la mano y aparece rodeada de cabras. Señora de la Muerte.

• Andera: señora o regente de la Tierra.

• Anxo: deidad asociada a los vaqueros de altos pastos; la costumbre de dejar las sobras de la cena para alimento del dios a cambio de salud o fertilidad para el ganado, puede estar en el origen de la leyenda infantil del ratón Pérez.

• Arconi: demonio de los bosques que, tomando la forma de un enorme oso, atacaba a los cazadores.

• Arus: asociado a Marte. Representado en un ara de Lusitania por un guerrero a pie con lanza y jabalí.

• Astoilum: la luna llena.

• Baelisto: su nombre significa «el más brillante» o «el más blanco».

• Baraeco: dios protector de los poblados y de las ciudades amuralladas.

• Bodo: dios de la victoria, como el Budhi indoeuropeo: luz, victoria…

• Brigo: dios-fortaleza o dios Montaña.

• Cariño: deidad marina adorada en las costas del norte de Galicia.

• Cernunnos: dios de origen celta de la sabiduría, de la renovación de las estaciones; su iconografía (se representa como un carnero antropomorfo) puede ser el origen de la imagen medieval del Diablo.

• Coso: el que otorga la victoria.

• Dibus y Deabus: dioses gemelos y contrarios; se les invocaba en los casamientos y durante los partos.

• Durbed: genio lujurioso de ríos y lagos.

• Endouelico o Endovélico: espíritu infernal de la noche. Entre los lusitanos, dios de la Medicina. Cura a sus pacientes a través de sueños y oráculos en los templos sanatorios donde se le rinde culto. Su nombre ha sido traducido como el Negro-negro, dado su carácter infernal, o como el Muy-bueno. Se le representaba mediante el jabalí, la paloma y la corona de laurel. También con una rama de pino y flanqueado por genios alados, uno de ellos con antorcha.

• Favonius: dios de los vientos; cuando un corcel destacaba por su velocidad, se atribuía a este dios su paternidad.

• Frouida: ninfa de torrentes y fuentes termales.

• Gerión: héroe o semi-dios; primer rey de los tartesos. Combatió con Heracles y enseñó a los hombres la ganadería.

• Ibero: dios acuático, consagrado al río Ebro.

• Ilumberri: traducido en vasco como «luna nueva» o el «espino nuevo».

• Kandamio: una forma de Zeus, quizá del indoeuropeo «kand», que significa brillar, resplandecer, arder.

• Lida: diosa de la caza; protectora de la vida salvaje.

• Lug: dios del Sol; el que hace aparecer cada día la luz.

• Mari: diosa que se alimenta de las mentiras y falsedades.

• Neton/Net: dios ante el que pronunciaban los iberos los grandes juramentos. Aparece como un dios tonante con rayos en las manos. El mismo nombre significa «lo que es puro, perfecto» o «lo que no se corrompe». En celta, «neto» significa guerrero. Dios de la guerra y protector de los muertos en ella.

• Noctiluca: diosa de la Luna o de la Luz Nocturna. Quizá la divinidad innominada a la que los celtíberos rendían culto en las noches de luna llena, con danzas que se prolongaban hasta el amanecer.

• Poemana: diosa protectora del ganado.

• Saur: dios guerrero.Enseñó al hombre el uso de los metales.

• Sitiouio: protector del ganado y los senderos.

• Tagotis: rey de los infiernos. Representa los malos augurios y el espanto.

• Tameobrigo: protector de los enfermos y acompañante de difuntos.

• Tullonio: genio protector del hogar y la familia.

• Vael: dios lobo, protector de bosques y montes.

• Vagadonnaego: dios infernal invocado para cumplir acuerdos y promesas.

• Yaincoa: dios de las montañas al que se atribuye la creación del mundo.

El cuélebre

Serpiente alada que custodia tesoros y personajes encantados. Vive en las grandes y profundas simas, cuevas y fuentes, su aliento es fétido y venenoso y sus silbidos se escuchan a gran distancia.

Ataca y devora tanto a personas como a animales.

Sus escamas son tan duras, que rechazan las flechas y los disparos no le hacen mella.

El cuélebre crece sin parar y, cuanto más viejo es, sus escamas se hacen más duras y pesadas, por lo que tiene dificultades para moverse y debe entonces hundirse en la Mar Cuajada.

Se dice que en el fondo de esa región del mar hay montones de tesoros escondidos, pero los hombres no pueden apoderarse de ellos por la vigilancia de los cuélebres.

Entre los cántabros, se le conoce como el culebre y para los habitantes de la comarca eran y son unos extraños reptiles comparables a los dragones, con la cabeza ancha, potentes mandíbulas de enormes colmillos, cresta de pinchos hasta la cola, patas de aceradas garras y alas de murciélago. Su aliento es también repulsivo.

Existe en San Vicente de la Barquera una cueva en la que dicen que vivía un enorme culebre al que mató Santiago en su peregrinar hacia Compostela y se dice que pueden verse señales en la roca de las herraduras del blanco caballo de Santiago.

En Asturias, el cuélebre ha dejado numerosas leyendas y rastros en la toponimia. Así, la Cueva del Cuélebre, en Noriega y en Mestas de Con (Cangas de Onís), la Ramada del Cuélebre, en Sobrefoz (Ponga), la Peña'l Cuélebre, en Miera o la braña de Valdecuélebre en Somiedo.

Entre los relatos mitológicos, cabe destacar la leyenda del monstruo de Santo Domingo, en Oviedo, que habitaba en una cueva detrás del convento e iba devorando a los frailes a su antojo, hasta que un fraile cocinero le dio a comer un pan de alfileres que acabó con su vida.

Al cuélebre de Brañaseca, al que los vecinos tenían que alimentar con boroña y pan de centeno para que no devorase sus ganados, le dieron muerte dándole de comer una piedra al rojo vivo. Mientras lo estaban manato, los vecinos cantaban:

«¡Abre la boca, culebrón, que ahí te viene el boroñón!».

Otros cuélebres asturianos fueron muertos por los vecinos de Perllunes y otros del concejo de Cangas de Narcea, con una rueda de carro al rojo vivo; mientras que al cuélebre de la cueva de Salinas se le intentó dar muerte de la misma forma, pero se arrojó al mar y enfrió la rueda que se había tragado.

También se habla acerca de cuélebres que huyeron volando hacia el mar, pero quedaron enganchados con sus enormes alas entre los árboles, donde murieron de hambre entre espantosos bramidos. Así habría sucedido con los cuélebres que habitaban las cuevas de Casazorrina y Figares.

Las serpes gallegas tienen las mismas características que los cuélebres y culebres, vestigios del antiguo culto a las serpientes en la Galicia celta y de las leyendas que todavía subsisten sobre ellas.

En algunos castros se narra que sus antiguos pobladores fueron expulsados por serpientes, o se describe cómo los cempsos y los saefes, de etnia celta, invadieron el territorio de los oestrimnidos en el noroeste de España, al que denominaron Ofiussa, palabra que significa «País de las Serpientes».

Todo indica que el culto ofiolátrico fue desarrollado por los pueblos celtas.

Muchas son, por otra parte, las historias que relacionan a Jaun Zuria, el primer señor de Vizcaya, con los dioses-serpiente, entre los cuales destaca Sugoi, que es la serpiente macho.

El trasgu

Duende pequeño y vivaz, de gesto pícaro, simpático, laborioso, que cojea y al que le encantan las travesuras. Ronda por el llar de la cocina y los desvanes, cuadras y corrales de la casa, porque es esencialmente un duende casero.

Algunas descripciones le ponen cuernecillos y rabo; otras, unas piernas muy largas y delgadas, así como los dedos de las manos.

También se le pinta con blusa y gorro rojos, por eso se le llama «el del gorru colorau». Presenta un agujero en la mano izquierda.

El trasgu entra por la noche en las casas, si se ha encendido el fuego.

Si está de buen humor y le tratan bien, se ocupa de colocar las cosas en su sitio, limpia y barre el suelo; pero cuando está de mal humor, porque le hayan maltratado, revuelve las arcas y los cajones, cambia y rompe cacharros, esconde objetos, saca las vacas del establo y las conduce al abrevadero, o espantando las reses, alborota y grita.

Para que no vuelva a la casa, lo mejor es mandarle hacer una de estas tres cosas: que recoja del suelo granos de mijo o linaza, o ponerle a blanquear la piel de un carnero negro u ordenarle ir por un cesto lleno de agua.

Como tiene la mano agujereada, no podrá cumplir su cometido y se irá del entorno, tan rojo de vergüenza como su gorro, para no volver jamás.

En Cantabria, un duende casero similar, el trastolillo, es el más conocido de entre los duendes que habitan las casas. Es duende juguetón y atolondrado que constantemente está alegre y se ríe a carcajadas.

Es pequeño y negro, con el pelo largo y moreno. Cara de pícaro con los ojos muy verdes y risueños, colmillos retorcidos, dos incipientes cuernos y un rabillo que casi ni se le ve, y viste una túnica roja hecha de cortezas de árbol, se cubre con un gorro blanco y se apoya en un minúsculo cayado de madera.

Todas las cosas inexplicables que suceden en la casa tienen por culpable al trastolillo. También existen otros duendecillos juguetones, como el trenti y el zahorí.

En Asturias, el trasgu recibe diferentes denominaciones según los lugares. Se le conoce también como el trasno, el cornín o xuan dos camíos, en la zona occidental, y como el gorretín coloráu o el de la gorra encarnada, en los concejos más orientales.

Las travesuras de los duendes caseros se repiten con distintas variantes en numerosos pueblos y lugares de toda la península Ibérica, y sus andanzas son pasto de numerosos cuentos y leyendas que todavía se cuentan al calor de la lumbre.

Diapllins es la denominación que les dan en el Alto Aragón a los diaplerons o diablillos familiares.

Cuando una casa progresa mucho en poco tiempo, se piensa que no se debe al esfuerzo de sus miembros, sino al trabajo de miles de pequeños seres que trabajaban día y noche para la casa. En Pallars y Ribagorza se les llama minairons.

Los menos, en las riberas del Cinca, también comarca del Alto Aragón, minúsculos duendes ruidosos e invisibles, serviciales y maliciosos, habitaban las casas de los tejedores, donde tenían la reputación de hacer funcionar los telares de las personas ancianas o con dificultades y de perder las tijeras.

Como el truffandec bearnés, los menos gastaban continuas bromas a la dueña de la casa, muy en su papel de antiguos genios protectores.

El basajaun

Es, como su nombre indica en euskera, el señor de los bosques de la mitología vasca. Enorme y velludo, protege a los animales de los cazadores.

En los orígenes, los basajaun poseían todos los secretos de la agricultura y fue el héroe civilizador Martintxiki el que les arrebató el secreto y lo divulgó entre los seres humanos.

Existe la creencia entre los vaqueros de Estenenzubi (Baja Navarra) de que el anxo o basajaun acostumbraba a recoger de su campamento, cuando ya se habían dormido, un trozo de pan que le habían dejado a propósito.

Pero, una noche, todos menos el más imberbe se olvidaron de dejarle el pan y, a la mañana siguiente, descubrieron que el señor de los bosques les había robado la ropa a todos, menos al que no olvidó la ofrenda.

Desnudos y ateridos, los vaqueros ofrecieron regalarle una ternera al más joven de sus compañeros, si iba hasta la caverna donde habitaba el basajaun y recuperaba la ropa.

Aceptó éste y se presentó ante el genio, y no sólo recuperó los vestidos robados, sino que recibió una extraña recomendación del Anxo:

«A la ternera que te han regalado, dale ciento un palos».

Esto hizo el muchacho y prodigiosamente, aquella ternera le parió ciento un terneros a lo largo de su vida.

El cocón

Es el nombre más popular en Aragón de una de las figuras universales destinadas a atemorizar o asustar a las mentes infantiles, para que el niño aprenda lo que no se debe hacer, empezando por el conocido coco, que se lleva a los niños, el totón, el hombre del saco, el sacamantecas y los ensundieros.

Todos ellos comparten una misma afición relacionada de alguna manera con el secuestro, la antropofagia y el vampirismo. Los guzpatas, por su parte, sólo se cebarían con los niños desobedientes y excesivamente curiosos.

Los galtxagorris

Enanos fabulosos de la mitología vasca, poseedores de descomunales fuerzas, capaces de realizar los más insólitos trabajos para los hombres en muy corto espacio de tiempo.

Son de color rojo, de donde proviene su nombre: galtxagorri o prakagorri, el del calzón rojo. Son tan diminutos, que en un alfiletero cabe una comunidad de ellos.

Dice la leyenda que, en Kortezubi, un hombre compró galtxagorris para hacerlos trabajar, y los guardó en un alfiletero. Cada vez que les ordenaba hacer un trabajo, lo terminaban al instante y pedían otro, que igualmente concluían al momento.

De modo que siempre pedían trabajo y de la misma manera lo concluían con presteza.

El hombre, alarmado, empezó a intuir que podía estar en peligro si no se le ocurría qué más faena otorgarles, por lo que les ordenó traerle agua a la casa en un cedazo.

Naturalmente no pudieron realizar el trabajo, pues era imposible, y los geniecillos desaparecieron para siempre y el hombre recobró su tranquilidad.

La xana

Cuenta la leyenda que, en el siglo VIII, el rey astur Mauregato se había comprometido con los musulmanes a entregarles 100 doncellas cada año para incluirlas en su harén tras desposarse con ellas.

El rey, celoso de su responsabilidad en este pacto, elegía cuidadosamente para ello a las doncellas más bellas del reino mediante un grupo de guerreros que recorría ciudades y aldeas para seleccionar a las doncellas, y éstas, pese a oponer resistencia, eran llevadas por la fuerza.

Sucedió que, un día, los guerreros supieron que en Illas, junto a Avilés, existía una joven muy bella, y fueron a secuestrarla.

Belinda, que así se llamaba, los recibió amablemente, pero, cuando fue capturada, con habilidad consiguió que sus guardianes le permitieran ejecutar bellas danzas y canciones, ante las que quedaron fascinados.

La joven les ofreció entonces bailar para ellos una danza realmente maravillosa, pero que debía ejecutarse en el campo y a la luz de la luna. Los guerreros accedieron a su deseo y aquella misma noche salieron con ella al campo.

Una vez que se vio libre, la joven corrió desesperadamente hasta llegar a una fuente con el deseo de esconderse en aquel lugar y burlar a sus captores. Cuando estaba en la fuente, escuchó con sorpresa cómo de su interior salía una voz que decía:

«Si quieres ser tu mi xana, vivirás días dichosos».

La joven preguntó qué debía hacer para convertirse en xana, a lo que la misma voz le respondió:

«Bebe un sorbo de agua y te librarás de los soldados».

Belinda lo hizo así y de pronto se trasformó en una joven de belleza sobrenatural.

Cuando los soldados llegaron e intentaron capturarla de nuevo, la joven xana los miró con sus maravillosos ojos verdes e inmediatamente todos se convirtieron en carneros. Los días pasaron y el Rey, impaciente, al ver que sus soldados no volvían, envió otro grupo para cumplir su orden, pero tampoco volvieron.

El rey dispuso entonces reunir a todos sus soldados y, a la cabeza del ejército, se dirigió hacia Illas. Cuando llegó al lugar, pudo ver gran cantidad de ovejas y carneros que pastaban apaciblemente alrededor de una fuente en la que se encontraba sentada una joven hermosísima que hilaba blancos copos de lana.

Se dirigió a ella y le preguntó si había visto a sus soldados, a lo que la xana le respondió que no le había enviado soldados, sino corderos. El rey, enfurecido, contestó:

«Repito que eran soldados, como los que vienen detrás de mí».

La Xana contestó burlona:

«También son corderos y tu podrías ser su pastor».

El rey volvió la cabeza y pudo comprobar que todo su ejército se había convertido en un rebaño de mansos corderos y que sus lujosas ropas se habían transformado en las prendas de un pastor.

Entonces, tembloroso, suplicó a la xana que deshiciera el encantamiento y, a cambio, le ofreció cumplir lo que ella deseara.

La joven le pidió que renunciara al tributo de las 100 doncellas, cosa que el rey aceptó de inmediato. Entonces el rey mandó un mensajero al reino musulmán para que explicara que el pacto quedaba roto ante la imposibilidad de cumplirlo.

Desde entonces, las doncellas no volvieron a ser capturadas. La fuente de la xana todavía se conserva próxima a Avilés.

Donas

Personajes femeninos de la mitología gallega que se asocian con los castros y las fuentes, combinando los caracteres de las xanas y las atalayas asturianas. Por lo demás, el mito es similar al asturiano, posiblemente descendientes de la mitología celta.

Existen numerosos manantiales en Asturias a los que se denomina «Fuente de las Dueñas», en claro parentesco etimológico entre la palabra asturiana dueña y la gallega dona

Bulturnos

Las brujas en Aragón no se aparecen montadas en escobas, sino que se manifiestan envueltas en tremendos remolinos de aire y conducen las tormentas.

En el Valle de Chistau llaman bulturnos a esos remolinos que esconden en su interior el devenir de las brujas.

El nuberu

Es un gigante de largos brazos, en la mitología astur y de muchas otras regiones, que tiene unas grandes orejas, el rostro muy arrugado.

Algunas personas dicen que es tuerto de un ojo o al menos que ve muy bien de un ojo; viste pieles de ganado y cubre su cabeza con un sombrero vaquero.

El nuberu es un ser malvado, señor de las tormentas, el granizo, el orbayu, las lluvias y la neblina. Es el que se dedica a esparcir los vientos y las tormentas por Asturias, viaja de un lugar a otro montado en las nubes y de vez en cuando desciende a la tierra para comprobar «in situ» las consecuencias de sus hazañas.

El nubeiro, también llamado Lostrego, es una criatura de la mitología gallega similar al nuberu asturiano. Sale de las herrerías y desde allí se monta en las nubes, donde comienza a descargar la lluvia y también a dar golpes con su martillo de hierro, produciendo los truenos.

Es tan olvidadizo que, a veces, pierde las nubes en las que se mueve y tiene que quedarse en las casas que encuentre en su camino.

Si le tratan bien, hará que la cosecha de la granja sea fructífera, lo que conseguirá mediante lluvias beneficiosas y limpiando de serpientes sus campos.

En cambio, si se le trata mal, arrojará las serpientes que esconde en un saco, o rayos y granizo sobre las tierras de esa persona.

Toda las mañanas, el nuberu se levanta a «facer la truena», las tormentas, y vuelve a media noche después de recoger lagartos y culebras que su mujer le prepara para cenar.

Odia sobre todo a los curas, porque pueden hacerle conjuros para librarse de él, o hacer que suenen las campanas de la iglesia, que es algo que no soporta.

Tampoco le gustan las palas de hornear, los carros o los trébedes puestos del revés, ni aguanta el olor de las velas bendecidas ni el del humo del romero o del laurel. También odia las hachas puestas en los tejados con el filo hacia arriba.

En Cantabria, sin embargo, los nuberos son geniecillos diminutos y malignos que cabalgan sobre la tempestad descargando el rayo y el granizo.

Son los agentes y rectores de las tormentas de la montaña, conduciendo su cortejo de nubes y se les tiene gran temor, ya que pueden causar grandes destrozos en los pueblos, por eso son tan temidas las noches de lluvias y tormentas.

Se encienden cirios para ahuyentar los nubarrones o se hacen tañir las campanas para ahuyentar los malos espíritus.

También actúan contra los pescadores cántabros.

Cuando los pescadores se disponen a realizar sus faenas, los nuberos suelen provocar terribles galernas que les obligan a volver a puerto con las manos vacías.

Se diría que disfrutan alterando el tiempo y haciendo el mal a los montañeses, que todavía buscan la manera de desprenderse de estos personajes nocivos y caprichosos.

Silban

Gigante de la mitología aragonesa extremadamente ágil y gran escalador, con largos cabellos y barbas, que habitaba en la cueva del mismo nombre en el municipio de Tella.

Era famoso en la comarca por sus constantes robos de ganado. Nadie podía trepar a su guarida porque estaba situada a gran altura, en una pared vertical de roca caliza.

El ojáncano

El ojáncano personifica el mal para los montañeses, por lo que resulta el personaje más desagradable y malvado de la mitología de la región de Cantabria.

Representa la antítesis de la bondad, es como un símbolo del odio, del enfado perpetuo, de todo lo que destruye, amenaza, desgarra y maltrata.

Se trata de un ogro ciclópeo, tan alto como los árboles más altos y tan robusto como los peñascos que sostienen a las montañas.

Sus pies y manos son gigantescos y en cada pie tiene diez dedos acabados en afiladas garras, lo mismo que sus manos, que también tienen diez dedos cada una.

En la izquierda suele llevar una honda de piel de lobo con la que arroja grandes pedruscos y, en la otra, un recio bastón negro, que puede transformarse a su voluntad en lobo, víbora o cuervo.

Todo su enorme cuerpo está cubierto de pelo áspero y rojizo. Lleva una espesa barba, en la que tiene un pelo blanco, que es el punto débil del Ojáncano; si alguien consiguiera arrancarle ese pelo, tras cegar el único ojo que tiene en su frente, podrá acabar con su existencia.

Por desgracia, al ojáncano le acompaña la ojáncana, un monstruo tan terrible como él o quizá más, al que se parece mucho aunque ella tiene dos ojos, aunque lo más característico de ella son sus enormes pechos, que se echa a la espalda para correr por el bosque.

Pese a tener compañera, el ojáncano no se reproduce dentro de la pareja, sino que su nacimiento es de lo más curioso.

Cuando un ojáncano está viejo, los de su raza lo matan, le abren el vientre para repartirse lo que lleve dentro y lo entierran bajo un roble.

Al cabo de nueve meses, salen del cadáver unos gusanos amarillos, enormes y viscosos, que durante tres años serán amamantados por una ojáncana con la sangre que mana de sus voluminosos pechos y de este modo pasan a convertirse en ojáncanos y ojáncanas adultos. Reinan en la montaña a sus anchas y sólo un duende o una anjana pueden reprimir sus desmanes.

La anjana

Frente al desagradable ojáncano, la anjana cántabra es un ser menudo, hermoso y bondadoso, una hermosa ninfa que no mide más de medio metro, con los ojos rasgados, pupilas azules o negras brillantes como luceros, y cuya mirada es serena y amorosa.

Lleva el pelo recogido en largas trenzas rubias y se adorna la cabeza con una corona de flores. Su piel es muy blanca, tiene la voz dulcísima, como el canto de la oropéndola, y una pequeñas alillas semitransparentes, que recuerdan a una mariposa.

Viste una túnica blanca con brillos y un manto azul que cambia por uno negro en el invierno. Lleva una vara de mimbre verde con una estrella en la punta y una diminuta botella con una bebida milagrosa que cura a los enfermos.

Habita en cuevas muy escondidas que tienen el suelo de oro y las paredes de plata, y alcanza a vivir más de 400 años. Puede transformarse en lo que desee y hasta hacerse invisible.

Cuando algún cántabro tiene problemas, invoca la ayuda de la Anjana, que se la prestará si es una buena persona, porque esta hada también castiga a quien hace el mal o la desobedece.

El poder de las anjanas les viene dado por alguna fuerza superior, ya que ellas también pueden ser castigadas, sobre todo si se enamoran de un mortal, lo que representa para ella la obligación de renunciar a su esencia.

Mairi

También llamados gentiles, los mairi eran los habitantes primitivos según la mitología vasca. Construyeron, al igual que los moros, dólmenes y demás monumentos megalíticos.

Se cuentan muchas historias en el País Vasco acerca de las relaciones que existían entre los cristianos y los gentiles, es decir, aquellas comunidades que aún no se habían convertido al cristianismo. Como dato significativo conviene constatar que la palabra «mairi» tiene el mismo origen que «moro» y «mouro».

El ome granizo

Expresión aragonesa que se utiliza para designar a los gigantes. Viene a significar «hombre grandioso», muy grande. Esta expresión es más común que la de chigán y la palabra de la que procede, bigán, en aragonés antiguo. En el Pirineo oriental se utiliza a menudo «gigant».

En todas las grandes montañas aragonesas parece habitar o haber habitado un ome granizo.

Se dice incluso que muchas de estas montañas son gigantes convertidos en piedra, como el Aneto. Es posible que esto indique que los espíritus de las montañas, cuando adoptan forma humana, lo hagan como gigantes. En las leyendas, la raza de los gigantes se confunde con las propias montañas, tienen sus mismos nombres y las mismas pasiones de los humanos.

El basilisco

Es un animal verdaderamente extraño en forma de reptil, pero con patas, pico y cresta de gallo, que mata con la mirada. Las condiciones que tienen que darse para que nazca un basilisco son muy especiales.

El basilisco nace de un huevo que pone un gallo una noche de luna llena, exactamente a media noche. Si se dan estas premisas, al día siguiente encontraremos un huevo blanco y esférico. El ser que nacerá de este extraño huevo no abulta más de un palmo y en los ojos tiene un fuego que fulmina a cualquier animal o persona.

Sólo hay dos maneras de matar a un basilisco: el canto del gallo, que lo ahoga en cuanto lo oye, y un espejo, para que al verse en él reflejado, su propia mirada lo mate.

Por temor al basilisco, muchos viajeros que atravesaban las montañas de Cantabria llevaban un gallo, para poder enfrentarse a él y salir airosos.

Los caballucos del diablo

Estos caballitos del diablo son siete y tienen el aspecto de grandes libélulas, con las alas larguísimas y transparentes, con las que vuelan velozmente por el cielo nocturnal. Van siempre juntos y cabalgados por siete demonios.

Sus ojos relumbran como el fuego, resoplan por las narices como el viento, arrojan inmensas llamaradas por la boca, llevan en las patas unos fuertes espolones.

Cuando pisan el suelo con sus cascos, dejan unas marcas que no se borrarán nunca, aunque sea en la roca.

Los caballucos del diablo son nefastos para los montañeses, porque queman o pisotean los sembrados.

En Cantabria, es tradición en la mañana de San Juan acudir al monte a buscar tréboles de cuatro hojas, pero esto resulta muy difícil, porque la noche anterior los caballitos del diablo habrán destruido todos los que se hayan encontrado.

Pero si alguien, a pesar de ello, consigue encontrar uno de estos raros tréboles, le serán concedidas las tres gracias de la vida: vivirá 100 años y no sufrirá dolores en toda la vida, no pasará hambre, y resistirá con ánimo sereno cualquier contrariedad.

El gigante enamorado

En Benidorm (Comunidad Autónoma de Valencia), se cuenta una leyenda que dice que en tiempos remotos habitó en el lugar, concretamente junto a uno de sus más emblemáticos parajes naturales como es la montaña Puig Campana, un pacífico gigante llamado Roldán.

Pese a su carácter afable y nada conflictivo, el temor infundado en los habitantes del lugar le obligaba a vivir aislado del resto de la población, cuidando sus rebaños.

Un buen día conoció a una mujer que no sentía ningún miedo de su enorme apariencia y, pasado el tiempo, se enamoró de ella y le propuso que se fuese a vivir a su cabaña. La mujer aceptó y vivieron juntos y felices durante un tiempo.

Hasta que, una tarde, cuando regresaba a su cabaña, el gigante se encontró a un viajero que le dijo que su amada mujer estaba gravemente enferma en la cabaña y que moriría cuando el sol se pusiera tras las montañas.

Cuando Roldán encontró a su mujer en el estado que aquel viajero le había anunciado, la tomó en brazos y se dirigió a las montañas con el fin de evitar que los rayos del sol, que ya se comenzaba a ocultar por las cumbres, dejaran de acariciar a la mujer.

En un vano intento por retrasar la puesta de sol, el gigante derribó parte de la pared de la montaña y una de las grandes rocas, lanzada por los aires, fue a parar al mar, formando un peñasco visible todavía hoy desde la cumbre.

Pero el sol continuó impasible su recorrido y dejó de alumbrar la tierra y con él se fue también la vida de la mujer.

Roldán, destrozado, llevó el cuerpo de la mujer hasta el peñasco que se precipitó en el mar para que le sirviese de última morada. Desolado, el gigante, sin soltar la mano de su amada, se dejó morir a su lado, hundiéndose en el agua.

El alicornio

Los mortales que han conseguido verle son muy pocos. Es un caballo blanco, con patas de gamo y cola de león, cabeza púrpura, ojos azules y un cuerno largo y retorcido en la frente, blanco en la raíz, negro en el centro y rojo en la punta.

A causa de este cuerno, se le conoce en otros lugares como «unicornio», pero el de Cantabria es distinto, pues tiene unas pequeñas alas sobre las pezuñas y de ahí el nombre de «alicornio».

Tal vez fueran esas alas las responsables de la increíble velocidad a la que galopaba, pues los pocos pastores que lo vieron cuentan que saltaba de risco en risco como una centella.

Se dice que vivía en los lugares más inaccesibles de las cumbres, allí donde siempre hace sol porque las nubes no llegan tan alto. Sólo bebía agua de los manantiales más puros y comía flores tiernas.

La única manera de capturarlo era usando el señuelo de una hermosa y pura doncella, a la que el alicornio se acercaba mansamente, momento que aprovechaban los cazadores para abalanzarse sobre él y acabar con su vida, pues era bien sabido que a quien bebiera del cuerno del alicornio nunca le haría daño ningún veneno ni sufriría ningún otro tipo de mal.

La puerta del infierno San Andrés de Teixido

En la costa septentrional de Galicia existe una pequeña ermita consagrada a San Andrés y en la que se conservan, según la leyenda, parte de sus huesos.

A este santo, muy apesadumbrado porque su tumba se encontrase en los confines de la tierra, Jesús le consoló diciéndole:

«No te preocupes, que tendrá que ir a visitarte todo el mundo, ya en vida, ya en muerte».

Efectivamente, aún hoy se dice «a San Andrés de Teixido vai de morto o que non foi de vivo», pues se piensa que los que no peregrinaron hasta su ermita en vida, lo tendrán que hacer tras la muerte en forma de serpientes o de lagartijas; por ello los peregrinos que se aproximan a la ermita tienen mucho cuidado en no pisar a ninguno de estos animales.

Curiosamente, San Andrés de Teixido se sitúa en el cabo Ortegal, donde algunos romanos situaban el fin del mundo, por lo que creían que este lugar fuese, junto con Finisterre, uno de los dos puntos de partida de las almas hacia las islas del Paraíso.

En este sentido, la tradición maragata habla de una Peña de las Ánimas situada en el Mar de la Muerte, que es aquel que baña la costa septentrional de Galicia.

El hombre-pez

Hace muchísimos años, vivía en Liérganes un muchacho al que le encantaba por encima de todo zambullirse en las aguas del río Miera.

Tantas horas pasaba metido en el agua, que un día se dio cuenta de que no necesitaba salir a flote para poder respirar y, animado ante este descubrimiento, siguió buceando y buceando hasta que, de pronto, se encontró en medio de una inmensidad. ¡Había entrado en la bahía de Santander!

Tanto le impresionó el espectáculo que sus ojos contemplaban que siguió explorando las nuevas «tierras» que se abrían ante él, seguro de que nadie hasta aquel momento había admirado algo parecido, por lo que continuó buceando.

Años más tarde, y dándole su familia por desaparecido y ahogado, unos pescadores encontraron, en la bahía de Cádiz, una especie marina totalmente desconocida para ellos.

El animal que surgía del agua tenía cabeza de hombre y el cuerpo blanco y cubierto de escamas. Le llevaron a un convento de frailes donde no pudieron conseguir de él ninguna información, pues aquel hombre-pez no hablaba, hasta que un día le oyeron decir:

«Liérganes», y un monje, compadecido, le llevó hasta su casa.

Poco tiempo estuvo en ella, pues echaba de menos el mar que tan bien lo había acogido, así que volvió a él y nunca más se le volvió a ver.

La laguna de Vacaras

En Sierra Nevada, cerca del pico Veleta, existió una honda laguna de aguas heladas y limpias.

Muchos aseguraban que estaba encantada o que era punto de encuentro para magos o brujas, sucediendo en sus orillas cosas tan extrañas que nadie, en su sano juicio, se atrevería a acercarse por las noches.

Cierto día, un pastor que buscaba unas ovejas perdidas, se presentó al anochecer en las mismas orillas de la laguna, cuando escuchó fuertes voces. Asustado por todo lo que decían acerca del lugar, se escondió detrás de unas rocas y se asomó a ver lo que pasaba.

Vio a dos hombres muy altos y ricamente ataviados, uno de los cuales sostenía entre sus manos un libro del que parecía brotar un vivo resplandor. El otro llevaba una gran red dorada, y ambos estaban de pie en el mismo borde del agua.

Entonces, el que sostenía el libro leyó en alta voz un largo párrafo, en un lenguaje incomprensible y cuando terminó la lectura, le dijo a su compañero:

«Ahora ya puedes lanzar la red».

La dorada red se hundió en el agua y al momento se pudo ver que ya estaba bien cargada. Los dos hombres unieron sus esfuerzos y tirando de ella la sacaron hasta la orilla. Para asombro del pastor, la red contenía un brioso caballo negro.

El hombre del libro dijo:

«Este no es. Echemos de nuevo la red».

Y la red volvió al agua y como la vez anterior enseguida sacaron un caballo con mejor estampa que el anterior, pero que tampoco pareció satisfacerles, por lo que volvieron a lanzar la red al agua. Por fin, un hermoso caballo blanco de finas patas y espesas crines, se mostró ante sus ojos.

«Este es el caballo que buscamos», dijo el mismo hombre que había rechazado los anteriores. «Ya podemos seguir nuestro viaje», añadió.

Los dos hombres susurraron algo al oído del caballo, que asentía con la cabeza, y subieron a lomos del blanco animal surgido de las aguas.

Durante unos momentos, el caballo caracoleó alegremente y tras un breve trote, se elevó en el aire grácilmente y, en un instante, desapareció en el cielo.

Muchos valientes subieron desde entonces a la montaña, y muchos lanzaron sus grandes redes al agua, para obtener lo que el pastor decía haber visto aquel anochecer, pero nadie logró enganchar nunca en sus redes ningún blanco y hermoso caballo volador.

El cuegle

Es un bicho muy raro, con cuerpo de animal pero que camina erguido. Su sangre es blanquecina, la cabeza grande dispone de un cuerno y sus cabellos son ásperos como el esparto.

Su rostro es de hombre y negro, con tres ojos, uno azul, otro verde y otro rojizo, y larga barba. Tiene tres brazos que terminan en unas manos enormes que parecen mazos, pues no tiene dedos, y sus piernas robustas están llenas de cicatrices y arañazos de los espinos.

En el brazo derecho tiene manchas verdes y en el cuello un collar colorado que de noche parece de fuego. Se viste con las pieles de los animales que mata. Es muy voraz, tiene en las fauces cinco filas de dientes afilados como los de los lobos y en el abdomen cinco estómagos.

Cuando son crías, sus madres los alimentan con hojas de roblecillo y de acebo, pero pronto se aficionan a la carne y comen todo tipo de animales. Los que más les gustan son las garduñas y los zorros.

Cuando en el invierno no pueden salir de sus guaridas a causa de la nieve, sólo pueden comer las orugas y los gusanos que encuentran escarbando en la tierra con el cuerno.

También comen bebés y niños pequeños, a los que se llevan incluso con cuna y mantita.

Para evitarlo, las madres ponen encima de la cuna alguna ramita de acebo o de roblecillo para que, cuando lo huela, el cuegle salga corriendo, porque le dan náuseas los olores de las hojas con que le alimentaron cuando era pequeño.

La vaca contra la sierpe

Un rico propietario de Martilandrán, pueblo extremeño situado en las Hurdes, tenía una hermosa vaca, pero un día comprobó que su animal tenía las ubres escuálidas y secas, cuando anteriormente habían sido el símbolo de la abundancia. Intentando encontrar las razones de aquella anormalidad, se puso a vigilar a la vaca.

Entonces pudo observar que, cada atardecer, una gigantesca serpiente reptaba desde los riscales y sigilosamente se acercaba hasta el establo donde se dirigía hacia la vaca y trepándole por sus patas, mamaba de sus ubres con avidez.

El asustado vaquero, incapaz de enfrentarse a la monstruosa culebra, inventó y preparó un ungüento, en el que utilizó pólvora negra y con el que restregó la ubre de la vaca.

Como cada día, volvió la serpiente a por su preciado complemento alimenticio y se enganchó ávidamente a los pezones del rumiante como era su costumbre habitual.

De modo que con la leche se tragó también el ungüento y, al instante, el reptil se hinchó como una pelota, resultando incapaz su piel de aguantar la presión de sus entrañas.

El monstruoso cuerpo de la sierpe voló por los aires, formándose unos nubarrones muy negros que descargaron un aguacero tan copioso que arrastró hasta las profundidades del valle del Malvellido parte de la ladera.

La impresionante tormenta fue la causa de un profundo socavón que aún hoy puede contemplarse.

Los iretges

Una leyenda típica de los Pirineos nos habla de la existencia de gigantes, llamados iretges, en la región de Foix, concretamente en el macizo de Trois-Seigneurs.

Dos gigantes moraban en el bosque de Barthes y los habitantes de las aldeas cercanas les tendieron una trampa para capturarlos, trampa que consistía en dejarles a la vista dos pares de pantalones con la esperanza de que, cuando se los encontrasen, intentaran ponérselos. El tamaño de los pantalones, que eran para gente de estatura normal, haría que se quedaran atrapados por los pies.

Los habitantes de las aldeas esperaron a que esto sucediese para atacarlos. Uno de ellos consiguió escapar de la trampa y, mientras se alejaba, le gritaba a su compañero:

«Digan lo que digan y hagan lo que hagan, nunca digas para qué sirve la yema del aliso».

El gigante que cayó prisionero fue llevado a la plaza del pueblo de Saurat y allí le quemaron vivo. El gigante que escapó de la trampa de los aldeanos logró raptar a una chica del pueblo, que se llamaba Clairette, y tuvo con ella dos hijos.

Más tarde el gigante acabó muriendo al ser atacado y caer al fondo de un barranco arrastrando consigo al aldeano que le atacó. La muchacha aprovechó entonces para regresar a casa con sus dos hijos.

Las mozas del agua

Se llama así a las muchachas que viven en suntuosos palacios ocultos bajo algunas fuentes y ríos de Cantabria. Por su hermosura y riquezas, se parecen a las anjanas, pero las mozas del agua no tienen tantos poderes, aunque sean ricas y poderosas.

Tienen muy corta estatura y se cubren con capas de hilo de oro y plata. Presentan rubias las pestañas, las cejas y el pelo, que recogen en largas trenzas.

En la mano derecha llevan varios anillos blancos y en la muñeca izquierda, un brazalete de oro con franjas negras.

Los días que hay sol salen del agua a tender sobre la hierba para que se sequen unas madejas de hilo de oro que habrán hilado durante toda la noche en sus palacios, pues las mozas del agua nunca duermen. Mientras las madejas se orean y secan, se toman de la mano, y cantan y bailan al corro llenas de alegría.

A medida que van bailando, brotan de cada pisada suya unas florecillas que flotan en el aire como la espuma. Se dice que si alguien consigue coger una antes de que se deshaga, será feliz toda la vida.

Cuando las madejas están secas, las recogen y se disponen a volver a sus palacios sumergidos aunque, a veces, hay algún joven que agarra un cabo suelto de una de esas madejas y no lo suelta.

Entonces, las mozas del agua tiran todas juntas de la madeja y arrastran al muchacho al agua, pero éste no se ahoga, sino que es conducido al palacio y allí tiene derecho a elegir a la que más le guste, y casarse con ella.

Pertenecerá desde entonces al reino de las aguas y no volverá a tierra más que una vez, durante el día más largo del año, en que saldrá de las aguas con su esposa y con ella recorrerá los senderos de los bosques, dejando junto a un árbol o encima de una roca un anillo, un broche o un collar.

Estas joyas son invisibles para todos, excepto para las doncellas virtuosas, de modo que éstas enseguida ven las joyas y las guardan durante toda su vida, pues son una especie de talismán para curar cualquier enfermedad junto con el agua de un río o de una fuente.

La mayor parte de las curanderas que quedan en Cantabria deben sus dones a una de estas joyas que encontraron de jovencitas.

El roblón

El roblón es incluso más grande que un ojáncano que al principio era un roble normal y corriente, aunque algo viejo, que tenía un enorme hueco dentro de su tronco.

Una tarde de tormenta se cobijó en el hueco de su tronco una bellísima muchacha, la cual, empapada y aterida como estaba, se apretó contra las paredes de su refugio y el árbol, ante la tibieza de aquel cuerpo y el aliento cálido de su boca sonrosada, sintió cómo la savia le corría más de prisa y acabó estrechando fuertemente a la mocita en un abrazo mortal.

El árbol absorbió la sustancia y los humores de aquel joven cuerpo y esa nueva savia hizo crecer desmesuradamente al roble, cuyas raíces se extendieron por los alrededores tomando de los árboles y arbustos cercanos, no sólo su agua y alimento, sino incluso su savia, apropiándose de ella.

Por todo ello el Roblón acabó teniendo el particular aspecto que le caracteriza: una larga cabellera, de hierba casi seca, que cae en grandes mechones desde sus ramas más altas sobre la frente, ancha y rugosa, de madera de haya; la nariz, una rama de encina; las barbas, un bosque de matas de brezo y, bajo su cabeza, dos troncos de abedul son sus brazos, con muchas ramas como dedos.

Las piernas con las que se desplaza por los bosques, robustas y nervudas, eran fresnos de todos los tamaños.

De roble sólo le quedan las mandíbulas y el corazón. En cuanto a los ojos, y esto es lo más especial de todo, eran los de la muchacha envueltos en una mata de espino que rellenaba sus cuencas desde donde parecen arder sin quemarse, llenos de luz fría y asustada de modo que, por la noche, semejan dos lunas llenas.

El Roblón es el azote de la montaña asturiana, el mito negativo de los Picos de Europa.

Sus pisadas hacen temblar los bosques, su respiración remueve las ramas de los árboles y destroza cuanto encuentra a su paso en su caminar apresurado hacia las fuentes y los riachuelos, a los que acude para introducir en ellos sus raíces y así absorber por los pies todo el agua que pueda hacerle crecer más todavía.

Gárgoris y Habidis

Gárgoris reinaba sobre la estirpe de los curetes, descendientes de aquellos titanes que se rebelaron contra los dioses y que acabaron expulsados del paraíso, y tenía una hija casada, que esperaba a su vez un hijo. Las malas lenguas aseguraban que Gárgoris iba a ser a la vez el abuelo y el padre de la criatura que llevaba su hija en el vientre.

Dicen también que al rey le avergonzaba su pecado, pero que, sobre todo, recelaba de la llegada de un heredero que le pudiera desplazar de su preciado trono.

Nació el niño, y desapareció sin dejar rastro. Se dijo que fue criado por las fieras del bosque al que se le arrojó para que fuera devorado, o que lo tiraron al mar y éste lo devolvió a la costa donde le crió una cierva.

El caso es que pronto apareció en la región un joven que conducía o dirigía una manada de ciervos que asolaba la región pisoteando y alimentándose de las cosechas. Incapaces de capturarle por la fuerza, dada su rapidez y agilidad de bestia salvaje, unos cazadores consiguieron astutamente que cayera en una trampa, y le llevaron después ensogado para entregarlo como presente al ya anciano rey Gárgoris.

Entonces se averiguó que el muchacho era aquel que fuera arrebatado a su madre y hermana, el único digno de suceder a su padre y abuelo, y le llamaron Abis o Habidis.

Con el tiempo fue el mejor y más grande rey que los curetes tuvieran. No sólo por su fortaleza y agilidad proverbiales, que fueron tema de cuentos y canciones, sino porque su sabiduría y buen gobierno condujeron a su pueblo a destacar sobre el resto de sus contemporáneos.

Fueron los primeros en cultivar para su provecho los frutos de la tierra, los primeros en vivir juntos en pueblos en lugar de dispersos por los montes y los primeros en el recuerdo de las razas que les heredaron.

Leyenda sobre la creación de la sociedad ibera

La Santa Compaña

Mito gallego idéntico a la güestia asturiana. Se trata de una procesión de almas en pena, que llevan cirios en la mano y a la que dirige los pasos un vivo que lleva una cruz y un caldero de agua bendita. Se encarga de comunicar la muerte a determinadas personas.

Eiztari-Beltza (el Cazador Negro)

Es a menudo descrito como un jinete que, en las noches de tormenta y vendaval, cuando los robles y castaños seculares gimen inclinados por el viento, pasa veloz con su jauría persiguiendo a una liebre a la que nunca alcanza.

El último gigante

Los genios de las nieves, también gigantescos, en ocasiones se confunden con las mismas montañas personalizadas. Pero otras veces, como si la raza de los gigantes pirenaicos aún estuviera viva, aparecen elementos incuestionables que prolongan las leyendas o permiten poner en duda la realidad.

Hace poco más de un siglo nació en Sallent de Gállego un hombre llamado Fermín Arrudi, de la Casa Sorda, al que los periódicos de todo el mundo, en los últimos años del siglo XIX, denominaron «el Gigante Aragonés».

Con sus dos metros y medio de estatura y una fuerza descomunal, casi tan grande como su inmenso corazón, Arrudi recorrió ferias, teatros y universidades de todo el mundo y llegó a participar en dos Exposiciones Universales, asombrando a las gentes y riéndose de los escépticos e incrédulos, porque nunca habían visto a un gigante de verdad.

Tenía una voz maravillosa y era un virtuoso de la música, maestro de la guitarra, el violín y el requinto, además de un apasionado amante de la caza. Fermín Arrudi realizó prodigios de fuerza que lo sitúan a la altura de los más famosos héroes helenos, como cuando llegó a matar a una osa pirenaica con la sola ayuda de sus manos y el cuchillo de monte.

En 1913, a la edad de 42 años, murió el Gigante Aragonés de Sallén, posiblemente el último heredero conocido de una legendaria estirpe de atlantes aragoneses.

Tártalo, el cíclope

En la mitología vasca, Tártalo es un cíclope con forma humana y un solo ojo en medio de la frente. La figura de Tártalo, al contrario que los gentiles, es totalmente negativa: perverso, agresivo, de instintos salvajes y además, antropófago.

Una leyenda muy conocida cuenta cómo dos hermanos se toparon con Tártalo y tuvieron que vérselas con él. Estos dos hermanos salieron a cazar y les sorprendió una tormenta en medio del monte, así que encontraron una cueva y se refugiaron en ella, con tan mala suerte de que aquella era la casa de Tártalo.

El cíclope entró en su casa con su rebaño de ovejas y colocó una gran roca en la entrada. Al ver a los dos hermanos se le hizo la boca agua, entonces les dijo que se comería al mayor aquel mismo día, y al pequeño al día siguiente. Sin más preámbulos, cogió al mayor, le atravesó con el pincho del asador y lo puso al fuego. Después se lo comió y más tarde se quedó completa y profundamente dormido.

El hermano pequeño esperó a que Tártalo estuviera profundamente dormido, puso el palo metálico del asador en el fuego, esperó a que estuviera al rojo vivo y se lo clavó al cíclope en el ojo.

Tártalo se levantó gritando e intentó atrapar a tientas al muchacho, pero éste se había puesto una piel de oveja encima y se había escondido entre el rebaño.

Como Tártalo no le encontraba, creyó que se había escapado y quitó la roca de la entrada para dar salida a su rebaño. Se puso en medio de la puerta e hizo pasar a todas las ovejas por debajo de él para palparlas, pero como el muchacho llevaba la piel de oveja encima, pudo escapar.

El muchacho echó entonces a correr pero Tártalo le oyó y empezó a perseguirle. El cíclope tenía las piernas mucho más largas que él y estuvo a punto de alcanzarle, pero el joven se tiró a la poza de un río y salió nadando al otro lado.

Tártalo hizo lo propio, pero como no era buen nadador, murió ahogado.

Leyenda vasca

Las jáncanas

En el valle del río Ladrillar, en la comarca extremeña de las Hurdes, se dice que las jáncanas suelen salir cada 100 años.

Una vez, en el sitio llamado los Juntanos, se apareció a un hombre una jáncana encantada, que tenía forma de culebra, y le pidió al hombre que le ayudara a liberarse del encantamiento que la poseía.

Para ello, el hombre debería permitir que la culebra se enroscase hasta tres vueltas alrededor de su cuerpo y, cuando estuviera bien enroscada, el hombre debería escupirle tres veces.

En ese mismo instante, la jáncana le haría la pregunta de ritual y podría desencantarse.

Así lo hicieron, pero cuando la jáncana le preguntó:

«¿Qué es lo que quieres de mis cosas?».

El hombre, que no había sido advertido de que podía pedir cualquier cosa que deseara, respondió:

«Las tijeras».

Entonces, la jáncana se enfureció y se lanzó detrás del hombre, con las tijeras en la mano, para matarle, mientras iba gritando por los montes:

«¡Desgraciado, que a vivir bajo tierra otros 100 años me has condenado! ¿Por qué no me pediste todas las joyas de mi cueva y a mí la primera...?».

Por suerte, el hombre pudo escapar, librándose de una muerte segura.

Ninfas, hadas y elfos de agua dulce

En todas las mitologías aparecen seres mágicos vinculados a las fuentes, a los nacimientos de los ríos, a los lagos y a los riachuelos en sus tramos más próximos a su nacimiento.

Muchas coinciden en el carácter benéfico de su naturaleza, aunque en ciertos casos alguna fuerza mayor les haya hecho cambiar el signo de su influencia sobre los humanos.

Este carácter grato y la magia positiva casi general de los diablillos de agua dulce tienen su interpretación más plausible en la común condición para todas las civilizaciones del agua como elemento necesario y benefactor, como la más positiva influencia de la naturaleza en el crecimiento y desarrollo de plantas hombres y animales, origen, pues, de vida en el sentido más amplio de la palabra.

Aunque en algunos casos se mencionen también en su clasificación zonal, no nos resistimos a repetir sus nombres dentro de este somero panorama de carácter general.

Asrai

Son pequeñas de estatura. Habitan en lagos y ríos profundos del norte de Europa.

Se diluyen en el agua si les alcanza un rayo de sol, sólo salen en noches de luna llena, «las noches de Asrai».

Son viejas, pero con apariencia de doncella joven, cabellos largos y verdes, suelen presentarse desnudas. Habitan en los huecos de las rocas.

Cotaluna

Ondina que habita en el río Gramame de Brasil. Durante el verano se aparece con forma totalmente de mujer, atractiva y seductora.

Durante el invierno le crece una cola de pez y largos cabellos negros.

Donas d'aigua

Habitan en aguas de ríos, barrancos y fuentes de los Pirineos aragoneses, catalanes y del Languedoc. También en las islas Baleares.

Peinan sus cabellos con peines de oro y sienten una gran atracción por los hombres.

Alguna dona d'aigua ha llegado a contraer matrimonio con un humano, como se relata en una leyenda del Montseny.

Más acerca de las donas d'aigua

Cuentan las leyendas aragonesas que en los ibones de la alta montaña habitaba una antigua raza mitológica de carácter maligno.

Los ibones son pequeños lagos de origen glaciar que existen cerca de las cimas de los Pirineos.

Los montañeses aragoneses más ancianos aún recuerdan la leyenda de las fadas d'os ibons de puerto.

El día de Nochebuena, que es el solsticio de invierno, un pastor que acababa de tener un hijo decidió atravesar el puerto y llegar a Francia para vender unas cucharas que había esculpido con su navaja.

El pasato no quiso atender a quienes le recordaban que el solsticio era el momento en que aparecían en los ibones las donas d'aigua.

Le fue bien la venta y regresó al atardecer, llegando a lo alto de la montaña cuando ya había oscurecido.

Decidió continuar hasta su casa a pesar de que, como buen conocedor de los caminos, temía caer por una grieta del hielo.

Pero, cuando pasaba cerca del lago negro, escuchó cantos de mujeres que repetían su nombre sin cesar y atraído por ellos fue a parar a lo más profundo de las heladas y oscuras aguas del ibón, y murió ahogado en ellas, por no haber prestado atención a los peligros que le enseñaron de niño.

Fadas d'os ibons

Ondinas que viven en los profundos ibones o lagos de origen glaciar de los Pirineos aragoneses. Atraen a los pastores y a los montañeros con canciones, especialmente en la Nochebuena.

También se las llama moras, y bailan sobre las aguas en las madrugadas del día de San Juan, con serpientes que se enroscan en sus brazos.

Lamiñak y lainas

Seres femeninos relacionados con el agua de fuentes y riachuelos en el País Vasco, Navarra y Aragón.

Tienen patas de ganso o garras de ave, si bien algunas pueden tener patas de cabra, como las glaistig de Noruega.

Aparecen también leyendas dispersas sobre las hadas del agua en otras zonas de España, donde las llaman lumias.

Lavanderas

Las lavanderas parecen por todo el norte de la península Ibérica. También han sido vistas en algunos países de la costa atlántica de Europa Central y en el Reino Unido.

En algunos casos, tienen características físicas que las asocian a las brujas. En cambio en otros se parecen más a las hadas que danzan y tienden la ropa blanca entre los árboles y sobre la hierba de los prados, después de lavarla en los ríos.

Hay una gran variedad de leyendas sobre ellas, lo que las dota de descripciones muy diversas.

Mitos y leyendas africanas

Antañavo, el lago sagrado de los antankarana

En la tierra de los antankarana, ubicada en el norte de Madagascar, se encuentra el lago Antañavo.

Cuenta la leyenda que hace mucho tiempo, donde en la actualidad puede verse el lago, existía un gran poblado que tenía su rey, sus príncipes y princesas, grandes manadas de vacas y campos de yuca, patatas y arroz.

En aquel poblado vivían un hombre y una mujer que tenían un niño de unos seis meses de edad. Una noche, el niño empezó a llorar y la madre no sabía qué hacer para calmarlo. A pesar de sus caricias, de mecerle en sus brazos o de intentar darle el pecho, el niño no cesaba de llorar.

Entonces, la madre, desesperada, cogió al bebé en brazos y salió a pasear con él por las afueras del pueblo, sentándose bajo las ramas de un gran tamarindo donde las mujeres solían juntarse para moler el arroz, por lo que le llamaban «ambodilôna», pensando que la brisa de la noche calmaría al niño.

En cuanto ella se sentó, el niño calló y se quedó dormido. Despacio, volvió entonces hacia su casa, pero en cuanto cruzó la puerta, el niño se despertó y comenzó de nuevo a gritar.

La madre salió otra vez y volvió a sentarse en el mismo lugar y, como por encantamiento, el niño volvió a dormirse. Pero cuando cruzó el umbral de su casa el niño de nuevo se despertó y comenzó a llorar violentamente, por lo que volvió al árbol por tres veces hasta que, harta de tantos paseos, decidió pasar la noche bajo el tamarindo.

Entonces, de repente, todo el pueblo se hundió en la tierra y desapareció tragado por ella con gran estruendo. Donde estaba el pueblo quedó solo un enorme agujero que comenzó a llenarse de agua que alcanzó hasta el pie del tamarindo donde la mujer, asustada, sostenía a su hijo estrechándole entre sus brazos.

En cuanto se hizo de día, la mujer corrió hasta el pueblo más cercano para contar lo que había sucedido ante sus ojos y cómo habían desaparecido todos los vecinos.

Desde aquel día, aquel lago fue considerado sagrado y en él viven muchos cocodrilos en quienes las tribus cercanas creen que se refugiaron las almas de los antiguos habitantes de la aldea, razón por la que se les conserva y se les da comida, de modo que tanto los cocodrilos como el gran tamarindo ambodilôna son venerados y se acude a ellos para pedir ayuda, sobre todo cuando una pareja desea tener hijos.

Cuando su petición tiene éxito, la pareja regresa al lago para sacrificar animales en honor de los desaparecidos, y una parte de la carne se echa en el agua y la otra se reparte por las cercanías del lago para que los cocodrilos se alejen lo más posible del agua.

Cuando un antakarana cae enfermo, se le lleva al lago para lavarlo con sus aguas y curarle. Por cualquier otra razón está prohibido bañarse en sus aguas y hasta meter en ellas manos o pies.

Cuando uno quiere beber o llevarse agua del lago sagrado, debe hacerlo con la ayuda de un recipiente dispuesto al final de una vara larga y sólo puede beberla alejándose de la orilla. Tampoco se puede escupir en el lago o cerca de él, ni evacuar necesidades en los alrededores, a riesgo de ser devorado, antes o después, por los cocodrilos.

Religión y mitología yoruba

La complejidad de la cosmología yoruba, de la que se dice cuenta con más de 400 deidades diferentes, ha conducido a compararla en ocasiones con la Antigua Grecia. Esas deidades son conocidas como orisha, y su dios principal es Olorun, «el dueño del cielo».

Entre los Yoruba no existen templos ni sacerdotes en honor de Olorun, aunque sí se le invoca para obtener su bendición, al contrario de lo que ocurre con otros dioses, aunque sean de rango inferior.

Según cuenta la leyenda en el caso de la cosmogonía yoruba estamos ante un mito compuesto por varias fases, en una de las cuales fue creado el ser humano.

También aparece el agua como la materia primitiva existente antes de nuestro mundo y es la intervención divina la que permite la aparición del Universo tal y como lo conocemos. Oduduwa, hijo del dios primigenio, fue el primer gobernante del reino y el padre de todos los yoruba.

En la primera interpretación hallada sobre el mito yoruba de la creación del mundo, el gran dios Olorun, pidió a Orishala que bajase del cielo y crease la primera tierra en Ile-Ife. Orishala se retrasó y fue su hermano Oduduwa quien cumplió esta tarea. Afortunadamente, más tarde otros 16 orisha descendieron de los cielos para crear al ser humano y vivir con él en la Tierra.

Entre ellos, destaca Obatala, uno de los dioses más importantes para los yoruba; Obatala es el creador del cuerpo humano, en el cual su padre Olorun introdujo el alma.

La tradición señala también que son los descendientes de cada una de esas divinidades (orisha) los que se encargaron de difundir la cultura y los principales elementos de la religión yoruba por el resto su territorio.

Se trata de una religión cuyos cultos varían significativamente de una región a otra, y más desde que el esclavismo condujo a sus seguidores a tierras de Brasil o Cuba. La misma deidad puede ser masculina en un pueblo y femenina en el de al lado, o las características de dos dioses pueden ser atribuidas a uno solo en otra región.

A pesar de la existencia de tantos dioses diferentes, es habitual considerar que la religión yoruba es monoteísta, puesto que se basa en la existencia de un solo dios creador, omnipotente, que gobierna todo el universo.

Cuando alguien muere, su alma acompaña a las demás en el reino de los antepasados desde donde continúan ejerciendo gran influencia sobre las cosas de la tierra.

Anualmente, los dirigentes deben honrar a todos los antepasados de cada familia en lugares dedicados expresamente para ello. Orishas importantes son Eshu, el embaucador, Shango, el dios de trueno, y Ogun, el dios de hierro y de la tecnología moderna.

Shango, «el dios del Trueno», ocupa una posición importante en la cosmogonía yoruba, ya que es el que crea el trueno y los relámpagos lanzando a la tierra las «piedras del trueno».

Se cree que estas piedras, que todos buscan tras las tormentas, tienen poderes especiales, y se guardan en templos dedicados a Shango, el cual tuvo cuatro esposas, cada una de las cuales es representada por un río. Su esposa principal, Oya, es el río Níger.

Según el mito, cuando Shango era humano y gobernaba como el cuarto rey del antiguo reino de Oyo, tenía ya el poder de crear relámpagos y, por descuido, mató a su familia.

Como compensación a este mal causado, a su muerte se convirtió en un orisha. Las características de Olorun como creador y omnipotente, pero sin culto, inducen a pensar que tal vez se trate de una creación más reciente, reflejo del dios cristiano y musulmán.

Algunas leyendas mencionan como hemos dicho una pareja de dioses, Orishala (también llamado Obatala) y su esposa Odudua, como deidades creadoras, anteriores al Olorun omnipotente.

En cambio, otras leyendas presentan a Olorun creando el mundo y dejando a la pareja mencionada a cargo de los detalles.

Obatala, a menudo dios escultor, tendría según estas versiones la responsabilidad de dar su forma a los cuerpos humanos, mientras que Olorun les daría la vida. En algunos lugares, Obatala gobierna sobre todos los orisha, o dioses menores, pero subordinado a Olorun.

Otro orisha importante es Ogun, el «dios de la guerra», patrón de los herreros, de los guerreros y de todos los que usan el metal en sus ocupaciones. Preside también los tratos y contratos.

En algunas estirpes yoruba, se jura besando un machete sagrado que representa a Ogun. Se le considera terrible en su venganza; si se rompe un pacto hecho en su nombre, el castigo será inminente y brutal. Algunas regiones combinan Ogun con el dios embaucador, Eshu, también conocido como Legba.

En tiempos pasados, Eshu, el «dios embaucador», fue considerado por los europeos como el diablo; sin embargo, la cosmogonía yoruba carece de un dios perverso.

Un mito sobre Eshu cuenta que, disfrazado de comerciante, fue vendiendo los mismos regalos a cada una de las dos esposas de un hombre, lo que provocó la pelea entre ellas hasta que la familia quedó rota.

Eshu también sería considerado como el guardián de las casas y los pueblos, y entonces sus seguidores lo llaman Baba «padre». Además Eshu sería el protector del Ifa, un sofisticado arte geomántico de adivinación que usa tanto los signos como los cuadrados crecientes del número cuatro para predecir el futuro.

Muchos yoruba nunca se atreven a tomar una decisión importante sin consultarlo.

Eshu es conocido como Exu en Brasil, Eleggua en Cuba y Esu en el oeste de África.

Shokpona, el «dios de la viruela», fue, en tiempos pasados, un orisha importante tan aterrador que se temía decir su nombre, nombrándosele de forma indirecta.

Los sacerdotes de Shokpona tenían tan inmenso poder que se les consideraba capaces de enfermar a sus enemigos, ya que preparaban una poción con las pústulas y la piel seca de los que morían de viruela para extender la enfermedad.

Algunos dioses, como Olokun, «el dueño del mar», sólo aparecen en ciertas regiones, lógicamente costeras, ya sea como dios o como diosa, responsable de la vida en el mar con sus soldados y sirenas; una leyenda popular cuenta que Olokun intentó conquistar la tierra por medio de un gran diluvio. Cuando un niño yoruba nace, un adivino o babalawo, determina qué orisha debe seguir en adelante el niño y controlar su destino.

Los yoruba están asentados en el territorio que actualmente conocemos como Nigeria y en la república de Benin desde el siglo XI. Un objeto principal en la mitología yoruba es la corona del rey, que no sólo Identifica su estatus sino que, además, da al rey el poder de conectar con el espíritu de la tierra para ayudar a su gente.

Un velo de pedrería, una cara grande y un grupo de pájaros son los símbolos que normalmente aparecen en la corona de un rey yoruba.

Respecto a la primacía ritual de la ciudad sagrada de Ife, es necesario indicar que legitima, al mismo tiempo, la jerarquía real y el panteón básico de las 400 divinidades yoruba.

Las divinidades de los yoruba también pueden ser fenómenos naturales, como por ejemplo colinas, ríos... que han influenciado de forma decisiva en la historia y vida de este pueblo.

El árbol de la historia

Una muchacha, que salió con sus amigos a recoger hierba, vio un lugar donde crecía muy abundante pero, cuando intentó acercarse, se hundió en seguida en el barro.

Sus amigos intentaron en vano sujetarle con sus manos, pero desapareció completamente, por lo que fueron a decírselo a sus padres y éstos pidieron ayuda a los vecinos dirigiéndose todos fueron al cenagal, donde un adivino aconsejó que se sacrificaran una vaca y una oveja.

Cuando lo hicieron, alcanzaron a escuchar la voz de la muchacha, pero pasado un tiempo su voz fue oyéndose más lejana hasta que dejó de escucharse.

Más tarde, en el mismo lugar donde la muchacha se hundió, comenzó a crecer un árbol que, poco a poco, llegó a ser tan alto que acabó por tocar el cielo.

Aquel árbol servía de cobijo a los jóvenes que pastoreraban el ganado y, a menudo, cuando el sol calentaba, solían resguardarse bajo sus ramas.

Un día, dos muchachos subieron al árbol y a gritos llamaron a sus compañeros para decirles que se encontraban en un mundo anterior, del que nunca más volvieron.

Desde entonces, el árbol es conocido como el «árbol de la historia».

Leyenda chaga

La creación del mundo para los boshongo

Los boshongo son una tribu del actual Zaire y en su cosmogonía está presente la idea de la oscuridad preexistente y el agua original.

En este mito es la voluntad de un dios, Bumba, la que permite la aparición del mundo, mito que se desarrolla en varias fases, ya que son los hijos de este dios los que finalizarán la creación.

Según el relato de los boshongo, al principio sólo había oscuridad y Bumba estaba solo. Un día que se sentía atormentado por un terrible dolor de estómago, sintió nauseas y al realizar un esfuerzo vomitó el sol; y así la luz se difundió por todas partes.

El calor del sol hizo que parte de las aguas primitivas se secasen, de manera que en algunas zonas empezó a aparecer tierra seca. Después, Bumba vomitó la luna y las estrellas, de forma que la noche tuvo también su luz.

Nuevamente Bumba se sintió mal y realizó otro esfuerzo, tras lo cual aparecieron sobre la Tierra nueve criaturas vivas: el leopardo, el águila, el cocodrilo, un pez, la tortuga, el rayo (llamado Tsetse), la garza blanca, un escarabajo y un cabrito.

Por último apareció el ser humano; había muchos hombres, pero sólo uno era blanco como Bumba: Loko Yima. Esas criaturas crearon a su vez nuevas criaturas.

Entonces, los tres hijos de Bumba, llamados Nyonye Ngana, Chongannda y Chedi Bumba (la leyenda no acaba de explicar de dónde aparecen estos hijos), le dijeron a su padre que ellos terminarían de hacer el mundo.

De todas las criaturas, solamente Tsetse, el rayo, creaba problemas con su actitud de no respetar a nadie. Tanto mal hizo, que Bumba lo atrapó y lo encerró en el cielo.

La humanidad se quedó entonces sin fuego, hasta que Bumba enseñó al hombre cómo crear el fuego de los árboles.

Cuando, finalmente, la obra de la creación estuvo acabada, Bumba se paseó entre los pueblos y dijo a los hombres:

«Mirad todas estas maravillas. Os pertenecen».

Del dios Bumba, el creador, «el primer antepasado», proceden todas las cosas y todos los seres.

Kitete, el hijo de Shindo

Una mujer chaga, llamada Shindo, vivía en un pueblo al pie de una montaña cubierta de nieve. Su marido había muerto sin dejarle ningún hijo y ella se encontraba muy sola y siempre cansada.

Como no tenía a nadie que le ayudara en las tareas de la casa, de modo que, todos los días, limpiaba la casa y barría el patio, cuidaba de las gallinas, lavaba la ropa en el río, traía agua, cortaba la leña y cocinaba sus solitarias comidas.

Cada anochecer, Shindo miraba la cumbre nevada del monte y oraba:

«¡Oh, Gran Espíritu del Monte! Mi trabajo es demasiado duro y estoy muy cansada. ¡Envíeme ayuda!».

Hasta que, un día, estaba arrancando en el huerto las malas hierbas para que crecieran bien sus verduras, cuando, de repente, un noble jefe apareció junto a ella y le dijo:

«Soy el mensajero del Gran Espíritu del Monte, siembra con cuidado estas semillas, porque ellas son la respuesta a tus oraciones».

El mensajero dio a la mujer un puñado de pipas de calabaza, desapareciendo a continuación.

Aunque Shindo se preguntaba qué ayuda podría recibir de un manojo de semillas de calabaza, las sembró y cuidó lo mejor que pudo, asombrada de lo rápidamente que crecían.

Una semana más tarde, las calabazas ya habían madurado. Las llevó a casa donde, tras quitarles la pulpa, las colgó huecas de una viga para que se fueran secando, porque cuando se secaran, se endurecerían y podría venderlas en el mercado para ser utilizadas como cuencos o jarras.

También tomó una pequeña, que destinó a su propio uso, y la puso junto al fuego para que se secara más rápidamente.

A la mañana siguiente, Shindo salió para trabajar la tierra y entonces a las calabazas comenzaron a crecerles cabezas, brazos y piernas hasta que, al poco tiempo, se convirtieron en niños. Los que estaban colgados de la viga llamaron al que se había secado junto al fuego, diciéndole:

> «¡Ki-te-te, ayúdanos!
> Trabajaremos para nuestra madre.
> Venga ayúdanos, Ki-te-te,
> ¡Nuestro hermano favorito!»

Ante lo que el llamado Kitete, ayudó a bajar a sus hermanos y hermanas de las vigas, después de lo cual los niños salieron a cantar y jugar en el patio, menos el pobre Kitete, que al haberse secado junto al fuego, se convirtió en un niño débil y enfermizo.

Mientras sus hermanos cantaban y jugaban, Kitete les miraba sonriente, sentado en el umbral de la casa. Después de un rato de juegos, los niños limpiaron la casa, barrieron el patio, alimentaron a las gallinas, lavaron la ropa, trajeron agua, cortaron leña y prepararon la comida para cuando Shindo volviera.

Cuando el trabajo estuvo hecho, Kitete ayudó a los demás a subir a la viga donde, de nuevo, se convirtieron en calabazas.

Por la tarde, cuando Shindo volvió a casa, las otras mujeres del pueblo se acercaron a ella y le preguntaron:

«¿Quiénes eran los niños que jugaban hoy en el patio de tu casa? ¿De dónde han venido? ¿Por qué hacían los trabajos de la casa?».

«¿Qué niños? ¿Os queréis reír de mí?», les contestaba Shindo, con un tono de enfado.

Cuando atravesó la puerta de su casa, se quedó pasmada al ver que el trabajo estaba hecho e incluso su comida preparada, sin poder imaginarse quién le habría ayudado.

Al día siguiente, sucedió lo mismo y, una vez más, Shindo se quedó asombrada al ver las tareas terminadas, ante lo que decidió encontrar una explicación y conocer a quienes le estaban ayudando, de modo que, a la mañana siguiente, hizo como que se marchaba, pero se quedó escondida observando lo que sucedía.

Y vio a las calabazas convertirse en niños, mientras gritaban:

«¡Ki-te-te, ayúdanos!
Trabajaremos para nuestra madre.
Venga ayúdanos, Ki-te-te,
¡Nuestro hermano favorito!»

Cuando acabaron, los niños empezaron a subir a la viga, pero Shindo le dijo, llorando:

«¡No os transforméis en calabazas, seréis los hijos que nunca tuve, a los que amaré como nadie!».

Y, desde entonces, los niños se quedaron a vivir con Shindo, que nunca más estuvo sola.

Además, como los niños eran tan trabajadores, que pronto mejoró la economía de la casa, y pudo hacerse con muchos campos de verduras y plátanos, y rebaños de ovejas y cabras.

Todos eran muy útiles..., menos Kitete, que se quedaba junto al fuego con su sonrisa tonta, lo que a Shindo no le importaba casi nunca.

Kitete era realmente el favorito de Shindo y le trataba como a un tierno bebé aunque, a veces, cuando estaba cansada o triste por alguna razón, lo pagaba con él.

«¡Eres un niño inútil!», le decía. «¿Por qué no puedes ser más inteligente como tus hermanos y hermanas y trabajar tan duro como ellos?».

Kitete sólo sonreía.

Un día Shindo estaba en el patio, cortando verduras. Cuando llevaba la olla a la cocina, tropezó con Kitete, se cayó, y la olla de arcilla se hizo añicos.

«¡Muchacho tonto!», gritó Shindo, «¿no te tengo dicho que no te cruces en mi camino? Pero, ¿qué se podría esperar de ti, si no eres un niño de verdad? ¡No eres más que una calabaza!».

En el mismo instante en que Shindo pronunciaba la última palabra, Kitete se convirtió de nuevo en una calabaza.

«¿Qué he hecho?», se lamentaba y lloraba Shindo cuando los niños volvieron a casa.

«¡Yo no quise decir lo que dije! No eres una calabaza, tú eres mi propio hijo querido. ¡Oh, hijos míos, por favor haced algo!», les decía Shindo, que estaba realmente muy apenada.

Pero los niños se miraron entre ellos. Comenzaron a correr y a subir a la viga. Cuando el último niño hubo subido, comenzaron a cantar, quizá por última vez:

> «¡Ki-te-te, ayúdanos!
> Trabajaremos para nuestra madre.
> Venga ayúdanos, Ki-te-te.
> ¡Nuestro hermano favorito!»

Pasó un largo rato sin que nada sucediera.

Pero de pronto, la calabaza se empezó a transformar. Le creció una cabeza, luego brazos, y finalmente las piernas, hasta que volvió a ser el mismísimo Kitete.

Shindo aprendió la lección y, a partir de entonces, tuvo mucho cuidado y amor para los que consideraba sus hijos y ellos le dieron su consuelo y felicidad durante el resto de sus días.

Leyenda chaga

El color del mar (Okún Aro)

Cuando Olofi, el creador de todo lo que vive y muere, hizo a Okún, el mar infinito, no sabía qué color darle.

Buscó y buscó, mas su color no quiso dibujarse en su mente, a pesar de que ya todo estaba pintado: el cielo, la tierra, los árboles, las nubes. Los colores del mundo resplandecían vivamente. Sólo Okún permanecía transparente y apagado.

Cada mañana Olofi lo escuchaba preguntarle:

«Babá, ¿ya sabes cómo dibujar mis olas? ¿Ya tienes un color para mí?».

«Todavía no, hijo mío, todavía no», le respondía el creador apenado.

Ante tanta espera, Okún vivía atormentado porque sus aguas descoloridas lo hacían sufrir amargamente. Se volvió agrio. Si alguien se le acercaba, gruñía y se llevaba sus mareas más allá del horizonte, alejándose lo más posible de todos.

Un día, Otenagua Oré, el cielo, al verlo tan irascible y desconsolado, quiso ayudarle. Pero, aunque le enviaba mensajes de amistad a través de la lluvia, las estrellas y los remolinos del viento, no consiguió atraer la atención del entristecido mar.

«¡Tengo que encontrar un color rápido! ¡No puedo esperar más por Olofi!», se decía Okún, obsesionado, vagando de un lugar a otro, sin permitir que nadie entrara en sus dominios oceánicos.

Un día, no pudo resistirse y, envidioso del colorido de la tierra y de todo lo que la habitaba, entró en ella, arrasando con lo que encontraba a su paso. Al enterarse, Olofi pasó de la pena a la cólera y quiso destruirlo de inmediato.

«No lo castigue, Babá, yo le hablaré y lo calmaré», intervino Otenagua Oré, el cielo.

«¡Que se retire enseguida o lo haré desaparecer!», bramó fuerte entonces el creador.

Rápidamente, el cielo se dejó caer con sus nubes hasta quedar flotando sobre el inmenso Okún, pero antes de que pudiera hablarle, éste, deslumbrado por un azul tan hermoso, hizo que subiera su oleaje y lo hundió bajo sus aguas.

Al instante, toda la creación oscureció. Sin la luz del firmamento y sus astros, el mundo se sumergió en las tinieblas.

Ni el propio Olofi, en su lejano palacio de espuma y cristal, podía observar sus manos.

Sin embargo, Okún estaba radiante. Feliz de ya tener un color, inventaba pequeños remolinos y ondulantes marejadas sólo para disfrutar de los extraños dibujos que adornaban su piel.

Pasaron muchos días. Días negros como las noches del principio de los tiempos. Días sin luz, donde sólo la oscuridad más absoluta era la reina de todos los lugares de la Tierra.

Otenagua Oré, cautivo pese a su buena voluntad, no hacía más que tiritar de frío, posado sobre el fondo marino. Había intentando escapar, pero el peso del agua no le dejaba levantar el vuelo.

El cielo echaba de menos la inmensidad cósmica, la libertad de las nubes, las alas de los pájaros cruzando el aire. De continuar allí, sumido en la humedad y el encierro, desaparecería para siempre.

Okún, mirándolo, comprendió que podía morir en cualquier momento y, al verlo en tan mal estado, reconoció que había sido injusto y cruel con él.

Era cierto que le fascinaba aquel color increíblemente azul y que lo hubiera dado todo porque fuera suyo para siempre, pero sabía que era difícil alcanzar la paz arrebatando y poseyendo lo ajeno, de modo que decidió dejarlo libre.

Poco a poco, separó sus aguas y, desde lo más remoto de su profundidad, emergió un maltrecho Otenagua Oré aunque, ya libre, se recuperó rápidamente.

La brisa comenzó a correr de nuevo suave mientras el sol iluminaba otra vez cada rincón de la Creación. Incluso a Olofi le pareció despertar de un largo y perturbado sueño. Todo anunciaba que la paz y la armonía reinarían otra vez en el Universo.

El mar, arrepentido, pidió perdón por sus actos disparatados y Otenagua Oré, todavía bondadoso, le dijo:

«Mientras yo sea azul, tú lo serás. Al igual que yo, también serás gris cuando llueva, dorado en los crepúsculos y oscuro en las noches».

Acto seguido, el cielo unió algunas nubes más altas y las exprimió, cayendo las gotas sobre Okún y tiñéndole de un índigo maravilloso.

Luego, ambos amigos se fundieron en un mismo horizonte y nació un puente de luz entre los dos: Ochumaré, el arco iris, cuya belleza sorprendió tanto al Creador que ni siquiera pensó en castigar a Okún por sus artimañas, sino que a partir de ese momento, le llamó Okún Aró, que significa mar azul.

Aún hoy, Olofi se pregunta cómo, tan distantes uno del otro, el cielo y el mar habían logrado imaginar algo tan maravilloso.

La piel del cocodrilo

En algunas aldeas de Namibia cuentan que, hace mucho tiempo, el cocodrilo tenía la piel lisa y brillante como si fuera de oro. Pasaba todo el día debajo de las aguas embarradas y sólo salía de ellas durante la noche, cuando la luna se reflejaba en su brillante piel.

Todos los otros animales iban a esas horas a beber agua y se quedaban admirados contemplando la hermosa piel del cocodrilo.

El cocodrilo, orgulloso de la admiración que causaba su piel, empezó a salir del agua durante el día para presumir, de modo que los demás animales, no sólo iban ya por la noche a beber agua, sino que se acercaban también cuando brillaba el sol para contemplar la piel dorada del presumido reptil.

Entonces sucedió que el sol brillante, poco a poco, fue secando la piel del cocodrilo, cubierta de una capa de barro, por lo que cada día se iba poniendo más fea.

Al ver este cambio, los otros animales iban perdiendo paulatinamente su admiración, al ver que el cocodrilo tenía su piel cada vez más cuarteada hasta que se le quedó como ahora la tiene, cubierta de grandes y duras escamas parduzcas, por lo que, desde entonces, los animales no volvieron a beber durante el día.

El cocodrilo, antes tan orgulloso de su piel dorada, nunca se recuperó de la vergüenza y humillación, de modo que, cuando otros animales se le acercan, se sumerge rápidamente en el agua, asomando sólo sus ojos y nariz sobre la superficie.

El espíritu del árbol

Una muchacha, cuya madre había muerto, tenía una madrastra que se comportaba de manera muy cruel con ella.

Un día en que estaba llorando junto a la tumba de su madre, vio que de la tierra de la tumba había salido un tallo que había crecido hasta hacerse un gran árbol.

El viento, que mecía sus hojas, le susurró a la muchacha que su madre estaba a su lado y también que debía comer las frutas del árbol. La muchacha lo hizo, comprobando que las frutas eran muy sabrosas y que tras probarlas se sentía mejor. Desde entonces, todos los días iba a la tumba de su madre y comía la fruta del árbol.

Pero cuando su madrastra le pidió a su marido que talara el árbol. La muchacha lloró largo tiempo junto al tronco mutilado hasta que, un día, vio de nuevo que algo crecía de la tierra que cubría la tumba y llegaba a convertirse en una hermosa calabaza.

La muchacha lamió unas gotas que destilaban por un agujero y le gustaron, pero de nuevo su madrastra se enteró y, una noche, cortó la calabaza y la arrojó lejos.

Al día siguiente, la muchacha lloró de nuevo al ver que no estaba la calabaza hasta que escuchó el rumor de un riachuelo que le decía «bébeme». Hizo caso a las voces y comprobó que era muy refrescante.

Pero la madrastra, que seguía dispuesta a hacerle la vida imposible, le pidió a su marido que cubriera el arroyo con tierra. Cuando la muchacha regresó a la tumba y descubrió el percance, volvió a llorar desconsolada.

Llevaba mucho tiempo llorando, cuando un hombre joven, que era cazador, salió del bosque, vio el árbol muerto y pensó que era lo que necesitaba para fabricarse un arco nuevo y muchas flechas.

Habló con la muchacha, quien le comentó que el árbol había crecido de la tumba de su madre. Tras hablar con ella, el cazador fue donde su padre para pedirle permiso para casarse con ella.

El padre consintió a condición de que el cazador matara una docena de búfalos para la fiesta de la boda.

El cazador nunca había matado más de un búfalo en cada batida. Pero esta vez, con su arco nuevo, se dirigió al bosque y, en cuanto vio una manada de búfalos en la sombra, puso una de sus nuevas flechas en el arco, disparó y un búfalo cayó muerto.

Y luego un segundo búfalo, un tercero, y así hasta 12.

El cazador regresó a decirle al padre que mandara hombres para llevar la carne a la aldea. Se hizo una gran fiesta cuando el cazador pudo casarse, al fin, con la muchacha que había perdido a su madre.

El canto de Ajuani

La leyenda cuenta que un pájaro llamado Ajuani, cuando se sentía feliz, cantaba. Y cada vez que cantaba, sus plumas resplandecían vivamente. Y como Ajuani siempre estaba dichoso, se parecía mucho más al sol que a sus hermanos los otros pájaros.

Su canto era tan prodigioso que hasta el mismo Olofi, al escucharlo, dejaba a medias lo que aún le quedaba por inventar y se recostaba sobre Oké, la montaña, para disfrutar mejor de su hermoso canto.

Pero, pese a tener una voz casi perfecta, Ajuani era un pájaro que no lograba volar. Mientras las otras aves se remontaban hasta el infinito, él no podía subirse ni a una rama, por lo que todos se burlaban de sus alas contrahechas, de su pico corto y débil y de su cuerpo tan pequeño. Aunque también, en secreto, le envidiaran su manera de cantar.

Una mañana de mucho sol, los pájaros se reunieron en la encrucijada del gran algarrobo.

«¡Hermanos, hoy estamos en este bello lugar, para aclarar un asunto que nos tiene preocupados a todos!», habló un buitre de aspecto siniestro.

Un murmullo de aprobación recorrió las ramas atestadas del árbol. El buitre sonrió ligeramente, satisfecho de la acogida a sus palabras y, tras picotear un retoño cercano, prosiguió:

«¡Ya es hora de que se reconozca que cualquiera de nosotros puede cantar mucho mejor que ese pajarraco defectuoso!».

«¡Así se habla!», exclamó un loro cabezón.

«¡Bravo! ¡Bravísimo!», chillaron a coro unas urracas viejas, las que ya estaban sin plumas.

«Aquí está el hermano sinsonte», volvió a tomar la palabra el buitre. «Pidámosle que nos cante algo», añadió.

Entre aletazos de júbilo, el pájaro se adelantó unos pasos, probando a cantar, pero, aunque su voz tenía timbres agradables, ni remotamente podía compararse con la de Ajuani.

«Es que hace tiempo no practico mis agudos», mintió el Sinsonte.

«No importa, querido hermano, la intención es lo que vale», dijo el buitre con hipocresía.

«¡Ahora cantaré yo!», afirmó el ruiseñor.

«¡Y después nosotras, que también queremos cantar!», alborotaron ruidosamente las urracas.

«¡Ejem, ejem!», aclaró su garganta el ruiseñor mientras avanzaba con gran porte. Acto seguido, comenzó su trino pero en vez de quedar maravillados, los pájaros se durmieron.

Luego les tocó el turno a la paloma, a la cigüeña, al pavo real, a la codorniz y al pájaro carpintero. También lo intentaron la grulla, el tocororo, el totí y la tiñosa.

Todos los que allí estaban se quedaron sin resuello, con las gargantas doloridas y resecas, pero con escasos y malos resultados. Entonces se escuchó un hermoso canto.

«¿Quién canta? ¿Dónde está?», abrió su cola el pavo real.

«¡Qué voz tan maravillosa!», dijo el halcón mirando a lo lejos.

«¡Es linda, muy linda!», dijo a coro nuevamente las urracas.

«¡Callen de una vez! ¡Quiero escuchar! ¡Silencio, por favor! ¡Shhhh!», dijo el halcón.

El canto arrulló las ramas del algarrobo y los pájaros se estremecieron. Durante unos largos minutos permanecieron inmóviles, extasiados ante tan hermosa melodía.

Posado sobre la raíz saliente del árbol, Ajuani cantaba mientras sus débiles alitas se iluminaban.

«No las entiendo», dijo después de un rato. Y añadió: «Ustedes ya son maravillosas, ¿para qué necesitan cantar como yo?».

«¿Cantar como tú? ¿Estás loco?», mintió la paloma.

«¡No seas pretencioso, no queremos parecernos a ti!», masculló el avestruz antes de meter su cabeza en un hueco que había en el suelo.

«¡Podemos viajar adonde queramos y tú no!», la rencorosa cigüeña batió sus grandes alas repleta de orgullo y falsedad.

«¡Vemos paisajes que ni te imaginas!», aseguró una gaviota de cabeza blanca como la nieve.

«¡Te pareces más a una gallina que a nosotros!», se burló el loro, que estaba muy envidioso.

Los pájaros rieron ruidosamente. Sin inmutarse, Ajuani aguardó a que guardaran silencio y luego les contestó:

«No necesito tener vuestras grandes alas. Cuando canto, viajo mucho más lejos que vosotros, y tan rápido que no podéis alcanzarme. Tampoco quiero vuestras garras porque mi voz me protege de las fieras y acompaña a mis amigos. Tengo lo que quiero para vivir tranquilamente. Por eso soy feliz. Si le pidiera algo más a Olofi, sería un desagradecido. Y, sin decir más, se alejó pasito a pasito, cantando alegremente».

«Puede que tenga razón», dijo pensativa la lechuza. «No cantamos, pero tenemos cosas muy buenas», añadió.

Sin embargo, las demás aves no quisieron escucharla. Se sentían burladas y no podían entender por qué, siendo tan diferente, Ajuani estaba contento. Entonces ocurrió lo que siempre ocurre cuando un malvado no tiene razón: inventaron un motivo para vengarse.

El buitre susurró algo al oído de la codorniz y ésta, alzando un ala, pidió la palabra:

«¡Señores, señoras, señoritas! La cuestión es bastante simple. No cabe duda de que nuestro hermano tiene un tesoro», dijo.

«¿Un tesoro? ¿Cómo, cuándo, dónde lo esconde?», vociferaron las urracas. «¡No puede ser! ¿Un tesoro? ¡Oro, oro! ¡Encontró un saco de oro! ¡Tiene que compartirlo, es de todos!».

La lechuza se acercó a la codorniz y mirándola fijamente, le preguntó en tono muy serio:

«¿Y por qué afirma usted semejante cosa, señora? ¿Es que a visto a Ajuani con su tesoro?».

«¡Ay, yo no sé! ¡Es que se pasa el día canta que te canta y tanto canturreo seguro tiene que ver con un tesoro!», respondió la codorniz nerviosa y voló avergonzada a una rama bien lejana.

«¡No diga tonterías!», protestó la lechuza.

Un gran revuelo se extendió por la encrucijada.

«Entonces, ¿por qué sus alas brillan de esa manera tan rara? ¿Será que ahí es donde esconde su tesoro? ¡Claro, por eso no quiere volar! ¡Oro, oro! ¡El monstruo tiene nuestro oro!», escandalizaron las urracas echándose a volar, muy nerviosas.

«¡Por eso sus alas brillan! ¡Por eso sonríe en sueños! ¡Por eso canta el día entero!», añadieron las urracas.

La lechuza no podía creer lo que oía:

«¡Es ridículo!», exclamó sobrevolando la copa del algarrobo. «¡Canta porque está contento con la vida! ¡Ése es su verdadero tesoro, entendédlo de una vez!».

«¡Cuentos de caminos, señora lechuza!», intervino el cuervo un poco enfadado. «Uno sólo puede ser feliz cuando tiene montones de oro que lo protegen», añadió.

«¡Qué cosa tan estúpida! ¡No me falte al respeto! ¡Calma, calma! ¡Nosotros no somos los del problema, sino el monstruo de Ajuani!», terció el buitre abriendo las alas.

«¡Me voy de aquí! ¡Todos ustedes están locos!», dijo entonces la lechuza y se alejó volando hacia las nubes.

Con una extraña sonrisa, el buitre se volvió hacia los demás y preguntó:

«En fin, ¿cómo le quitaremos nuestro oro a ese pajarraco?».

A la mañana siguiente, la lechuza, preocupada, voló por el monte de una punta a la otra, buscando a Ajuani para advertirle, pero no lo encontró en ninguna parte. Sin descanso, fue hasta la pradera de los girasoles donde el pequeño tenía su nido, pero allí tampoco estaba. Ni en el lago rojo, ni en las cascadas del cerro blanco.

Presurosa, buscó a los pájaros y les preguntó si lo habían visto, pero éstos rehuían su mirada y se alejaban sin decirle una palabra.

La lechuza decidió posarse en lo alto del árbol más grande y esperar.

Pero el pequeño pájaro no regresó. Su desconsolada amiga valedora lloró por él y tanto lloró que sus lágrimas rodaron tierra adentro, formando un riachuelo subterráneo, en el que, años después, los hombres encontrarían piedrecillas de oro.

Olofi, al conocer lo sucedido, lanzó sobre los pájaros una maldición terrible: ¡Jamás volverán a volar hasta el infinito, y a partir de ahora serán tan pequeños como el pájaro cantor!

Aunque suplicaron insistentemente piedad, el creador no los perdonó, afirmando que los que destruyen cosas hermosas no pueden ser perdonados. Y nunca lo hizo.

Pasado algún tiempo, intentó para su placer que otra ave cantara de aquella manera, pero no lo logró. En todo el Universo no volvió a existir un pájaro tan maravilloso como Ajuani.

Cómo nació el berimbau

Una joven salió a pasear y, al encontrar el curso de un río, se agachó para beber agua con las manos y, en aquel momento, un hombre le dio un golpe en la nuca y la mató.

Al morir, cuenta la leyenda que su cuerpo se convirtió en la madera del berimbau, sus brazos y piernas en la cuerda, su cabeza en la caja de resonancia y su espíritu en la música sentimental que se canta acompañándose con este instrumento.

El berimbau es un instrumento de cuerda percutida, de la familia de los cordofones y de origen africano. Llevado a Brasil por los esclavos africanos, se popularizó a través de manifestaciones folclóricas y musicales como la samba, el candombé o la lucha capoeira, entre otras.

Otra forma más simple de este instrumento es el llamado berimbau de boca, que consiste en un arco que utiliza la boca como caja de resonancia, bien sujetando la madera entre los dientes, bien dejando la cuerda vibrar en la cavidad bucal, con la madera fuera.

El berimbau recibe nombres distintos, como Uricungo, Arco Musical, Bucumbunga o Gunga.

Zimba y Flora

Hace mucho tiempo, en un pueblo llamado Zékièzou, al oeste de Benin y en pleno país yoruba, vivía una muchacha llamada Zimba. Esta chica era conocida en su pueblo porque nunca respetaba a nadie. Tenía una hermana llamada Flora.

Todos los hombres y mujeres del pueblo trabajaban, excepto Zimba, que se pasaba el día entero jugando en el bosque y no volvía a casa hasta el anochecer. Después de cenar, cogía jabón y una esponja y se iba, aunque fuera de noche, a lavarse al río. La madre siempre le decía que no había que ir de noche a bañarse, pero ella no hacía caso.

Un día, Zimba llegó a casa cuando ya oscurecía y vio que su hermana volvía de lavarse en el río, y le dijo:

«Hermana Flora, tú ya te has lavado. ¿Puedes acompañarme al río para que me lave yo?».

Flora, a pesar del miedo que le daba la oscuridad de la noche, accedió a acompañarla, para lo que volvió hasta la casa a coger el jabón, mientras Zimba alcanzaba el río. Pensando que su hermana estaba con ella le dijo:

«Flora, por favor, frótame la espalda. Y le dio la esponja».

Entonces, por detrás, alguien tomó la esponja y comenzó a frotarle pero, al darse la vuelta, vio que detrás de ella no estaba su hermana sino un diablo, negro como la noche, que sonreía con desprecio y del que sólo se veían sus ojos rojos.

Aterrada, Zimba comenzó a correr entre los árboles, golpeándose con ellos, cayéndose y golpeándose con las piedras, levantándose de nuevo y rompiendo ramas mientras corría, hincándose ramas en los ojos hasta que, agotada, cayó al suelo sin sentido.

Después de permanecer inconsciente cinco días y cinco noches, Zimba despertó pero..., sus ojos estaban vacíos.

Zimba se había quedado ciega para siempre.

Desde aquel día, los habitantes del país yoruba saben que es muy peligroso ir al río sin compañía a lavarse cuando ya es de noche, porque la noche pertenece a los diablos.

La garza y su cuello torcido

Un día que el chacal estaba cazando, vio una paloma que volaba sobre él. El chacal le gritó:

«Oye, paloma, tengo hambre. Tírame una de tus crías».

«No quiero que te comas a una de mis crías», le respondió la paloma.

«Entonces volaré hasta donde estás y te comeré a ti también», contestó el chacal.

Asustada, la paloma dejó caer una de sus crías y el chacal escapó con ella entre sus dientes. Al día siguiente, el chacal amenazó a la paloma con el mismo destino y tuvo como premio otra palomita. La mamá paloma lloraba su desgracia sin consuelo hasta que pasó una garza y, al verla llorando, le preguntó:

«¿Por qué lloras?».

«Lloro por mis crías», contestó la paloma. «Si no se las doy al chacal, volará hasta aquí y me devorará a mí también», añadió.

«Eres un pájaro muy tonto, replicó la garza. ¿Cómo puede volar hasta aquí si no tiene alas? No deberías hacer caso de sus vanas amenazas».

Al día siguiente, cuando volvió el chacal, la paloma se negó a darle otra de sus crías.

«La garza me ha dicho que usted no puede volar», le dijo como explicación de su nueva actitud.

«¡Que garza tan entrometida!», murmuró el chacal, «me las pagará por tener la lengua tan larga».

El chacal fue a buscar a la garza hasta que la encontró mientras buscaba ranas en un estanque, y le dijo:

«Con ese cuello tan lago que tienes, ¿que haces para evitar que se te rompa por la mitad cuando sopla el viento?».

«Lo bajo un poco, así», dijo la garza, a la vez que bajaba un poco su cuello.

«¿Y cuando el viento sopla más fuerte?», preguntó el chacal.

«Entonces lo bajo un poco más», respondió la garza, bajando más su cuello.

«¿Y cuando hay un gran vendaval?», insistía el chacal.

«Entonces lo bajo todavía más», dijo de nuevo el pájaro tonto bajando la cabeza hasta el borde del agua.

Entonces, el chacal saltó sobre su cuello y sonó un crujido cuando se lo rompió por la mitad.

Desde ese día, la garza tiene su cuello torcido.

La madre loca

Hace mucho tiempo, vivían en una aldea dos mujeres jóvenes que no tenían hijos ni hijas. Había un dicho en su territorio según el cual «una mujer sin hijos era una fuente de desgracias para la aldea».

Un día, una anciana llamó a su puerta para pedir comida. Las jóvenes la recibieron con amabilidad y le dieron de comer y ropa para vestirse. Después de comer y extrañada por el silencio y la ausencia de voces infantiles, la anciana les preguntó:

«¿Dónde están vuestros hijos?».

«Nosotras no tenemos hijos ni hijas y por eso, para no causar desgracias a la aldea, nos pasamos el día fuera del pueblo», explicaron.

Entonces, les dijo la señora:

«Yo tengo una medicina para tener hijos, pero después de haber dado a luz, la madre se vuelve loca».

Una de la mujeres le contestó que, aunque enfermase, ella sería feliz por haber dejado un niño o una niña en la tierra.

En cambio, la segunda le dijo que no quería enloquecer por un hijo, por lo que la vieja dio la medicina solo a la que se lo pidió.

Algunos años más tarde la anciana regresó al pueblo y se encontró a las mismas mujeres. La que no había tomado su medicina le dijo:

«Tu nos dijiste que quien tomara la medicina se volvería loca, pero mi hermana la tomó, tuvo una hija y no enfermó».

Y la anciana le respondió:

«Volverse loca no quiere decir que se convertiría en una persona que anduviera rasgándose las ropas o que pasara todo el día mirando a las nubes como si paseara por el aire. Lo que yo quise decir es que una mujer mientras da a luz un niño o una niña gritará de dolor, para a continuación no parar de reír, llorará por la criatura, le pegará, le amará… Eso es ser madre y volverse loca».

La hiena y la liebre

La hiena y la liebre eran en un principio muy buenos amigos. Pero la hiena engañaba a la liebre y cada vez que ésta pescaba un pez grande, la hiena se lo comía.

También inventaba juegos extraños y tras pactar que la que ganara se comería el pez, la hiena siempre acababa ganando y comiéndose el pescado.

Un día, la liebre pescó un gran pez y le dijo a la hiena:

«¡Hoy es mi día! ¡Hoy me comeré yo sola este gran pez!».

«Es demasiado grande para un estómago tan pequeño. Se pudrirá antes de que puedas comértelo todo», le dijo la hiena..

«Es verdad», contestó la liebre. «Pero lo pondré a ahumar por la noche para conservarlo en pedazos pequeños. ¡Estará delicioso!», añadió la liebre, que ya tenía ganas de comer.

La hiena no aguantaba de envidia, deseando comerse el pescado de la liebre. Me lo comeré yo sola, se decía a la vez que planeaba cómo satisfacer su egoísmo.

Llegada la noche, la hiena cruzó sigilosamente el río, acercándose hasta donde dormía la liebre. El pescado, partido en trozos, se asaba al humo lentamente y la grasa que caía sobre las brasas perfumaba el ambiente. La hiena se relamía ya de gusto, riéndose de la liebre por la sorpresa que se llevaría ésta al ver que le habían robado el pescado con el que tanto soñaba.

En realidad, la liebre estaba haciéndose la dormida, muy atenta a lo que hacía la hiena y, cuando la hiena agarró el primer trozo de pescado, la liebre se levanto, cogió la parrilla que estaba encima del fuego y corriendo tras la hiena la golpeó con ella mientras lésta aullaba de dolor, de vergüenza y de rabia.

La hiena acabó con todo el cuerpo marcado por las barras ardientes de la parrilla y desde entonces las hienas llevan rayas en la piel y por eso, desde entonces también las hienas odian a las liebres y sonríen con cinismo en cuanto las ven.

Los dos listos

Landa, al que llamaban en la tribu «El Listo», acababa de matar un leopardo cuya piel, después de prepararla bien, pensaba cambiar por dos azadas: una para él y otra para su mujer, pues estaba cercano el tiempo de cultivar los campos.

Pero, como dos azadas valían dos pieles de leopardo, se le ocurrió partir la piel en dos mitades iguales de forma que, una vez bien dobladas, parecería que eran dos pieles.

Por otra parte, Ngangela, al que llamaban en la tribu «El Listillo», iba pensando en encontrar un cazador que le vendiera, o cambiara por una azada, dos pieles de leopardo, para vestirse él y su mujer, de modo que buscó un palo para que pareciera el mango de otra azada.

Landa y Ngangela se encontraron y se intercambiaron sus productos, correctamente, sin nada anormal en apariencia.

Sin embargo, cuando llegaron a sus casas, comprobaron lo que cada uno había obtenido:

El Listo se había llevado para su casa una sola azada pero con dos mangos, en tanto que El Listillo enseñaba a su mujer una única piel de leopardo partida en dos piezas exactamente iguales.

Jok

En la mitología Alur se reconoce a Jok como el dios que creó todo lo que conocemos. Su traducción literal es «Creador». Es el dios del nacimiento.

Siguiendo esta mitología, el mundo está lleno de Jok espíritus, y se cree que los antepasados se manifiestan a los vivos en forma de serpiente o rocas grandes. Se celebran ofrendas en los bosques en casos de gran necesidad, como puede ser la falta de lluvias. Para las ceremonias la cabra negra es el animal más comúnmente utilizado.

Anansi

Entre los personajes de la mitología asante destaca Anansi, hijo de Nyame, dios de los cielos y de Asase Ya, diosa de la tierra y de la fertilidad. Anansi, conocido también con «la Araña», es un intermediario entre Nyame y los seres vivos de la tierra. Él es el responsable de traer la lluvia y de controlar las fronteras de los océanos y de los ríos durante las inundaciones.

Anansi, a veces, es considerado como el creador del sol, de la luna y de las estrellas, así como quién instituyó la sucesión del día y de la noche. También se cree que él creó el primer hombre, a quien Nyame insufló la vida. Se dice que él enseñó a la humanidad cómo sembrar el grano y cómo utilizar herramientas en los campos.

Su carácter de astuto, habilidoso y dominador de todo tipo de tretas y trucos hace de él uno de los personajes más populares de la mitología asante.

Se hizo nombrar como el primer rey de los seres humanos e intentó casarse con la hija de Nyame, por quien fue rechazado.

Nandi y Kindu

En un principio, la tierra estaba habitada por Kintu, el primer hombre, que vivía con una vaca de la que obtenía alimento. El cielo estaba habitado por Gulu, «el señor del cielo», que vivía con sus hijos. Un día, Nandi, hija de Gulu, andaba por la tierra con otros de sus hermanos y se encontró con Kintu. Nandi y Kindu se gustaron y decidieron vivir juntos. Para ello, Nandi pidió permiso a su padre, a quien la idea no le gustó.

Para conocer la valía de Kintu le sometió a cuatro pruebas antes de consentir que se casara con su hija. Gulu encerró a Kintu en una cabaña donde había tanta comida como para que comieran cientos de personas. Le dijo que tenía que acabar toda esa comida. Kintu comió mucho, y cuando ya no pudo más ocultó el resto en un agujero en el suelo. Gulu comprobó que no quedaba comida en la cabañ.

Entonces, Gulu le dio un hacha de cobre y le dijo que tenía que partir rocas como si fuera leña. Kintu encontró una roca resquebrajada y acabó de descuartizarla hasta que los trozos parecían astillas.

Como tercera prueba le dió una vasija de barro y le pidió que la llenara con agua de rocío. Mientras se desesperaba pensando en cómo llenarlo, Kintu levantó la tapa y encontró la vasija llena.

Finalmente, Gulu robó la vaca de Kintu y mientras éste la buscaba, una abeja le dijo a Kintu que su vaca estaba entre el ganado del tercer rebaño de Gulu. Kintu reconoció a su vaca y la recuperó. La abeja también le indicó que varios becerros eran de su vaca y también se las llevó. Sólo entoneces Gulu consintió que Nandi se fuera a vivir con Kintu, pero les aconsejó que se marcharan en secreto para que Walumbe, hermano de Nandi no se enterara porque eso les traería desgracias. Nandi y Kintu tomaron sus vacas, una cabra, una gallina, un ñame y un plátano y se marcharon.

Mientras estaban descendiendo la ladera, Nandi se dió cuenta de que había olvidado traer el mijo para alimentar a la gallina. Entonces le dijo a Kintu que tenía que volver para recoger el mijo. Aunque éste se opuso, ella volvió a por el mijo. Encontró en casa a Walumbe, quien insistió en acompañarles a pesar de la oposición de Nandi y Kintu.

Poco tiempo después, la pareja tuvo hijos. Un día Walumbe fue a a casa de Kintu y le pidió a su cuñado que le diera un hijo para que le ayudara con los quehaceres en su casa. Pero recordando lo que Gulu les advirtió, Kintu se opuso y Walumbe se marchó enfadado ante la negativa de Kintu. Esa misma noche, Walumbe fue a casa de Nandi y Kintu y mató a uno de sus hijos. Entonces, Gulu envió a la tierra otro de sus hijos, Kayikuuzi, para que obligara a Walumbe a volver al cielo.

Kayikuuzi intentó convencer a Walumbe para subir al cielo pero éste no quería. Kayikuuzi decidió capturarle por la fuerza. Se entabló una gran pelea entre ellos y cuando Walumbe estaba a punto de ser dominado, escapó y desapareció en la tierra. Kayikuuzi lo persiguió y excavó grandes agujeros en la tierra para encontrarlo. Cuando Kayikuuzi descubrió donde se escondía, Walumbe se escapó de la tierra. Se dice que las cuevas que se encuentran en Ttanda Ssingo son algunas de las que excavó Kayikuuzi.

Leyenda de la mitología baganda

Mitología bambara

En la mitología mande, en el principio existía sólo Mangala. Mangala tenía dentro de sí una energía dual, masculina y femenina. Con ambas, hizo una semilla que sembró, pero decepcionado del resultado destruyó el mundo que había creado. Lo intentó de nuevo, pero esta vez separó ambas energías en dos semillas diferentes. Las puso en una sola matriz en forma de huevo y volvió a repetir la operación hasta ocho veces. Estas semillas se transformaron en peces.

Todo iba bien hasta que uno de los peces masculinos, Pemba, intentó escapar del huevo y cogiendo parte de la matriz la tiró fuera del huevo y así se creó la tierra. Para restablecer la situación de tranquilidad anterior, Mangala utilizó a Farro, hermano de Pemba, para destruir a éste. Mangala tomó al que estaba en la izquierda de la placenta y lo transformó en el sol, asociando así a Pemba con la oscuridad y a la noche. Farro y otros gemelos fueron transformados en seres humanos. Farro, tras dominar el uso de la palabra, y los otros gemelos se casaron entre ellos pero nunca los gemelos entre sí. Ésta es la base de la endogamia entre los mande.

Después, un desconocido llamado Sourakata llegó del cielo con el primer tambor sagrado, un martillo y el cráneo de Farro. Sourakata comenzó a tocar el tambor y a cantar para que viniera la primera lluvia. Sourakata es el primer mago (nyamakalw) Mande.

Los bambara consideran a Faro como la divinidad que controla el cielo y el agua. Faro da el agua da el agua a todas las criaturas vivas y enseñó a los humanos el uso de las palabras, de las herramientas, de la agricultura y de la pesca. Cada 400 años vuelve a la tierra para verificar que todo continúa en armonía.

Existe otro ser mitológico entre los bambara: Musso Koroni, la divinidad del desorden. Fue la esposa de Pemba pero dejó a éste y ahora ella vaga sola por la tierra, causando tristeza y desorden entre la humanidad.

Danza bamana

Poco antes de que la llegada de las lluvias permita iniciar los trabajos en los campos, dos bailarines enmascarados, acompañados por los tambores, entran en los campos para rememorar y agradecer los conocimientos de agricultura que les proporcionaron sus divinidades, y para conseguir su bendición para el nuevo año agrícola que comenzará.

Estos bailarines pertenecen a la asociación Chi Wara, el antílope mitológico que enseñó al pueblo Bamana las técnicas de la agricultura. Cada una de las máscaras que portan representa un antílope macho y un antílope hembra.

El tocado masculino de Chi Wara representa el sol. La máscara del Chi Wara hembra simboliza la tierra. La paja que lleva cada una de las máscaras representa el agua.

Los bailarines llevan pequeñas ramitas con las que durante el baile simularán que están plantando en los campos.

En otros momentos del baile, el bailarín que lleva la máscara masculina tratará de colocar una de estas ramitas en la parte de atrás del bailarín que lleva la máscara de antílope hembra.

Al igual que los bailarines representan a un antílope macho y a otro hembra, y al igual que la unión del sol, la tierra y la lluvia hará crecer las plantas, hombres y mujeres participan en estos bailes de máscaras Chi Wara, por creer los Bamana que la obtención de los alimentos requiere de la cooperación entre hombres y mujeres.

La Muerte

Imana, el Gran Creador, creó a Kazikamuntu, el primer ser humano de la mitología tutsi. Kazikamuntu tuvo muchos hijos y llegó un tiempo en que surgieron los enfrentamientos entre ellos. Se separaron unos de otros.

Según cuenta la tradición, este fue el origen del nacimiento de los diferentes subgrupos étnicos del pueblo tutsi.

En los días antiguos, cuando Dios todavía vivía entre los hombres, la Muerte no existía. La Muerte era una bestia salvaje que a veces pasaba por la tierra, pero Imana les prometió a los hombres que él se ocuparía de darle caza con sus perros cuando Muerte viniera por la tierra. Pero les puso una condición: que cuando él fuera de caza y persiguiera a Muerte todos los demás seres vivos debían ocultarse.

Un día durante una de estas cacerías una mujer anciana salió al huerto para recoger alimentos para la comida. Entonces, Muerte, que huía corriendo de Imana, vio a la mujer y le prometió que si ella le escondía, la ayudaría a ella y a toda su familia. La mujer dudó unos segundos, pero decidió abrir su boca. Muerte aprovechó ese momento para salter dentro de la boca y esconderse dentro de la mujer.

Cuando Imana vio a la mujer y le preguntó que si había visto a Muerte, ella lo negó. Pero Imana se dio cuenta de lo que la mujer había hecho y abandonó a los hombres, dejó la tierra y dejó que los humanos se encargaran de la bestia Muerte.

Desde entonces Muerte vive entre los seres vivos de la tierra.

Leyenda tutsi

Mami Wata

Es un personaje mitológico del Congo. Mami Wata es un espíritu femenino que vive en el agua, en los ríos y en los arroyos, aunque a veces también se la representa viviendo en el mar. Se dice que tiene el pelo oscuro y largo, piel muy fina y una mirada irresistible. Aunque ella puede aparecer en los sueños y visiones como un ser marino hermoso con cola, también se dice que puede aparecer por las calles de una ciudad moderna con la forma de una mujer preciosa y evasiva. Está interesada en todo lo contemporáneo y en sus ofrendas se incluyen perfumes, gafas de sol, refrescos y dulces de importación. Los colores de Mami Wata son el rojo y el blanco. Con esos colores intensos y alegres, ella tienta y atrae a las personas, a las que consigue subyugar. Cuando ha conseguido atraer a la gende, les hace padecer una fuerte obsesión, que es casi como una enfermedad.

Aquellas personas que tienen un concepto más positivo y de beneración hacia este espíritu demuestran sus bendiciones usando el color blanco en sus vestimentas.

Se dice que Mami Wata puede acarrear desgracias en la tierra, pero también puede dar abundancia a sus fieles, sus «hijas» o a sus esposos. Mami Wata ha sido tema de poesías, canciones, pinturas, esculturas de madera y también de películas.

Fidi Mukullu

En la mitología songye, Fidi Mukullu es quien creó todo lo que conocemos. Después de haber creado los árboles bananeros, cuando los plátanos estaban maduros envió al sol a recogerlos. El sol le devolvió un cesto lleno de plátanos y Fidi Mukullu le preguntó si él había comido alguno.

El sol contestó que no y el Creador decidió ponerlo a prueba. Hizo bajar al sol hasta un agujero excavado en la tierra y le preguntó que cuándo saldría, a lo que el sol respondió: «Mañana por la mañana, temprano».

Efectivamente, el sol salió al día siguiente temprano y así comprobó Fidi Mukullu su honestidad. Luego le hizo traer los plátanos maduros a la luna y le sometió a la misma prueba y también ella salió airosa.

Luego propuso lo mismo a un ser humano pero éste se comió parte de los plátanos y cuando Fidi Mukullu le preguntó si había comido alguno, éste lo negó.

Entonces le sometió a la misma prueba y el hombre dijo que él quería dejar el agujero al final del quinto día. Pero nunca consiguió salir.

Fidi Mukullu dijo: «El Hombre mintió. Eso es por lo que el hombre se morirá y nunca reaparecerá».

Moshanyana

En la mitología sotho hubo un tiempo en que todos los seres vivos, humanos y animales que había en el mundo fueron tragados por un monstruo llamado Kholumolumo. Una mujer embarazada consiguió escapar y dio a luz a un niño que se llamó Moshanyana.

Este ser mitológico, en poco tiempo creció y era tan fuerte que se enfrentó a Kholumolumo y mató al monstruo. Entonces, con su lanza abrió el cuerpo del gigante muerto y pudieron salir todos los seres vivos que habían sido devorados. Sin embargo, tiempo después, algunos tenían miedo de la fuerza de Moshanyana e intentaron matarle.

Moshanyana escapó tres veces gracias a que sabía usar la magia. Pero la cuarta vez que fueron a matarle lo consiguieron y Moshanyana dejó de existir para siempre.

Adroa

Según la mitología del pueblo Lugbara, el cielo y la tierra fueron creados por Adroa, deidad que se presenta con un carácter dual: Adroa tenía un temperamento bondadoso unas veces, pero en otras ocasiones era extremadamente cruel.

Se le representa como una persona a punto de morir, alto y blanco y al que le falta la mitad del cuerpo, es decir, con un solo ojo, una sola oreja, un solo brazo y una única pierna.

Tiene dos hijos, a los que les gusta frecuentar los arroyos y los ríos, los árboles grandes y las rocas. Les gusta la gente y se divierten siguiéndola por la noche. Son inofensivos mientras uno no mire hacia atrás para verlos, porque entonces pueden reaccionar violentamente y hasta matar a quien les quiera ver.

Chuku

Dios supremo de los Ibo, el creador y se cree que todo bueno viene de él. Él trae las lluvias que hace que las plantas crezcan. Ciertos árboles se dedican a él, y se celebran ofrendas en los árboles de algunos bosques. Su esposa es Ala, que a veces se le presenta como su hija. El sol es su símbolo.

Se cuenta que una vez envió como mensajero un perro a los humanos para que les explicara como debían enterrar a sus muertos. Debían ser colocados en la tierra y cubrirlos de cenizas, de esta manera después volverían a la vida. Sin embargo, el perro iba cansado y no acababa de llegar donde los humanos, por lo que Chuku envió una oveja con el mismo mensaje. Pero la oveja se paraba constantemente para comer por el camino y tardó mucho.

Cuando llegó se le habían olvidado las palabras exactas que tenía que transmitir y dijo a los humanos que enterraran los muertos en la tierra. Cuando por fin llegó el perro, éste les dio el mensaje correcto, pero no le hicieron caso. De esta forma, la muerte se estableció en la tierra.

Mitos y leyendas australianas

La visión aborigen del mundo

Uno de los elementos que destaca en la cultura originaria australiana es la fuerte conexión que los aborígenes mantienen con la naturaleza, que sienta las bases de su visión particular del mundo y del papel que cumple el ser humano en la Tierra y que también impregna todos los aspectos de su vida diaria.

Creen que el ser humano forma parte de una esencia superior, que es la Naturaleza, de la cual participan los seres vivos y los muertos, desde las rocas, la lluvia, la lombriz o los árboles, hasta los canguros y los hombres.

De acuerdo con esta concepción, el hombre no es un ser superior, sino que comparte el medio con el resto de los seres de la Tierra, para la que tan necesaria es la existencia de los lagartos como la suya propia.

Es una sociedad de recolectores y cazadores, cuya supervivencia dependía exclusivamente de los bienes que obtuviesen de la naturaleza, de donde nacería la necesidad de preservarla y de mantener su equilibrio.

Todos los elementos de la naturaleza deben ser tenidos en cuenta porque todos tenían su función.

La función del ser humano es pues la de honrar a la Naturaleza y a sus elementos, mediante la práctica de diferentes rituales; se establece así una relación simbiótica, en la que el hombre recibe cobijo y sustento de la Naturaleza y, a cambio, ayuda a mantener el orden de la misma mediante los rituales.

Esa veneración y esa unión simbiótica que sienten con la Naturaleza se manifiesta materialmente mediante los tótems, siempre vinculados con algún elemento o aspecto de la misma, al que una tribu, una casa o un individuo aborigen rinden culto.

Mediante el sistema totémico, los aborígenes pueden venerar cualquier aspecto o elemento de la Naturaleza: la roca, la lluvia, la lanza, el lago, las flores, los animales o las plantas. Para ello, los aborígenes han dispuesto una clasificación de tótems desde los de culto individual, hasta los de índole local, pasando por los vinculados con el sexo o con la familia.

Este orden fundamentado en tótems favoreció el desarrollo de una organización social basada en clanes, que a su vez se dividieron en casas, a través de las cuales se difundieron gran variedad de relatos, mitos, héroes y creencias particulares, imposibles de conocer en su totalidad.

Sin embargo, a pesar de esa enorme diversidad, la mayoría de los aborígenes australianos comparten un conjunto de creencias sobre el Universo, su origen, la Naturaleza o el papel del ser humano. Puede afirmarse que gran parte de su mitología está relacionada con la Naturaleza y con la Tierra, mostrada como antítesis del cielo y el océano.

La creación y ordenación del Mundo, en la mitología de los nativos australianos, se explica mediante relatos mitológicos que tienen como protagonistas a seres legendarios, dioses y héroes ancestrales, como ocurre con los mitos africanos o con la cosmogonía clásica, en los que el origen del mundo y su forma actual se deben a la intervención de seres mágicos y dioses primitivos, cuya actuación permitió, no sólo que exista nuestro mundo, sino también la vida en él.

Estos relatos mitológicos interpretan los fenómenos naturales o arrojan cierta luz sobre el origen de determinadas costumbres y normas sociales, justificándolas.

De esta forma los mitos, junto a sus correspondientes rituales, ayudaban a conservar el orden establecido, tanto desde el punto de vista natural como desde el punto de vista social.

La creación del mundo (Tiempos del Sueño)

La creación y ordenación del mundo tuvo lugar durante un periodo sobrenatural conocido tradicionalmente como «Alchera», traducido habitualmente como «Tiempo del Sueño».

En este tiempo mágico, la mayor parte de las leyendas relatan los viajes de los espíritus ancestrales, llamados wondjina, que crearon el mundo tal y como lo conocemos, con sus ríos, sus rocas y las estrellas y dieron vida al ser humano, a las plantas y a los animales.

Posteriormente, durante el Tiempo del Sueño, estos espíritus viajaron libremente por Australia y después de transmitir a los seres humanos los conocimientos necesarios para su supervivencia y para el mantenimiento del orden establecido, los wondjina desaparecieron dentro de la Tierra y habitan en las formas del mundo natural que crearon: rocas, pájaros o ríos.

La Tierra surgió de la materia magmática preexistente y el paisaje fue paulatinamente transformado por la acción de unas criaturas con forma parecida a la de gigantescas serpientes, las cuales fueron levantando, horadando y retorciendo el terreno existente, configurando así el paisaje actual. Estos seres ancestrales, que dieron forma a la Tierra, surgieron nacidos de la propia Tierra.

Al «Tiempo del Sueño» también se puede acceder en el presente mediante la práctica de ciertos rituales, utilizando tótems.

A trevés de la conservación de los mitos y los rituales se mantiene, en cierto modo, la continuidad de aquel tiempo sobrenatural, tan importante en la mitología aborigen, y se garantiza también mágicamente la continuidad de la vida.

Biame, el Gran Dios

El nombre del dios Baiame, también conocido bajo los nombres de Balame, Byamee o Biame, procede del vocablo «biai», que significa hacer.

Este dios ancestral y primigenio es conocido como «el más grande» o «el creador», como responsable de haber creado la Tierra. Biame estableció tres tribus diferentes de seres vivos para poblar la Tierra.

En primer lugar creó la tribu de los animales y habitantes del suelo, en el que encontramos seres de tamaños y formas diversas, desde los reptiles, hasta los canguros y los koalas. En segundo lugar, creó a la tribu de los pájaros, integrada por curiosas aves de todas las dimensiones y colores.

En último lugar, dio vida a la tribu de los peces que poblaron los ríos, los lagos, las charcas y los amplios mares.

En medio de estas tribus, vivía una extraña criatura, llamada platypus, que tomaba cualidades de cada uno de esos grupos; tenía piel como los animales, ponía huevos como los pájaros y nadaba como los peces. Este ser mantenía relación de amistad con las tres tribus, que pronto sintieron admiración y respeto por él.

Según cuenta la leyenda, un desafortunado día las tribus discutieron sobre cuál de ellas era la mejor de las tres, hasta que la lucha estalló y los grupos se separaron.

Cada una de las tres tribus invitó a platypus a que se uniera a ella. Se lo pidió la de los animales, con el gran canguro Bagaray a la cabeza; después la de los pájaros, liderada por Buntil, el gran águila; y finalmente los peces, con Goodoo al frente.

Platypus agradeció a todos su interés y, tras meditar unos instantes, respondió:

«Me gustaría unirme a todos vosotros, ya que tengo furia como los animales, pongo huevos como vosotros y como gusanos como los pájaros y nado con vosotros, peces, diariamente, por lo que somos grandes amigos. Es una decisión muy difícil, por lo que he considerado que no me uniré a ninguna como tribus separadas; sin embargo me uniré a todos vosotros como parte que sois de mí, del mismo modo que yo soy parte de todos vosotros, por lo tanto ningún grupo o tribu es mejor que otra, ni yo tampoco. Cada uno de vosotros sois especiales y únicos en vuestra existencia».

Las tres tribus, escuchando y comprendiendo estos argumentos, abandonaron sus pretensiones de predominio y cohabitaron felices en adelante.

Otra leyenda de Biame, cuenta cómo el dios, tras crear la Tierra, creó al primer hombre y a la primera mujer a partir del barro y el polvo.

Según este relato legendario, antes de dejarles solos, el dios indicó a la pareja las plantas que podían comer, advirtiéndoles que tenían prohibido comer animales. En el terreno donde les puso, la lluvia y el sol daban vida a las plantas, cuyo fruto servía de alimento a esta pareja y a su creciente prole.

Pero un día la lluvia cesó y, por vez primera, supieron lo que era el hambre. En un momento de desesperación, el hombre se atrevió a matar a un animal, un canguro, cuya carne compartió con su hambrienta esposa. La pareja ofreció parte del novedoso sustento a un amigo enfermo y debilitado por la falta de alimento.

Sin embargo, el hombre rechazó la oferta y, advirtiéndoles de su error, se marchó.

Ellos continuaron con su festín, tras lo cual anduvieron tras las huellas tambaleantes de su pobre amigo, al que encontraron al pie de un eucalipto que estaba al otro lado de un río de fuerte corriente.

Desde la orilla, la pareja contemplaba a su amigo y, cuando estaban a punto de marcharse, vieron aterrorizados que una figura negra, mitad humana, mitad bestia, saltando de las ramas de aquel árbol, se abalanzó sobre el cuerpo de su inmóvil amigo, lo cargaba al hombro y desaparecía. De repente, una gran humareda salió del árbol, tras lo cual se escuchó un ruido desgarrador, como si el árbol se hubiera roto y sus raíces se despegaran de la tierra. Entonces, el árbol se levantó y se alejó de la pareja volando hacia el sur. Así es como, según la mitología aborigen, la muerte llegó a un hombre por primera vez en la Tierra.

Un ser humano había perdido la vida a manos de una criatura llamada Yowee, que es el Espíritu de la Muerte.

En la gran diversidad de tribus que encontramos en la cultura aborigen australiana, destaca una importante profusión de divinidades ancestrales vinculadas con la creación y ordenación del mundo. Incluso ocurre que muchos nombres diferentes aluden al mismo ser superior que creó el Mundo.

Entre algunas tribus de Australia central, por ejemplo, Altjira es considerado el padre del cielo y el dios del «Tiempo del Sueño».

Por otro lado, los bagadjimbiri son dos hermanos a los que los karadjeri del noroeste de Australia, atribuyen la creación del mundo, indicando que con anterioridad al ascenso de ellos desde el suelo, no había nada.

Para las tribus de los kulin y los wurunjerri, Bunjil es el dios supremo y creador. Ambas tribus se refieren a él como «Padre Nuestro».

En Australia central, los aranda creen que Mangar-kunjer-kunja, es el dios creador, un dios lagarto que encontró seres primigenios sin desarrollar, a los que separó y con su cuchillo les abrió los orificios para los ojos, la nariz, la boca y los oídos y además les dictó el fuego, el cuchillo, el boomerang y el matrimonio.

Waramurungundi es considerada por los gunwinggu como la primera mujer, madre de Australia, que dio a luz a la Tierra, dictó las normas para todas las criaturas vivientes y enseñó a hablar al hombre.

La estructura del Universo

En un sistema de creencias en las que la Tierra y la Naturaleza ocupan un lugar tan sumamente privilegiado, el firmamento era poco atendido, de manera que la mayor parte de su cosmología se basaba en la mitología y en observaciones astronómicas muy poco detalladas.

Por eso, la estructura del Universo varía poco de un pueblo aborigen a otro. En general, para los nativos, el Universo tenía tres planos: la Tierra, el cielo y el subsuelo. La Tierra, cuya forma es circular, está cubierta por el cielo, que se estrecha hacia el horizonte y es el hogar de los héroes ancestrales y demás seres sobrenaturales. Además, curiosamente, el cielo era descrito como el lugar donde iba el alma de una persona cuando ésta moría.

Como Australia es un espacio con grandes superficies desérticas, donde el agua no es muy abundante, el aborigen australiano imaginaba el cielo como un espacio verde, con abundancia de agua, y el brillo de las estrellas se interpretaba como las hogueras de los seres que residían en el cielo.

Algunos mitos añaden que el cielo era sostenido por unos apoyos gigantescos situados en los extremos de la Tierra, que lo mantenían sujeto. Esta idea de grandes pilares que sustentan el cielo es recogida, así mismo, por otras mitologías como la china. El plano subterráneo tenía un mayor parecido con la Tierra que el celeste. Este plano, situado bajo la superficie, estaría ocupado por gente bastante parecida a la que ocupaba la Tierra, aunque otros relatos sostenían que el subsuelo, al ser más oscuro, estaba deshabitado.

Una leyenda aborigen cuenta que el hombre-luna y la mujer-sol, atravesaban cada día este plano subterráneo para volver al horizonte este, desde el oeste. De este modo, explicaban la desaparición tanto del sol como de la luna en el horizonte oeste, y su aparición en el este cada día. Obsérvese la curiosa semejanza con la interpretación mitológica griega del regreso al Levante del carro del sol.

Para los aborígenes australianos, la luna era identificada con la figura masculina, mientras que el sol era considerado femenino, de ahí la importancia que los nativos otorgaban a la figura femenina, sin la cual no era posible la vida, del mismo modo que la vida en la Tierra no es posible sin el sol.

El mito que narra el origen del sol cuenta que éste surgió de la propia Tierra en un lugar concreto, señalado por una gran roca, y que cada día el sol se alza en el cielo y vuelve a la Tierra cada noche, justo al mismo lugar del que surgió por vez primera.

Existe otra narración, completamente distinta, que también explica la aparición del sol, según la cual una mujer dejó a su hijo en el interior de una cueva mientras buscaba comida; cuando anocheció, la mujer se perdió y entró sin darse cuenta en la región celeste, que comenzó a recorrer con una antorcha; la mujer aún sigue perdida y, cada día, cruza el cielo con su antorcha, iluminándolo mientras busca a su hijo perdido.

Un miembro del tótem de la zarigüeya tenía un fabuloso cuchillo con la luna dentro, de modo que podía cazar por la noche con la luz que proyectaba. En cierta ocasión, el miembro de otro tótem se lo arrebató y huyó, por lo que el dueño del cuchillo corrió tras él, sin éxito. Al no poder alcanzarlo, le propuso a gritos que dejase la luna en el cielo para que todos pudiesen aprovechar su luz y pudieran de ese modo cazar de noche.

En la cosmogonía de los aborígenes australianos destaca el mito de las pléyades y de Orión, importantes grupos de estrellas para los nativos.

Las pléyades eran siete hermanas que iban siempre juntas y que un día aterrizaron en su lugar favorito, donde encontraron a un grupo de hombres llamados yayarr. Estos hombres acompañaron y ayudaron a las hermanas, hasta que se cansaron de ellas. Solamente uno se quedó con ellas.

Cuando las estrellas volvieron al cielo, el hombre las siguió y se convirtió en Orión.

Las estrellas de Escorpio también tienen su propio mito, según el cual un recién iniciado fue seducido por una mujer y mantuvo relaciones sexuales con ella antes de haber sido purificado. Los maestros del joven querían castigarle por haber roto las normas, pero la pareja huyó al cielo. Los maestros les persiguieron arrojándoles *boomerangs*, pero fallaron. Entonces todos se transformaron en estrellas para mostrar que el iniciado jamás podría finalizar su formación.

Para los nativos australianos, los eclipses de sol eran debidos a la intromisión de un demonio, Arungquilta, que quería introducirse en el sol para vivir en él. Cada vez que tenía lugar un eclipse, el chamán debía de realizar un ritual para expulsar al demonio lejos del sol.

Los aborígenes australianos sentían un gran respeto por la figura del chamán, de quien se decía era capaz de viajar del plano terrestre al plano celeste, mediante una serie de rituales y utilizando ciertas semillas de árboles que se hallaban entre el cielo y la tierra.

La madre serpiente (Serpiente Arco Iris)

Uno de los mitos de creación más extendidos y conocidos de entre los aborígenes australianos es el de la «Madre Serpiente», también llamada «Serpiente Arco Iris». Se trata de la personificación de la fertilidad, en tanto que la diosa de la lluvia, y dispone de poderes para dar vida.

Según la leyenda, al principio la Tierra era un espacio vacío y llano, en cuyo seno descansaba la gran madre serpiente, que permaneció sumida en un profundo sueño durante mucho tiempo. Repentinamente se despertó y reptó por el interior de la Tierra hasta llegar a la desierta superficie. Comenzó la serpiente a recorrer la Tierra y, a medida que avanzaba, su enorme poder provocó una gran lluvia de la que se formaron lagos, ríos y pozos de agua.

Cada sitio que visitó lo nutrió con la leche de sus pechos rebosantes, haciéndolo fértil, y una frondosa vegetación creció en aquella tierra antes yerma. Grandes árboles con frutos de muchos colores y formas brotaron de la tierra.

La diosa introdujo su nariz en el suelo, levantando cadenas montañosas y abriendo profundos valles, mientras que otras partes las dejó lisas y desiertas.

La Madre Serpiente fue también la que despertó a los animales, a los reptiles y a los pájaros que poblaron por vez primera la Tierra, y finalmente creó a los peces.

Por último, la diosa extrajo de las entrañas de la propia Tierra a la postrera de sus criaturas, el ser humano. De su creadora, los humanos aprendieron a vivir en paz y armonía con todos las criaturas de la creación, que eran sus primos espirituales.

Además, la diosa enseñó al hombre la vida tribal, a compartir y tomar de la Tierra solamente aquellos bienes que necesitasen, respetando y honrando el conjunto de la Naturaleza. También aprendieron los hombres que cada elemento había sido colocado por la diosa en equilibrio, consigo mismo y con los demás elementos. El ser humano entendió que su papel era el de guardián y protector de ese equilibrio, y que debía transmitir este conocimiento imperativo de generación en generación. Antes de desaparecer, la Madre Serpiente advirtió que si el hombre abusaba y mataba por placer o por gula, encontraría al culpable y le castigaría.

En variantes de este mito, la Madre Serpiente, llamada «Madre Eingana» aún vive en el Tiempo del Sueño, de donde regresa en ocasiones para crear más vida. Según esta versión, la serpiente primigenia, que carecía de vagina, se sentía torturada por su embarazo, por lo cual empezó a girar y a revolverse. El dios Barraiya, que la vio, la pinchó cerca del ano para que todas las criaturas que llevaba en su vientre pudiesen nacer.

Del mismo modo, según este mito, la Serpiente Arco Iris tiene un nervio conectado a cada una de sus criaturas y, cuando lo suelta, esa vida se detiene, por lo que es también la «Madre Muerte». Por el mismo planteamiento, si esta diosa muriese, todo dejaría de existir.

Una diosa creadora

En la mitología de la tribu de los karraur, Yhi es una divinidad de primer orden, la diosa creadora. Según su leyenda, la diosa permanecía dormida en el Tiempo del Sueño, antes de la creación de nuestro mundo, en un lugar pacífico y de montañas tranquilas. Un susurro repentino desveló a la diosa, que bostezó y abrió sus ojos, inundando al mundo con una nueva luz.

Yhi descendió a esta nueva Tierra iluminada por su luz, recorriéndola de Este a oeste y de norte a sur y, a medida que la diosa caminaba, las plantas brotaban bajo sus pies, por lo que no descansó hasta que toda la superficie quedó cubierta por un manto verde. Cuando terminó, la diosa, mientras contemplaba su reciente creación, se percató de que las plantas no podían moverse y en aquel momento le apeteció ver algo que pudiese agitarse y desplazarse libremente.

Con la idea de crear estas nuevas criaturas, la diosa descendió a la Tierra y tuvo que enfrentarse a los espíritus malignos que intentaron acabar con su vida. Pero ella, que era más poderosa y fuerte, derrotó a estos espíritus y la calidez de la diosa, al mezclarse con la oscuridad, hizo surgir unas diminutas formas de vida que empezaron a moverse de manera independiente. Esas formas de vida se transformaron en mariposas, abejas y otros insectos que comenzaron a revolotear en torno a la diosa.

Yhi se dio cuenta de que, en aquel mundo luminoso y vivo, había aún cuevas oscuras y heladas sobre las que esparció también su mágica luz y en el interior de las cuevas formó agua.

Pronto aparecieron nuevas criaturas: peces y lagartos que se deslizaban por el agua. La diosa había derrotado definitivamente a la oscuridad y el nuevo mundo se llenó de pájaros y animales que poblaron la Tierra, llenándola de vida.

Cuando el mundo estuvo lleno de luz y de vida, Yhi dijo a las criaturas que ella se marchaba, bendiciéndoles con el cambio de las estaciones, y prometiéndoles que, cuando muriesen, se encontrarían de nuevo con ella. Entonces, la diosa se transformó en una poderosa bola de luz y se alzó en el cielo, para desaparecer en el horizonte. Todas las criaturas se asustaron porque, a medida que Yhi desaparecía, la oscuridad llenaba la Tierra.

Poco a poco, las criaturas fueron quedándose dormidas en la nueva oscuridad de la noche, para ir despertando lentamente ante la luz de un nuevo amanecer. Lo que enseguida entendieron es que Yhi nunca iba a abandonar totalmente su creación y que, tras cada anochecer, volvería a aparecer por el este, día tras día.

Aún tuvo que regresar la diosa una vez más a la Tierra, ya que los animales empezaron a estar descontentos con sus formas, a sentirse infelices exigiendo a la diosa que satisficiese sus deseos. Entonces, Yhi descendió sobre la superficie terrestre y les dijo que cumpliría sus deseos y a cada uno le concedió lo que deseaba.

Así es como, de los seres ancestrales con formas bellas de la anterior creación, surgieron las extrañas criaturas de nuestra Tierra. Los murciélagos recibieron sus alas, las focas pudieron nadar y los canguros se desplazaron a saltos desde entonces. Yhi había creado también al hombre que, rodeado de plantas y animales, vagaba por la Tierra y se sentía sólo, ya que ni bestias ni vegetales se parecían a él.

Una mañana, la diosa se acercó a él, mientras descansaba cerca de un árbol acosado de insólitos sueños.

A medida que se despertaba, el hombre vio la flor del árbol brillando a la luz del sol hasta que, repentinamente, el tallo animado por Yhi empezó a moverse y tomó aliento. La flor mudó de forma y se convirtió en una mujer, que emergió pausadamente desde la luz. Así apareció la primera mujer de la creación.

SP
398. 2 A657

Aquino, Carolina.
El gran libro de la
mitologia
Vinson ADU CIRC
07/07